# A MENTE ORGANIZADA

# DANIEL J. LEVITIN

# A MENTE ORGANIZADA
*Como pensar com clareza na era da sobrecarga de informação*

*Tradução*
Roberto Grey

8ª reimpressão

Copyright © 2014 by Daniel Levitin
Todos os direitos reservados.

*Grafia atualizada segundo o Acordo Ortográfico da Língua Portuguesa*
*de 1990, que entrou em vigor no Brasil em 2009.*

*Título original*
The Organized Mind: Thinking Straight in the Age of Information Overload

*Capa*
Rodrigo Maroja

*Preparação de originais*
Diogo Henriques

*Revisão*
João Sette Camara
Tereza da Rocha
Ana Kronemberger

cip-Brasil. Catalogação na fonte
Sindicato Nacional dos Editores de Livros, rj

L647m
    Levitin, Daniel J.
      A mente organizada: Como pensar com clareza na
  era da sobrecarga de informação/ Daniel J. Levitin;
  tradução Roberto Grey. – 1ª. ed. – Rio de Janeiro:
  Objetiva, 2015.
    560p.

    Tradução de: *The Organized Mind: Thinking*
  *Straight in the Age of Information Overload*
  isbn 978-85-390-0699-1

    1. Organização. 2. Psicologia. 3. Disciplina
  mental. 4. Neurociência. I. Título.

15-24622          CDD: 153.1
                CDU: 159.953

Todos os direitos desta edição reservados à
EDITORA SCHWARCZ S.A.
Praça Floriano, 19 — sala 3001 — Cinelândia
20031-050 — Rio de Janeiro — rj
Telefone: (21) 3993-7510
www.companhiadasletras.com.br
www.blogdacompanhia.com.br
facebook.com/editoraobjetiva
instagram.com/editora_objetiva
twitter.com/edobjetiva

*Para minha mãe e meu pai,*
*por tudo que me ensinaram*

# SUMÁRIO

**INTRODUÇÃO**      9
Informação e organização meticulosa

## PARTE UM

**1. INFORMAÇÃO EM EXCESSO, DECISÕES EM EXCESSO**      27
A história íntima da sobrecarga cognitiva

**2. AS PRIMEIRAS COISAS PARA ENTENDER**      65
Como funcionam a atenção e a memória

## PARTE DOIS

**3. ORGANIZANDO NOSSAS CASAS**      109
Onde podemos começar a melhorar as coisas

**4. ORGANIZANDO NOSSO MUNDO SOCIAL**      150
Como os seres humanos se conectam hoje

**5. ORGANIZANDO NOSSO TEMPO**     203
Qual o mistério?

**6. ORGANIZANDO INFORMAÇÃO PARA AS DECISÕES MAIS DIFÍCEIS**     269
Quando a vida está em jogo

**7. ORGANIZANDO O MUNDO DOS NEGÓCIOS**     323
Como criamos valores

# PARTE TRÊS

**8. O QUE ENSINAR AOS NOSSOS FILHOS**     391
O futuro da mente organizada

**9. TODO O RESTO**     437
O poder da gaveta da bagunça

**APÊNDICE**     453
Construindo suas próprias tabelas quádruplas

**NOTAS**     465
Observação sobre as notas

**AGRADECIMENTOS**     543

**CRÉDITOS DAS ILUSTRAÇÕES**     545

**ÍNDICE REMISSIVO**     547

# INTRODUÇÃO

## Informação e organização meticulosa

Nós, seres humanos, possuímos uma longa história no que diz respeito ao aprimoramento neuronal — maneiras de melhorar o cérebro que nos foram dadas pela evolução. Treinamos esses neurônios para que se tornem aliados mais eficientes e confiáveis, capazes de nos auxiliar na realização de nossas metas. As faculdades de direito, administração e medicina, assim como os conservatórios de música e programas de atletismo, buscam todos aproveitar o poder latente do cérebro humano para chegar a níveis cada vez mais altos de desempenho e dispor de uma vantagem num mundo cada vez mais competitivo. Pela simples força do engenho humano, criamos sistemas para remover a desordem do cérebro e nos ajudar no monitoramento de detalhes cuja recordação não é possível confiar apenas à memória. Todas essas e outras inovações são projetadas para aperfeiçoar nosso cérebro ou descarregar algumas de suas funções em fontes externas.

Um dos maiores progressos em termos de aprimoramento neuronal ocorreu há apenas 5 mil anos, quando os seres humanos descobriram uma maneira revolucionária de aumentar a capacidade da memória e do sistema de indexação do cérebro. Faz muito tempo que a invenção da linguagem escrita é considerada um grande avanço. No entanto, chegou-se a pouca conclusão sobre a natureza exata dos primeiros escritos feitos pelos humanos — simples receitas, recibos de vendas, principalmente inventários de negócios. Foi por volta de 3000 a.C. que nossos antepassados começaram a trocar seus estilos de vida nômades por estilos urbanos, criando centros de comércio e cidades cada vez maiores. O incremento do comércio nessas cidades começou a pesar sobre a memória dos comerciantes individualmente, e por isso essa primeira escrita tornou-se parte importante do registro das transações comerciais. A poesia, as histórias, as táticas militares e as instruções para a construção de projetos complexos de arquitetura vieram depois.

Antes da invenção da escrita, nossos ancestrais dependiam da memória, de esboços ou da música para codificar e preservar as informações importantes. A memória é falível, claro, mas não tanto por causa de limitações de armazenamento, e sim pelas limitações de *recuperação*. Alguns neurocientistas acreditam que quase toda experiência consciente é armazenada em alguma parte do cérebro; o problema é achá-la e trazê-la de volta.[1] Às vezes a informação que chega é incompleta, distorcida ou enganosa. Histórias vívidas que abarcam um conjunto muito limitado e improvável de circunstâncias muitas vezes surgem de repente na nossa mente, atropelando informações estatísticas baseadas em grande quantidade de observações que tornariam muito mais precisas e adequadas nossas decisões sobre tratamentos médicos, investimentos ou sobre a confiabilidade das pessoas do nosso mundo social. O apreço pelas histórias é apenas um dos muitos artefatos, efeitos colaterais da maneira como funciona nosso cérebro.

É bom compreender que os nossos modos de pensar e tomar decisões foram evoluindo durante as dezenas de milhares de anos em que os seres humanos viveram como coletores-caçadores. Nossos genes não se equipararam completamente às exigências da civilização moderna, mas felizmente o conhecimento humano, sim — hoje compreendemos melhor como superar as limitações da evolução. Esta é a história de como os seres humanos lidaram com a informação e a organização desde os primórdios da civilização. É também a história de como os membros mais bem-sucedidos da sociedade — de artistas a atletas, militares, homens de negócio e profissionais altamente credenciados — aprenderam a maximizar sua criatividade e eficiência organizando suas vidas de modo a gastar menos tempo com o mundano e mais tempo com coisas inspiradoras, agradáveis e gratificantes da vida.

Durante os últimos vinte anos, os psicólogos cognitivos forneceram muitas provas de que a memória não é confiável. E, para piorar as coisas, depositamos demasiada confiança em muitas recordações falsas. Não se trata apenas de nos lembrarmos das coisas erroneamente (o que já seria bastante ruim), e sim de nem sequer *sabermos* que estamos nos recordando de modo errado e insistirmos obstinadamente em que determinadas imprecisões são de fato verdadeiras.

Os primeiros seres humanos a descobrir a escrita, por volta de 5 mil anos atrás, estavam, no fundo, tentando aumentar a capacidade de seu hipocampo, uma parte do sistema de memória do cérebro. Eles conseguiram estender os limites da memória humana conservando algumas de suas recordações em tabletes de barro e nas paredes das cavernas, e, mais tarde, em papiros e pergaminhos. Em seguida, desenvolvemos outros mecanismos — como calendários, arquivos, computadores e smartphones — para nos ajudar a organizar e armazenar a informação que registramos. Quando nosso computador ou smartphone lentamente começa a não funcionar, podemos comprar mais memória. Memória que constitui tanto uma metáfora quanto uma realidade concreta. Estamos descarregando grande parte do processamento que em geral nossos neurônios fariam em um dispositivo externo que se torna, então, uma extensão de nosso próprio cérebro, um aperfeiçoador neuronal.

Esses mecanismos externos da memória geralmente são de dois tipos: seguem o sistema organizacional do próprio cérebro ou o reinventam, às vezes superando suas limitações. Saber qual é qual pode incrementar a maneira como os utilizamos, melhorando assim nossa capacidade de lidar com a sobrecarga de informação.

Depois que as memórias puderam ser exteriorizadas através da linguagem escrita, o cérebro e o sistema de atenção daquele que escrevia ficaram livres para focar outra coisa. Mas junto com essas primeiras palavras escritas surgiram imediatamente os problemas de *armazenamento*, *indexação* e *acesso*: onde armazenar a escrita de modo que ela (e a informação nela contida) não se perdesse? Se a mensagem escrita é ela mesma um lembrete, uma espécie de lista "do que fazer" da Idade da Pedra, quem escreveu precisa se lembrar de consultá-la e de onde a guardou.

Imagine que o escrito contenha informação sobre plantas comestíveis. Talvez tenha sido escrito diante da cena mórbida da morte de um tio querido que comeu uma frutinha venenosa — no desejo de conservar informação sobre a aparência dessa planta e como distingui-la de uma planta comestível de aspecto semelhante. O problema da indexação é que há várias possibilidades de armazenar esse registro, com base nas necessidades da pessoa: ele pode ser armazenado com outros casos sobre plantas, ou com escritos sobre a história da família, ou com escritos sobre culinária, ou com escritos sobre como envenenar um inimigo.

Aqui topamos com duas das propriedades mais atraentes do cérebro humano e do modo como é projetado: *riqueza* e *acesso associativo*. *Riqueza* tem a ver com a teoria segundo a qual grande parte das coisas que um dia você pensou ou experimentou ainda estão presentes, em algum lugar. *Acesso associativo* significa que seus pensamentos podem ser acessados de uma série de maneiras diferentes, através de associações semânticas ou perceptivas — as memórias podem ser deflagradas por palavras afins, por categorias de nomes, por um cheiro, uma velha canção ou fotografia, ou até por disparos neuronais aleatórios que as trazem à consciência.

Ser capaz de acessar qualquer memória, a despeito de onde esteja armazenada, é o que os cientistas de computação chamam de *acesso aleatório*. Os DVDs e HDs funcionam assim; os videoteipes, não. Você pode pular para qualquer ponto num filme em DVD ou HD "apontando" para ele. Mas para chegar a determinado ponto num videoteipe, você precisa passar primeiro por todos os pontos anteriores (*acesso sequencial*). Nossa capacidade de acessar nossa memória a partir de múltiplos estímulos é especialmente forte. Os cientistas da computação chamam isso de *memória relacional*. Você já deve ter ouvido falar de banco de dados relacional — é isso que constitui, de fato, a memória humana. (Voltaremos a isso no Capítulo 3.)

Ter memória relacional significa que se eu quero fazer você pensar num carro de bombeiros, posso induzir a memória de várias maneiras diferentes. Posso imitar o som da sirene ou lhe dar uma descrição verbal ("um grande caminhão com escadas laterais que reage caracteristicamente a determinado tipo de emergência"). Posso tentar deflagrar o conceito por um jogo de associação, pedindo que você nomeie o máximo de coisas *vermelhas* no decorrer de um minuto (a maioria das pessoas chega a "carro de bombeiros"), ou que nomeie o máximo de veículos de emergência de que é capaz. Todas essas e outras coisas são *atributos* do carro de bombeiros: sua cor vermelha, o fato de ser um veículo de emergência, sua sirene, seu tamanho e seu formato, o fato de homens e mulheres uniformizados geralmente andarem neles, e de ser apenas um de um pequeno subconjunto de veículos motorizados que carregam escadas.

Se você acabou de pensar, ao ler o final da última frase, que há *outros* veículos que levam escadas (por exemplo, veículos de reparos das companhias telefônicas ou vans de instaladores de janelas, construtores de telhados e limpadores de chaminés), então chegou a uma importante questão: podemos categorizar os objetos de várias maneiras, aparentemente infinitas. E qualquer um desses estímulos possui seu próprio caminho até o nodo neuronal que representa *carro de bombeiros* no seu cérebro.

O conceito de *carro de bombeiros* é representado na imagem a seguir por um círculo no centro — um nodo que corresponde a um aglomerado de neurônios no cérebro. O aglomerado de neurônios está conectado a outros aglomerados de neurônios que representam os diferentes aspectos ou propriedades de um *carro de bombeiros*. No desenho, outros conceitos mais intimamente associados a um carro de bombeiros, recuperados mais depressa da memória, são mostrados mais próximos do nodo do carro de bombeiros. (No cérebro, eles talvez não estejam de fato fisicamente próximos, mas as conexões neurais são mais fortes, o que permite a recuperação mais fácil.) Assim, o nodo que contém o fato de o carro de bombeiros ser da cor vermelha está mais próximo daquele que diz que ele às vezes tem um volante separado na parte traseira.

Além de redes neurais no cérebro, que representam atributos de coisas, esses atributos estão também conectados associativamente a outras coisas. Um carro de bombeiros é vermelho, mas podemos pensar em muitas outras coisas que também são: cerejas, tomates, maçãs e partes da bandeira americana, por exemplo. Você já pensou por que motivo, se alguém lhe pedir que nomeie uma porção de coisas vermelhas, é capaz de responder tão depressa? Ao se concentrar no pensamento *vermelho*, representado aqui por um nodo neuronal, você está enviando uma ativação eletroquímica através da rede e dos ramos a tudo no seu cérebro também conectado a ele. A seguir, acrescentei informação adicional contida numa típica rede neural que começa com *carro de bombeiros* — nodos para outras coisas vermelhas, para outras coisas com sirene e assim por diante.

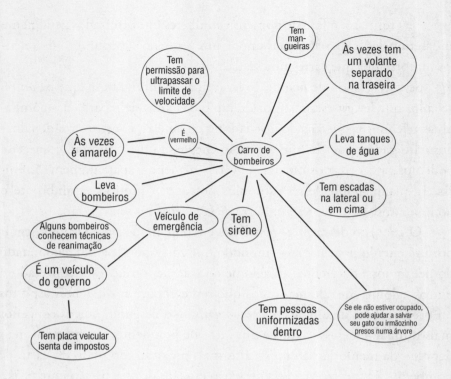

Pensar sobre uma memória tende a ativar outras memórias. Isso tanto pode ser uma vantagem quanto uma desvantagem. Se você está tentando recuperar uma determinada memória, o dilúvio de ativações pode causar competição entre diferentes nodos, deixando-o com um engarrafamento de nodos neuronais que tentam chegar à consciência; no final, você acaba sem nada.

Os gregos antigos buscavam aperfeiçoar a memória através de métodos de treinamento cerebral, como o palácio da memória ou método de loci. Ao mesmo tempo, eles e os egípcios tornaram-se peritos em exteriorizar informação, inventando a biblioteca moderna, um grande repositório de conhecimento exteriorizado. Não sabemos por que essas explosões simultâneas de atividade intelectual ocorreram nesse momento (talvez a experiência humana cotidiana tenha atingido certo grau de complexidade). Mas a necessidade humana de organizar nossas vidas, nosso ambiente e até mesmo nossos pensamentos continua forte. Essa necessidade não é simplesmente aprendida, ela é um imperativo biológico — os animais organi-

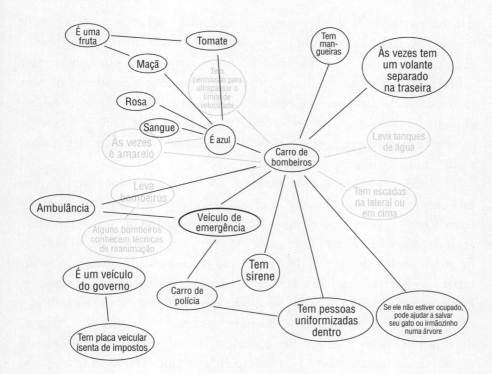

zam seus ambientes por instinto. A maioria dos mamíferos é biologicamente programada para deixar seus dejetos afastados do lugar onde comem e dormem. Sabe-se que os cachorros muitas vezes juntam seus brinquedos e os guardam em cestas; as formigas carregam os integrantes da colônia mortos até seus cemitérios; certos pássaros e roedores constroem barreiras simetricamente organizadas em volta de seus ninhos para detectar intrusos com mais facilidade.

Uma chave para entender a mente organizada é reconhecer que sozinha ela não organiza as coisas da maneira que você gostaria que fizesse. Ela é pré-configurada, e, apesar de ter enorme flexibilidade, foi construída sobre um sistema que evoluiu durante centenas de milhares de anos para lidar com tipos e volumes diferentes de informação de que hoje dispomos. Para ser mais específico: o cérebro não é organizado da maneira que você talvez arrumaria seu escritório em casa ou o armário de remédios do banheiro. Você não pode simplesmente botar as coisas onde quer. A maneira como a arquitetura do cérebro acabou evoluindo é aleatória e desconjuntada, incorporando múltiplos sistemas, cada qual tendo sua própria mente (por assim dizer). A evolução não *projeta* coisas e não constrói sistemas — ela *se assenta* em sistemas que historicamente forneceram vantagens para a sobrevivência (e se aparecer um jeito melhor, ela haverá de adotá-lo). Não existe nenhum superplanejador que construa sistemas de modo que funcionem harmoniosamente em conjunto. O cérebro é mais como uma grande casa antiga, com renovações improvisadas em cada andar, e menos como uma construção recente.

Pensem nisto como uma analogia: você tem uma casa antiga e tudo está um pouco antiquado, mas você está satisfeito. Você acrescenta um ar--condicionado no quarto durante um verão especialmente quente. Alguns anos depois, quando está com mais dinheiro, resolve instalar um sistema de ar-condicionado central. Mas você não tira aquele ar-condicionado do quarto — por que tiraria? Pode vir a servir, e já está ali, instalado na parede. Então, alguns anos mais tarde, você tem um problema catastrófico de encanamento — os canos dentro das paredes começam a vazar. Os encanadores precisam abrir as paredes e colocar canos novos, mas seu sistema central de ar-condicionado agora atrapalha, porque seria ideal que os novos canos passassem por onde ele está. Assim, os operários passam com os canos pelo sótão, pelo caminho mais longo. Isso funciona bem até um inverno especialmente frio, em que o seu sótão sem isolamento térmico faz os canos congelarem. Esses canos não teriam congelado se você os tivesse instalado dentro das paredes, o que não pôde fazer em razão do ar-condicionado central. Se você tivesse planejado tudo isso desde o início, teria feito tudo de modo diferente, mas não planejou — foi acrescentando coisas, uma de cada vez, à medida que precisou.

A evolução construiu nosso cérebro praticamente do mesmo modo. É claro que a evolução não tem desejo, nenhum plano. A evolução não *decidiu* contemplá-lo com uma memória para você guardar as coisas. O seu sistema de *memória de locais* [place memory] foi surgindo gradativamente, através dos processos de descendência modificada e seleção natural, evoluindo separadamente de sua memória de fatos e figuras. Os dois sistemas talvez venham a trabalhar juntos por meio de processos evolucionários por vir, mas não necessariamente farão isso, e, em alguns casos, podem entrar em conflito.

Talvez valha a pena aprender *como* o cérebro organiza a informação de modo que possamos usar o que temos, em vez de lutar contra isso. Ele foi feito como uma miscelânea de sistemas diferentes, cada um para resolver algum problema adaptativo especial. Às vezes eles trabalham em conjunto, às vezes entram em conflito, e às vezes nem sequer se falam. Duas das principais maneiras como podemos controlar e melhorar esses processos é prestar especial atenção aos modos como introduzimos informação na nossa memória — *codificação* — e como a extraímos — *recuperação*. Isso será explicado nos Capítulos 2 e 3.

A necessidade de assumir o controle de nossos sistemas de atenção e memória nunca foi tão imperativa. Nossos cérebros estão mais ocupados que nunca. Somos bombardeados por fatos, factoides, besteiras e boatos, tudo se apresentando como informação. Tentar descobrir o que você precisa saber e o que pode ignorar é exaustivo, e ao mesmo tempo é o que mais fazemos. Assim, encontrar tempo para agendar nossas diversas atividades tornou-se um tremendo desafio. Há trinta anos, os agentes de viagens faziam nossas reservas de avião e de trem, os vendedores nos ajudavam a encontrar o que precisávamos nas lojas e datilógrafas ou secretárias profissionais ajudavam as pessoas ocupadas com a correspondência. Hoje nós mesmos fazemos a maior parte dessas coisas. A era da informação colocou grande parte do trabalho, que antes teria sido feito pelos chamados especialistas em informação, sobre nós. Estamos fazendo o trabalho de dez pessoas diferentes e ao mesmo tempo lidando com nossas vidas, nossos filhos, pais, amigos, carreiras, hobbies e programas favoritos de tv. Não é de espantar que às vezes uma recordação se confunda com outra, levando-nos a aparecer no lugar certo, mas no dia errado, ou a esquecer algo simples como onde deixamos os óculos ou o controle remoto.

Todo dia milhões de pessoas perdem chaves, carteiras de motorista, carteiras ou pedaços de papel com telefones importantes. E não perdemos apenas objetos físicos, mas também esquecemos coisas de que devíamos nos lembrar, coisas importantes como a senha do e-mail ou o login de algum site, ou a senha dos cartões de crédito — o equivalente cognitivo de perder as chaves. Não são coisas triviais; não é como se as pessoas estivessem perdendo coisas relativamente fáceis de serem substituídas, como barras de sabão ou frutas da fruteira. Não tendemos a ter falhas de memória generalizadas; temos falhas de memória temporárias, específicas quanto a uma ou duas coisas. Durante aqueles minutos frenéticos em que procura as chaves que perdeu, você (provavelmente) ainda se lembra de seu nome e endereço, onde fica o aparelho de televisão e o que comeu no café da manhã — apenas uma única memória foi irritantemente perdida. Há provas de que costumamos perder mais certas coisas do que outras: tendemos a perder as chaves do carro, mas não o carro; perdemos a carteira ou o celular com mais frequência que o grampeador na nossa mesa, ou as colheres de sopa na cozinha; não conseguimos lembrar onde deixamos os casacos e suéteres com mais frequência do que as calças. Compreender como os sistemas de atenção e de memória do cérebro interagem pode nos levar a um bom pedaço do caminho para minimizar os lapsos de memória.

Esses simples fatos sobre o tipo de coisas que tendemos ou não a perder são capazes de nos dar bastante informação sobre como o cérebro funciona, bem como sobre a ocorrência de falhas. Este livro é sobre essas duas ideias, e espero que seja um guia útil para prevenir essas perdas. Há algo que todos podem fazer para minimizar as chances de perder as coisas, e recuperá-las depressa quando foram perdidas. Podemos seguir melhor as instruções e os planos quanto mais os compreendemos (como diria qualquer psicólogo cognitivo); assim, este livro debate vários aspectos diferentes da mente organizada. Analisaremos com atenção a história dos sistemas organizativos que os seres humanos experimentaram no decorrer dos séculos de modo a ver quais deram certo e quais fracassaram, e por quê. Explicarei primeiro por que perdemos as coisas e o que fazem as pessoas inteligentes e organizadas para não perdê-las. Parte da questão diz respeito ao nosso aprendizado quando crianças, e a boa notícia é que certos aspectos do pensamento infantil podem ser revisitados para nos ajudar quando adultos. Talvez o cerne dessa história seja a melhor organização de nosso tempo, não só para podermos ser mais eficientes, mas para termos mais tempo para a diversão, para o lúdico, para as relações significativas e para a criatividade.

Falarei também sobre as organizações empresariais, que não são chamadas de organizações à toa. As empresas são como cérebros expandidos, com os trabalhadores individuais funcionando um pouco como neurônios. Elas tendem a ser um coletivo de indivíduos unidos em torno de um conjunto de objetivos, em que cada trabalhador desempenha uma função especializada. As empresas geralmente se saem melhor que os indivíduos nas tarefas cotidianas em razão do processo de distribuição. Numa grande empresa, existe um departamento para pagar contas em dia (contas a pagar) e outro para monitorar as chaves (planta física ou segurança). Embora os trabalhadores individuais sejam falíveis, os sistemas e as redundâncias geralmente estão ali, ou deveriam estar, para assegurar que a distração momentânea de alguém, ou a falta de organização, não faça tudo parar de repente. É claro que as empresas nem sempre são perfeitamente organizadas e, de vez em quando, por meio dos mesmos bloqueios cognitivos que nos fazem perder as chaves do carro, também perdem algo — lucros, clientes, posições competitivas no mercado. No meu trabalho paralelo de consultor administrativo, já testemunhei como enormes ineficiência e falta de supervisão geral causam vários tipos de problemas. Aprendi muito com a oportunidade de ver por dentro tanto empresas prósperas quanto empresas em crise.

Uma mente organizada nos leva sem esforço à boa tomada de decisão. Quando estudante universitário, tive dois professores brilhantes, Amos Tversky e Lee Ross, ambos pioneiros na ciência de juízos sociais e processos decisórios. Eles despertaram em mim um fascínio pela maneira como avaliamos e interagimos com os outros no mundo social, os vários preconceitos e informações distorcidas que trazemos para essas relações, e como superá-los. Amos, com seu colega Daniel Kahneman (que ganhou o prêmio Nobel alguns anos após a morte de Amos), descobriu vários erros sistemáticos no modo como o cérebro humano avalia a evidência e processa a informação. Ensino isso aos estudantes universitários há vinte anos, e meus alunos me ajudaram a descobrir maneiras de explicar esses erros de modo que todos possamos melhorar facilmente nossas tomadas de decisão. Os riscos são altíssimos, sobretudo na tomada de decisão médica, em que a decisão errada tem consequências imediatas muito sérias. É bem sabido agora que a maioria dos médicos não aprende essas regras simples como parte de sua instrução, e não compreende o raciocínio estatístico. O resultado pode ser um aconselhamento confuso, que talvez leve você a tomar remédios e a se submeter a cirurgias com muito poucas chances estatísticas de lhe trazer uma melhora, e uma chance estatística relativamente alta de fazê-lo piorar. (O Capítulo 6 é dedicado a este assunto.)

Todos nos defrontamos com uma quantidade inédita de informação que precisamos lembrar, e pequenos objetos que precisamos monitorar. Nesta época de iPods e pen drives, em que seu smartphone pode gravar vídeos, navegar por 200 milhões de sites e lhe dizer quantas calorias tem um biscoito, a maioria de nós ainda tenta monitorar as coisas usando sistemas criados numa época pré-computadorizada. Há definitivamente lugar para aperfeiçoamento. A metáfora dominante para o computador se baseia numa estratégia de organização típica dos anos 1950: uma mesa com pastas em cima, e arquivos dentro delas. Mesmo a palavra *computador* está hoje obsoleta, já que a maioria das pessoas não usa seus computadores para computar nada — melhor, ela se tornou como aquela grande gaveta desorganizada na cozinha, que na minha família chamamos gaveta da bagunça. Estive na casa de um amigo outro dia, e vejam só o que encontrei na gaveta da bagunça *dele* (bastou perguntar: "Você tem uma gaveta onde joga tudo que não sabe onde guardar?"):

pilhas

elásticos

espetos para kebab

barbante

araminhos de fechar embalagens

fotos

37 centavos em moedas

um estojo vazio de DVD

um DVD sem estojo (infelizmente não era o do estojo vazio)

coberturas plásticas na cor laranja para cobrir o detector de fumaça caso ele algum dia resolva pintar a cozinha, porque os vapores da tinta acionam o detector

fósforos

três parafusos para madeira de vários tamanhos, um com filetes listrados um garfo plástico

uma chave inglesa especial que veio junto com o triturador de lixo; ele não sabe direito para que serve

dois canhotos de ingresso para um show da Dave Matthews Band no verão passado

duas chaves que estão por ali pelo menos há dez anos, e ninguém em casa sabe de onde são (mas têm medo de jogar fora)

duas canetas, nenhuma das quais escreve

meia dúzia de outras coisas que ele não faz ideia de para que servem, mas tem medo de jogar fora

Nossos computadores são *exatamente assim*, só que mil vezes mais desorganizados. Temos arquivos que não sabemos o que contêm, outros que surgiram misteriosamente por acidente quando lemos um e-mail e várias versões de um mesmo documento; muitas vezes é difícil dizer qual é a mais atual. Nossa "máquina de computação" se tornou uma enorme, vergonhosa gaveta de cozinha desorganizada, cheia de arquivos eletrônicos, alguns de origem ou função indeterminados. Minha assistente me deixou olhar seu computador, e um inventário parcial revelou os seguintes conteúdos típicos — assim descobri — do que muitas pessoas têm nos seus computadores:

fotos

vídeos

música

fundos de tela de gatos usando chapéus de festa, ou porcos sorridentes com bocas humanas feitas no Photoshop

documentos de impostos

documentos de viagens

correspondência

registros de contas

jogos

agendas

artigos a ler

vários formulários relativos ao trabalho: pedido de folga, relatório trimestral, atestado de falta por doença, pedido de dedução na folha de pagamento do fundo de aposentadoria

uma cópia arquivada deste livro (caso eu perdesse a minha)

dezenas de listas — de restaurantes da vizinhança, hotéis aprovados pela universidade, endereços de escritórios e números de telefone de membros do departamento, telefones de emergência, procedimentos de segurança no caso de várias calamidades, protocolo para o descarte de equipamento obsoleto e assim por diante

atualizações de software

versões antigas de softwares que não funcionam mais

dezenas de arquivos de fontes de línguas estrangeiras e de sua disposição no teclado, caso ela algum dia precise digitar em romeno, tcheco, japonês ou hebraico antigo ou moderno

pequenos lembretes eletrônicos de onde estão arquivos importantes, ou de como fazer determinadas coisas (como criar um novo lembrete, deletar um lembrete ou mudar a cor de um lembrete)

É de espantar que não percamos mais coisas.

Naturalmente, alguns de nós são mais organizados que outros. Das milhares de maneiras como os indivíduos podem diferir entre si, podemos estabelecer um modelo matemático que explica grande parte de variação, organizando as diferenças humanas em cinco categorias:

extroversão

amabilidade

neuroticismo

abertura a novas experiências

conscienciosidade

Dos cinco, o traço da conscienciosidade em ser organizado é o mais altamente associado com a conscienciosidade propriamente dita.[2] A conscienciosidade abarca diligência, autocontrole, aderência à realidade e desejo de ordem. E é o melhor arauto de muitos resultados humanos importantes,[3] entre os quais mortalidade, longevidade,[4] sucesso educacional e vários outros critérios relativos ao sucesso profissional.[5,6] A conscienciosidade é associada a uma melhor recuperação de cirurgias e transplantes.[7] Na infância, é associada a desfechos positivos décadas mais tarde.[8] Em conjunto, as evidências sugerem que à medida que as sociedades se tornam mais ocidentalizadas e complexas, a conscienciosidade torna-se cada vez mais importante.[9]

A neurociência cognitiva da memória e da atenção — nossa melhor compreensão do cérebro, sua evolução e suas limitações — é capaz de nos ajudar a lidar com um mundo em que cada vez mais pessoas sentem que estão correndo depressa só para permanecer no mesmo lugar. O americano médio sofre de privação de sono, é estressado demais e não tem tempo para fazer o que quer. Acho que podemos fazer melhor do que isso. Alguns estão conseguindo, e tive a oportunidade de conversar com eles. Assistentes pessoais dos quinhentos maiores CEOs americanos, bem como de outras pessoas altamente bem-sucedidas, mantêm seus patrões trabalhando em capacidade máxima enquanto ainda arranjam tempo para que possam se divertir e relaxar. Nem eles nem seus patrões ficam atolados pela sobrecarga de informação, porque se beneficiam da tecnologia da organização, que contam com algumas coisas novas e outras bem antigas. Alguns de seus sistemas parecerão familiares; alguns, não; e outros são ainda incrivelmente sutis e cheios de nuances; contudo, todos eles podem fazer uma profunda diferença.

Não existe um sistema único que funcione para todo mundo — somos todos singulares. Mas, nos capítulos seguintes, serão apresentados princípios gerais que qualquer um pode aplicar *a seu modo* para recuperar a sensação de ordem e as horas perdidas tentando vencer a mente desorganizada.

# PARTE UM

# 1

# INFORMAÇÃO EM EXCESSO, DECISÕES EM EXCESSO

## A história íntima da sobrecarga cognitiva

Uma das melhores alunas que tive a sorte de conhecer nasceu na Romênia comunista, sob o regime brutal e repressor de Nicolae Ceaușescu. Embora o regime tivesse caído quando estava com onze anos, ela ainda lembrava as longas filas para comprar comida, a escassez e a miséria da economia, que persistiram por bastante tempo após a derrocada do regime. Ioana era curiosa e inteligente e, apesar de ainda jovem, tinha todo o ar da verdadeira estudiosa: quando topava com uma nova ideia ou um problema científico, estudava-os sob todos os ângulos e consultava toda a literatura a que podia ter acesso. Conheci-a durante seu primeiro semestre na universidade, recém-chegada à América do Norte, quando frequentava meu curso introdutório sobre a psicologia do pensamento e da argumentação. Embora a turma tivesse setecentos alunos, ela logo se destacou pelas respostas criteriosas às perguntas levantadas em aula, por me crivar de questionamentos durante o expediente na minha sala e por viver propondo novos experimentos.

Encontrei com ela um dia na livraria da faculdade, parada no corredor, com as mãos cheias de lápis e canetas. Apoiava-se de maneira hesitante numa prateleira, obviamente perturbada.

"Tudo bem?" perguntei.

"Viver nos Estados Unidos pode ser realmente terrível" disse Ioana.

"Comparado à Romênia soviética?!"

"Tudo é tão complicado. Fui procurar um apartamento de estudante. Para aluguel ou concessão? Mobiliado ou não mobiliado? Último andar ou térreo? Acarpetado ou com piso de madeira..."

"Conseguiu decidir?"

"Sim. Acabei decidindo. Mas é impossível saber qual a melhor opção. Agora... — sua voz foi morrendo."

"Há algum problema com o apartamento?"

"Não. O apartamento é ótimo. Mas hoje é o quarto dia que venho à livraria. Olha só! Toda uma *fileira* de canetas. Na Romênia tínhamos três tipos. E muitas vezes havia escassez: nenhuma caneta. Nos Estados Unidos existem mais de cinquenta tipos diferentes. De qual delas eu preciso para a aula de biologia? E para a de poesia? Será que quero uma de ponta de feltro, de tinta, gel, cartucho, apagável? Esferográfica, ponta fina, rollerball? Estou há uma hora aqui lendo etiquetas."

Todo dia enfrentamos dezenas de decisões, a maioria das quais julgaríamos banais ou insignificantes — calçar o pé esquerdo ou o pé direito da meia primeiro, ir de ônibus ou de metrô para o trabalho, comer o quê, onde fazer compras. Temos um gostinho dessa desorientação de Ioana quando viajamos, não só para outros países, mas até mesmo para outros estados. As lojas são diferentes, os artigos também. A maioria de nós adota a estratégia de vida *satisficing* [ou seja, aceita aquilo que está disponível como uma opção satisfatória], termo cunhado por Herbert Simon, vencedor do Nobel e um dos fundadores do campo da teoria organizacional e de processamento de informação.[1] Simon queria uma palavra que descrevesse não a melhor opção possível, e sim uma que chegasse a ser satisfatória. Quando se trata de coisas que não são de importância crucial, optamos por algo que dê para o gasto. Não sabemos se nossa tinturaria é de fato *a melhor* — apenas que ela dá para o gasto. E é isso que nos ajuda a ir vivendo. Não temos tempo de experimentar todas as tinturarias num raio de 24 quarteirões de nossa casa. Será que o Dean & DeLuca tem mesmo os melhores pratos gourmet para viagem? Não importa — é bom o bastante. *Satisficing* é uma das bases do comportamento produtivo do homem; é o que prevalece quando não perdemos tempo com decisões pouco importantes, ou, para ser mais exato, quando não perdemos tempo tentando obter um máximo que não irá fazer grande diferença quanto ao nosso bem-estar ou à nossa satisfação.

INFORMAÇÃO EM EXCESSO, DECISÕES EM EXCESSO 29

Todos nós adotamos o *satisficing* ao limparmos a casa. Se nos ajoelhássemos no chão todo dia com uma escova de dentes para limpar a sujeira, se limpássemos as janelas e paredes diariamente, a casa ficaria impecável. Mas são poucos os que se dariam a tanto trabalho, até mesmo numa base semanal (e, nesse caso, é provável que os rotulassem de obsessivos-compulsivos). A maioria de nós limpa a casa até que ela fique suficientemente limpa, até atingir uma espécie de equilíbrio entre o trabalho e o benefício. É este custo-benefício que está no âmago da noção de *satisficing* (Simon era também um respeitado economista).

Recentes pesquisas de psicologia social demonstram que pessoas felizes não são as que possuem mais coisas; antes, são pessoas satisfeitas com o que já possuem. Pessoas felizes adotam o *satisficing o tempo todo*, ainda que sem saber. Warren Buffett é uma dessas pessoas que levam ao extremo o *satisficing* — um dos homens mais ricos do mundo, ele mora em Omaha, a um quarteirão da rodovia, na mesma casa modesta que comprou há cinquenta anos.[2] Certa vez, numa entrevista no rádio, ele declarou ter comprado alguns litros de leite e um pacote de biscoitos Oreo para o café da manhã durante a semana que passou em Nova York. Mas Buffett não adota o critério da satisfação relativa, em suas estratégias de investimento; a satisfação relativa é uma boa ferramenta para não se perder tempo com coisas que não têm prioridade máxima. Para os empreendimentos de alta prioridade, a velha busca por excelência ainda é a estratégia certa. Você quer que seu cirurgião, o mecânico do avião ou o diretor de um filme de orçamento de 100 milhões de dólares façam *um serviço bom o suficiente* ou o melhor de que são capazes? Às vezes queremos algo mais do que Oreo e um copo de leite.

Parte do desânimo de minha aluna romena poderia ser atribuída ao choque cultural — à perda do que lhe é familiar e à imersão num ambiente estranho. Mas ela não é um caso único. A geração passada testemunhou uma explosão de opções apresentadas aos consumidores. Em 1976, um supermercado médio tinha 9 mil produtos distintos; hoje esse número inflou para 40 mil, embora uma pessoa comum satisfaça de 80% a 85% de suas necessidades num universo de apenas 150 artigos.[3] Isso significa que precisamos ignorar 39 850 artigos em estoque.[4] E estamos falando apenas de supermercados — estima-se que exista hoje mais de 1 milhão de produtos nos Estados Unidos (cálculo baseado nas *unidades de manutenção de estoque*, aqueles pequenos códigos de barras nos produtos que compramos).[5]

Todo esse processo de ignorar e optar tem um custo. Os neurocientistas descobriram que a falta de produtividade e de motivação pode ser resultado da *sobrecarga de decisões*. Embora a maioria de nós não tenha dificuldade em relativizar a importância das decisões, o cérebro não faz isso automaticamente. Ioana sabia que era mais importante acompanhar os estudos do que escolher a caneta que compraria, mas a simples situação de lidar com tantas decisões triviais na vida cotidiana criou uma fadiga neuronal que não deixou nenhuma energia de sobra para as decisões importantes. Pesquisas recentes mostraram que pessoas obrigadas a tomar uma série de decisões exatamente deste tipo — por exemplo, escrever com uma caneta de ponta de feltro ou esferográfica — demonstram uma piora no controle dos impulsos e um decréscimo do bom senso em relação a decisões subsequentes.[6] É como se nosso cérebro fosse configurado para tomar um determinado número de decisões por dia, e, chegando a este limite, não pudéssemos decidir qualquer outra coisa, a despeito da sua importância. Uma das mais úteis e recentes descobertas da neurociência pode ser assim resumida: no nosso cérebro, *a rede de tomada de decisões não determina prioridades*.

Hoje nos defrontamos com uma quantidade inacreditável de informações, e cada um de nós gera mais informação do que nunca na história da humanidade. O ex-cientista da Boeing e articulista do *New York Times* Dennis Overbye comenta que esse fluxo de informação contém "cada vez mais informações sobre nossas vidas — onde fazemos compras e o que compramos, e, na verdade, onde nos encontramos neste exato instante —, a economia, os genomas de incontáveis organismos que nem sequer conseguimos nomear, galáxias cheias de incontáveis estrelas, engarrafamentos em Cingapura e o tempo em Marte". E essas informações "jorram cada vez mais depressa em computadores cada vez mais potentes, chegando até as pontas dos dedos de todas as pessoas, que hoje dispõem de máquinas com poder de processamento maior do que o controle da Missão Apolo".[7] Os cientistas da informação quantificaram tudo isso: em 2011, os americanos receberam cotidianamente cinco vezes mais informação do que em 1986

— o equivalente a 175 jornais.[8] Durante nosso tempo ocioso, excluindo o trabalho, cada um de nós processa 34 gigabytes ou 100 mil palavras por dia.[9] As 21.274 estações de TV do mundo produzem 85 mil horas de programação original diariamente, enquanto assistimos a uma média de cinco horas de televisão por dia, o equivalente a 20 gigabytes de imagens de áudio-vídeo.[10] Isso sem contar o YouTube, que faz um upload de 6 mil horas de vídeo a cada hora.[11] E os jogos no computador? Eles consomem mais bytes do que todo o resto da mídia junto, inclusive DVDs, TV, livros, revistas e a internet.[12]

Só a tentativa de manter organizados os nossos arquivos eletrônicos e de mídia pode ser agoniante. Cada um de nós possui o equivalente a mais de meio milhão de livros armazenado em nossos computadores, sem falar em toda a informação guardada em nossos celulares ou na fita magnética no verso de nossos cartões de crédito. Criamos um mundo que possui 300 exabytes (300 000 000 000 000 000 000 itens) de informação produzida pelo homem. Se cada um desses itens de informação fosse escrito em fichas 3 × 5, postas lado a lado, apenas a parte que cabe a uma pessoa — a *sua* parte dessa informação — cobriria cada centímetro quadrado de um país como a Suíça.

Nossos cérebros possuem, sim, a capacidade de processar a informação que recebemos, mas a um custo: podemos ter dificuldade em separar o trivial do importante, e processar toda essa informação cansa. Os neurônios são células vivas que possuem um metabolismo; precisam de oxigênio e glicose para sobreviver, e, quando muito exigidos, o resultado é que sentimos cansaço. Cada atualização de status que você lê no Facebook, cada tuíte ou mensagem de texto que recebe de um amigo compete no seu cérebro por recursos para lidar com coisas importantes, como resolver se vai investir sua poupança em ações ou títulos, descobrir onde deixou o passaporte ou qual a melhor maneira de se reconciliar com um grande amigo com o qual você acabou de ter um desentendimento.

A capacidade de processamento da mente consciente foi calculada em 120 bits por segundo.[13] Essa largura de banda, ou janela, é o limite de velocidade para o tráfego de informação ao qual conseguimos prestar atenção conscientemente em um determinado momento. Embora muita coisa se passe sob o limiar da consciência e possua um impacto na maneira como nos sentimos e no desenrolar de nossas vidas, para que algo seja codificado como parte da sua experiência é preciso que você tenha prestado atenção consciente nele.

O que significa essa restrição na largura de banda — esse limite de velocidade da informação — em termos de nossa interação com os outros? Para compreendermos alguém que esteja falando conosco, precisamos processar 60 bits de informação por segundo. Sendo o limite de processamento 120 bits por segundo, isso significa que não dá para compreender direito duas pessoas falando conosco ao mesmo tempo. Estamos cercados neste planeta por bilhões de outros seres humanos, mas só podemos, no máximo, compreender dois de cada vez! Não é de admirar que o mundo esteja tão cheio de incompreensão.[14]

Com essas restrições atencionais, fica claro por que muita gente se sente esmagada pelas iniciativas exigidas por alguns dos aspectos mais básicos da vida. Em parte, isso acontece porque nosso cérebro se desenvolveu para nos auxiliar a viver na fase coletora-caçadora da vida humana, época em que talvez não encontrássemos mais de mil indivíduos durante toda a vida. Ao caminhar pelo centro de Manhattan, em meia hora você passará por essa mesma quantidade de gente.

A atenção é o recurso mental mais importante para qualquer organismo. É ela que determina os aspectos do ambiente com os quais lidamos, sendo que na maior parte do tempo vários processos automáticos e subconscientes escolhem de maneira criteriosa o que vai passar para a nossa percepção consciente. Para que isso aconteça, milhões de neurônios vivem monitorando o ambiente a fim de selecionar em que devemos focar. Esses neurônios constituem coletivamente o *filtro de atenção*. Eles trabalham em grande parte nos bastidores, fora da nossa percepção consciente. É por isso que a maioria dos detritos perceptivos na vida cotidiana não é registrada; é por isso que você não se lembra de grande parte da paisagem que passou voando depois de horas dirigindo pela estrada. Seu sistema de atenção o "protege" de registrá-la porque ela não é tida como importante. Esse filtro inconsciente obedece a determinados critérios sobre aquilo que deixará chegar à sua percepção consciente.

O filtro de atenção é uma das maiores conquistas evolutivas. Nos seres não humanos, ele garante que não sejam distraídos por coisas irrelevantes. Os esquilos se interessam por nozes e predadores, e praticamente por mais nada. Os cães, cujo olfato é um milhão de vezes mais apurado que o nosso, usam o olfato mais do que a audição para colher informações sobre o mundo, e seu filtro de atenção evoluiu para que assim fosse. Se você já tentou chamar seu cachorro enquanto ele fareja algo que despertou seu interesse, sabe que é muito difícil chamar sua atenção através do som — o cheiro triunfa sobre o som no cérebro canino. Ninguém elaborou ainda todas as hierarquias e os fatores prevalentes no filtro de atenção humano, mas descobrimos muita coisa a respeito deles. Quando deixaram as copas das árvores em busca de novas fontes de alimentos, nossos ancestrais proto-humanos inauguraram um vasto campo de novas possibilidades alimentares e se expuseram ao mesmo tempo a um vasto campo de novos predadores. Permanecer alerta e vigilante a ruídos e estímulos visuais ameaçadores garantiu a sobrevivência deles; isso significou a permissão para que uma quantidade crescente de informação passasse pelo filtro de atenção.

Os seres humanos são, segundo a maioria dos critérios biológicos, a espécie mais bem-sucedida que o planeta já viu. Conseguimos sobreviver em quase todos os climas até hoje presentes, e a taxa de nossa expansão populacional supera a de qualquer outro organismo conhecido. Há dezenas de milhares de anos, os seres humanos, acrescidos de seus animais de estimação e animais domesticados, constituíam 0,1% da biomassa vertebrada que habitava a Terra; hoje, constituímos 98%.[15] Nosso êxito deve-se em grande parte à nossa capacidade cognitiva, a habilidade que nossos cérebros possuem para lidar com a informação de modo flexível. Mas esses cérebros evoluíram num mundo muito mais simples, do qual recebiam muito menos informação. Pessoas bem-sucedidas — ou quem é capaz de bancar esse custo — empregam outras pessoas cuja tarefa é *estreitar o filtro de atenção*. Ou seja, diretores de empresas, líderes políticos, astros de cinema mimados e outros cujo tempo e atenção são especialmente valiosos mantêm em torno de si um corpo de funcionários que constituem de fato extensões de seus próprios cérebros, replicando e refinando as funções do filtro de atenção no córtex pré-frontal.

Essas pessoas altamente bem-sucedidas — vamos chamá-las de PABS — são isoladas das muitas distrações cotidianas da vida por gente paga para isso, o que lhes permite dedicar toda a sua atenção àquilo que têm imediatamente à sua frente. Elas parecem viver completamente no momento. Dispõem de uma equipe que cuida da correspondência, da agenda de compromissos, que muda esses compromissos quando surge algum mais importante, ajudando-as a planejar os dias em função da máxima eficiência (inclusive cochilos!). Suas contas são pagas em dia, o carro aparece quando é preciso, elas recebem avisos de projetos pendentes, e seus assistentes mandam presentes adequados a seus entes queridos em aniversários e outras datas importantes. Qual a recompensa máxima quando tudo isso funciona? Um foco tipo zen.

No decorrer de meu trabalho de pesquisador científico, tive a oportunidade de conhecer governadores, parlamentares, celebridades da música e os CEOs das quinhentas maiores empresas americanas segundo a revista *Fortune*. Suas habilidades e realizações variam, mas, como grupo, eles possuem algo notavelmente constante. Fiquei impressionado ao ver como se sentem liberados por não terem de se preocupar em estar em outro lugar, ou falando com outra pessoa. Eles não têm pressa, olham nos olhos da outra pessoa, relaxam e ficam *realmente presentes* diante de qualquer interlocutor. Não precisam se preocupar em saber se deviam estar falando com alguém mais importante naquele instante porque sua equipe — seus filtros de atenção externos — já resolveu que aquela é de fato a melhor maneira de aproveitarem seu tempo. E há uma grande infraestrutura pronta para garantir que eles chegarão na hora do próximo compromisso, o que lhes permite também se livrar dessa preocupação aborrecida.

O resto de nós tende a deixar que a mente corra solta durante as reuniões e percorra inúmeros pensamentos sobre o passado e o futuro, destruindo qualquer aspiração de tranquilidade e nos impedindo de estar presentes no aqui e agora. Desliguei o fogão? O que farei na hora do almoço? A que horas preciso sair daqui para poder estar onde terei de estar em seguida?

Como seria se você pudesse contar com outras pessoas para cuidar dessas coisas, podendo afunilar seu filtro de atenção para focar apenas o que estivesse bem à sua frente, acontecendo exatamente no momento? Conheci Jimmy Carter durante a campanha presidencial, e ele conversava como se tivesse todo o tempo do mundo. Em certo momento, surgiu um assistente para levá-lo à outra pessoa com quem ele precisava falar. Livre da necessidade de ter de concluir o encontro, ou de qualquer outra preocupação corriqueira, o presidente Carter podia realmente se livrar daquelas vozes íntimas preocupantes e estar *ali*. Um amigo meu que é músico profissional e vive enchendo os estádios de fãs, e também tem uma falange de assistentes, descreve esse estado como estar "felizmente perdido". Ele não tem de consultar seu calendário com mais de um dia de antecedência, deixando lugar para a surpresa e as possibilidades de cada dia.

Se organizarmos nossas vidas e cabeça segundo a nova neurociência da memória e da atenção, seremos todos capazes de lidar com o mundo de modo a ter a mesma liberdade de que essas PABS desfrutam. Como podemos realmente utilizar essa ciência na vida cotidiana? De início, compreendendo a arquitetura de nosso sistema de atenção. Para organizar nossa cabeça, é preciso saber como ela mesma se organizou.

Dois dos princípios mais decisivos utilizados pelo filtro de atenção são os da *alteração* e da *importância*. O cérebro é um detector extraordinário de mudanças: se você está dirigindo e sente que a estrada de repente fica cheia de saliências, seu cérebro nota essa mudança de imediato e avisa seu sistema de atenção para focar nela. Como isso acontece? Os circuitos neuronais estão notando a lisura da estrada, o ruído, a sensação que ela provoca nas suas nádegas, nas suas costas, nos seus pés e em outras partes do corpo em contato com o carro, e como o campo visual que você tem é liso e contínuo. Depois de alguns minutos dos mesmos ruídos, sensação e aparência generalizada, seu cérebro consciente relaxa e permite que o filtro de atenção assuma. Isto o deixa livre para fazer outras coisas, como entabular uma conversa, ouvir rádio, ou ambos. Mas diante da menor alteração — um pneu vazio, saliências na estrada — seu sistema de atenção empurra a nova informação até a sua consciência, para que você possa focar a mudança e tomar a providência adequada. Seus olhos podem esquadrinhar a estrada e perceber ranhuras de drenagem no asfalto responsáveis pela turbulência no avanço do carro. Depois de encontrar uma explicação satisfatória, você relaxa de novo, empurrando esse processo sensorial decisório de volta aos estratos inferiores da consciência. Se a estrada parece visualmente lisa e você não consegue entender a razão dos solavancos, talvez resolva parar para examinar os pneus.

O detector de mudanças do cérebro funciona sem parar, saiba você ou não. Se um amigo íntimo ou um parente telefona, talvez você detecte alguma diferença na sua voz e pergunte se ele está com coriza ou gripado. Quando o cérebro detecta a mudança, essa informação é enviada à consciência, mas o cérebro não envia explicitamente nenhuma mensagem quando não há mudança. Se sua amiga telefona e sua voz parece normal, você não pensa "ah, a voz dela é a mesma de sempre". Mais uma vez é o filtro de atenção cumprindo sua tarefa de detectar a mudança, e não a constância.

O segundo princípio, da importância, também é capaz de deixar passar informação. Aqui, a importância não é algo apenas objetivamente importante, mas algo que tem uma importância pessoal. Se você está dirigindo, o outdoor da sua banda preferida pode chamar sua atenção, enquanto outros passarão despercebidos. Se você está num ambiente lotado, por exemplo, numa festa, determinadas palavras a que dá muita importância podem chamar subitamente sua atenção, mesmo se faladas do outro lado do lugar. Se alguém diz "fogo" ou "sexo" ou o seu nome, você pode passar a seguir uma conversa distante, sem nenhuma consciência do que falavam aquelas pessoas antes de prenderem sua atenção. O filtro de atenção, portanto, é bastante sofisticado. É capaz de seguir várias conversas diferentes, como também seu conteúdo semântico, permitindo a passagem apenas daquelas que considera interessantes.

Graças ao filtro de atenção, acabamos vivenciando boa parte do mundo no piloto automático, sem registrar a complexidade, as nuances e muitas vezes a beleza do que está diante de nossos olhos. Um grande número de falhas de atenção ocorre por não estarmos utilizando esses dois princípios em proveito próprio.

Uma questão crucial que vale a pena repetir: a atenção é um recurso de capacidade limitada — há limites precisos para a quantidade de coisas a que podemos prestar atenção ao mesmo tempo. Podemos perceber isso em atividades corriqueiras. Se você está dirigindo, geralmente consegue ouvir rádio ou conversar com outra pessoa no carro. Mas se está procurando determinada rua, instintivamente baixa o rádio ou pede ao amigo que espere um pouco, que pare de falar. Isso porque você atingiu o limite de sua atenção ao tentar fazer essas três coisas. Os limites aparecem sempre que procuramos fazer muitas coisas ao mesmo tempo. Quantas vezes algo pa-

# INFORMAÇÃO EM EXCESSO, DECISÕES EM EXCESSO   37

recido com o que descrevo a seguir já aconteceu com você? Você acabou de chegar em casa com compras, uma sacola em cada mão. Conseguiu equilibrá-las precariamente para destrancar a porta da frente, e quando entra ouve o telefone tócando. Precisa se livrar das sacolas de compras, atender o telefone e talvez tomar cuidado para não deixar o gato ou o cachorro sair pela porta aberta. Terminada a ligação, você percebe que não sabe onde estão suas chaves. Por quê? Porque *monitorá-las,* com tudo isso, é mais do que o seu sistema de atenção consegue suportar.

O cérebro humano evoluiu para esconder de nós as coisas em que não estamos prestando atenção. Em outras palavras, muitas vezes possuímos um ponto cego cognitivo: não sabemos o que estamos perdendo porque nosso cérebro consegue ignorar completamente aquilo que não representa uma prioridade para ele no momento — mesmo que esteja bem diante de nossos olhos. Os psicólogos cognitivos chamam esse ponto cego de vários nomes, inclusive de *cegueira por desatenção.*[16] Uma de suas demonstrações mais espantosas é conhecida como a demonstração do basquete. Se você ainda não a viu, quero que largue este livro e a veja antes de continuar lendo.* Você deve contar quantos passes são dados pelos jogadores de camiseta branca, ignorando os jogadores de camiseta preta.

(Alerta de *spoiler*: se você ainda não viu o vídeo, ler o próximo parágrafo vai estragar a ilusão.) O vídeo é derivado de um estudo psicológico sobre a atenção feito por Christopher Chabris e Daniel Simons. Em virtude do limite de processamento do sistema de atenção que acabei de descrever, seguir a bola e os passes e contabilizar mentalmente estes últimos esgota a maioria dos recursos de atenção da pessoa comum. O que resta fica comprometido em ignorar os jogadores de camiseta preta e ignorar a bola que eles passam entre si. Em determinado momento do vídeo, um sujeito fantasiado de gorila entra e fica no meio da ação, bate no peito e em seguida sai. A maioria dos espectadores deste vídeo não vê o gorila.[17] Qual o motivo? O seu sistema de atenção está simplesmente sobrecarregado. Se eu *não* tivesse lhe pedido que contasse os passes da bola de basquete, você o teria visto.

Muitos casos de perda de chaves do carro, passaportes, dinheiro, recibos e assim por diante ocorre porque nossos sistemas de atenção estão

---

\* O vídeo pode ser visto aqui: <www.youtube.com/watch?v=vJG698U2Mvo>.

sobrecarregados e simplesmente *não* conseguem dar conta de tudo. O americano comum possui milhares de vezes mais pertences do que o caçador-coletor comum. Num sentido verdadeiramente biológico, temos de controlar mais coisas do que aquilo que nosso cérebro foi projetado para controlar. Até eminentes intelectuais como Kant e Wordsworth reclamavam do excesso de informação e da absoluta exaustão mental induzidos por absorção sensorial em demasia ou sobrecarga mental.[18] Contudo, não há motivo para perder a esperança! Mais do que nunca há sistemas *externos* eficazes, disponíveis para organizar, categorizar e controlar as coisas. No passado, a única opção era uma série de assistentes humanos. Mas agora, na era da automação, existem outras opções. A primeira parte deste livro é sobre a biologia subjacente ao uso desses sistemas externos. A segunda e terceira parte mostram como podemos utilizá-los para controlar nossas vidas, ser eficientes, produtivos, felizes e menos estressados num mundo interligado, cada vez mais cheio de distrações.

A produtividade e a eficiência dependem de sistemas que nos ajudem a organizar as coisas por meio da categorização. O impulso de categorização evoluiu pelas conexões pré-históricas nos nossos cérebros até sistemas neuronais especializados que criam e preservam amálgamas coerentes e significativos de coisas — alimentos, animais, ferramentas, membros da tribo —, enfeixando-as em categorias coerentes. No fundo, a categorização reduz o esforço mental e simplifica o fluxo de informação.[19] Não somos a primeira geração de seres humanos a reclamar do excesso de informação.

## A sobrecarga de informação, antes e hoje

Os seres humanos existem há cerca de 200 mil anos. Durante os primeiros 99% de nossa história, não fizemos grande coisa além de procriar e sobreviver.[20] Isso em grande parte pelas difíceis condições climáticas globais, que se estabilizaram por volta de 10 mil anos atrás. As pessoas logo descobriram a agricultura e a irrigação, trocando o estilo de vida nômade pelo cultivo agrícola estável. Mas nem todos os terrenos agrícolas são iguais; variáveis regionais de insolação, solo e outras fizeram com que um determinado agricultor colhesse cebolas especialmente boas enquanto outro colhia maçãs extraordinárias. Isso acabou levando à especialização; em vez de cultivar todos os produtos agrícolas para sua própria família, o agricultor podia cultivar apenas aquilo que desse melhor em suas terras, e negociar o excedente em troca de gêneros que não cultivava. Uma vez que o agricultor passou a cultivar apenas um produto, e em quantidade maior do que a necessária, os mercados e o comércio surgiram e se desenvolveram, e com eles veio a fundação de cidades.

A cidade suméria de Uruk (*c.* 5000 a.C.) foi uma das primeiras grandes cidades do mundo. Seu comércio ativo criou um volume jamais visto de transações comerciais, e os comerciantes sumerianos precisavam de um sistema de cálculo para controlar o inventário cotidiano e os recibos; foi *esse* o berço da escrita.[21] Aqui os bacharéis das humanidades precisam pôr de lado suas noções românticas. As primeiras formas de escrita não surgiram voltadas para a arte, a literatura ou a paixão amorosa, nem por objetivos espirituais ou litúrgicos, e sim por causa dos negócios — pode-se dizer que toda a literatura se originou dos recibos das vendas (lamento frustrá-los).[22,23] Com o desenvolvimento do comércio, das cidades e da escrita, as pessoas não demoraram a descobrir a arquitetura, o governo e outros refinamentos da vida que irão constituir coletivamente o que nós consideramos civilização.[24]

O surgimento da escrita cerca de 5 mil atrás não foi recebido com grande entusiasmo; muita gente na época considerou-a um exagero da tecnologia, uma invenção demoníaca que arruinaria a mente e precisava ser impedida. Naquela época, assim como hoje, as palavras impressas eram promíscuas — era impossível controlar onde se aventurariam, ou quem as acolheria, e podiam circular com facilidade sem que o autor soubesse ou pudesse controlá-las. Sem a oportunidade de ouvir as palavras diretamente da boca do falante, o grupo contra a escrita reclamava que seria impossível constatar a veracidade das alegações do escriba ou fazer perguntas. Platão foi um dos que manifestaram esses temores; seu rei Tamuz denunciava que a dependência da palavra escrita "enfraqueceria o caráter dos homens e forjaria o esquecimento em suas almas".[25] Desse modo, a exteriorização de fatos e histórias significaria que as próprias pessoas não precisariam mais reter mentalmente grande quantidade de informação, e acabariam dependendo de fatos e histórias tal como transmitidos de forma escrita pelos outros. Tamuz, rei do Egito, alegava que a palavra escrita contaminaria o povo egípcio com um falso saber.[26] O poeta grego Calímaco disse que os livros eram "um grande mal".[27] O filósofo romano Sêneca, o Jovem (tutor de Nero), reclamou que seus pares estavam desperdiçando tempo e dinheiro acumulando livros em demasia, alertando que "a abundância de livros era uma distração". Em vez disso, Sêneca aconselhava que as pessoas se concentrassem em uma quantidade limitada de bons livros, a serem lidos minuciosa e repetidamente.[28] O excesso de informação poderia ser pernicioso à saúde mental.

A imprensa foi criada em meados de 1400, permitindo uma proliferação mais rápida da escrita e substituindo a cópia manuscrita trabalhosa (além de sujeita a erros). E novamente muitos reclamaram que a vida intelectual como se conhecia estava acabada. Erasmo, em 1525, fez uma longa crítica ao "enxame de novos livros", que ele considerava um empecilho ao aprendizado. Ele punha a culpa nos editores, cuja ânsia de lucro os fazia encher o mundo de livros "tolos, ignorantes, malignos, loucos, caluniosos e subversivos".[29] Leibniz reclamava da "terrível massa de livros que não deixa de aumentar" e que acabaria em nada mais que um "retorno à barbárie".[30] Descartes fez uma célebre recomendação para que se ignorasse o estoque acumulado de textos e se fiasse na própria observação. Num presságio do que muitos hoje dizem, Descartes reclamava que "ainda que todo o saber pudesse ser encontrado em livros, onde está tão misturado a tantas coisas inúteis e amontoado de modo confuso em tomos tão grandes, levaríamos mais tempo lendo esses livros do que vivendo a nossa vida, e nos custaria mais esforço selecionar as coisas úteis do que encontrá-las por conta própria".[31]

Um fluxo constante de críticas à proliferação dos livros ainda ecoava até o final dos anos 1600. Os intelectuais advertiam que as pessoas acabariam deixando de falar entre si, enterrando-se nos livros, poluindo suas mentes com ideias tolas e inúteis.

E, como sabemos, essas advertências foram novamente feitas em nossa própria época, primeiro com a invenção da televisão,[32] depois com os computadores,[33] iPods,[34] iPads,[35] e-mail,[36] Twitter[37] e Facebook.[38] Todos foram criticados como um vício, uma distração desnecessária, sinal de fraqueza de caráter, algo que alimentava a incapacidade de interagir com gente de verdade e com a troca de ideias em tempo real. Até mesmo o telefone de disco enfrentou a crítica ao substituir as ligações feitas por telefonistas, e as pessoas se preocupavam: *Como vou me lembrar de todos esses números de telefone? Como vou ordenar e saber onde estão todos eles?*

Com a Revolução Industrial e o desenvolvimento da ciência, novas descobertas aumentaram bastante. Em 1550, por exemplo, eram conhecidas quinhentas espécies de plantas no mundo. Em 1623, este número aumentara para 6 mil.[39] Hoje, conhecemos 9 mil espécies só de grama,[40] 2700 tipos de palmeiras,[41] 500 mil diferentes espécies de plantas. E a quantidade não para de crescer.[42] Só o aumento de informação científica é impressionante. Há apenas trezentos anos, alguém com um diploma em "ciência" sabia praticamente tanto quanto qualquer pessoa entendida da época. Hoje, alguém com um doutorado em biologia não consegue sequer saber tudo o que há para saber sobre o sistema nervoso do polvo! O Google Scholar informa a existência de 30 mil artigos de pesquisa sobre esse assunto, quantidade que cresce exponencialmente. No momento em que você estiver lendo isto, o número já deve ter crescido pelo menos em 3 mil artigos.[43] A quantidade de informação científica que descobrimos nos últimos vinte anos é maior do que todas as descobertas até então, desde o surgimento da linguagem. Só em janeiro de 2012 foram produzidos cinco exabytes ($5 \times 10^{18}$) de *novos* dados — isso representa 50 mil vezes o número de palavras em toda a Biblioteca do Congresso dos Estados Unidos.[44,45]

Essa explosão informacional nos onera a todos, diariamente, à medida que lutamos para equacionar o que realmente precisamos e o que não precisamos saber. Fazemos anotações, criamos listas de prioridades, deixamos avisos para nós mesmos no e-mail e nos celulares, mas mesmo assim acabamos nos sentindo derrotados.

Grande parte dessa sensação de derrota pode remontar à obsolescência evolucionária de nosso sistema de atenção. Já mencionei os dois princípios do filtro de atenção: alteração e importância. Mas existe um terceiro princípio da atenção — inespecífico do filtro de atenção — cuja relevância, agora, é maior do que nunca. Ele tem relação com a *troca de atenção*. Podemos afirmar este princípio da seguinte maneira: a troca de atenção impõe um alto custo.

Nossos cérebros evoluíram para prestar atenção a uma coisa de cada vez. Isso fez com que nossos ancestrais pudessem caçar animais, criar e fabricar ferramentas, proteger seu clã de predadores e da invasão de vizinhos. O filtro de atenção evoluiu para nos ajudar a nos manter presos às nossas tarefas, deixando passar apenas informação importante o bastante para nos tirar dessa concentração. Mas algo curioso aconteceu na virada para o século XXI: a quantidade exagerada de informação e de tecnologias que a sustentam mudaram a maneira como usamos o cérebro. Fazer muita coisa ao mesmo tempo [*Multitasking*] é o oposto de um sistema de atenção focada. Exigimos cada vez mais que nosso sistema de atenção se concentre em várias coisas ao mesmo tempo, algo que ele não foi programado pela evolução a fazer. Falamos ao telefone enquanto dirigimos, escutamos rádio, procuramos vaga, planejamos o aniversário da mãe, tentamos fugir das placas de aviso de obras na estrada e pensamos no que terá para o almoço. Na verdade, não podemos lidar com tudo isso ao mesmo tempo, de modo que nossos cérebros alternam de uma coisa para outra, a cada vez pagando um preço neurobiológico pela troca. O sistema não funciona bem assim. Depois de se fixar em uma tarefa, nosso cérebro funciona melhor atendo-se a ela.

Prestar atenção a uma coisa significa *não* prestar atenção a outra. *A atenção é um recurso de capacidade limitada.* Quando você se concentrou nas camisetas brancas no vídeo do basquete, bloqueou as camisetas pretas e, na verdade, a maioria das coisas pretas, inclusive o gorila. Quando nos concentramos numa conversa em curso, nos dessintonizamos de outras conversas. Quando entramos pela porta da frente, ouvimos o telefone tocar e pensamos em quem estará do outro lado da linha, não estamos pensando em onde pusemos as chaves do carro.

A atenção é criada por redes de neurônios no córtex pré-frontal (bem atrás da testa), sensíveis apenas à dopamina. Quando a dopamina é liberada, ela os destranca, como acontece com uma chave na porta da frente, e eles começam a disparar pequenos impulsos elétricos que estimulam outros neurônios na sua rede. Mas o que ocasiona a liberação inicial de dopamina? Tipicamente, um de dois gatilhos diferentes:

1. Algo que consegue chamar sua atenção de maneira automática, em geral algo relevante para sua sobrevivência, com origem na evolução.

Esse sistema de *vigilância* que incorpora o filtro de atenção está sempre funcionando, mesmo durante o sono, monitorando o ambiente em busca de acontecimentos importantes.[46] Estes podem ser um ruído alto ou uma luz brilhante (o reflexo do susto), algo se mexendo rápido (podendo indicar um predador), uma bebida quando se está com sede, ou uma possível parceira sexual de belas formas.

2. Você exerce uma *vontade* efetiva de se concentrar só naquilo que é relevante a uma busca ou varredura do ambiente.[47] Foi demonstrado em laboratório que essa filtragem proposital altera de fato a sensibilidade dos neurônios no cérebro. Se você está tentando encontrar sua filha que se perdeu no parque de diversões, seu sistema visual é reconfigurado para procurar apenas coisas que tenham altura aproximada à dela, cor de cabelo e silhueta semelhantes, bloqueando todo o resto. Ao mesmo tempo, seu sistema auditivo é ressintonizado para ouvir apenas as frequências de banda sonora em que opera o registro de voz dela. Poderíamos chamar isso de sistema de filtragem *Onde está Wally?*.

Nos livros infantis da série *Onde está Wally?*, um garoto chamado Wally veste uma camisa de listras horizontais vermelhas e brancas, e se coloca tipicamente numa cena repleta de gente e de objetos desenhados em muitas cores. Na versão para crianças mais jovens, Wally pode ser a única coisa vermelha na cena; o filtro de atenção da criança mais nova é capaz de esquadrinhar depressa a cena e chegar ao objeto vermelho Wally. Os quebra-cabeças de Wally para grupos de idade mais avançada se tornam progressivamente mais difíceis — os objetos de distração são camisas todas vermelhas, ou brancas, ou camisas com listras de cores diferentes, ou listras vermelhas e brancas verticais, em vez de horizontais.

*Onde está Wally* é um quebra-cabeça que explora a neuroarquitetura do sistema visual dos primatas. Dentro do lobo occipital, uma região chamada córtex visual contém uma multidão de neurônios que só reagem a determinadas cores — um coletivo de neurônios dispara um sinal elétrico em reação a objetos vermelhos, outro, a objetos verdes, e assim por diante. Então, um coletivo distinto de neurônios é sensível a listras horizontais, em contraposição às verticais, e, dentre os neurônios das listras horizontais, alguns são reativos ao máximo a listras largas, e outros, a listras estreitas.

Como seria bom se você pudesse dar instruções a esses coletivos diferentes de neurônios, dizendo a alguns deles para ficar alertas e obedecer a suas ordens, e a outros para relaxar e ficar em repouso! Bem, você pode — é isso que fazemos quando tentamos encontrar Wally, procuramos um cachecol perdido ou assistimos ao vídeo do basquete. Evocamos uma imagem mental daquilo que procuramos, e os neurônios no córtex visual nos ajudam a imaginar a aparência do objeto. Se ele tiver a cor vermelha, nossos neurônios sensíveis ao vermelho se envolvem nessa imaginação. Eles se sintonizam automaticamente, inibindo outros neurônios (sensíveis a cores que não nos interessam) para facilitar a busca. *Onde está Wally?* treina as crianças a estabelecer e exercitar seus filtros de atenção a fim de localizar pistas gradativamente mais sutis no ambiente, do mesmo modo que nossos ancestrais treinariam seus filhos a rastrear animais na floresta, começando com animais fáceis de reconhecer e diferenciar, passando depois a animais camuflados, mais difíceis de perceber no ambiente. O sistema também funciona para a filtragem auditiva — se estamos esperando determinado timbre num ruído, nossos neurônios auditivos sintonizam-se seletivamente nessas características.

Quando ressintonizamos voluntariamente os neurônios dos sentidos desse modo, nossos cérebros se empenham num processamento descendente, que parte de uma região do cérebro mais elevada e evoluída do que o processamento sensorial.

É esse sistema descendente que permite aos peritos alcançar a excelência em suas áreas; que permite aos meio-campistas perceber os jogadores passíveis de receber a bola sem se deixar distrair pelos demais participantes do jogo; que permite que os operadores de sonar mantenham vigilância e possam distinguir facilmente (depois de treinamento adequado) um submarino inimigo de um cargueiro ou uma baleia apenas pelo ruído do *ping*. É o que permite aos maestros ouvir apenas um instrumento de cada vez, quando há sessenta tocando. É o que permite que você preste atenção a este livro, apesar de provavelmente haver distrações à sua volta neste exato momento: o ruído de um ventilador, do tráfego, de pássaros cantando do lado de fora, conversas distantes, sem falar nas distrações visuais periféricas, fora da moldura do foco visual central dirigido ao local onde está o livro ou a tela.

Se temos um filtro de atenção tão eficaz, por que não conseguimos bloquear distrações de maneira mais eficiente? Por que a sobrecarga de informação representa tamanho problema agora?

Por um lado, hoje em dia trabalhamos mais do que nunca. A promessa de uma sociedade computadorizada, nos diziam, era a de que todo o trabalho chato e repetitivo seria relegado às máquinas, permitindo que os humanos perseguissem suas metas mais elevadas e gozassem de mais lazer. Mas não funcionou assim. Em vez de dispor de mais tempo, a maioria de nós dispõe de menos. As grandes e pequenas empresas empurraram o trabalho para cima dos consumidores. As coisas que costumavam ser feitas para nós, como parte do benefício de trabalhar com uma empresa, agora somos nós mesmos que temos que fazer. Nas viagens aéreas, hoje exigem que nós mesmos façamos nossas próprias reservas e check-in, tarefas que costumavam ser feitas pelas companhias aéreas ou os agentes de viagens. No supermercado, exigem que nós mesmos empacotemos as compras. Algumas empresas deixaram de nos mandar faturas de serviço — esperam que entremos no site delas, encontremos nossa conta e iniciemos um pagamento eletrônico: na verdade, que façamos o trabalho para a própria empresa. Coletivamente, isso é conhecido como *trabalho à sombra* — representa uma espécie de economia paralela, na qual boa parte do serviço que esperávamos receber das empresas foi transferida para o cliente.[48] Cada um de nós está fazendo o trabalho de outras pessoas, sem ser remunerado. Isso é responsável por tirar de nós muito tempo do lazer que todos achávamos que teríamos no século XXI.

Além de trabalhar mais, lidamos com mais *mudanças* na tecnologia da informação do que nossos pais, e mais como adultos do que quando éramos crianças. O americano comum substitui o celular a cada dois anos, e isso muitas vezes significa ter que lidar com um novo software, novas teclas, novos menus.[49] Trocamos o sistema operacional de nossos computadores a cada três anos, e isso requer o aprendizado de novos ícones e procedimentos, e de novas posições para os velhos itens do menu.[50]

Mas, acima de tudo, como diz Dennis Overbye, "desde os engarrafamentos em Cingapura ao tempo em Marte", recebemos uma quantidade muito maior de informação. A economia global significa que estamos expostos a uma quantidade enorme de informação a que nossos avós não estavam. Ouvimos falar de revoluções e problemas econômicos de países a meio mundo de distância, no momento em que estão acontecendo; vemos imagens de lugares que jamais visitamos e ouvimos idiomas que nunca ouvimos antes. Nossos cérebros absorvem avidamente tudo isso porque é para isso que foram projetados, mas, ao mesmo tempo, todo esse *negócio* está competindo por recursos neuronais de atenção dirigidos às coisas que precisamos saber para tocar nossas vidas.

Há uma evidência crescente de que abraçar novas ideias e novos aprendizados nos ajuda a viver mais e a evitar o mal de Alzheimer — além das vantagens tradicionalmente associadas à expansão de nosso saber. Por isso o problema não é absorver menos informação, e sim ter sistemas para organizá-la.

A informação sempre foi o recurso-chave de nossas vidas. Permitiu--nos aperfeiçoar a sociedade, a assistência médica, as tomadas de decisão, a gozar de crescimento econômico e pessoal, e escolher melhor nossos funcionários públicos eleitos.[51] Mas trata-se também de um recurso cuja aquisição e o funcionamento têm um custo bastante alto. À medida que o conhecimento se tornou mais disponível — e descentralizado via internet —, as noções de autenticidade e de autoridade foram se tornando cada vez menos transparentes. Temos acesso mais fácil do que nunca a pontos de vista conflitantes, muitas vezes disseminados por gente despida de qualquer respeito pelos fatos ou pela verdade. Muita gente não sabe mais em que acreditar, o que é verdade, o que foi alterado e o que passou por um crivo criterioso. Não temos tempo nem conhecimento para pesquisar sobre cada pequena decisão. Em vez disso, dependemos de autoridades confiáveis, jornais, rádio, TV, livros, às vezes o cunhado, o vizinho perfeito, o taxista que nos deixou no aeroporto, nossa memória ou alguma experiência do tipo... às vezes essas autoridades merecem confiança, às vezes não.

Meu professor, o psicólogo cognitivo Amos Tversky, de Stanford, resume essa questão no "caso do Volvo". Um colega estava procurando um carro novo para comprar, e havia feito muita pesquisa. A *Consumer Reports* revelava, através de testes independentes, que o Volvo era um dos carros mais bem-feitos e confiáveis de sua categoria. As pesquisas de satisfação dos clientes revelavam que os proprietários de Volvos continuavam satisfeitos com o carro vários anos depois da compra. Essas pesquisas haviam sido realizadas com dezenas de milhares de clientes. Por si só, a quantidade de gente ouvida significava que qualquer anomalia — como o fato de um determinado veículo ser excepcionalmente bom ou ruim — seria neutralizada pelos demais relatos. Em outras palavras, uma pesquisa assim possuía uma legitimidade científica e estatística que deveria ser levada em conta ao se tomar uma decisão. Isso representa um sumário equilibrado da experiência da média das pessoas, e a previsão mais provável sobre o que será sua própria experiência (se você não dispuser de mais nada em que se basear, a melhor previsão é a de que sua experiência será bem parecida com a da média).

Amos encontrou o colega numa festa e perguntou como andava a compra do automóvel. O colega decidira contra o Volvo, em favor de outro carro menos cotado. Amos indagou o motivo da mudança de opinião, depois de toda aquela pesquisa que apontava para o Volvo. Não gostara do preço? Das opções de cores? Do design? Não, nada disso, disse o colega. Ele ficara sabendo que o cunhado teve um Volvo que vivia na oficina.

De um ponto de vista estritamente lógico, o colega está sendo irracional. A má experiência do cunhado com o Volvo é um único ponto de informação, engolfado por dezenas de milhares de boas experiências — ponto anômalo, fora da curva. Mas somos criaturas sociais, facilmente convencidas por casos pessoais e relatos vívidos de qualquer experiência singular. Embora essa tendência seja estatisticamente errada e devêssemos aprender a superá-la, a maioria não consegue. Os propagandistas sabem disso, e é por isso que vemos tantos testemunhos pessoais nos anúncios publicitários na tv. "Eu perdi oito quilos em duas semanas comendo este novo iogurte, que além de tudo é delicioso!" Ou: "Eu estava com uma dor de cabeça que não passava. Estava furioso e querendo morder todo mundo perto de mim. Então tomei este novo remédio e voltei ao normal". Nosso cérebro se concentra mais em relatos vívidos e sociais do que em estatísticas frias e chatas.

Cometemos muitos erros de raciocínio devido a vieses cognitivos. Muita gente está bastante familiarizada com ilusões como estas:

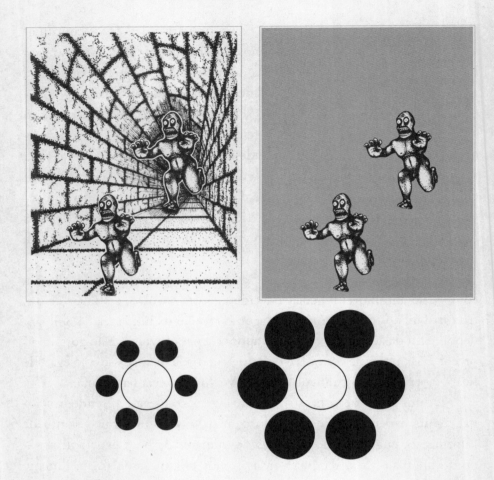

Na versão de Roger Shepard da famosa "ilusão de Ponzo", o monstro de cima *parece* maior que o de baixo, mas uma régua mostrará que são do mesmo tamanho. Na ilusão de Ebbinghaus, abaixo, o círculo branco à esquerda parece maior do que o círculo branco à direita, mas eles são do mesmo tamanho. Dizemos que a visão nos engana, mas na verdade não é ela, e sim o cérebro que o faz. O sistema visual emprega a heurística ou atalhos para costurar uma compreensão do mundo, e às vezes se engana.

De modo análogo às ilusões visuais, somos propensos a ilusões cognitivas quando procuramos tomar decisões, e nosso cérebro toma atalhos decisórios. Estes têm maior probabilidade de ocorrer com os tipos de informação maciça que hoje se tornaram norma. Podemos aprender a superar

## A pré-história da categorização mental

A psicologia cognitiva é o estudo científico de como os seres humanos (e animais e, em alguns casos, computadores) processam informação. Tradicionalmente, os psicólogos cognitivos fizeram uma distinção entre diferentes áreas de estudo: memória, atenção, categorização, aquisição e uso da linguagem, tomada de decisão e um ou dois tópicos a mais. Muitos acreditam que atenção e memória estão intimamente associadas, que não conseguimos nos lembrar de coisas a que não prestamos atenção. Deu-se um relevo relativamente menor à importante relação entre *categorização*, atenção e memória.

Categorizar ajuda-nos a organizar o mundo físico objetivo, mas também organiza o mundo mental, o mundo interno, nas nossas cabeças, e, portanto, aquilo a que podemos prestar atenção e que podemos recordar.

Para ilustrar como a categorização é fundamental, pense como seria a vida se não pudéssemos arrumar as coisas em categorias. Ao olhar para um prato de feijão preto, cada feijão não teria nenhuma relação com os demais, seria insubstituível, não seria do mesmo "tipo". Não seria evidente que cada caroço equivalesse ao outro. Ao sair para cortar a grama, as várias folhas seriam tremendamente diferentes, e não consideradas como parte de um coletivo. No entanto, nesses dois casos, existem semelhanças perceptivas entre todos os caroços de feijão, e todas as folhas em questão. Nosso sistema perceptivo pode ajudar-nos a criar categorias baseadas na aparência. Mas muitas vezes categorizamos com base em semelhanças conceituais, em vez de semelhanças perceptivas. Quando o telefone toca na cozinha e você precisa anotar um recado, é possível que vá até a gaveta da bagunça e pegue a primeira coisa que dê a impressão de poder escrever. Mesmo sabendo que canetas, lápis e creions são distintos e pertencem a categorias diferentes, no momento eles se tornam funcionalmente equivalentes, integrantes de uma categoria de "coisas com que posso escrever no papel". Talvez você só encontre batom e resolva usá-lo. Assim, não é o seu sistema perceptivo que os está agrupando, mas seu sistema cognitivo. As gavetas de bagunça revelam muita coisa sobre a formação de categorias, e servem a um objetivo importante e útil ao funcionar como válvula de escape para objetos que não cabem direito em nenhum outro lugar.

Nossos primeiros ancestrais não tinham muitos pertences — uma pele de animal como vestimenta, um recipiente para água, um saco para colher frutas. Na verdade, todo o mundo natural era seu lar. Acompanhar toda a variedade e a variabilidade do mundo natural era essencial, e também uma tarefa mental extenuante. Como nossos ancestrais faziam para entender o mundo natural? Que tipo de distinções eram fundamentais para eles?

Uma vez que os acontecimentos pré-históricos não deixaram, por definição, registros históricos, é preciso nos fiar em fontes indiretas para responder a essas questões. Uma dessas fontes são os coletores-caçadores ágrafos contemporâneos, isolados da civilização industrial. Não sabemos ao certo, mas supomos que levem uma vida bastante parecida com a de nossos ancestrais caçadores-coletores. Os pesquisadores observam como eles vivem e os entrevistam para descobrir o que sabem de como viviam seus próprios ancestrais, através de narrativas familiares e da tradição oral. As línguas constituem evidência parecida. A "hipótese léxica" presume que os objetos mais importantes sobre os quais os seres humanos precisam se comunicar acabam sendo codificados em linguagem.

Um dos serviços mais importantes que a linguagem nos presta é ajudar-nos a fazer distinções. Quando dizemos que algo é comestível, nós o distinguimos — de modo implícito e automático — de todas as outras coisas que não são comestíveis. Quando dizemos que algo é uma fruta, nós o distinguimos necessariamente de legumes, derivados do leite e assim por diante. Até as crianças entendem intuitivamente que a natureza das palavras é restritiva. Uma criança que pede um copo d'água talvez diga "Não quero água do *banheiro*, quero água da *cozinha*". Os pequenos estão fazendo discriminações sutis do mundo físico e exercendo seus sistemas de categorização.

Os primeiros humanos organizavam seus pensamentos e mentes em torno de distinções básicas que ainda fazemos e achamos úteis. Uma das distinções primordiais era entre agora e não agora; *estas* coisas estão acontecendo neste momento, essas outras aconteceram no passado e estão agora contidas na minha memória. Nenhuma outra espécie faz essa distinção

INFORMAÇÃO EM EXCESSO, DECISÕES EM EXCESSO 51

consciente entre passado, presente e futuro. Nenhuma outra espécie lastima acontecimentos passados, ou planeja-os calculadamente no futuro. É evidente que muitas espécies reagem ao tempo construindo ninhos, voando para o sul, hibernando, se acoplando — mas isso é pré-programado, são comportamentos instintivos, e essas iniciativas não resultam de decisões conscientes, de reflexão ou planejamento.

Simultaneamente à compreensão de *agora* em contraposição a *antes*, existe a compreensão da permanência do objeto: algo pode não estar diretamente à vista, mas isso não quer dizer que parou de existir. As crianças entre quatro e nove meses já têm noção da permanência do objeto, provando que essa operação cognitiva é inata.[52] Por exemplo, vemos um veado e sabemos através de nossos olhos (e de uma porção de módulos cognitivos inatos) que o veado está ali diante de nós. Quando o veado some, podemos recordar sua imagem e representá-la mentalmente, ou mesmo externamente, através de um desenho ou uma escultura.

Essa capacidade humana de distinguir o "aqui e agora" do "não aqui e agora" ficou demonstrada há pelo menos 50 mil anos nas pinturas rupestres, que constituem a primeira prova da capacidade de qualquer espécie terrena de representar, de modo explícito, a distinção entre o que *está* aqui e o que *esteve* aqui. Em outras palavras, esses Picassos das cavernas estavam fazendo uma distinção, através do próprio ato de pintar, do tempo, do lugar e dos objetos, uma operação mental evoluída que hoje chamamos *representação mental*. E demonstravam uma noção articulada do tempo: havia um veado *lá fora* (evidentemente não ali, na parede da caverna). Agora não estava ali, mas esteve antes. Agora e antes há uma diferença; *ali* (a parede da caverna) representa simplesmente o *lá* (o prado diante da caverna). Esse passo pré-histórico na organização de nossas mentes foi muito importante.

Ao fazer distinções assim, estamos formando implicitamente categorias, algo que muitas vezes escapa às pessoas. A formação de categorias é algo profundamente presente no reino animal. Ao construir ninhos, os pássaros possuem uma categoria implícita de materiais que servem para fazer um bom ninho, entre os quais gravetos, algodão, folhas, tecido e lama, mas não, digamos, pregos, pedaços de arame, casca de melão ou lascas de vidro. A formação de categorias nos seres humanos segue o princípio cognitivo de codificar o máximo de informação possível com o mínimo esforço. Os sistemas de categorização otimizam a liberdade de conceituar e a importância de poder comunicar esses sistemas.[53]

A categorização também permeia a vida social. Em todas as 6 mil línguas reconhecidamente faladas hoje no planeta, toda cultura demarca, através da linguagem, quem está ligado a quem como "família".[54] Os termos de parentesco nos permitem reduzir um enorme conjunto de relações possíveis a um conjunto menor, mais fácil de utilizar, uma categoria que pode ser usada. A estrutura de parentesco nos permite codificar o máximo de informação possível com o mínimo esforço cognitivo.

Todas as línguas codificam o mesmo conjunto básico (biológico) de relações: mãe, pai, filha, filho, irmã, irmão, avó, avô, neta e neto. Daí em diante as línguas diferem. Em inglês, o irmão de sua mãe e o irmão de seu pai são ambos chamados de tios. Os maridos da irmã de sua mãe e da irmã de seu pai são também chamados de tios. Isso não é válido em muitas línguas, em que a categoria "tio" só se aplica a casamentos do lado paterno (em culturas patrilineares), ou somente do lado da mãe (em culturas matrilineares), e pode se estender por duas ou mais gerações.[55] Outro ponto em comum é que todas as línguas possuem uma ampla categoria coletiva para parentes que tal cultura julga relativamente distantes de você — semelhante ao nosso termo *primo*. Embora, em tese, muitos bilhões de sistemas de parentesco sejam possíveis, pesquisas demonstraram que os atuais sistemas existentes em diferentes partes do mundo se formaram para minimizar a complexidade e maximizar a facilidade de comunicação.

As categorias de parentesco nos falam sobre fatos de adaptação biológica, que aumentam a probabilidade de termos filhos saudáveis, por exemplo, com quem devemos ou não nos casar. Também representam janelas para a cultura do grupo, suas atitudes diante da responsabilidade; revelam pactos sobre o desvelo mútuo e veiculam normas tais como onde deve morar um jovem casal recém-casado. Eis o exemplo de uma lista utilizada pelos antropólogos justamente para esse fim:

- Patrilocal: o casal mora com ou próximo à família do noivo
- Matrilocal: o casal mora com ou próximo à família da noiva
- Ambilocal: o casal pode escolher se quer morar com ou próximo à família do noivo ou da noiva

- Neolocal: o casal se muda para uma nova casa em um novo lugar
- Natolocal: marido e mulher continuam a morar com seus próprios parentes, e não juntos
- Avunculocal: o casal se muda para a casa ou um local próximo à casa do(s) irmão(s) da mãe do noivo (ou outros tios, cuja definição depende da cultura)

Os dois modelos dominantes de comportamento em relação aos laços de parentesco na América do Norte de hoje são o *neolocal* e o *ambilocal*: os jovens recém-casados geralmente têm sua própria casa e podem escolher qualquer lugar para morar, até mesmo a centenas ou milhares de quilômetros de distância de seus respectivos pais; no entanto, muitos preferem morar com ou perto da família do marido ou da mulher. Esta última opção ambilocal oferece um importante apoio emocional (e às vezes financeiro), auxílio no cuidado dos filhos, e uma rede já estabelecida de amigos e parentes para ajudar o jovem casal a começar a vida. De acordo com uma pesquisa, os casais (especialmente os mais pobres) que permanecem perto dos parentes de um ou de ambos os membros do casal se dão melhor no casamento e na criação dos filhos.

O parentesco além das relações nucleares filho-filha e mãe-pai pode parecer inteiramente arbitrário, apenas uma invenção humana. Mas ele se revela em muitas espécies animais, e podemos quantificá-lo em termos genéticos para demonstrar sua importância. De um ponto de vista estritamente evolucionário, nossa tarefa é propagar nossos genes o máximo possível. Compartilhamos 50% dos nossos genes com nossa mãe ou nosso pai, ou com qualquer filho. Também compartilhamos 50% com nossos irmãos (a não ser que sejamos gêmeos). Se sua irmã tiver filhos, você compartilha 25% dos seus genes com eles. Se não tivermos nenhum filho, a melhor estratégia para propagar nossos genes é ajudar a cuidar dos filhos de nossas irmãs, isto é, nossos sobrinhos.

Nossos primos em primeiro grau — filhos de uma tia ou um tio — compartilham 12,5% de nossos genes. Se não tivermos sobrinhos, quaisquer cuidados que tivermos com primos ajudam na transmissão do material genético de que somos feitos. Richard Dawkins e outros, portanto, levantaram sólidos argumentos contra as alegações dos religiosos funda-

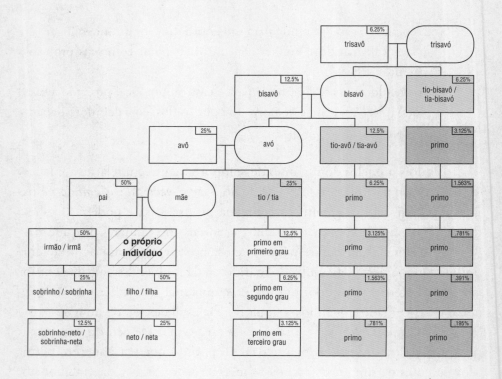

mentalistas e dos conservadores sociais de que a homossexualidade é uma "abominação" contra a natureza. Um homem gay ou uma mulher gay que ajuda a cuidar do filho de um familiar é capaz de dedicar bastante tempo e recursos financeiros para propagar os genes da família. Isso, sem dúvida, tem sido historicamente verdade. Uma consequência natural, como mostra o diagrama acima, é que primos em primeiro grau que se casam entre si e têm filhos aumentam a quantidade de genes que transmitem. Na verdade, muitas culturas promovem casamentos entre primos em primeiro grau como uma maneira de aumentar a unidade familiar, reter as riquezas da família, ou para assegurar a semelhança de pontos de vista religiosos ou culturais dentro da união.

Cuidar de sobrinhos não se limita à espécie humana. O rato-toupeira cuida dos sobrinhos, mas não dos jovens que não são parentes, e a codorna japonesa demonstra uma evidente preferência por se acasalar com primos em primeiro grau — uma maneira de aumentar seu próprio material genético a ser transmitido (filhos de primos em primeiro grau compartilham 56,25% de seu DNA com cada progenitor, em vez de 50% — ou seja, os genes da família ganham uma vantagem de 6,25% nos filhos de primos em primeiro grau em relação aos filhos de progenitores não aparentados).[56]

Classificações como as categorias de parentesco auxiliam na organização, na codificação e na comunicação de um saber complexo. E as classificações têm suas raízes no comportamento animal, de modo que podem ser descritas como pré-cognitivas. O que os seres humanos fizeram foi transportar essas distinções para a linguagem e, assim, explicitamente torná-las informação comunicável.

Como os primeiros humanos dividiam e categorizavam o reino animal e vegetal? Os dados se baseiam na hipótese léxica, que diz que as distinções mais importantes para uma dada cultura acabam codificadas na língua dessa cultura. O gradativo aumento da complexidade cognitiva e da categorização é acompanhado de uma maior complexidade de termos linguísticos, e esses termos servem para codificar distinções importantes. O trabalho de sociobiólogos, antropólogos e linguistas revelou padrões de nomeação de plantas e animais que atravessam as culturas e o tempo.[57] Uma das primeiras distinções feitas pelos primeiros humanos foi entre humanos e não humanos — o que faz sentido. Distinções mais refinadas se insinuaram gradativa e sistematicamente nas línguas. Pelo estudo de milhares de diferentes línguas, sabemos que se uma língua possui apenas dois substantivos (palavras nomeadoras) para coisas vivas, ela fará distinção entre humano e não humano. À medida que a cultura e a língua evoluem, outros termos passam a ser usados. A próxima distinção a ser feita é entre coisas que voam, nadam ou rastejam — aproximadamente os equivalentes de *pássaro*, *peixe* e *cobra*. De modo geral, dois ou três desses termos passam a ser usados de repente. Assim, é improvável que uma língua possua apenas três termos para formas de vida, mas, se tiver quatro, eles serão *humano*, *não humano* e dois referentes a *pássaro, peixe* e *cobra*. Dentre estes últimos, os dois que serão acrescentados dependerão, como se pode imaginar, do meio ambiente em que as pessoas vivam e dos animais que tenham mais probabilidade de encontrar. Se a língua possui quatro nomes de animais, ela acrescentará o que faltou dessa trinca. A língua com cinco termos deste tipo para animais acrescenta um termo geral para *mamífero*, ou um termo para animais rastejantes menores, combinando numa categoria o que chamamos *vermes* e *insetos*. Em virtude de tantas línguas ágrafas combinarem vermes e insetos na mesma categoria, os etnobiólogos criaram um termo para essa categoria: *wugs* (fusão das palavras inglesas *worm*, verme, e *bug*, inseto).

nenhum termo → humano / não humano → [ pássaro / peixe / cobra ] → [ *wug* / mamífero ]

A maioria das línguas possui um único termo popular para animais rastejantes que provocam arrepios, e o inglês não é exceção. O termo *bug* representa uma categoria informal e heterogênea que combina formigas, besouros, moscas, aranhas, lagartas, carunchos, gafanhotos, carrapatos e vários outros seres taxonômica e biologicamente bem distintos. O fato de ainda hoje utilizarmos o termo com essa acepção genérica, a despeito de todo nosso conhecimento científico evoluído, frisa a utilidade e o caráter inato das *categorias funcionais*. "Bug" promove uma economia cognitiva ao combinar em uma única categoria coisas em que geralmente não precisamos pensar com muitos detalhes, além do cuidado de não deixá-las entrar no nosso cardápio nem rastejar na nossa pele. Não é a biologia desses organismos que os une, mas sua função em *nossas* vidas — e nosso esforço para mantê-los fora de nossos corpos, e não dentro.

Os nomes de categorias usados por sociedades ágrafas, tribais, contradizem do mesmo modo nossas categorias científicas modernas. Em muitas línguas, a palavra *pássaro* inclui morcegos; *peixe* talvez inclua baleias, golfinhos e tartarugas; *cobra* pode incluir vermes, lagartos e enguias.

Depois desses sete nomes básicos, as sociedades acrescentam outros termos a suas línguas de modo menos sistemático. Algumas acrescentam algum termo idiossincrático para determinada espécie que possua grande significado social, religioso ou prático. Uma língua pode possuir um único termo para águia, além do nome comum *pássaro*, sem que haja nenhum outro nome para outros pássaros específicos. Ou pode escolher um único termo entre os mamíferos, digamos, *urso*.

Também vemos uma ordem universal que rege o surgimento de termos para o reino vegetal. Línguas relativamente pouco desenvolvidas não têm um nome único que signifique plantas. A falta do termo não significa que elas não percebam as diferenças, que sejam incapazes de distinguir entre espinafre e maconha; apenas que não possuem um termo abrangente para se referir às plantas. Temos casos assim no próprio inglês. Por exemplo, não dispomos de um termo genérico que se refira aos cogumelos comestíveis. Também não temos um termo que descreva todas as pessoas que teríamos de avisar caso fôssemos nos hospitalizar por três semanas. Elas poderiam incluir parentes próximos, amigos, o patrão, o entregador do jornal e qualquer um com quem você tivesse um compromisso nesse período. A falta do termo não significa que não compreendamos o conceito; significa simplesmente que essa categoria não se reflete na nossa língua. Talvez porque não tenha havido nenhuma necessidade premente de cunhar uma palavra para isso.

Se uma língua só tiver um termo para seres vivos não animais, não será o nosso termo global, *planta*, mas uma única palavra que descreva coisas altas, lenhosas, que crescem — o que chamamos de *árvores*. Quando uma língua introduz um segundo termo, será um termo abrangente para grama e ervas — que os pesquisadores chamam pelo neologismo *grerva* —, um termo genérico para grama e coisas parecidas com grama. Quando uma língua evolui e acrescenta novos termos para plantas, já dispondo de *grerva*, o terceiro, quarto e quinto serão *mato*, *grama* e *trepadeira* (não necessariamente nessa ordem; vai depender do meio ambiente). Se a língua já tiver *grama*, o terceiro, quarto e quinto termos acrescentados serão *mato*, *erva* e *trepadeira*.

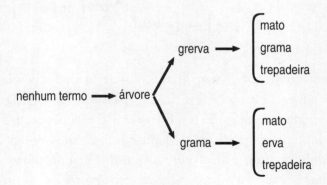

Grama é uma categoria interessante, porque a maior parte de seus membros constituintes não é nomeada pela maioria dos falantes de inglês.

Podemos nomear dezenas de legumes e árvores, mas a maioria de nós diz apenas "grama" para se referir a mais de 9 mil espécies diferentes. Como no caso de "bug" — a maior parte dos animais que integram essa categoria não é nomeada pelos falantes de inglês.

Existe uma ordem de surgimento na língua no que se refere a outros conceitos. Um exemplo é a descoberta feita por Brent Berlin e Paul Kay, antropólogos da Universidade da Califórnia em Berkeley, de uma ordem universal no surgimento dos termos para cores. Muitas línguas pré-industriais do mundo só possuem dois termos para cores, dividindo mais ou menos o globo em cores *claras* e cores *escuras*. Rotulei-as de BRANCO e PRETO na figura a seguir, conforme a literatura, mas isso não significa que os falantes dessas línguas estejam literalmente nomeando apenas o preto e o branco; significa, na verdade, que metade das cores vistas por eles são recobertas pelo termo único "cor clara", e a outra metade, pelo termo único "cor escura".

Agora eis a parte mais interessante. Quando uma língua evolui e acrescenta um terceiro termo a seu léxico referente a cores, ele é sempre *vermelho*. A respeito disso foram propostas várias teorias, e a dominante é que a importância do vermelho tem a ver com o fato de ser a cor do sangue. Quando uma língua acrescenta um quarto termo, ele é *amarelo* ou *verde*. O quinto termo é *verde* ou *amarelo*, e o sexto é *azul*.

$$\begin{bmatrix} \text{branco} \\ \text{preto} \end{bmatrix} \rightarrow \begin{bmatrix} \text{vermelho} \end{bmatrix} \Big\langle \begin{matrix} [\text{amarelo}] \rightarrow [\text{verde}] \\ [\text{verde}] \rightarrow [\text{amarelo}] \end{matrix} \Big\rangle \begin{bmatrix} \text{azul} \end{bmatrix} \rightarrow \begin{bmatrix} \text{marrom} \end{bmatrix} \rightarrow \begin{bmatrix} \text{rosa} \\ \text{roxo} \\ \text{laranja} \\ \text{cinza} \end{bmatrix}$$

Essas categorias não têm apenas um interesse acadêmico ou antropológico. São cruciais para um dos objetivos básicos da ciência cognitiva: compreender como se organiza a informação. E essa necessidade de compreender é um traço reforçado e inato que nós, humanos, compartilhamos, porque o conhecimento é algo que nos é útil. Quando nossos primeiros ancestrais abandonaram a proteção da vida em árvores e se aventuraram na savana aberta em busca de novas fontes de alimento, ficaram mais vulneráveis a predadores e ameaças, como ratos e cobras. Os interessados em adquirir conhecimento — cujos cérebros tinham prazer em aprender coisas novas — teriam uma vantagem em termos de sobrevivência, e assim esse amor pelo conhecimento acabaria codificado em seus genes por meio da seleção natural. Como notou o antropólogo Clifford Geertz, não há dúvida de que os humanos ágrafos que sobrevivem em tribos "demonstram um interesse por todo tipo de coisas que sejam úteis para seus contextos, ou para seus estômagos.[58] [...] Eles não ficam classificando todas aquelas plantas, distinguindo todas aquelas cobras ou categorizando todos aqueles morcegos por conta de uma paixão esmagadora surgida de estruturas inatas nas profundezas da mente. [...] Num meio ambiente populado por coníferas, ou cobras, ou morcegos herbívoros, é conveniente saber bastante sobre coníferas, cobras e morcegos herbívoros, quer o que a pessoa saiba seja ou não, em qualquer sentido estrito, materialmente útil".

Um ponto de vista oposto é endossado pelo antropólogo Claude Lévi-Strauss, que achava que a classificação atende a uma necessidade inata de classificar o mundo natural, porque o cérebro humano possui uma forte propensão cognitiva à ordem. Essa preferência da ordem à desordem pode remontar a milhões de anos na evolução. Como mencionei na Introdução, alguns pássaros e roedores criam limites em volta de seus ninhos, geralmente com pedras ou folhas, de forma ordenada; se a ordem foi perturbada, eles sabem que houve a presença de um intruso. Tive vários cães que percorriam a casa periodicamente para pegar seus brinquedos e guardá-los numa cesta. O anseio dos humanos pela ordem se escora, sem dúvida, nesses antigos sistemas evolutivos.

Eleanor Rosch, psicóloga cognitiva da Universidade da Califórnia em Berkeley, sustenta que a categorização humana não é produto de um acidente histórico ou de fatores arbitrários, mas resultado de princípios psicológicos ou inatos de categorização. Os pontos de vista de Lévi-Strauss e Rosch sugerem que existe um desacordo em relação à dicotomia que Geertz esboça entre paixão cognitiva e conhecimento prático. Minha opinião é que a paixão a que Geertz se refere faz *parte* do benefício prático do conhecimento — são dois lados da mesma moeda. Pode ser útil ter bastante conhecimento do mundo biológico, mas o cérebro humano foi configurado — conectado — para adquirir essa informação e *querer* adquiri-la. Essa paixão inata por nomear e categorizar fica bem clara quando se percebe que a *maior parte* da nomenclatura que damos ao mundo vegetal pode ser considerada estritamente desnecessária. Das 30 mil plantas comestíveis que se supõe existir na Terra, apenas onze constituem 93% de todas as que os humanos comem: aveia, milho, arroz, trigo, batata, mandioca, sorgo, painço, feijão, cevada e centeio.[59] No entanto, nossos cérebros evoluíram para receber uma dose agradável de dopamina quando aprendemos algo novo, e mais uma vez quando conseguimos classificá-lo sistematicamente numa estrutura ordenada.

## Em busca da excelência na categorização

Nós, humanos, somos fortemente programados para gostar do conhecimento, sobretudo do conhecimento oriundo dos sentidos. E somos programados para impor uma estrutura a esse conhecimento sensorial, virá-lo de um lado para outro, examiná-lo de vários ângulos e tentar encaixá-lo em múltiplos quadros neuronais. Essa é a essência do aprendizado humano.

Somos programados para impor estrutura ao mundo. Prova adicional do caráter inato dessa estrutura é a coerência extraordinária das convenções de atribuição de nomes na classificação biológica (plantas e animais), que abarca culturas extremamente diferentes. Todas as línguas e culturas inventaram — de forma independente — princípios de atribuição de nomes tão semelhantes que sugerem uma predisposição inata à classificação. Por exemplo, toda língua contém nomes primários e secundários de animais e plantas. Em português temos *pinheiros* (de modo geral) e *pinheiro-do-paraná* (de modo particular). Existem *maçãs* e *maçãs gala*, *fuji* e *golden delicious*. Há salmões e salmões-pequenos, pica-paus e pica-paus-amarelos. Ao observar o mundo, percebemos que existe um conjunto de coisas que demonstra ter mais semelhança do que dessemelhança, e, contudo, reconhecemos variações menores. Isto também se estende aos artefatos feitos pelo homem. Temos cadeiras e espreguiçadeiras, facas e facões de caça, sapatos e sapatos de camurça. E eis um comentário secundário interessante: quase toda língua também possui termos que imitam essa estrutura linguisticamente, mas que, na realidade, não se referem ao mesmo tipo de coisas. Por exemplo, cachorro-de-padre é um peixe e não um cachorro; jacaré-do-mato é um tipo de planta e não um réptil.

Nossa fome de conhecimento pode estar na raiz de nossos fracassos e de nossos êxitos. Pode representar uma distração ou nos engajar numa busca eterna de compreensão e conhecimento profundo. Alguns conhecimentos elevam nossa vida, outros são irrelevantes e simplesmente nos distraem — os livrinhos de banca de jornal provavelmente recaem nesta última categoria (a não ser que você os escreva). As pessoas bem-sucedidas são peritas em categorizar conhecimento útil versus distração. Como fazem isso?

É claro que alguns dispõem de uma série de assistentes que os tornam capazes de estar presentes no aqui e agora, o que por sua vez os faz ter sucesso. Os smartphones e arquivos digitais são úteis para organizar a informação, mas categorizar a informação de modo útil — e isso utiliza a maneira como nossos cérebros são organizados — ainda requer uma classificação refinada, feita por um ser humano, por nós.

Uma das coisas que as PABS não param de fazer é a *seleção ativa*, também chamada *triagem*. Você provavelmente já faz isso, só que sem usar esse nome. A seleção ativa consiste simplesmente em separar *agora* as coisas que você precisa resolver das que não precisa. Essa seleção ativa e consciente adquire muitas formas em nossas vidas, e não existe apenas uma maneira certa de fazê-la. A quantidade de categorias varia, e quantas vezes por dia também — talvez nem seja preciso fazer isso todo dia. Ainda assim, de um modo ou de outro, é essencial para nos organizarmos, sermos eficientes e produtivos.

Trabalhei durante vários anos como assistente pessoal de um executivo bem-sucedido, Edmund W. Littlefield. Ele havia sido o CEO da Utah Construction (depois Utah International), empresa que construiu a represa Hoover e muitos outros projetos de engenharia no mundo inteiro, inclusive metade dos túneis e pontes das ferrovias a oeste do Mississippi. Quando trabalhei para ele, ele também integrava a diretoria da General Eletric, Chrysler, Wells Fargo, Del Monte e Hewlett-Packard. Destacava-se pela capacidade intelectual, pelo tino comercial e, sobretudo, por sua genuína modéstia e humildade. Era um mestre generoso. Nossas opiniões nem sempre estavam de acordo, mas ele respeitava os pontos de vista contrários e buscava manter as discussões centradas nos fatos, em vez de em especulações. Uma das primeiras coisas que me ensinou a fazer como seu assistente foi separar sua correspondência em quatro pilhas.

1. Coisas que precisam ser resolvidas imediatamente. Isso podia incluir correspondência de seus sócios de escritório ou de negócios, contas, documentos legais e afins. Depois ele fazia uma espécie de *separação fina* entre as coisas que precisavam ser resolvidas no mesmo dia e as que podiam esperar até os próximos dias.

2. Coisas que são importantes, mas que podem esperar. Chamávamos isso de *pilha de pendências*. Podia incluir relatórios de investimento que precisavam ser analisados, artigos que ele poderia querer ler, avisos de revisão periódica do carro, convites para aniversários ou festividades ainda relativamente distantes no futuro, e assim por diante.

3. Coisas que *não* são importantes e podem esperar, mas que mesmo assim deviam ser guardadas. Geralmente incluíam catálogos de produtos, cartões-postais e revistas.

4. Coisas que deviam ser jogadas fora.

Ed vistoriava periodicamente todos os itens dessas categorias e os reclassificava. Outras pessoas têm sistemas mais refinados ou mais toscos. Uma pessoa altamente bem-sucedida tem um sistema de duas categorias: coisas para guardar e coisas para jogar fora. Outra PABS estende esse sistema de correspondência para tudo que passar por sua mesa, de itens eletrônicos (e-mails e PDFs) a documentos em papel. Às categorias de Littlefield podem-se acrescentar subcategorias, dependendo do trabalho em andamento, para hobbies, manutenção da casa e assim por diante.

Parte do material dessas categorias acaba em pilhas na nossa mesa, outra em pastas, outras no computador. A seleção ativa é uma maneira poderosa de evitar que sejamos distraídos. Ela cria e fomenta grandes capacidades, não apenas práticas, mas também intelectuais. Depois que você estabeleceu prioridades e começou a trabalhar, o fato de saber que aquilo que está fazendo é a coisa mais importante a *fazer* no momento possui um poder surpreendente. As outras coisas podem esperar — é *nisso* que você pode se concentrar sem se preocupar em estar esquecendo alguma coisa.

Existe um motivo simples e profundo para que a seleção ativa facilite essa situação. O princípio mais fundamental da mente organizada, o mais crucial para nos impedir de esquecer e perder as coisas, é transferir do nosso cérebro para o mundo externo o ônus de organizar. Se for possível transferir alguns — ou todos — os processos de nosso cérebro para o mundo exterior, teremos menos probabilidade de cometer erros; e não por causa da capacidade limitada de nosso cérebro, mas por causa da natureza do armazenamento e da recuperação da memória no nosso cérebro: os processos da memória podem ser facilmente distraídos ou confundidos por outros itens semelhantes. A seleção ativa é apenas uma de muitas maneiras de utilizar o mundo concreto para organizar sua mente. A informação de que você precisa está na pilha física *ali*, e não entulhando a sua cabeça. As pessoas bem-sucedidas inventaram dezenas de maneiras de transferir de seus cérebros para o ambiente o ônus de recordar: lembretes físicos em casa, no carro, no escritório. Num sentido mais amplo, isso tem relação com o que os psicólogos cognitivos chamam de *affordances gibsonianas*, em referência ao pesquisador J.J. Gibson.

Uma *affordance* gibsoniana descreve um objeto cujo feitio, de certo modo, indica ou fornece a informação sobre a maneira de utilizá-lo. Don Norman, um outro psicólogo cognitivo, deu um exemplo que ficou famoso: a porta. Quando você se aproxima de uma porta, como saber se ela vai abrir para dentro ou para fora, se deve empurrá-la ou puxá-la? Com portas que usamos com frequência podemos tentar lembrar, mas a maioria de nós não lembra. Quando perguntaram aos participantes de uma experiência se "a porta de seu quarto abre *para dentro* ou *para fora*", a maioria não conseguiu lembrar. Mas determinadas características da porta codificam essa informação para nós. Elas nos *mostram* como usá-las, por isso não é preciso lembrar, entulhando nossos cérebros com informação que poderia ser estocada com mais eficiência e durabilidade no mundo externo.

Ao estender a mão para a maçaneta de uma porta, é possível ver se o batente irá bloqueá-la quando você tentar puxá-la. Provavelmente você não tem consciência disso, mas seu cérebro está registrando a informação e guiando seus atos de modo automático — e isso é muito mais eficiente cognitivamente do que memorizar o padrão de abertura de cada porta que você encontra. Firmas, edifícios de escritórios e outros prédios públicos tornam isso ainda mais evidente por serem usados por um número muito maior de pessoas: as portas que devem ser *empurradas* tendem a não ter maçaneta, ou então apresentam uma barra para empurrar ao longo da porta. As portas que devem ser *puxadas* têm maçaneta. Mesmo com essa pista adicional, às vezes a falta de familiaridade com a porta, ou o fato de você estar indo para uma entrevista de trabalho ou algum outro compromisso que o deixa distraído, fará com que hesite por um momento, sem saber se deve puxar ou empurrar. Mas na maior parte do tempo seu cérebro reconhece o modo de funcionamento da porta graças à sua *affordance*, a indicação proporcionada pelo próprio feitio.

Do mesmo modo, o formato do telefone na sua mesa *mostra* qual é a parte que você precisa pegar. O fone é exatamente do tamanho e do feitio que indica que você deve pegá-lo, e não a outra parte do aparelho. A maioria das tesouras tem dois buracos para os dedos, um maior que o outro, e assim você sabe onde enfiar os dedos e onde enfiar o polegar (geralmente aborrecendo quem é canhoto). O cabo da chaleira mostra como você deve pegá-la. A lista de *affordances* é longa.

É por isso que os ganchos para chaves funcionam. Controlar as coisas que você perde com frequência, como chave do carro, óculos e até carteira, envolve a criação de *affordances* (formas que proporcionam o uso desejado) que reduzam o fardo de seu cérebro consciente. Nesta época de sobrecarga de informação, é importante conquistarmos o controle do ambiente e alavancarmos nosso conhecimento sobre o funcionamento cerebral. A mente organizada cria *affordances* e categorias que permitem uma navegação com pouco esforço no mundo de chaves de carro, celulares e centenas de detalhes diários, ajudando-nos também a abrir caminho no mundo das ideias do século XXI.

# 2

# AS PRIMEIRAS COISAS PARA ENTENDER

## Como funcionam a atenção e a memória

Vivemos num mundo de ilusões. Acreditamos perceber tudo que acontece à nossa volta. Prestamos atenção e vemos uma cena contínua e completa do mundo visual, composta de milhares de pequenas imagens cheias de detalhes. Todos talvez saibam que cada um de nós possui um ponto cego, mas continuamos a viver, um dia após o outro, ignorando alegremente onde ele fica, porque nosso córtex occipital realiza o excelente trabalho de preencher a lacuna e, portanto, de escondê-lo de nós. As demonstrações em laboratório da cegueira provocada pela desatenção (como no vídeo do gorila, no capítulo anterior) frisam quão pouco vemos de fato o mundo, a despeito da sensação esmagadora de que vemos tudo.

Prestamos atenção aos objetos do ambiente, em parte, com base na nossa vontade (optamos por dar atenção a algumas coisas), em parte, com base no sistema de alerta que monitora nosso mundo em busca de ameaças e, em parte, com base nas excentricidades de nossos próprios cérebros. Nossos cérebros nascem previamente configurados para criar automaticamente categorias e classificações, sem nossa intervenção consciente. Quando os sistemas que tentamos estabelecer entram em colisão com a maneira como o cérebro categoriza automaticamente as coisas, acabamos perdendo objetos, compromissos, ou esquecendo de realizar tarefas que tínhamos de fazer.

Você já ficou sentado em um trem ou um avião, apenas olhando pela janela, sem nada para ler, sem olhar para nada em especial? Talvez tenha achado que o tempo passou de modo muito agradável, sem deixar nenhuma memória real do que você de fato esteve olhando, pensando, ou até mesmo quanto tempo passou. Talvez tenha experimentado uma sensação parecida da última vez que ficou sentado à beira do mar ou de um lago, deixando que sua mente vagasse, sentindo a onda de relaxamento que essa situação provocava. Nesse estado, os pensamentos parecem passar sem barreiras de um a outro, há uma combinação de ideias, imagens visuais e ruído do passado, do presente e do futuro. Os pensamentos se voltam para dentro, em um fluxo de consciência, tão semelhantes aos sonhos noturnos que dizemos que estamos sonhando acordados.

Esse estado especial e distinto do cérebro está marcado pelo fluxo de conexões entre ideias e pensamentos díspares e uma ausência relativa de barreiras entre sentidos e conceitos. Pode levar também a uma grande criatividade e à solução de problemas que pareciam insolúveis. Sua descoberta — uma rede especial do cérebro que sustenta um modo de pensamento mais fluido e não linear — foi uma das maiores da neurociência nos últimos vinte anos. Essa rede exerce uma atração sobre a consciência; ela desloca o cérebro para um estado de devaneio quando você não está engajado em alguma tarefa, e sequestra sua consciência se a tarefa a que você está entregue se tornar monótona. Ela assumiu o controle quando você percebe ter lido várias páginas de um livro sem ter registrado seu conteúdo, ou quando percorre uma longa distância numa estrada e de repente se dá conta de que esteve tão distraído que perdeu a saída que devia pegar.[1] Essa mesma parte assumiu o controle quando você percebeu que estava com as chaves na mão há um minuto, e agora não sabe onde elas estão. Onde *está* seu cérebro quando isso acontece?

Prever ou planejar nosso futuro, imaginarmo-nos numa situação (especialmente uma situação social), sentir empatia, evocar memórias autobiográficas também envolvem essa rede de devaneio ou sonho acordado.[2] Se você já chegou a parar algo que estava fazendo para imaginar a consequência de alguma ação futura, ou se imaginar em determinado encontro futuro, talvez tenha desviado seu olhar para cima ou para baixo, fugindo da direção normal do olhar para a frente, preocupado com o próprio pensamento: esse é o modo de sonhar acordado.[3]

A descoberta desse modo devaneio não ganhou grandes manchetes na imprensa popular, mas mudou a maneira como os neurocientistas pensam a atenção. Sonhar acordado e devanear, como sabemos agora, são um estado natural do cérebro. Isto explica por que nos sentimos tão descansados depois, e por que as férias e um cochilo podem ser tão restauradores. A tendência para que esse sistema assuma o controle é tão poderosa que seu descobridor, Marcus Raichle, batizou-a de *default mode*, ou seja, modo padrão.[4] Esse é o modo de o cérebro descansar quando não está entregue a nenhuma tarefa objetiva, quando você está sentado na areia da praia, na sua espreguiçadeira, com um copo de uísque na mão, e sua mente devaneia e flui de um assunto para outro. Não é que você *não* consiga agarrar nenhum pensamento dentre o fluxo que passa, e sim que não há um único pensamento que exija a sua atenção.

O modo devaneio contrasta de forma violenta com o estado em que ficamos ao nos concentrarmos intensamente em certo tipo de tarefa, como fazer o imposto de renda, escrever um relatório ou andar por uma cidade desconhecida.[5] Esse modo de ater-se à tarefa é o outro modo dominante da atenção, responsável por tantas coisas de alto nível que fazemos, e que os pesquisadores batizaram de "executivo central". Esses dois estados cerebrais formam uma espécie de yin-yang.[6] Quando um está ativo, o outro não está. Durante tarefas exigentes, o executivo central assume o comando. Quanto mais se suprime a rede de devaneio, maior a precisão alcançada no desempenho da tarefa que se está realizando.[7]

A descoberta do modo devaneio também explica por que é preciso esforço para prestar atenção a algo. O termo *prestar atenção* é uma expressão figurada bem gasta, mas ainda assim há um significado útil no clichê. A atenção tem um custo. É um jogo de soma zero, de isso-ou-aquilo. Prestamos atenção a algo por meio de uma decisão consciente, ou porque nosso filtro de atenção a considera bastante importante para colocá-la no primeiro plano do foco de atenção.[8] Quando prestamos atenção a uma coisa, retiramos necessariamente a atenção de outra coisa.

Meu colega Vinod Menon descobriu que o modo devaneio é uma rede, porque não se localiza em nenhuma região específica do cérebro.[9] De certa forma, ela amarra grupos distintos de neurônios distribuídos pelo cérebro para formar o equivalente a um circuito elétrico, ou rede. Pensar no funcionamento do cérebro em termos de redes é uma evolução profunda na recente neurociência.

Há mais ou menos 25 anos, os campos da psicologia e da neurociência passaram por uma revolução. Até então, a psicologia usava principalmente métodos há décadas empregados para compreender o comportamento humano, através de coisas objetivas e observáveis, tais como aprender listas de palavras ou a habilidade de executar tarefas num estado de distração. A neurociência estudava sobretudo a comunicação entre células e a estrutura biológica do cérebro. Os psicólogos tinham dificuldade de estudar o material biológico, isto é, o hardware que deu origem ao pensamento. Os neurocientistas, empacados no nível dos neurônios individuais, tinham dificuldade de estudar os comportamentos de fato. A revolução se deu com a invenção das técnicas de neuroimagem não invasivas, um conjunto de ferramentas análogas ao raio X, que mostravam não apenas os contornos e a estrutura do cérebro, mas como partes dele se comportavam em tempo real durante pensamentos e comportamentos de fato — imagens do cérebro pensante, trabalhando. As tecnologias — tomografia por emissão de pósitrons, ressonância magnética funcional e magnetoencefalografia — são agora bem conhecidas pelas siglas PET, fMRI e MEG.

A primeira leva de pesquisas se concentrou principalmente na localização das funções cerebrais, uma espécie de mapeamento neural. Qual parte do cérebro é ativada quando sacamos no tênis, ouvimos música ou fazemos cálculos matemáticos? Mais recentemente, o interesse se deslocou para a compreensão de como essas regiões funcionam juntas. Os neurocientistas concluíram que as operações mentais talvez nem sempre ocorram em determinada região do cérebro, mas sejam executadas por circuitos, redes de grupos de neurônios relacionados. Se alguém perguntasse "Onde fica armazenada a eletricidade que torna possível o funcionamento da sua geladeira?", para onde você apontaria? A tomada? Na verdade, só passa corrente ali se outra tomada for plugada. E, depois que isso acontece, não se trata mais do lugar da eletricidade, e sim dos circuitos que alimentam todos os aparelhos da casa e que, em certo sentido, correm por toda a casa. Na verdade, não existe um único lugar onde fica a eletricidade. Trata-se de uma rede distribuída; não vai aparecer numa foto de celular.

Do mesmo modo, os neurocientistas estão começando a considerar cada vez mais que a função mental é muitas vezes difusa. A aptidão para a linguagem não reside numa região específica do cérebro; em vez disso, ela encerra uma rede distribuída — como a fiação elétrica na sua casa — que utiliza e recorre a regiões no cérebro. O que levou os primeiros pesquisadores a pensar que a linguagem pudesse ser um fenômeno localizado foi a constatação de que danos a determinadas regiões do cérebro sempre provocavam a perda das funções da linguagem. Pense novamente nos circuitos elétricos de sua casa. Se o seu empreiteiro cortar acidentalmente um fio, você pode perder a eletricidade em todo um setor da casa, mas isso não quer dizer que a *fonte* da energia estava onde o fio foi cortado — significa simplesmente que uma linha necessária à transmissão foi rompida. Na verdade, há quase uma infinidade de lugares na sua casa em que o corte dos fios provocará a interrupção do serviço, inclusive na fonte, a caixa de disjuntores. De onde você está na cozinha, com um liquidificador que não bate sua vitamina, o efeito é o mesmo. Só começa a parecer diferente quando você se dispõe a consertá-lo. É assim que os neurocientistas consideram hoje o cérebro — um conjunto intricado de redes sobrepostas.

O modo devaneio funciona em oposição ao modo executivo central. Quando um é ativado, o outro é desativado; se estamos num modo, não estamos no outro. A tarefa da rede executiva central é impedir que você se distraia quando está engajado numa tarefa, limitando o que entra na sua consciência para que você consiga se concentrar ininterruptamente no que está fazendo. E, mais uma vez, não importa se você está no modo devaneio ou no executivo central, seu filtro de atenção está quase sempre funcionando em silêncio e fora de vista, no seu subconsciente.

Para nossos ancestrais, permanecer engajado na tarefa geralmente significava caçar um grande mamífero, fugir de um predador ou lutar. Um lapso de atenção durante essas atividades podia significar um desastre. Hoje, é mais provável que empreguemos o modo executivo central para escrever relatórios, interagir com pessoas e computadores, dirigir, navegar, resolver problemas na nossa cabeça ou realizar projetos artísticos pictóricos e musicais. Um lapso de atenção durante essas atividades não costuma ser um caso de vida ou morte, mas interfere na nossa eficácia quando tentamos realizar algo.

No modo devaneio, nossos pensamentos são dirigidos principalmente para dentro, para nossos objetivos, desejos, sentimentos, planos, e também para nossos relacionamentos interpessoais — o modo devaneio está ativo quando as pessoas sentem empatia umas pelas outras. No modo executivo central, os pensamentos são dirigidos tanto para fora quanto para dentro. Há uma evidente vantagem evolutiva em ser capaz de se ater a uma tarefa e se concentrar nela, sem entrar, contudo, num estado irreversível de demasiada concentração, que nos faria esquecer o predador ou o inimigo oculto atrás da moita, ou a aranha venenosa a rastejar pelo nosso pescoço. É aí que entra a rede de atenção; o filtro de atenção monitora de forma constante o ambiente em busca de qualquer coisa que possa ser importante.

Além dos modos devaneio e executivo central e do filtro de atenção, existe um quarto componente do sistema de atenção que nos permite passar do modo devaneio ao executivo central. Assim, podemos passar rapidamente de uma tarefa a outra, por exemplo, quando estamos conversando com um amigo numa festa e nossa atenção subitamente se dirige para uma outra conversa sobre um incêndio na cozinha. É uma mesa telefônica neural que dirige sua atenção para o mosquito na testa e lhe permite voltar para seu devaneio de depois do almoço. Num estudo de 2010, Vinod Menon e eu mostramos que a troca é controlada numa parte do cérebro chamado ínsula, uma importante estrutura situada cerca de três centímetros abaixo de onde se unem os lobos temporais e frontais.[10] A troca entre dois objetos externos envolve a junção temporal-parietal.[11]

A ínsula possui conexões bidirecionais com uma parte importante do cérebro chamada córtex cingulado anterior. Ponha o dedo na parte de cima da cabeça, logo acima de onde você acha que fica a parte de trás do nariz. Cerca de cinco centímetros mais atrás, e cinco centímetros mais embaixo, fica o córtex cingulado anterior. Na ilustração a seguir, vemos onde ele se situa em relação a outras estruturas cerebrais.

A relação entre o sistema executivo central e o sistema devaneio é como uma gangorra, e a ínsula — o comutador da atenção — é como um adulto que força uma das extremidades para baixo para que a outra fique em cima.[12] A eficácia da rede ínsula-córtex cingulado anterior varia de pessoa para pessoa, funcionando em algumas como um interruptor bem lubrificado e em outras como um velho portão enferrujado. Mas ela é de fato acionada, e, quando exigida em demasia e com muita frequência, nos sentimos cansados e meio tontos, como se estivéssemos subindo e descendo na gangorra depressa demais.

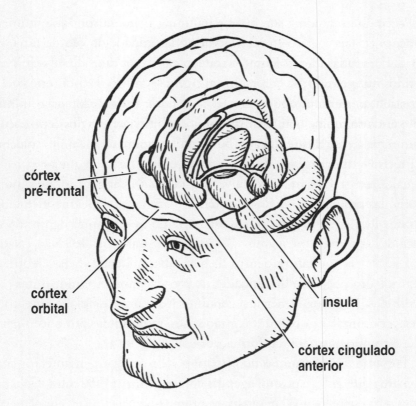

Repare que o córtex cingulado anterior se estende desde o córtex orbital e pré-frontal na frente (à esquerda do desenho) até a região motora suplementar em cima. Sua proximidade dessas regiões é interessante porque as áreas orbital e pré-frontal são responsáveis por coisas como planejamento, esquematização e controle dos impulsos, enquanto a área motora suplementar é responsável por iniciar o movimento. Em outras palavras, as partes do cérebro que nos lembram do relatório que devemos entregar e fazem nossos dedos se moverem no teclado para digitar estão biologicamente ligadas às partes do cérebro que nos mantêm concentrados numa tarefa, que nos ajudam a ficar colados na cadeira e terminar o relatório.

Esse sistema humano de atenção de quatro circuitos evoluiu no decorrer de dezenas de milhares de anos — redes cerebrais distintas que se tornam mais ou menos ativas dependendo da situação —, e agora está no âmago de nossa habilidade de organizar a informação. Vemos isso todos os dias. Você está sentado à sua mesa e há uma cacofonia sonora e inúmeras distrações visuais à sua volta: o ventilador da unidade de ventilação, o zunido das lâmpadas fluorescentes, o tráfego na rua, os raios de sol ocasionais refletidos num para-brisa lá fora que atingem seu rosto. Depois que você se acomodou, pode parar de reparar nessas coisas e se concentrar na sua tarefa. No entanto, quinze ou vinte minutos depois, você se acha devaneando: será que me lembrei de trancar a porta da frente quando saí de casa? Será que preciso lembrar fulano do nosso almoço de hoje? Será que este projeto no qual estou trabalhando exatamente agora vai ficar pronto a tempo? A maioria das pessoas tem diálogos internos como esse de forma incessante. Isso pode levá-lo a imaginar quem está fazendo as perguntas dentro da sua cabeça, e — o mais intrigante — quem está respondendo. Não existem vários vocês em miniatura dentro da sua cabeça, é claro. Seu cérebro, no entanto, é um conjunto de unidades de processamento semidistintas e especializadas. O diálogo interno é gerado pelos centros de planejamento no córtex pré-frontal, e as perguntas estão sendo respondidas por outras partes do cérebro que possuem a informação.

Portanto, redes distintas no cérebro podem abrigar pensamentos completamente diferentes e possuir agendas completamente diferentes. Uma parte do cérebro se preocupa em satisfazer a fome imediata, outra, em planejar e se ater a uma dieta; uma parte presta atenção à estrada enquanto você dirige, outra está cantarolando com o rádio. A rede de atenção precisa monitorar todas essas atividades e alocar recursos para algumas e não para outras.

Se isso lhe parecer fantástico, talvez seja mais fácil visualizá-lo se você se der conta de que o cérebro já faz isso o tempo todo com o intuito de manter a ordem em nível celular. Por exemplo, quando você começa a correr, uma parte do cérebro "pergunta": "Será que as pernas estão sendo alimentadas com oxigênio suficiente para sustentar essa atividade?", enquanto outra parte, a reboque dessa, manda uma ordem para acelerar a respiração de modo a aumentar a oxigenação do sangue. Uma terceira parte, que monitora a atividade, verifica se a aceleração respiratória foi cumprida segundo as instruções, e relata se não foi. Na maioria das vezes, essas trocas ocorrem abaixo do nível da consciência, isto é, não percebemos o diálogo nem o mecanismo de reação aos sinais. Mas os neurocientistas estão gradativamente acolhendo o fato de que a consciência não é um estado de tudo ou nada, mas um contínuo de diferentes estados. Falamos de maneira coloquial que isto ou aquilo acontece na mente subconsciente como se fosse uma parte geograficamente distinta do cérebro, algum lugar nas suas profundezas, um porão mofado e mal iluminado. A descrição neural mais exata sugere que os neurônios ficam disparando como se fossem uma rede de telefones tocando simultaneamente num escritório muito ocupado. Quando uma rede neural é bastante ativada em relação a *outra* atividade neural em curso, ela irrompe no processo de atenção, ou seja, é capturada por nossa mente consciente, nosso executivo central, e então nos damos conta dela.

Muitos de nós têm uma visão popular da consciência que, embora não seja verdadeira, é instigante, por causa da sensação ligada a ela — sentimos como se existisse uma versão menor de nós mesmos dentro de nossas cabeças dizendo-nos o que está acontecendo no mundo e lembrando-nos de jogar o lixo fora às segundas-feiras. Há uma versão mais elaborada desse mito que corre assim: existe uma miniatura de nós mesmos dentro de nossas cabeças, sentada numa poltrona confortável, olhando para múltiplas telas de televisão. Projetados nas telas estão os conteúdos de nossa consciência — o mundo externo que ouvimos e vemos, suas sensações táteis, seus cheiros e sabores —, e as telas também comunicam nossos estados mentais e corporais: estou com fome, estou com calor, estou cansado. Sentimos que existe um narrador interno de nossas vidas na nossa cabeça mostrando-nos o que se passa no mundo externo, dizendo-nos o que tudo isso significa e integrando essa informação com as notícias de dentro do nosso corpo, sobre nossos estados emocionais internos e físicos.

O problema desse relato é que ele leva a uma regressão infinita. Existe uma miniatura sua sentada num teatro dentro de sua cabeça? Essa miniatura de você possui pequenos olhos e ouvidos para assistir a imagens e ouvir telas de TV? E um pequeno cérebro próprio? E, se assim for, existe outra pessoa em miniatura dentro do cérebro *dessa* pessoa em miniatura? O ciclo jamais se interrompe (Daniel Dennett mostrou que essa explicação era impossível, tanto em termos lógicos quanto neuronais, em *Consciousness Explained* [A consciência explicada]).[13] A seu modo, a realidade é mais maravilhosa.

Inúmeras moléculas especializadas estão funcionando no seu cérebro, tentando organizar e dar sentido à experiência. A maioria opera nos bastidores. Quando essa atividade neural atinge um certo limiar, você se torna consciente dela, e chamamos isso de consciência. A consciência não é uma coisa em si mesma, e não é localizável no cérebro; é simplesmente o nome que damos a ideias e percepções que penetram na consciência de nosso executivo central, um sistema de capacidade muito limitada, que geralmente só consegue tratar de no máximo cinco coisas ao mesmo tempo.[14]

Recapitulando, existem quatro componentes no sistema de atenção humana: o modo devaneio, o modo executivo central, o filtro de atenção e o comutador de atenção, que dirige os recursos neuronais e metabólicos entre os modos devaneio, executivo central e de vigilância.[15] O sistema é tão eficaz que raramente sabemos o que estamos excluindo pela filtragem. Em muitos casos, o comutador de atenção funciona nos bastidores de nossa consciência, nos transportando do modo devaneio para o executivo central, enquanto o filtro de atenção acompanha — não percebemos o que está em funcionamento até já estarmos em outro modo. Há exceções, é claro. Podemos usar a *vontade* para trocar de modos, do mesmo jeito que tiramos os olhos daquilo que estamos lendo para refletir sobre o que foi escrito. Mas a troca permanece sutil: você não diz "estou trocando de modo agora"; você (ou sua ínsula) simplesmente faz isso.

## A neuroquímica da atenção

Durante os últimos vinte anos, a neurociência também revelou muita coisa sobre como funciona o ato de prestar atenção. A rede devaneio recruta neurônios dentro do córtex pré-frontal (bem atrás da testa e dos olhos) e também no cingulado (uns cinco centímetros mais atrás), ligando-os ao hipocampo, o centro da consolidação da memória.[16] Faz isso através da atividade de neurônios de noradrenalina no locus coeruleus, uma pequena estrutura perto do tronco cerebral, bem dentro do crânio, que evoluiu para formar uma massa densa de fibras conectadas ao córtex pré-frontal.[17] A despeito da semelhança dos nomes, noradrenalina e adrenalina não são a mesma substância química; a noradrenalina é quimicamente mais parecida com a dopamina, a partir da qual é sintetizada no cérebro. Para permanecer no modo devaneio, é preciso manter um equilíbrio exato entre o neurotransmissor excitatório glutamato e o neurotransmissor inibitório GABA (ácido gama-aminobutírico).[18] Sabemos que a dopamina e a serotonina são componentes dessa rede cerebral, mas suas interações são complexas e ainda não foram totalmente compreendidas. Há novas e tentadoras evidências de que uma variação genética específica (de um gene chamado COMT) provoca uma alteração no equilíbrio da serotonina, e essa alteração é associada tanto às mudanças de humor quanto à reação positiva aos antidepressivos.[19] Descobriu-se que o gene SLC6A4, que transporta a serotonina, tem relação com o comportamento artístico e a espiritualidade, além de uma aparente predileção pelo modo devaneio.[20] Assim, parece haver uma ligação entre a genética, os neurotransmissores e o pensamento artístico/espiritual. (A dopamina não é mais importante do que o glutamato, o GABA e muitas outras substâncias químicas; sabemos mais sobre ela apenas porque ela é mais fácil de ser estudada. Dentro de vinte anos teremos uma compreensão muito mais nuançada dela e de outras substâncias químicas.)

A rede executiva central recruta neurônios em diversas partes do córtex pré-frontal e do cingulado, bem como nos gânglios basais, que ficam no centro do cérebro — essa rede executiva não se localiza exclusivamente no córtex pré-frontal, como tendem a afirmar relatos populares.[21] Sua atuação química inclui a modulação dos níveis de dopamina nos lobos frontais. A atenção sustentada também depende da noradrenalina e da acetilcolina, especialmente em ambientes cheios de distrações — esta é a química subjacente à concentração necessária para que foquemos algo.[22] E enquanto focamos a atenção na tarefa que estamos realizando, a acetilcolina no córtex pré-frontal direito ajuda a melhorar a qualidade do funcionamento do filtro de atenção.[23] A densidade da acetilcolina no cérebro se altera rapidamente — em fração de segundo —, e sua liberação está ligada à detecção de algo que se procura.[24] A acetilcolina também desempenha um papel no sono: atinge o pico durante o sono REM, e ajuda a impedir que a entrada de estímulos externos perturbe nossos sonhos.[25]

Nos últimos anos, aprendemos que a acetilcolina e a noradrenalina parecem se integrar nos circuitos cerebrais via heterorreceptores — receptores químicos dentro do neurônio capazes de aceitar mais de um tipo de gatilho (à diferença dos autorreceptores mais típicos, que funcionam como chave e fechadura, permitindo apenas um neurotransmissor específico dentro da sinapse).[26] Através desse mecanismo, a acetilcolina e a noradrenalina podem influenciar sua liberação mútua.

O filtro de atenção abrange uma rede nos lobos frontais e córtex sensoriais (córtex auditivo e visual). Quando procuramos algo, o filtro pode ressintonizar os neurônios para que se adaptem àquilo que procuramos, como as listras brancas e vermelhas de Wally, ou o tamanho e o formato das chaves do carro. Isso permite que a procura seja rápida, e que coisas irrelevantes sejam filtradas. Mas, por causa do ruído neural, esse mecanismo nem sempre funciona à perfeição — às vezes olhamos para o que estamos procurando, bem diante dos nossos olhos, sem reconhecê-la. O filtro de atenção (ou a rede *Onde está Wally?*) é em parte controlado por neurônios com receptores nicotínicos localizados na região do cérebro chamada substância inominada. Os receptores nicotínicos são assim chamados porque reagem à nicotina, fumada ou mascada, e estão espalhados pelo cérebro. Apesar de todos os problemas que a nicotina pode causar à saúde de modo geral, é comprovado que ela pode melhorar o nível da detecção de sinais quando uma pessoa foi instruída de forma incorreta — isto é, a nicotina cria um estado de vigilância que permite que nos tornemos mais sensíveis aos detalhes, e menos dependentes de expectativas criadas de cima para baixo.[27] O filtro de atenção também se comunica intimamente com a ínsula, de modo a ativar o comutador ali presente para nos tirar do modo devaneio e nos botar no modo executivo central quando necessário. Além disso, é fortemente ligado ao cingulado, facilitando o acesso rápido ao sistema motor para provocar uma reação comportamental adequada — como se esquivar quando algum objeto perigoso vem em nossa direção.[28]

Como já vimos, o filtro de atenção incorpora um sistema de alerta que permite a irrupção de sinais importantes, capazes de alterar sua vida, nos modos devaneio e focado.[29] Se você está dirigindo e de repente começa a devanear, esse é o sistema que funciona de estalo quando um grande caminhão surge do nada na sua pista, injetando adrenalina em seu sangue. O sistema de alerta é governado pela noradrenalina nos lobos frontais e parietais. Drogas como a guanfacina (nomes comerciais: Tenex e Intuniv) e a clonidina, receitadas em casos de hipertensão, transtorno do déficit de atenção com hiperatividade (TDAH) e transtornos de ansiedade, são capazes de bloquear a liberação de noradrenalina, bloqueando por sua vez o alerta aos sinais de aviso.[30] Se você for operador de sonar num submarino, ou um guarda florestal vigiando indícios de incêndio, vai querer que seu sistema de alerta funcione ao máximo. Mas se sofre de um transtorno que o faz ouvir barulhos inexistentes, vai querer atenuar o sistema de alerta, e a guanfacina é capaz disso.

O comutador de atenção que Vinod Menon e eu localizamos na ínsula ajuda a desviar o holofote da atenção de uma coisa para outra, e é governado pela noradrenalina e o cortisol (hormônio do estresse).[31] Altos níveis de dopamina ali, e nos tecidos em volta, parecem realçar o funcionamento da rede devaneio.[32] O locus coeruleus e o sistema noradrenalínico também modulam esses estados comportamentais. O sistema noradrenalínico é evolucionariamente muito antigo, e pode ser encontrado até nos crustáceos, nos quais, a crer em determinados pesquisadores, desempenha um papel semelhante.[33]

## De onde vem a memória

Pela maneira como os neurocientistas falam desses sistemas de atenção, seria de imaginar que se trata de modos que afetam o cérebro inteiro, no estilo tudo ou nada: ou você está no modo executivo central ou oscilando para o modo devaneio. Está desperto ou adormecido. Afinal, nós *sabemos* quando estamos acordados, não é? Quando adormecidos, ficamos totalmente desligados, e só depois de acordar é que percebemos que estivemos dormindo. Mas não é assim que funciona.

Em absoluto contraste com essa falsa ideia, os neurocientistas descobriram recentemente que partes de nosso cérebro podem adormecer por alguns momentos, ou até por mais tempo, sem que o percebamos. Em qualquer momento dado, alguns circuitos do cérebro podem estar desligados, cochilando, recuperando energia, e, desde que não sejam requisitados, não o notamos. Isso se aplica do mesmo modo aos quatro estados do sistema de atenção — qualquer um, ou todos, pode estar funcionando parcialmente. É provável que seja esta a causa de muitas coisas serem postas no lugar errado ou perdidas: a parte do cérebro que deveria estar atenta a onde as pusemos está dormindo ou distraída com alguma outra coisa. Isso acontece quando não notamos algo que estamos procurando ou olhamos bem para ele sem notá-lo; acontece quando devaneamos, e é preciso um susto para voltarmos ao estado alerta.

Assim, perdemos muitas coisas quando não prestamos atenção ao instante em que as largamos. O remédio é treinar a atenção e esvaziar a mente, treinar o foco em viver o momento presente, como na filosofia zen, prestar atenção quando largamos ou guardamos alguma coisa. Esse pequeno foco representa um bom avanço em treinar o cérebro (especificamente o hipocampo) para lembrar onde deixamos algo, porque assim estaremos pedindo ajuda ao executivo central para codificar o momento. Ter sistemas como ganchos para chaves, suportes para celulares e um gancho ou gaveta especial para os óculos escuros exterioriza o esforço, fazendo com que não precisemos guardar tudo na cabeça. Exteriorizar a memória é uma ideia que remonta aos gregos, cuja eficácia já foi confirmada muitas vezes pela neurociência contemporânea. O grau em que já o fazemos é espantoso, se pararmos para pensar nisso. Como comentou Dan Wegner, o psicólogo, professor em Harvard, "nossas paredes estão forradas de livros, nossos armários, de documentos, nossos notebooks, de anotações, nossas casas, de artefatos e suvenires".[34] Não é coincidência que *suvenir* derive de *souvenir*, a palavra francesa para "lembrar". Nossos computadores estão cheios de registros de dados, calendários de compromissos e aniversários, e os estudantes rabiscam respostas de provas nas mãos.[35]

Um ponto de vista corrente entre alguns teóricos da memória é que grande parte do que você já viveu de modo consciente na vida está registrada em código no cérebro — muito do que você já viu, ouviu, cheirou, pensou, todas aquelas conversas, passeios de bicicleta e refeições estão ali em algum lugar, desde que você preste atenção neles. Se está tudo ali, por que esquecemos? Como descreveu de modo um tanto eloquente Patrick Jane, do seriado de TV *The Mentalist*, "não se pode confiar na memória porque o sistema de arquivamento do cérebro destreinado é uma porcaria. Ele pega tudo que acontece com você e joga de qualquer jeito num grande armário escuro — quando você entra lá procurando algo, só consegue achar as coisas grandes e óbvias, como a morte de sua mãe, ou então coisas de que realmente não precisa. Coisas que você não está procurando, como a letra de 'Copacabana'. Você não consegue encontrar o que precisa. Mas não entre em pânico, porque ainda está lá".[36]

Como é possível? Quando passamos por qualquer acontecimento, uma rede singular de neurônios é ativada de acordo com a natureza do acontecimento. Está contemplando o pôr do sol? Os centros visuais que representam luz e sombra, rosa, laranja e amarelo são ativados. O mesmo pôr do sol meia hora antes ou depois parece diferente, e assim evoca neurônios diferentes para representá-lo. Está assistindo a um jogo de tênis? Neurônios disparam a fim de fazer o reconhecimento facial dos jogadores, de detectar o movimento de seus corpos, da bola, das raquetes, enquanto centros cognitivos mais elevados rastreiam os jogadores para verificar se eles se ativeram às regras e como está o placar. Cada um de nossos pensamentos, percepções e experiências possui um único correlato neural — se não fosse assim, perceberíamos os acontecimentos como idênticos; é a diferença de ativações neuronais que nos permite distinguir os eventos entre si.

O ato de recordar algo é um processo de reativar esses neurônios envolvidos na experiência original. Os neurônios representam o mundo para nós enquanto o acontecimento está ocorrendo, e, quando o recordamos, esses mesmos neurônios o re-apresentam para nós. Na medida em que conseguimos ativar esses neurônios de modo semelhante a como foram ativados durante o acontecimento original, experimentamos a memória como um replay de resolução mais baixa do acontecimento original. Se pudéssemos ativar cada um dos neurônios originais *exatamente* como foram ativados da primeira vez, nossas recordações seriam extremamente vívidas e realistas. Mas o processo de recordar é imperfeito; as instruções de como agrupar os neurônios e da maneira exata como devem ser disparados estão corrompidas, levando a uma representação que não passa de uma pálida e muitas vezes inexata cópia da experiência real. A memória é ficção. Pode se apresentar a nós como factual, mas é altamente suscetível à distorção. A memória não é apenas um replay, e sim uma reescrita.

Acresce a essa dificuldade o fato de que muitas de nossas experiências compartilham semelhanças entre si, e, por isso, quando procuramos recriá-las na memória, o cérebro pode ser enganado por itens que rivalizam uns com os outros. Portanto, nossa memória tende a ser fraca na maior parte do tempo, não pela capacidade limitada de nosso cérebro para armazenar informação, e sim pela natureza da recuperação feita pela memória, que pode ser facilmente distraída ou confundida por outros itens semelhantes. Há ainda o problema de que as recordações podem se alterar.[37] Quando recuperadas, elas estão num estado lábil ou vulnerável, e precisam ser adequadamente reconsolidadas. Se você está compartilhando uma recordação com uma amiga e ela diz "não, o carro era verde, e não azul", *essa* informação é transplantada para a recordação. As recordações no estado lábil também podem sumir se algo interfere na sua reconsolidação, como falta de sono, distração, trauma ou mudanças neuroquímicas no cérebro.

Talvez o maior problema da memória humana seja que nem sempre sabemos que estamos recordando as coisas de modo inexato. Temos muitas vezes uma forte sensação de certeza ao recordar algo de forma incorreta e distorcida. Essa certeza falha é ampla, e difícil de extinguir. A relevância desse fato para os sistemas organizativos é a seguinte: quanto mais exteriorizamos a memória através de registros físicos presentes no mundo, menos precisamos depender da nossa memória imprecisa e demasiadamente autoconfiante.

Existe algum motivo ou dispositivo que explique quais experiências poderemos recordar com exatidão e quais não? As duas regras mais importantes dizem que as experiências mais fáceis de recordar são as especiais/singulares, ou as que possuem um forte componente emocional.

Acontecimentos ou experiências fora do normal tendem a ser lembrados com mais facilidade porque nada compete com eles quando o cérebro procura acessá-los no seu armazém de recordações. Em outras palavras, o motivo da dificuldade em recordar o que você comeu no café da manhã duas quintas-feiras atrás é que provavelmente não havia nada de especial naquela quinta-feira nem naquele determinado café da manhã — e, em consequência, todas as suas recordações dos cafés da manhã se fundem numa espécie de impressão genérica do café da manhã. Sua memória funde acontecimentos semelhantes não só porque esse é o procedimento mais eficiente, mas também porque se trata de algo fundamental para a maneira como aprendemos — nossos cérebros extraem regras abstratas que unem as experiências. Isso é especialmente verdade para coisas que constituem uma rotina. Se seu café da manhã é sempre o mesmo — leite e cereal, um copo de suco de laranja e uma xícara de café, por exemplo —, não existe uma maneira fácil de seu cérebro extrair detalhes de um determinado café da manhã. Então, ironicamente, em se tratando de comportamentos rotineiros, você é capaz de recordar o conteúdo genérico do comportamento (tal como o que comeu, já que sempre come o mesmo), mas neste caso terá muita dificuldade em evocar particularidades (como o ruído de um caminhão de lixo passando, ou um pássaro que passou pela janela), *exceto* se elas forem especialmente diferentes ou emocionais. Por outro lado, se você fez algo singular que quebrou a rotina — talvez tenha comido a sobra da pizza no café da manhã e derramado suco de tomate na camisa —, é mais provável que recorde.

Um princípio-chave, então, é que a recuperação feita pela memória exige que o cérebro esquadrinhe múltiplas instâncias competitivas para escolher apenas as que estamos procurando recordar. No caso de haver acontecimentos semelhantes, ela recupera muitos ou todos eles, e geralmente cria uma espécie de combinação, de mistura genérica, sem que saibamos disso conscientemente. É por isso que é difícil lembrar onde deixamos os óculos e as chaves do carro — já os deixamos em tantos lugares diferentes no decorrer dos anos que todas essas memórias passam juntas, e o cérebro tem dificuldade em achar a que é relevante.

Por outro lado, se não houver acontecimentos semelhantes, aquele que é singular pode ser facilmente distinguido, e somos capazes de recordá-lo. Isso na proporção direta do caráter distinto do acontecimento. Comer pizza no café da manhã pode ser relativamente incomum; sair para tomar café da manhã com o patrão é mais incomum. Ter o café da manhã servido na cama, no seu aniversário de 21 anos, por uma nova namorada, pelada, é mais incomum ainda. Outras ocorrências incomuns que as pessoas conseguem recordar com facilidade incluem fatos do ciclo vital, como o nascimento do primeiro filho, o casamento ou a morte de um ente querido. Na qualidade de observador de pássaros amador, lembro exatamente onde estava quando vi pela primeira vez um pica-pau da espécie *Dryocopus pileatus*, muito comum nos Estados Unidos, e lembro detalhadamente o que estava fazendo minutos antes e depois de tê-lo visto. Do mesmo modo, muita gente lembra a primeira vez que viu gêmeos idênticos, montou a cavalo ou enfrentou uma tempestade.

Em termos da evolução, faz sentido recordarmos acontecimentos especiais e característicos, porque eles representam uma mudança em potencial do mundo a nossa volta, ou uma mudança na compreensão que temos dele — precisamos registrar esses acontecimentos para maximizar nossas chances de êxito num ambiente mutável.

O segundo princípio da memória é relativo às emoções. Se algo nos amedronta extremamente, nos provoca entusiasmo, nos entristece ou nos provoca raiva — quatro das emoções humanas primárias —, é mais provável que o recordemos. Isso porque o cérebro cria marcadores ou etiquetas neuroquímicas que acompanham a experiência e a fazem ser rotulada como importante. É como se o cérebro passasse um marcador amarelo no texto que representa nosso dia, destacando seletivamente os trechos importantes das experiências cotidianas. Isso faz sentido em termos da evolução — os acontecimentos emocionalmente importantes são provavelmente os que *precisamos* lembrar para sobreviver, coisas como o rosnado de um predador, a localização de uma nova fonte de água potável, o cheiro de comida estragada, o amigo que quebrou uma promessa.

Essas etiquetas químicas ligadas a ocorrências emocionais são o motivo de nos lembrarmos tão prontamente de acontecimentos nacionais importantes como o assassinato do presidente Kennedy, a explosão do ônibus espacial do *Challenger*, os ataques do Onze de Setembro, a eleição e a posse do presidente Obama. Esses foram momentos emocionais para a maioria de nós, imediatamente etiquetados através de componentes químicos cerebrais que, ao lhes atribuir certo status neural, facilitam o acesso a eles e sua recuperação. E essas etiquetas neuroquímicas funcionam tanto para essas lembranças pessoais quanto para as nacionais. Talvez você não se lembre da última vez que lavou suas roupas, mas provavelmente se lembra de quem beijou pela primeira vez e do exato lugar onde isso aconteceu. E ainda que alguns detalhes sejam nebulosos, é provável que você se lembre das emoções associadas a essa memória.

Infelizmente, a existência de etiquetas emocionais semelhantes, embora garantam a facilidade e a rapidez da recuperação da memória, não garantem que essa recuperação seja mais exata. Eis um exemplo. Se você for como a maioria dos americanos, recordará exatamente onde estava assim que soube que as torres gêmeas do World Trade Center, em Nova York, haviam sido atacadas em 11 de setembro de 2001. Provavelmente se lembra do cômodo onde estava, mais ou menos da hora (manhã, tarde, noite), e talvez até de quem estava com você, ou das pessoas com quem falou naquele dia. Você também deve se lembrar de ter assistido na televisão às imagens terríveis de um avião colidindo com a primeira torre (a Torre Norte), e então, uns vinte minutos depois, a imagem do segundo avião colidindo com a segunda torre (a Torre Sul). Na verdade, segundo uma pesquisa recente, 80% dos americanos compartilham essa recordação. Mas acontece que essa memória é totalmente falsa. A rede de televisão mostrou o vídeo em tempo real da colisão contra a Torre Sul em 11 de setembro, mas o vídeo da colisão contra a Torre Norte só se tornou disponível e passou na televisão no dia seguinte, 12 de setembro. Milhões de americanos viram os vídeos fora de sequência, assistindo ao vídeo do impacto contra a Torre Sul 24 horas antes do vídeo do impacto contra a Torre Norte. Mas o relato que nos contaram e que sabemos ser verdade, de que a Torre Norte foi atingida cerca de vinte minutos *antes* da Torre Sul, fez com que nossa memória costurasse os acontecimentos na ordem em que ocorreram, e não conforme a experiência que tivemos deles. Isso provocou uma falsa recordação tão forte que até mesmo o presidente George W. Bush recordou equivocadamente ter visto a Torre Norte ser atingida em 11 de setembro, embora os arquivos de televisão provem a impossibilidade disso.[38]

Como demonstração da falibilidade da memória, experimente fazer o seguinte exercício. Primeiro, pegue um lápis ou uma caneta e um pedaço de papel. Depois, leia as palavras da lista a seguir. Leia cada uma em voz alta à velocidade de uma palavra por segundo. Isto é, não leia com a rapidez de que você é capaz, mas com calma, focando cada palavra enquanto a lê.

DESCANSO

CANSADO

ACORDADO

SONHO

RONCO

CAMA

COMER

COCHILO

SÃO

CONFORTO

TRAVESSEIRO

DESPERTAR

NOITE

Agora, sem voltar a vê-las, escreva aqui todas as que for capaz de lembrar, em seguida vire a página. Não tem problema, você pode escrever aqui mesmo. Este é um livro científico e você está fazendo um registro empírico. (Se estiver lendo a versão em e-book, empregue a função anotar. Se for o livro de uma biblioteca, bem, use uma folha de papel separada.)

Você escreveu *descanso*? *Noite*? *Aardvark*? *Sono*?

Se for parecido com a maioria das pessoas, lembrou algumas palavras. Oitenta e cinco por cento das pessoas escrevem *descanso*. *Descanso* foi a primeira palavra que você viu, e isso é coerente com o efeito da *primazia* da memória: tendemos a recordar melhor o primeiro item de uma lista. Setenta por cento das pessoas lembra a palavra *noite*. Foi a última palavra que você viu, e isso é coerente com o efeito de *recência*: tendemos a recordar os últimos itens de uma lista, mas não tão bem quanto o primeiro.[39] Quanto a essas listas de itens, os cientistas elaboraram uma curva de posição serial, um gráfico mostrando a probabilidade de um item ser lembrado de acordo com sua posição na lista.

Com certeza, você não escreveu *aardvark*, porque não constava da lista — os pesquisadores sempre incluem perguntas assim para ter certeza de que seus pesquisados estão prestando atenção. Cerca de 60% das pessoas testadas escreveram *sono*. Mas, se você voltar atrás agora e verificar, verá que *sono* não estava na lista! Você teve uma falsa recordação, e, se for como a maioria das pessoas, escreveu *sono* com a certeza de ter visto a palavra. Como isso aconteceu?

Trata-se das redes associativas descritas na Introdução — a ideia de que se você pensar em *vermelho*, isso pode ativar outras recordações (ou nódulos conceituais) por intermédio de um processo chamado propagação de ativação [*spreading activation*]. É esse mesmo princípio que funciona aqui: ao apresentar algumas palavras *relacionadas* à ideia de sono, a palavra *sono* é ativada no cérebro. Na verdade, trata-se de uma falsa recordação, uma recordação de algo que de fato não houve. As implicações disso são de longo alcance. Advogados habilidosos podem usá-las, assim como princípios semelhantes, para dar vantagem a seus clientes, implantando ideias e memórias na mente de testemunhas e até de juízes.

Mudar uma única palavra de uma frase pode fazer com que testemunhas recordem falsamente ter visto vidro quebrado numa imagem. A psicóloga Elizabeth Loftus mostrou aos participantes de uma experiência vídeos de acidentes de carro leves. Mais tarde, perguntou a metade deles: "Qual a velocidade dos carros quando bateram?" e, à outra metade, "qual a velocidade dos carros quando eles se despedaçaram?". Houve uma diferença dramática das estimativas, dependendo daquela única palavra (*se despedaçaram* em contraposição a *bateram*). Ela, então, chamou os participantes de volta uma semana depois e perguntou. "Havia vidro quebrado na cena?" (não havia vidro quebrado no vídeo). As pessoas tinham duas vezes mais tendência a responder que sim se, uma semana antes, lhes tivesse sido perguntado sobre os carros que *se despedaçaram*.[40]

Para piorar as coisas, o ato de recuperar uma memória a joga num estado de labilidade que possibilita a introdução de novas distorções;[41] então, quando a memória volta a ser armazenada, a informação incorreta fica gravada nela como se estivesse ali o tempo todo. Por exemplo, se você recorda uma memória feliz quando está se sentindo triste, seu ânimo na hora da recuperação pode colorir a memória a ponto de ela ser recodificada como ligeiramente triste no momento em que você volta a guardá-la no seu armazém de memórias. O psiquiatra Bruce Perry, da Feinberg School of Medicine, resume assim: "Hoje sabemos que, do mesmo modo que ao abrir um arquivo do Word, quando recuperamos uma memória no cérebro ela é aberta automaticamente no modo de 'edição'. Talvez você não se dê conta de que seu ânimo atual e seu ambiente possam influenciar o matiz emocional de sua recuperação, a interpretação dos fatos e até mesmo sua crença no que de fato ocorreu. Assim, quando você torna a 'salvar' a memória e volta a armazená-la, pode modificá-la inadvertidamente [...] [isso] pode distorcer aquilo que você vai recordar da próxima vez que abrir esse 'arquivo'".[42] No decorrer do tempo, mudanças adicionais podem levar à criação de memórias de eventos que nunca aconteceram.

Tirando o fato de que as memórias podem ser distorcidas e sobrescritas com tanta facilidade — uma questão problemática e potencialmente desagradável —, o cérebro organiza ocorrências passadas de modo engenhoso, com múltiplos pontos de acesso e múltiplas deixas em relação a qualquer memória específica. E se os teóricos mais audazes tiverem razão, tudo por que você já passou está "lá" em algum canto, à espera de ser acessado. Então por que não somos soterrados pela memória? Por que, toda vez que você pensa em batatas fritas, não surgem automaticamente no seu cérebro imagens de *todas as vezes que você comeu batatas fritas*? Porque o cérebro organiza recordações semelhantes em pacotes de categorias.

## Por que categorias importam

Eleanor Rosch demonstrou que categorizar é um ato de economia cognitiva. Tratamos as coisas como sendo do mesmo tipo para não termos de desperdiçar valiosos ciclos de processamento neuronal com detalhes irrelevantes para o nosso objetivo. Quando olhamos a praia, não vemos grãos de areia individuais, mas um coletivo, e um grão de areia é agrupado com todos os demais. Isso não significa que somos incapazes de perceber diferenças entre grãos individuais, apenas que, visando à máxima praticidade, o cérebro agrupa automaticamente objetos semelhantes. Do mesmo modo, percebemos uma tigela de ervilhas como contendo um agregado de alimentos, como ervilhas. Como disse antes, consideramos as ervilhas praticamente substituíveis — funcionalmente equivalentes porque servem ao mesmo propósito.

Uma parte da economia cognitiva consiste em não sermos afogados por todos os termos possíveis que poderíamos usar para nos referir aos objetos do mundo — existe um termo típico e natural que usamos com mais frequência.[43] Esse é o termo que se adequa à maioria das situações. Dizemos que um ruído vindo da esquina é de um *carro*, não de um Pontiac GTO 1970. Falamos do *pássaro* que fez um ninho na caixa de correio, e não do pipilo-de-barriga-vermelha. Rosch chamou isso de categoria de nível básico. O nível básico é o primeiro termo que os bebês e crianças aprendem, e o primeiro que costumamos aprender numa língua estrangeira. Há exceções, claro. Ao entrar numa loja de móveis, você pode perguntar ao vendedor onde ficam as cadeiras. Mas se entrar numa loja chamada Só Cadeiras e fizer a mesma pergunta, será estranho; nesse contexto, você afunilaria a pergunta até um nível subordinado ao nível básico, e perguntaria onde ficam as cadeiras de escritório, ou as cadeiras de mesa de jantar.

À medida que nos especializamos ou adquirimos conhecimentos avançados, tendemos a adotar o nível subordinado na linguagem cotidiana. Um vendedor da Só Cadeiras não vai ligar para o estoque perguntando se eles têm poltronas especiais; perguntará sobre a réplica de mogno da poltrona Queen Anne amarela com o encosto em botonê. Um observador de pássaros mandará uma mensagem para outros observadores dizendo que um pipilo-de-barriga-vermelha está guardando um ninho na sua caixa de correio. Assim, nosso conhecimento conduz nossa formação de categorias e a estrutura que elas adquirem no cérebro.

A economia cognitiva ordena que categorizemos as coisas de tal maneira que não sejamos esmagados por detalhes, que, para todos os efeitos, não importam. Obviamente existem determinadas coisas cujos detalhes queremos saber de imediato, mas não precisamos de todos os detalhes o tempo todo. Se você estiver catando feijão-preto, tentando separar os grãos ruins, os verá sob o aspecto individual, não como equivalentes em termos funcionais. A habilidade de transitar entre esses modos de focar, de trocar as lentes do coletivo para o individual, é uma característica do sistema de atenção dos mamíferos, e põe em destaque a natureza hierárquica do executivo central. Embora os pesquisadores tendam a tratar o executivo central como uma entidade unitária, na verdade ele pode ser mais bem compreendido como uma porção de lentes diversas que nos permitem dar zoom e desfazer o zoom durante as atividades em que estamos engajados, para focar o que for mais relevante no momento. Uma pintora precisa perceber a pincelada individual ou o ponto que está pintando, e ser capaz de fazer um movimento de vaivém entre o foco do tipo laser e a pintura como um todo. Os compositores trabalham no nível de tons e ritmos individuais, mas precisam apreender a frase musical mais ampla e a peça inteira, de modo a assegurar o bom encaixe de tudo. Um marceneiro trabalhando numa parte específica da porta precisa ter ainda uma visão geral da porta inteira. Em todos esses casos e ainda em outros — um empresário abrindo uma empresa, um piloto de avião planejando o pouso —, a pessoa que faz o trabalho tem uma imagem ou um ideal na cabeça, e procura manifestá-lo no mundo real, de modo que a aparência da coisa combine com a imagem mental.

A distinção entre aparência e imagem mental tem raízes em Aristóteles e Platão, e era uma pedra fundamental da filosofia grega clássica.[44] Tanto Aristóteles quanto Platão destacaram a distinção entre a aparência de algo e como esse algo era na realidade. Um marceneiro pode usar um verniz para fazer compensado *parecer* mogno maciço. O psicólogo cognitivo Roger Shepard, que foi meu mentor e professor (e que desenhou a ilusão do monstro no Capítulo 1), aprofundou esse ponto ainda mais na sua teoria, segundo a qual o comportamento adaptativo depende de que o organismo seja capaz de fazer três distinções entre aparência e realidade.

Primeiro, alguns objetos, ainda que tenham aspecto diferente, são inerentemente idênticos. Ou seja, visões diferentes do mesmo objeto que evocam imagens retinianas muito diferentes referem-se, no fundo, ao mesmo objeto. Esse é um ato de categorização — o cérebro precisa integrar diferentes visões de um objeto numa representação coerente e unificada, colocando-as numa única categoria.

Fazemos isso o tempo todo quando estamos interagindo com outras pessoas — seus rostos aparecem para nós de perfil, de frente, em outros ângulos, e as emoções que rostos transmitem projetam imagens retinianas muito diferentes. O psicólogo russo A. R. Luria descreveu o caso de um célebre paciente que *não* conseguia sintetizar essas visões disparatadas, que tinha uma terrível dificuldade em reconhecer os rostos por causa de uma lesão cerebral.

Segundo, objetos de aspecto semelhante são inerentemente diferentes. Por exemplo, numa cena de cavalos pastando no campo, cada cavalo pode ser muito parecido com os outros, até mesmo idêntico em termos de sua imagem retiniana, mas o comportamento adaptativo evolucionário exige que compreendamos cada um individualmente. Esse princípio não envolve a categorização; na verdade, ele requer uma espécie de desmonte da categorização, o reconhecimento de que, embora esses objetos sejam funcional e praticamente equivalentes, há situações em que é conveniente compreendermos que eles são entidades distintas (por exemplo, se apenas um deles se aproxima em trote rápido, isso provavelmente apresenta muito menos perigo do que quando toda a manada vem em sua direção).

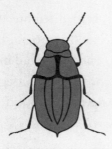  

Terceiro, objetos de aspecto diferente podem, ainda assim, pertencer ao mesmo tipo natural. Se você visse um desses animais rastejando em cima da sua perna ou da sua comida, pouco lhe importaria que eles tivessem histórias evolucionárias muito diferentes, hábitos de acasalamento ou DNA diferentes. Eles podem não compartilhar nenhum ancestral evolucionário em um milhão de anos. Você só se importa com o fato de eles pertencerem à categoria de "coisas que não quero que rastejem em cima de mim ou da minha comida".

Portanto, o comportamento adaptativo, segundo Shepard, depende da economia cognitiva, ao tratar objetos como equivalentes quando eles de fato o são. Categorizar um objeto significa considerá-lo equivalente a outras coisas naquela categoria, e diferente — de acordo com alguma dimensão relevante — de coisas que não o são.

A informação que recebemos dos sentidos a partir do mundo possui tipicamente uma estrutura e uma ordem, o que não é arbitrário. As coisas vivas — animais e plantas — exibem tipicamente uma estrutura correlativa. Por exemplo, somos capazes de perceber atributos dos animais, como asas, pele, bicos, penas, nadadeiras, guelras e lábios. Mas eles não ocorrem a esmo. As asas são tipicamente cobertas por penas, em vez de pele. Esse é um fato empírico comprovado pelo mundo. Em outras palavras, as combinações não ocorrem de modo uniforme ou a esmo, e algumas parelhas são mais prováveis do que outras.

Onde as categorias se encaixam nisso tudo? As categorias muitas vezes refletem essas ocorrências compartilhadas: a categoria *pássaro* implica a presença de asas e penas no animal (apesar de haver exemplos contrários, como o quivi da Nova Zelândia, que não tem asas, e determinados pássaros já extintos que não tinham penas).

Todos nós temos uma compreensão intuitiva do que leva um indivíduo a fazer parte de uma categoria, e com que perfeição ele se encaixa na categoria, desde a mais tenra idade. Usamos ressalvas para indicar integrantes incomuns da categoria. Se alguém lhe pergunta, "o pinguim é um pássaro?", é correto responder que sim, mas muita gente responderia com uma ressalva, algo como, "*em teoria,* o pinguim é um pássaro". Se quiséssemos elaborar mais, diríamos, "ele não voa nada". Mas não diríamos: "O pardal em teoria é um pássaro". Ele não é apenas um pássaro em teoria, é um pássaro por excelência, um dos melhores exemplos de pássaros norte-americanos por vários fatores, inclusive sua ubiquidade, sua familiaridade e o fato de possuir a maior quantidade de atributos em comum com os demais integrantes da categoria. Ele voa, canta, possui asas e penas, põe ovos, faz ninho, come insetos, se aproxima de quem o alimenta e assim por diante.

Essa compreensão instantânea do que constitui um "bom" integrante de uma categoria se reflete, na nossa conversa do dia a dia, através da nossa habilidade de substituir um *integrante* da categoria pelo nome da categoria numa frase bem construída e quando esse integrante é bem escolhido, refletindo a estrutura interna da categoria. Vejamos a seguinte frase:

Mais ou menos vinte pássaros pousam com frequência no fio do telefone do lado de fora da minha janela e cantam de manhã.

Posso retirar a palavra *pássaros* e substituí-la por *tordos, pardais, tentilhões, estorninhos,* sem prejudicar a correção da frase. Mas se substituo por *pinguins, avestruzes* ou *perus,* parece um absurdo.

Do mesmo modo, considere o seguinte:

O estudante tirou o pedaço de fruta da merendeira e deu várias mordidas antes de comer o sanduíche.

Podemos substituir *fruta* por *maçã, banana* ou *pera* sem perda de correção, mas não podemos substituí-la igualmente por *pepino* ou *abóbora* sem que a frase fique estranha. A questão é que quando empregamos categorias preexistentes, ou criamos novas, há objetos exemplares que obviamente pertencem ou são centrais a essa categoria, e outros casos que não se encaixam tão bem. Essa capacidade de reconhecer a diversidade e de organizá-la em categorias é um fato biológico absolutamente essencial para a mente humana organizada.

Como se formam as categorias no cérebro? Geralmente, de três maneiras. Primeiro, categorizamos com base no *aspecto geral* ou no *aspecto mais exato*. Pelo aspecto geral, colocamos todos os lápis juntos no mesmo pacote. Pelo aspecto mais exato, podemos separar os lápis mais macios dos mais duros, os de grafite dos coloridos, os maiores dos menores. Uma característica de todos os processos de categorização utilizados pelo cérebro humano, inclusive a categorização baseada no aspecto geral, é que eles são flexíveis e expansivos, passíveis de muitos níveis de resolução ou granulação. Por exemplo, se dermos um zoom nos lápis, podemos querer uma separação máxima, como fazem nas papelarias, separando-os tanto pelos fabricantes quanto pela dureza ou maciez: 3H, 2H, H, HB, B. Ou podemos resolver separá-los pelo que lhes resta da borracha, se têm marcas de mordida ou não (!), ou por seu comprimento. Abrindo o zoom, podemos resolver colocar todos os lápis, canetas, marcadores e gizes de cera em uma única e ampla categoria de instrumentos de escrita. Assim que você resolve identificar e nomear uma categoria, o cérebro cria uma representação dessa categoria e separa os objetos que entram dos que ficam de fora. Se eu disser "um mamífero é um animal que dá à luz filhotes vivos e cuida deles", fica fácil e rápido categorizar a avestruz (não), a baleia (sim), o salmão (não) e o orangotango (sim). E se eu lhe disser que existem cinco espécies de mamíferos que põem ovos (inclusive o ornitorrinco e a equidna), é possível acomodar rapidamente a informação sobre essas exceções, e isso parece perfeitamente comum.

A segunda maneira de categorizarmos é baseada na *equivalência funcional*, quando falta aos objetos aspecto semelhante. Num átimo, somos capazes de usar um giz de cera para escrever um bilhete — ele se torna funcionalmente equivalente a um lápis ou a uma caneta. Podemos usar um clipe retorcido para pregar uma mensagem num quadro de avisos de cortiça, um cabide de arame distorcido para desentupir a pia da cozinha; podemos dobrar um casaco estofado para usá-lo como travesseiro durante um acampamento. Uma equivalência funcional clássica refere-se à comida. Se você está dirigindo na estrada e para num posto de gasolina, com fome, é capaz de aceitar um leque de produtos que são funcionalmente equivalentes para matar a fome, embora não guardem semelhança entre si: fruta, iogurte, uma barra de cereais com nozes, uma barra de granola, um sonho, um pacote de biscoito. Se você já usou a parte de trás de um grampeador ou um sapato para bater um prego, então usou o equivalente funcional de um martelo.

O terceiro modo de categorizar é criar categorias conceituais que tratam de *situações particulares*. Isso às vezes é feito de improviso, levando a categorias ad hoc. Por exemplo: o que sua carteira, fotos de infância, dinheiro vivo, joias e o cão da família têm em comum? Eles não possuem nenhuma semelhança física, e lhes falta semelhança funcional. O que os une é que todos são coisas "que você salvaria no caso de um incêndio". Você pode nunca ter pensado em juntá-las até o momento em que foi obrigado a tomar uma rápida decisão sobre o que salvar. De outro modo, essas categorias situacionais podem ser planejadas com bastante antecedência. Uma prateleira destinada a emergências (que contenha itens como água, enlatados, abridor de lata, lanterna, chave para fechar o registro de gás natural, fósforos, cobertores) exemplifica isso.

Cada um desses três métodos de categorização informa como organizamos nossas casas e locais de trabalho, como alocamos espaço nas prateleiras e gavetas e como podemos arrumar as coisas para achá-las fácil e rapidamente. Cada vez que aprendemos a criar uma nova categoria, existe uma atividade neuronal num circuito que desperta um laço do córtex talâmico pré-frontal, ao lado do núcleo caudado.[45] Ele contém mapas de baixa resolução do espaço perceptivo (ligando ao hipocampo); associa um espaço de categorização com um estímulo perceptivo. A liberação de dopamina fortalece as sinapses quando categorizamos corretamente itens segundo uma certa regra. Se mudarmos uma regra de classificação — digamos que decidamos arrumar nossas roupas pela cor e não pela estação —, o córtex cingulado (parte do executivo central) é ativado. É claro que também fazemos classificações cruzadas, pondo as coisas em mais de uma categoria. Em determinada situação, você pode pensar em iogurte como um produto lácteo; em outra, como item do café da manhã. A primeira se baseia numa classificação taxonômica e a segunda, numa categoria funcional.[46]

Até que ponto as categorias são importantes? Criá-las é algo tão profundo? E se categorias mentais como essas se manifestarem, na verdade, no tecido neuronal? Elas de fato fazem isso.

Há mais de 50 mil anos, nossos ancestrais humanos categorizavam o mundo à sua volta fazendo distinções e divisões sobre coisas relevantes para suas vidas: comestível em contraposição a não comestível, predador em contraposição a presa, vivo em contraposição a morto, animado em contraposição a inanimado. Como vimos no Capítulo 1, essas categorias biológicas agrupavam objetos com base em seu aspecto ou suas características. Além disso, eles usavam categorias conceituais ad hoc para coisas que não tivessem semelhança física, mas que compartilhassem características funcionais — por exemplo, "coisas que não queremos encontrar na comida", categoria heterogênea que incluiria vermes, insetos, torrões de terra, casca de árvores ou os pés fedorentos do irmãozinho.

Nos últimos anos aprendemos que a formação e a conservação de categorias possuem raízes em processos biológicos conhecidos do cérebro. Os neurônios são células vivas, que conseguem se interconectar de trilhões de maneiras diferentes. Essas conexões não levam apenas ao conhecimento — as conexões *são* o conhecimento.[47] A quantidade de possíveis estados cerebrais que podemos possuir excede a quantidade de partículas conhecidas no universo. As implicações disso são estarrecedoras: em teoria, deveríamos ser capazes de representar de maneira única em nosso cérebro toda partícula conhecida do universo, e ainda ter capacidade de sobra para organizar essas partículas em categorias finitas. Nosso cérebro é a ferramenta certa para a era da informação.

A tecnologia da neuroimagem descobriu os substratos biológicos da categorização. Pediu-se a voluntários colocados dentro de um escâner que criassem ou pensassem em diferentes tipos de categorias. Essas categorias poderiam conter objetos naturais, como plantas e animais, ou artefatos criados pelo homem, como ferramentas e instrumentos musicais. A tecnologia do escaneamento nos permite localizar, geralmente dentro de um milímetro cúbico, onde ocorre determinada atividade neuronal. A pesquisa demonstrou que as categorias que formamos são reais, entidades biológicas, situadas em lugares específicos do cérebro.[48] Isto é, regiões específicas e replicáveis do cérebro se tornam ativas quando recordamos categorias formadas previamente, e quando as criamos na hora. Isso é verdade quando as categorias se baseiam em semelhanças físicas (por exemplo, *folhas comestíveis*) ou apenas conceituais (*coisas que eu poderia usar como martelo*). Casos clínicos de gente com lesões cerebrais fornecem evidências suplementares da base biológica das categorias. Doenças, derrames, tumores ou outros traumas cerebrais às vezes lesam ou provocam a morte de alguma região específica do cérebro. Já vimos pacientes com lesões cerebrais tão específicas que eles podem perder a capacidade de usar e compreender uma única categoria, como *frutas*, por exemplo, e reter a capacidade de usar e compreender uma categoria relacionada, como *verduras*. O fato de uma categoria específica poder ser perdida dessa maneira indica sua base biológica no decorrer de milhões de anos de evolução, e a importância hoje da categorização em nossas vidas.

Nossa capacidade de utilizar e criar categorias, de imediato, é uma forma de economia cognitiva. Ela nos ajuda, consolidando coisas iguais, nos livrando de ter de tomar decisões que podem causar perda de energia, centenas de decisões irrelevantes como "será que eu quero essa caneta ou a outra?", "este é exatamente o par de meias que comprei?", ou "será que misturei meias quase idênticas na tentativa de formar o par?".

As categorias funcionais no cérebro podem ter limites rígidos (definidos com precisão) ou vagos. Os triângulos são um exemplo de categoria de limites rígidos. Para integrar a categoria, um objeto precisa ser uma figura fechada bidimensional de três lados, cuja soma dos ângulos deve ser exatamente igual a 180 graus. Outro limite rígido é a sentença de um julgamento criminal — com a exceção de julgamentos inconclusivos e anulados, o acusado é condenado ou não condenado, não existe nada do tipo 70% culpado. (Ao proferir a sentença, o juiz pode dispensar punições de grau variável, ou alocar graus de responsabilidade, mas ele geralmente não avalia graus de culpabilidade. No direito civil, entretanto, podem existir graus de culpabilidade.)

Um exemplo de limite vago nos é dado pela categoria *amizade*. Existem casos óbvios e cristalinos de pessoas que você sabe que são suas amigas, e casos evidentes de pessoas que você sabe que não são — estranhos, por exemplo. Mas, para a maioria das pessoas, *amigos* é uma categoria vaga. Ela depende até certo ponto do contexto. As pessoas que convidamos para um churrasco são diferentes das que convidamos para uma festa de aniversário;

saímos para beber com colegas de trabalho, mas não os convidamos à nossa casa. Assim como acontece em muitas categorias, a inclusão depende do contexto. A categoria *amigos* possui limites vagos, permeáveis, ao contrário da categoria triângulo, na qual os polígonos ou estão incluídos ou não estão. Consideramos as pessoas como amigas para certas coisas, mas não para outras.

Os limites rígidos se aplicam sobretudo a categorias formais que, via de regra, encontramos na matemática e no direito. Limites vagos podem ocorrer tanto em categorias naturais quanto nas de artefatos humanos. Os pepinos e as abobrinhas são tecnicamente frutas, mas permitimos que eles invadam o limite vago dos *legumes* em razão do contexto — tendemos a comê-los no lugar de legumes propriamente ditos, como feijão, vagem e fava. O aspecto contextual e situacional das categorias também se evidencia quando falamos de temperatura — 40°C é muito calor para o quarto quando estamos tentando dormir, mas é a temperatura perfeita para um banho quente de banheira. Os mesmos 40°C não seriam suficientes se estivéssemos falando de café.

Um caso clássico de categoria vaga é *jogo*, e o filósofo do século XX Ludwig Wittgenstein, que passou muito tempo pensando nela, concluiu que não havia nenhuma lista de atributos que pudesse definir a categoria sem ambiguidade. Um jogo é algo que se pratica para o lazer? Essa definição excluiria o futebol profissional e os Jogos Olímpicos. Algo que se faz junto a outras pessoas? Isso exclui a paciência. Uma atividade feita para divertir, governada por determinadas regras, às vezes praticada competitivamente para ser assistida por torcedores? Com isso fica excluída a brincadeira de roda, que não é competitiva, nem tem regras, e no entanto parece ser mesmo um jogo. Wittgenstein concluiu que uma coisa é um *jogo* quando possui uma semelhança familiar com outros jogos.[49] Pensem numa família hipotética, os Larson, durante a reunião anual da família. Se você conhecer vários Larson, talvez consiga diferenciá-los com facilidade de seus cônjuges não Larson, com base em certos traços familiares. Talvez os Larson tenham uma covinha no queixo, um nariz aquilino, grandes orelhas de abano, cabelo ruivo, e tendência a passar de um metro e noventa de altura. Mas é possível, até provável, que nenhum dos Larson tenha *todos* esses atributos. Eles não são características *definidoras*, são características típicas. A categoria vaga admite qualquer um que se pareça com o Larson prototípico, e, na verdade, o Larson prototípico que possua todas as características citadas talvez não exista de fato, a não ser como uma ideal teórico platônico.

O cientista cognitivo William Labov demonstrou o conceito de categoria vaga/semelhança familiar com esta série de desenhos:

O objeto no canto superior esquerdo é obviamente uma xícara. Ao nos movermos para a direita na primeira fila, a xícara se alarga gradativamente até, no número 4, parecer mais uma tigela do que uma xícara. E o número 3? Poderia se encaixar tanto na categoria *xícara* quanto na categoria *tigela*, dependendo do contexto. Do mesmo modo, à medida que a xícara vai ficando mais alta, ao descermos, parece cada vez menos uma xícara, e mais um jarro ou vaso. Outras variações, como o acréscimo de uma haste (número 17), a tornam mais semelhante a uma taça de vinho ou a um cálice. Mudando o formato (números 18 e 19), no entanto, fica parecendo uma xícara estranha, mas ainda assim uma xícara. Isso ilustra o conceito subjacente de que os limites da categoria são flexíveis, maleáveis e dependentes do contexto. Se eu lhe servir vinho no recipiente número 17 e ele for de vidro, e não de porcelana ou cerâmica, é mais provável que você o aceite como cálice. Mas, mesmo que eu faça o recipiente número 1 de vidro, ele continuará parecendo uma xícara, quer eu o encha de café, suco de laranja, vinho ou sopa.

As categorias vagas são concretizadas biologicamente no cérebro, e são tão reais quanto categorias rígidas. Ser capaz de utilizar, criar e compreender os dois tipos de categorias é algo que está inculcado no cérebro — até crianças de dois anos fazem isso. Quando pensamos na organização de nossas vidas e do espaço em que moramos, criar categorias e escaninhos para as coisas é um ato de economia cognitiva. É também um ato de grande criatividade, se o permitirmos, levando a sistemas organizativos que vão da classificação rígida de um paiol militar e da gaveta perfeita de meias a categorias nascidas de caprichos que refletem maneiras divertidas de encarar o mundo e todos os objetos que ele contém.

## Transferindo parte de sua mente para fora do corpo

O cérebro organiza a informação à sua própria maneira idiossincrática, que, a propósito, nos tem sido muito útil. Mas numa era de sobrecarga de informação, para não falar em sobrecarga decisória, precisamos de sistemas que estejam fora de nossas cabeças para nos ajudar. As categorias são capazes de transferir muita coisa do trabalho difícil do cérebro para o ambiente. Se tivermos uma gaveta para guardar apenas artigos de confeitaria, não precisaremos ficar nos lembrando todas as vezes onde devem estar dez itens diferentes — o rolo, as formas de biscoito, a batedeira e assim por diante —; só precisamos lembrar que existe uma categoria para artigos de confeitaria, que fica na terceira gaveta de cima para baixo, debaixo da cafeteira. Se estivermos planejando duas festas de aniversário, uma no escritório e outra em casa, a categoria *colegas de trabalho* em nossa memória mental, no arquivo do Outlook ou na lista de contatos do smartphone nos ajuda a estimular a memória para saber quem incluir e quem excluir.

Os calendários, smartphones e livros de endereço também são extensões do cérebro, exteriorizando no papel e nos chips de computador a miríade de detalhes que, dessa forma, não precisamos mais manter na cabeça. Historicamente, o máximo a que se chegou como extensão do cérebro foram os livros, com seu registro da sabedoria coletiva secular, que podemos acessar quando necessário. E talvez eles continuem sendo esse ponto culminante.

As pessoas no topo de suas profissões, sobretudo aqueles que são conhecidos por sua criatividade e sua eficiência, utilizam ao máximo sistemas de atenção e de memória externos ao cérebro. E uma quantidade surpreendente, mesmo em empregos altamente tecnológicos, utiliza positivamente soluções de baixa tecnologia para permanecer no controle do que estão fazendo. Sim, é possível colocar um chip nas chaves do carro para poder rastreá-las através de um aplicativo de celular, como também é possível criar listas eletrônicas para ter certeza de levar tudo de que se precisa quando for viajar. Mas muitas pessoas ocupadas e eficientes dizem que há algo diferente, visceral, em usar objetos físicos antiquados, em vez de objetos virtuais, para ficar no controle de coisas importantes, desde listas de compras a anotações de ideias para seu próximo grande projeto.

Uma das maiores surpresas que tive enquanto trabalhava neste livro foi ver a quantidade de gente que carrega consigo uma caneta, um bloco de anotações ou fichas para tomar notas concretas, insistindo em que são mais eficientes e satisfatórios do que as alternativas eletrônicas em voga.[50] Em sua autobiografia, *Faça acontecer*, Sheryl Sandberg confessa a contragosto que carrega uma caneta para controlar sua lista de coisas a fazer, e também que isso, no Facebook, no qual é diretora de operações, é visto "como carregar um tablete de pedra e um formão".[51] No entanto, ela e muitos outros insistem em usar essa antiga tecnologia. Deve haver alguma coisa boa nisso.

Imagine carregar uma pilha de fichas aonde quer que você vá. Quando tem uma ideia sobre algo que está fazendo, você anota numa ficha. Quando lembra algo que precisa fazer depois, anota numa ficha. Você está sentado no ônibus e se lembra de repente de pessoas para quem precisa ligar e de coisas que precisa comprar na loja de ferragens — são várias outras fichas. Você descobriu como resolver aquele problema da sua irmã com o marido dela — isso vai para a ficha. Toda vez que surge uma ideia no seu pensamento, você anota. David Allen, o perito em eficiência e autor de livros como *A arte de fazer acontecer*, chama esse tipo de anotação de "limpar a mente".

Lembre-se de que os modos devaneio e executivo central funcionam em oposição, e são mutuamente exclusivos; são parecidos com o diabinho e o anjinho pousados em cada um dos seus ombros, procurando tentá-lo. Enquanto você trabalha num projeto, o diabo do devaneio começa a pensar em todas as outras coisas que se passam na sua vida, e tenta distraí-lo. Tamanho é o poder dessa rede antitarefa que esses pensamentos vão ficar girando no seu cérebro até você dar um jeito de lidar com eles. Anotá-los os tira da sua cabeça, limpando o cérebro do entulho que interfere na sua capacidade de focar aquilo que você deseja focar. Como diz Allen, "a sua mente vai lembrá-lo de uma porção de coisas na hora em que você nada pode fazer para resolvê-las, e o simples fato de pensar nas suas preocupações não é absolutamente igual a fazer progressos para a solução delas".[52]

Allen notou que quando fazia uma grande lista de tudo que o preocupava sentia-se mais relaxado e capaz de focar o trabalho. Essa observação baseia-se na neurologia. Quando temos algo importante na cabeça — especialmente algo a fazer —, ficamos com medo de esquecer, por isso nosso cérebro fica ruminando, girando e girando a coisa em algo que os psicólogos cognitivos chamam de loop de ensaio [*rehearsal loop*], uma rede de regiões cerebrais que liga o córtex frontal, logo atrás de seus globos oculares, e o hipocampo, no centro do cérebro. Esse loop de ensaio evoluiu num mundo em que não havia caneta nem papel, smartphones ou outras extensões físicas do cérebro humano; durante dezenas de milhares de anos isso era tudo o que tínhamos, e, no decorrer desse período, o mecanismo se tornou muito eficaz para recordar coisas. O problema é que ele funciona bem demais, ruminando coisas até que prestemos atenção nelas. Anotar permite, tanto implícita quanto explicitamente, que o loop de ensaio abra mão dessas coisas, relaxando os circuitos neuronais de modo que possamos nos concentrar em algo diferente. "Se uma obrigação ficasse gravada apenas na minha mente", diz Allen, "uma parte de mim não parava de se preocupar, achando que devia dar atenção a ela, e isso criava uma situação inerentemente estressante e improdutiva."[53]

Anotar as coisas conserva a energia mental que gastamos com a preocupação de possivelmente esquecê-las e com o esforço de não esquecer. A explicação da neurociência para isso é que a rede devaneio compete com a rede executiva central, e, geralmente, numa batalha desse tipo, é o modo padrão do devaneio que costuma ganhar. Às vezes é como se o seu cérebro

## AS PRIMEIRAS COISAS PARA ENTENDER 101

tivesse vontade própria. Se quisermos analisar a questão do ponto de vista zen, o Mestre diria que a preocupação constante de sua mente com as coisas a fazer o retira do presente — amarrando-o a um projeto mental futuro, de modo que você nunca está totalmente presente no momento e gozando o que existe agora. David Allen observa que muitos de seus clientes invertem as coisas no trabalho, preocupando-se com o que precisam fazer em casa, e, em casa, preocupando-se com o trabalho. O problema é que você nunca está de fato em nenhum dos dois lugares.

"Seu cérebro precisa partir de alguma base consistente para se dedicar a todos os seus compromissos e atividades", diz Allen. "Você precisa ter certeza de que está fazendo o que precisa ser feito, e de que não há mal nenhum em não estar fazendo o que deixou de fazer.[54] Se isso o estiver preocupando, então sua cabeça não está clara. Qualquer coisa que você acha que ainda deva ser feita precisa ser alocada a algum sistema confiável fora da sua cabeça." O sistema confiável é a anotação.

Para que o sistema funcione da melhor maneira, a regra é uma ideia ou tarefa para cada ficha — isso assegura que você possa achá-la com facilidade e eliminá-la depois de a providência ter sido tomada. Uma informação por ficha permite uma rápida arrumação e rearrumação, e acesso aleatório, o que significa que você pode acessar qualquer ideia por si só, tirá-la da pilha sem deslocar outra ideia, e colocá-la ao lado de outras ideias na pilha. Com o passar do tempo, sua noção do que é semelhante e do que une ideias diversas pode mudar, e este sistema — uma vez que é aleatório e não sequencial — permite essa flexibilidade.

Robert Pirsig inspirou reflexões filosóficas — e a organização mental — a uma geração através de seu romance extremamente popular, *Zen e a arte da manutenção de motocicletas*, publicado em 1974. Num livro posterior não tão conhecido (indicado para o prêmio Pulitzer), *Lila: Uma investigação sobre a moral*, ele procura estabelecer uma maneira de pensar a metafísica. Fedro, o alter ego do autor e protagonista da trama, usa o sistema de fichas de arquivo para organizar suas noções filosóficas. O tamanho das fichas, diz ele, torna-as preferíveis a folhas inteiras de papel, porque possibilitam o acesso aleatório e cabem no bolso da camisa ou dentro de uma bolsa. Por serem todas do mesmo tamanho, são fáceis de carregar e de organizar. (Leibniz reclamava de perder pedaços de papel em que escrevia suas ideias porque eram todos de formatos e tamanhos diferentes.) E, o que é importante, "quando é organizada em pequenas partes que podem ser acessadas e arrumadas em sequência aleatória, a informação torna-se muito mais valiosa do que quando você precisa utilizá-la de forma serial [...] Elas [as fichas] garantiam que, ao manter sua cabeça livre, conservando apenas o mínimo de formatação sequencial, nenhuma ideia nova ou inexplorada seria deixada de fora ou esquecida".[55] É evidente que nossa cabeça jamais pode ser verdadeiramente esvaziada, mas essa ideia é poderosa. Devemos transferir o máximo possível de informação para o mundo externo.

Depois que você dispõe de uma pilha de fichas, é preciso organizá-las regularmente. Quando há uma pequena quantidade, você simplesmente as arruma na ordem em que terá de usá-las. Com uma quantidade maior, você aloca as fichas a categorias. Uma versão modificada do sistema que Ed Littlefield me fazia usar com sua correspondência funciona da seguinte maneira:

- Coisas para fazer hoje
- Coisas para fazer esta semana
- Coisas que podem esperar
- Gaveta da bagunça

Não são os nomes das categorias que são importantes, e sim o processo de categorização externa. Talvez suas categorias sejam mais parecidas com estas:

- Listas de compras
- Recados
- Coisas para fazer em casa
- Coisas para fazer no trabalho
- Vida social
- Coisas que devo pedir a Pat para fazer
- Coisas relativas ao plano de saúde da mamãe
- Telefonemas a dar

AS PRIMEIRAS COISAS PARA ENTENDER 103

David Allen recomenda o seguinte sistema mnemônico para organizar melhor sua lista de pendências em quatro categorias factíveis:

Faça

Delegue

Adie

Abandone

Allen sugere a regra dos dois minutos: se você consegue resolver uma das coisas na sua lista em menos de dois minutos, faça-a agora (ele recomenda que se separe um período de tempo todo dia, trinta minutos, por exemplo, só para fazer essas pequenas tarefas, porque elas podem se acumular rapidamente a ponto de criar uma sobrecarga). Se a tarefa puder ser feita por alguém, delegue-a. Qualquer coisa que leve mais de dois minutos para fazer, adie. Você pode adiar só até mais tarde no mesmo dia, mas adie o suficiente para que possa cumprir sua lista de tarefas de dois minutos. E existem coisas com as quais não vale mais a pena perder tempo — as prioridades mudam. Ao fazer a inspeção diária das suas fichas, você pode resolver abandoná-las.

De início pode parecer um trabalho dispensável. Você consegue guardar todas essas coisas na cabeça, certo? Sim, é capaz disso, mas o fato é que a anatomia de seu cérebro torna menos eficaz fazê-lo. E o "trabalho dispensável" não é tão oneroso. É um período para reflexão e saudável devaneio. Para distinguir as fichas que formam uma categoria em contraposição a outra, pode-se colocar uma ficha-cabeçalho como primeira ficha da nova categoria. Se suas fichas forem brancas, a ficha-cabeçalho pode ser azul, por exemplo, para ser mais fácil de achar. Algumas pessoas ficam doidas pelo sistema de fichas e o estendem a esse sistema de cabeçalho, usando fichas de cor diferente para cada categoria. Mas isso torna mais difícil transferir uma ficha de uma categoria para outra, e toda a vantagem do sistema de fichas é maximizar a flexibilidade — qualquer ficha deve poder ser colocada em qualquer lugar da pilha. À medida que suas prioridades mudam, você simplesmente rearruma as fichas e as coloca na ordem e na categoria que quiser. Cada pedacinho de informação ganha sua própria ficha. Fedro escreveu todo um livro colocando ideias, citações, fontes e outros resultados de pesquisa em fichas, que ele chamava tiras. O que começa como uma tarefa exaustiva de descobrir onde colocar cada item de um relatório acaba sendo simplesmente uma questão de arrumar as tiras.

> Em vez de perguntar "onde começa essa metafísica do universo?" — que era uma pergunta virtualmente impossível —, bastava-lhe erguer duas tiras e perguntar "qual vem primeiro?". Era fácil e ele sempre parecia obter uma resposta. Em seguida, ele pegava uma terceira tira, comparava com a primeira e perguntava de novo "qual vem primeiro?". Se a nova tira viesse depois da primeira, ele a comparava com a segunda. Assim, ele tinha uma organização de três tiras. E não parou de repetir o processo, tira após tira.[56]

As pessoas que utilizam fichas acham esse sistema libertador. Os gravadores exigem que você escute, e, mesmo aumentando a velocidade da gravação, leva-se mais tempo ouvindo do que lendo. Não é lá muito eficiente. E não é fácil arrumar as fichas gravadas. Já as fichas escritas, você pode arrumá-las e rearrumá-las à vontade.[57]

Pirsig continua descrevendo as experiências organizativas de Fedro.

> "Por várias vezes ele já experimentara coisas diferentes: tiras plásticas coloridas para indicar subtópicos e subsubtópicos; asteriscos para indicar a importância relativa; tiras divididas por uma linha para indicar tanto os aspectos racionais quanto emocionais do assunto; mas todas só haviam servido para aumentar e não diminuir a confusão, e ele achou mais claro colocar a informação em outro lugar."

Uma categoria que Fedro adotava era a de *inassimilado*.

> "Isso continha ideias novas que interrompiam o que ele estava fazendo. Surgiam de chofre enquanto ele organizava outras tiras, navegando, ou trabalhando no barco, ou fazendo qualquer outra

coisa que ele não queria que fosse perturbada. Normalmente a mente diz a essas ideias: 'Vão embora, estou ocupado', mas essa atitude é mortal para a Qualidade."

Pirsig reconhece que algumas das melhores ideias que temos surgem quando estamos fazendo algo totalmente diferente. Você não tem tempo de descobrir como utilizar a ideia porque está ocupado com outra coisa, e gastar tempo contemplando todos os seus ângulos e ramificações vai interromper a tarefa que está fazendo. Para Fedro, uma pilha de *inassimilados* ajudava a resolver o problema. "Ele simplesmente botava as tiras lá, à espera, até que tivesse tempo e vontade de consultá-las." Em outras palavras, trata-se da gaveta da bagunça, lugar para coisas que não pertencem a nenhum outro lugar.

Você não precisa carregar todas as fichas aonde quer que vá, claro — as pendentes, que são orientadas para o futuro, podem ficar numa pilha sobre sua mesa. Para maximizar a eficácia do sistema, os peritos passam os olhos pelas fichas toda manhã, rearrumando-as quando necessário, e acrescentando outras quando têm novas ideias depois de analisar a pilha. As prioridades mudam, e a natureza das fichas, que permite o acesso aleatório, significa que você pode botá-las onde quer que sejam mais úteis.

Para muita gente, certa quantidade de itens da lista de coisas a fazer exige uma iniciativa que, em razão da pouca informação que possuímos, sentimos não poder tomar. Digamos que um item de sua lista de coisas a fazer seja "decidir sobre uma moradia assistida para tia Rose". Você já visitou alguns lugares e reuniu informações, mas ainda não tomou uma decisão. Num exame matutino de suas fichas, você percebe que ainda não está pronto para decidir. Então, dedique dois minutos a pensar no que falta para você tomar essa decisão. Daniel Kahneman e Amos Tversky dizem que o problema da tomada de decisão é que muitas vezes fazemos isso em condições de incerteza. Você não tem certeza do resultado de botar Rose numa moradia assistida, e isso torna difícil a decisão. Você também teme se arrepender caso tome a decisão errada. Se mais informação é capaz de eliminar essa incerteza, então descubra qual a informação e como obtê-la, e então — para fazer com que o sistema continue trabalhando para você — coloque-a numa ficha. Talvez seja uma questão de visitar alguns outros asilos, talvez conversar com outros membros da família. Ou talvez você precise apenas de tempo para absorver a informação. Nesse caso, dê-se um prazo para a decisão, digamos quatro dias, e procure então decidir. A questão essencial aqui é que, na inspeção cotidiana das fichas, você seja obrigado a fazer algo com a ficha — faça alguma coisa com ela agora, ponha-a na pilha pendente ou crie uma nova tarefa que ajude a fazer esse projeto evoluir.

O sistema de fichas é apenas um entre possivelmente uma infinidade de dispositivos de extensão cerebral, e não é indicado para qualquer um. Paul Simon carrega um livrinho de anotações a todo canto que vai, para anotar versos ou frases que possa usar mais tarde em canções,[58] e John R. Pierce, o inventor das comunicações por satélite, carregava um caderno de laboratório com tudo que precisava fazer, além de ideias para pesquisas e o nome das pessoas que havia conhecido.[59] Um bom número de inovadores carregava bloquinhos para registrar observações, lembretes e todo tipo de coisas a fazer; a lista inclui George S. Patton (para explorar ideias sobre liderança e estratégia militar, além de registrar afirmações diárias), Mark Twain, Thomas Jefferson e George Lucas.[60] Essas são formas de armazenamento serial de informação, e não de acesso aleatório; tudo nelas é cronológico. Implica folhear muitas páginas, mas satisfaz seus usuários.

Por mais modesto e de baixa tecnologia que possa parecer, o sistema de fichas 3 × 5 é poderoso. Isso porque ele se apoia na neurociência da atenção, memória e categorização. O modo devaneio, antitarefa, é responsável por muita informação útil, mas grande parte dela chega no momento errado. Exteriorizamos nossa memória colocando-a nas fichas. Assim, aproveitamos o poder do antigo desejo intrínseco e evolucionário do cérebro de categorizar e criamos pequenos escaninhos para essas memórias exteriorizadas, escaninhos em que podemos olhar toda vez que a rede do executivo central assim o desejar. Pode-se dizer que categorizar e exteriorizar nossa memória nos permite equilibrar o yin do devaneio com o yang da execução.

# PARTE DOIS

# 3

# ORGANIZANDO NOSSAS CASAS

## Onde podemos começar a melhorar as coisas

Pouca gente considera que suas casas e ambientes de trabalho estejam organizados com perfeição. Perdemos as chaves, uma correspondência importante; vamos fazer compras e esquecemos algo que precisávamos comprar. Esquecemos um compromisso do qual tínhamos certeza de que nos lembraríamos. Nos melhores casos, a casa é limpa e arrumada, mas com armários e gavetas entulhados. Alguns de nós têm caixas que permanecem fechadas desde a última mudança (ainda que tenha sido há cinco anos), e o escritório acumula papelada mais rápido do que podemos dar conta. Nossos sótãos, garagens, porões e gavetas da bagunça na cozinha estão em tal estado que torcemos para que nenhum conhecido resolva dar uma olhada neles, e tememos o dia em que for preciso encontrar algo ali.

Evidentemente, não são problemas que nossos ancestrais tinham. Quando pensamos no modo de vida de nossos ancestrais mil anos atrás, é fácil frisar as diferenças tecnológicas — nada de carros, energia elétrica, aquecimento central ou água encanada. Somos tentados a imaginar as casas como as de hoje, refeições mais ou menos iguais, a não ser pela falta de comida processada. E pela necessidade de moer mais trigo e depenar mais aves, talvez. Mas o registro antropológico e histórico narra uma história muito diferente.

Em termos de alimentação, nossos ancestrais costumavam comer aquilo em que conseguiam pôr as mãos. Todo tipo de coisas que não comemos hoje, por não terem um gosto muito bom, era, segundo consta, rotina apenas pelo fato de estarem disponíveis: ratos, esquilos, pavões — e não vamos esquecer os gafanhotos![1] Alguns alimentos que hoje consideramos pertencer à alta cozinha, como a lagosta, eram tão abundantes nos anos 1800 que eram dados a prisioneiros e órfãos, e moídos para serem usados como fertilizantes; os criados exigiam uma garantia por escrito de que não seriam alimentados com lagosta mais do que duas vezes por semana.[2]

Coisas que achamos mais do que naturais — algo tão básico como a cozinha — só passaram a existir nos lares europeus há poucas centenas de anos. Até 1600, o típico lar europeu tinha um único aposento, e as famílias costumavam ficar reunidas em volta do fogo na maior parte do ano, para se aquecer.[3] A quantidade de pertences que a pessoa média tem hoje é muito maior do que tivemos no decorrer da maior parte da nossa história evolucionária, facilmente mil vezes maior, e organizá-los é um problema caracteristicamente moderno. Em um lar americano observado, havia mais de 2260 objetos *visíveis* apenas na sala e em dois quartos.[4] Sem contar os objetos na cozinha e na garagem, e todos os que estavam enfiados em gavetas, armários ou caixas. Somando tudo, o número poderia ser três vezes maior. Muitas famílias acumulam uma quantidade maior de objetos do que cabe em suas casas. O resultado são garagens tomadas por mobília velha e equipamento esportivo em desuso, e escritórios domésticos entulhados de caixas cheias de coisas que ainda não foram levadas para a garagem.[5] Três em quatro americanos relatam que suas garagens estão tão cheias que eles não conseguem mais guardar seus carros nelas.[6] O nível de cortisol (hormônio do estresse) nas mulheres chega ao pico quando elas se defrontam com essa bagunça (o dos homens nem tanto).[7] Altos níveis de cortisol podem levar à diminuição crônica da capacidade cognitiva, à fadiga e à supressão do sistema imunológico do corpo.[8,9]

O estresse é aumentado pela sensação, comum a muitos de nós, de que perdemos a capacidade de organizar nossos pertences. As mesinhas de cabeceira estão empilhadas de coisas. Não lembramos sequer o que contêm aquelas caixas que não abrimos. O controle remoto da tv precisa de pilhas novas, mas não sabemos onde estão. As contas do ano passado formam uma pilha alta em cima da mesa do escritório. Pouca gente acredita que existem lares tão bem arrumados quanto, digamos, uma loja de ferragens Ace Hardware. Como eles conseguem isso?

A disposição e a organização de produtos nas prateleiras de uma loja de ferragens bem projetada é uma demonstração dos princípios esboçados

## ORGANIZANDO NOSSAS CASAS 111

nos capítulos anteriores. Põe-se em prática tanto a acumulação de objetos com semelhança conceitual quanto de objetos com uma associação funcional, conservando-se ao mesmo tempo categorias cognitivas flexíveis.

John Venhuizen é presidente e CEO da Ace Hardware, rede varejista com mais de 4300 lojas nos Estados Unidos. "Qualquer pessoa que leve a sério o marketing e o varejo tem vontade de saber mais sobre o cérebro humano", diz ele.

> "O que, em parte, causa o atravancamento do cérebro é o limite de capacidade — ele só consegue absorver e decifrar uma quantidade limitada de coisas. Essas superlojas são grandes varejistas e podemos aprender muitas coisas com elas, mas nosso objetivo é chegar a uma loja menor, navegável, porque facilita a tarefa do cérebro dos nossos fregueses. Trata-se de uma busca incessante."

Em outras palavras, a Ace Hardware utiliza categorias flexíveis para criar uma economia cognitiva.

A Ace emprega toda uma equipe para administrar as categorias, buscando arrumar os produtos nas prateleiras de modo a refletir a maneira como os consumidores pensam e compram. Uma loja típica da Ace contém de 20 a 30 mil artigos diferentes, e a rede como um todo oferece 83 mil artigos. (É bom lembrar que no Capítulo 1 afirmamos que a avaliação de itens em estoque nos Estados Unidos é de 1 milhão. Isso significa que a rede Ace Hardware estoca quase 10% de todos os artigos disponíveis no país.)

A Ace categoriza seus artigos hierarquicamente em departamentos, tais como *gramados & jardins*, *artigos elétricos* e *tintas*. Em seguida, existem subdivisões dessas categorias, como *fertilizantes*, *irrigação* e *ferramentas* (em *gramados & jardins*), ou *acessórios*, *fiação* e *iluminação* (em *artigos elétricos*). A hierarquia vai se estendendo para baixo. No *departamento de ferramentas manuais e elétricas*, a Ace lista as seguintes subcategorias arrumadas:

- Ferramentas elétricas
- Ferramentas elétricas de uso doméstico | Ferramentas elétricas profissionais | Aspiradores de secos e molhados
- Brocas

- Craftsman
- Black & Decker
- Makita
- Etc.

No entanto, aquilo que funciona no controle de estoque não necessariamente funciona em termos de arrumação das prateleiras e exibição dos produtos. "Aprendemos há muito tempo", diz Venhuizen, "que os martelos são vendidos junto dos pregos, porque quando o freguês está comprando pregos e vê o martelo na prateleira, isso o faz lembrar de que precisa de um martelo novo. Costumávamos colocá-los rigidamente junto das outras ferramentas manuais; agora colocamos alguns junto dos pregos, justamente por este motivo".

Imagine que você deseja consertar uma ripa solta na sua cerca e precisa de um prego. Você vai à loja de ferragens, e haverá tipicamente todo um corredor para itens fixadores (categoria muito geral). Pregos, parafusos, porcas e arruelas (categorias básicas) ocupam um corredor inteiro, e dentro desse corredor existem subdivisões hierárquicas com subseções para pregos para concreto, pregos para estuque, pregos para madeira, tachas de tapetes (categorias subordinadas).

Imagine agora que você quer comprar uma corda de varal. Esse é um tipo de corda com características especiais: precisa ser feita de um material que não vá manchar as roupas molhadas; precisa ficar permanentemente exposta, por isso tem que resistir às diferentes condições climáticas; precisa ter resistência tênsil para sustentar roupas lavadas sem arrebentar ou esticar demais. Ora, seria de imaginar que a loja de ferragens tivesse um corredor apenas para cordas, barbante, arame e cabos, onde todas essas coisas ficariam juntas, como os pregos, e esse corredor de fato existe, mas os comerciantes também alavancam as nossas redes cerebrais de memória associativa colocando cordas de varal junto de sabão em pó, tábuas de passar e pregadores de roupa. Isto é, guardam um pouco de corda de varal junto de "coisas necessárias para lavar roupa", categoria funcional que espelha a maneira como nosso cérebro organiza a informação. Isso nos auxilia não só a encontrar o produto que queremos, mas a nos fazer recordar que precisamos dele.

E como o varejo de roupas organiza seu estoque? Ele também tende a utilizar um sistema hierárquico, como a Ace Hardware. Pode ainda utilizar categorias funcionais, botando roupas impermeáveis num canto e roupas de dormir em outro. O problema de categorização para o varejista de roupa é o seguinte: existem pelo menos quatro dimensões diferentes em que se manifestam as diferenças do estoque — o sexo do pretenso comprador, o tipo de roupa (calças, camisas, meias, chapéus etc.), a cor e o tamanho. As lojas de roupa põem tipicamente as calças em um lugar e as camisas em outro, e assim por diante. Então, descendo um grau hierárquico, camisas sociais são separadas de camisas esportivas e camisetas. No interior do departamento de calças, o estoque tende a ser arrumado por tamanho. Se o vendedor do departamento for bastante meticuloso ao voltar a arrumar os produtos, depois de os fregueses descuidados terem mexido nas peças, juntará por cor as calças do mesmo tamanho. Agora a coisa fica mais complicada, porque as calças masculinas têm dois tamanhos, da cintura e do comprimento das pernas. Na maioria das lojas de roupas, é o número da cintura que governa a categorização: todas as calças são agrupadas segundo a medida da cintura. Assim, se você entrar na Gap, perguntar pelo departamento de roupas e for mandado para os fundos da loja, para encontrar fileiras e mais fileiras de caixas quadradas contendo milhares de calças, notará imediatamente uma subdivisão. As calças jeans são provavelmente guardadas em um lugar diferente das calças cáqui, que, por sua vez, são guardadas em um lugar diferente das demais calças, as esportivas, sociais ou mais caras.

Agora, todas as calças com cintura 40 estarão claramente sinalizadas na prateleira. Ao examiná-las, os comprimentos das pernas devem estar em ordem crescente. E a cor? Depende da loja. Às vezes, todas as calças jeans pretas ficam num conjunto de prateleiras contíguas, e todas as azuis em outro. Às vezes, dentro de uma categoria de tamanho, todas as azuis ficam empilhadas sobre as pretas, ou misturadas. A coisa boa da cor é que é fácil de ser percebida — ela se destaca por causa de seu filtro de atenção (a rede *Onde está Wally?*). Assim, ao contrário do que acontece com o tamanho, você não vai precisar procurar uma pequena etiqueta para descobrir a cor que pegou. Reparem que a arrumação na prateleira é hierárquica e também separada. As roupas masculinas ficam numa parte da loja, e as femininas, em outra. Trata-se de uma separação grosseira do "espaço de seleção", e faz sentido, uma vez que, na maioria dos casos, as roupas que desejamos estão numa dessas duas categorias de gênero, e não costumamos ficar pulando de uma para outra.[10]

É claro que nem todas as lojas oferecem navegação fácil para os fregueses. As lojas de departamento são muitas vezes organizadas por estilista

— Ralph Lauren aqui, Calvin Klein acolá, Kenneth Cole uma fileira atrás. Então, dentro do espaço de cada estilista, elas se rearrumam para criar uma hierarquia, agrupando primeiro as roupas por tipo (calças em contraposição a camisas), em seguida pela cor e/ou tamanho. Os balcões de maquiagem tendem a ser dirigidos pelos vendedores — Lancôme, L'Oréal, Clinique, Estée Lauder e Dior têm, cada uma, o seu balcão. Isso não torna a coisa fácil para a compradora que está procurando um batom de certa tonalidade especial para combinar com uma bolsa. Poucas consumidoras entram na Macy's pensando "preciso comprar um *Clinique* vermelho". É extremamente inconveniente andar de uma parte da loja para outra. Mas a Macy's faz isso porque aluga o espaço para diferentes empresas de maquiagem. O balcão da Lancôme na Macy's é uma loja em miniatura dentro da loja, e os vendedores trabalham para a Lancôme. A Lancôme fornece os artigos e o controle do estoque, e a Macy's não precisa se preocupar em arrumar as prateleiras nem em fazer pedidos; eles simplesmente ficam com uma pequena percentagem de cada venda.[11]

De maneira geral, nossos lares não são tão bem organizados como, digamos, a Ace Hardware, a Gap ou o balcão da Lancôme. Existe o mundo impulsionado pelas forças do mercado, em que as pessoas são pagas para manter as coisas organizadas, e existe a sua casa.

Uma solução é implantar sistemas para domar a bagunça — uma infraestrutura para controlar as coisas, arrumá-las, guardando-as em lugares em que podem ser achadas e não perdidas. A tarefa dos sistemas organizativos é fornecer o máximo de informação com o mínimo de esforço cognitivo.[12] O problema é que estabelecer sistemas para organizar nossa casa e local de trabalho é uma tarefa temível; receamos que isso vá exigir tempo e energia para ser iniciado, e, tal como a resolução de ano-novo de fazer dieta, achamos que só vai vigorar por pouco tempo. A boa notícia é que, num escopo limitado, todos nós temos sistemas organizativos implantados, que nos protegem do terrível caos que nos ameaça. Raramente perdemos garfos e facas porque temos uma gaveta de talheres na cozinha. Não perdemos escovas de dente porque elas são usadas num cômodo específico e possuem um determinado lugar em que são guardadas. Mas perdemos abridores de garrafa quando os levamos da cozinha para a sala de jogos ou para a sala de jantar e depois esquecemos onde estavam. O mesmo acontece com escovas de cabelos quando se tem o hábito de tirá-las do banheiro.

Perder coisas resulta em grande parte de forças estruturais — já que as várias coisas nômades de nossas vidas não estão confinadas a determinados lugares, como a humilde escova de dente. Por exemplo, os óculos de leitura — nós os carregamos de um cômodo para outro, e eles são facilmente postos no lugar errado porque não têm um local específico. A base neurológica disso é hoje bem conhecida. Desenvolvemos uma estrutura cerebral especializada chamada hipocampo apenas para lembrar a localização espacial das coisas. Isso teve uma importância extraordinária no decorrer da história da nossa evolução, para registrar onde era possível encontrar água e comida, sem falar na localização de diversos perigos. O hipocampo é um centro tão importante para a memória dos lugares que está presente até em ratos e camundongos. Um esquilo enterrando nozes? É o hipocampo que o ajuda a recuperá-las vários meses depois, de centenas de locais diferentes.[13]

Em um trabalho hoje famoso entre os neurocientistas, foi estudado o hipocampo de um grupo de motoristas de táxi de Londres. Exige-se de todos os motoristas de táxi londrinos que se submetam a um teste de conhecimento dos caminhos na cidade, e o preparo para esse teste pode exigir de três a quatro anos de estudo.[14] Dirigir um táxi em Londres é especialmente difícil porque a cidade não se estende de modo geométrico como a maioria das cidades americanas; muitas ruas são descontínuas, acabam e recomeçam mais à frente com o mesmo nome, e muitas têm mão única e só podem ser acessadas por caminhos limitados. Para ser um bom motorista de táxi em Londres é preciso ter uma excelente memória espacial. Depois de várias experiências, os cientistas descobriram que o hipocampo dos motoristas de táxi londrinos eram maiores dos que os de outras pessoas de idade e instrução comparáveis — haviam aumentado de volume graças a toda informação que precisavam guardar sobre os endereços.[15] Mais recentemente, descobriu-se que existem células no hipocampo (chamadas células granuladas dentadas) próprias para registrar memórias de lugares específicos.[16]

A memória do local evoluiu no decorrer de milhares de anos para se manter informada sobre coisas imóveis, como árvores frutíferas, poços, montanhas, lagos. Não apenas é enorme, mas extraordinariamente precisa quanto ao que importa para nossa sobrevivência. Mas não é tão boa para se manter no controle das coisas que se movem daqui para ali. É por isso que você se lembra da sua escova de dente, mas não dos óculos. É por isso que você perde as chaves do carro, mas não o carro (existe uma infinidade de lugares onde você pode deixar as chaves, mas relativamente menos lugares onde deixar o carro). O fenômeno da memória do local já era conhecido dos antigos gregos. O célebre sistema mnemônico que eles inventaram, o método de loci, baseia-se em pegar conceitos que desejamos recordar e associá-los a memórias vívidas de lugares bem conhecidos, como os cômodos de nossas casas.[17]

Lembrem-se das *affordances* gibsonianas no Capítulo 1, as maneiras como nosso ambiente pode servir de amparo mental ou intensificador cognitivo. Simples *affordances* para os objetos nas nossas vidas podem rapidamente atenuar o fardo mental de nos mantermos informados de onde eles se encontram, e tornar estética e emocionalmente agradável mantê-los guardados onde devem ficar — domando assim suas tendências errantes. Podemos pensar nelas como *próteses cognitivas*.[18] Para as chaves, um vaso ou um gancho perto da porta que você normalmente usa resolve o problema (como mostrado em *Dr. Jivago* e *The Big Bang Theory*).[19] O vaso e o gancho podem ser decorativos, combinando com a decoração da sala. O sistema depende de sermos compulsivos a respeito disso. Sempre que você estiver em casa, é lá que as chaves devem ficar. Assim que passar pela porta, guarde-as ali. Sem exceção. Se o telefone estiver tocando, primeiro pendure as chaves. Se estiver com as mãos ocupadas, largue os pacotes e pendure as chaves! Uma das grandes regras para não perder objetos é a *regra do lugar próprio*.[20]

Uma bandeja ou prateleira eleita para guardar o smartphone o encoraja a botá-lo ali e em nenhum outro lugar. O mesmo é válido para outros aparelhos eletrônicos e a correspondência do dia. Empresas como Sharper Image, Brookstone, SkyMall e Container Store criaram um modelo de negócios baseado nessa realidade neurológica, fornecendo produtos que abarcam um escopo espantoso de estilos e preços (plástico, couro, prata de lei) e funcionam como lembretes para você guardar os objetos indóceis em suas respectivas casas. Segundo a teoria cognitiva, deve-se gastar o máximo possível nessas coisas. É muito difícil deixar a correspondência espalhada por aí depois de ter gastado um dinheirão numa bandeja especial para guardá-la.

Mas simples *affordances* nem sempre exigem que compremos novidades. Se seus livros, CDs ou DVDs estão organizados e você quer lembrar onde colocar de volta o que você acabou de pegar, pode puxar o que está no lado esquerdo dele uns dois centímetros para fora, e ele então vai se tornar uma *affordance* para que você saiba onde recolocar o que pegou "emprestado" da coleção. As *affordances* não são apenas para pessoas de memória fraca, ou que chegaram à sua idade de ouro — muitas pessoas, até mesmo jovens, de memória excepcional, relatam problemas para se manter a par dos itens cotidianos. Magnus Carlsen é o enxadrista número um no ranking mundial, com apenas 23 anos de idade. Ele consegue jogar dez jogos ao mesmo tempo — de memória, sem olhar o tabuleiro —, mas diz: "Eu me esqueço de todo tipo de [outras] coisas. Vivo perdendo meus cartões de crédito, celular, chaves e assim por diante".[21]

B. F. Skinner, o influente psicólogo de Harvard e pai do behaviorismo, além de crítico social em seus escritos, entre os quais *Walden* II, teceu reflexões sobre as *affordances*. Se você ouvir na previsão do tempo que deve chover amanhã, disse ele, ponha um guarda-chuva ao lado da porta da frente para não se esquecer de levá-lo.[22] Se tiver que pôr cartas no correio, ponha-as ao lado das chaves do carro, de modo que estejam bem ali quando você sair de casa. O princípio subjacente a tudo isso é descarregar a informação do cérebro para o ambiente; *utilize o próprio ambiente para lembrá-lo do que precisa ser feito*. Jeffrey Kimball, ex-vice presidente da Miramax e hoje um premiado produtor independente de cinema, diz o seguinte: "Se imaginar que vou esquecer alguma coisa ao sair de casa, ponho-a ao lado dos sapatos na porta da frente. Também uso o sistema dos 'quatro' — toda vez que saio de casa verifico se estou com quatro coisas: chaves, carteira, telefone e óculos".

Se você tem receio de se esquecer de comprar leite quando voltar para casa, ponha uma caixa de leite vazia no assento do carro ao seu lado ou na mochila que leva para o trabalho (uma anotação funcionaria, é claro, mas a caixa é mais incomum e, assim, atrai mais a sua atenção). O outro lado de deixar objetos físicos à mostra como lembretes é guardá-los quando não forem mais necessários. O cérebro é um tremendo detector de mudança, e é por isso que você nota o guarda-chuva ao lado da porta ou a caixa de leite no assento do carro. Mas, da mesma forma, o cérebro se habitua ao que não muda — é por isso que um amigo pode entrar na cozinha e reparar no estranho ruído que a geladeira começou a fazer, algo que você não percebe mais. Se o guarda-chuva ficar o tempo todo ao lado da porta, chova ou faça sol, ele não funcionará mais como um gatilho para a memória, porque você não prestará atenção nele.[23] Para lembrar onde você estacionou o carro, há avisos no estacionamento do aeroporto de San Francisco aconselhando as pessoas a usar o celular para tirar uma foto do local. É claro que isso também funciona em relação ao local onde deixamos a bicicleta. (No coração da indústria tecnológica, os carros e os óculos do Google em breve farão isso por nós.)

Quando pessoas organizadas percebem que vivem correndo da cozinha para o escritório para pegar uma tesoura, elas compram mais uma. Pode parecer acúmulo em vez de organização, mas comprar duplicatas de coisas que você usa com frequência e em diversos lugares é um auxílio para evitar que as perca. Talvez você use óculos de leitura no quarto, no escritório e na cozinha. Três óculos resolvem o problema se você consegue criar um lugar reservado para eles, um determinado canto em cada aposento, e deixá-los sempre lá. Como os óculos de leitura não ficam andando de um cômodo a outro, sua memória espacial vai ajudá-lo a lembrar onde eles estão em cada aposento. Há ainda quem compre óculos extras, que são guardados no porta-luvas, para a leitura de mapas, ou na bolsa ou no bolso do casaco, para que estejam à mão caso haja necessidade de ler o cardápio num restaurante, por exemplo. É claro que óculos de grau podem ser caros — e três, mais ainda. Como alternativa,

## ORGANIZANDO NOSSAS CASAS    119

pode-se usar uma cordinha para óculos de leitura, e carregá-los sempre consigo. (Ao contrário da correlação muitas vezes observada, não existe comprovação científica de que essas cordinhas tornem os cabelos grisalhos ou criem uma afinidade com os cardigãs.) O princípio neurológico continua a funcionar. Assegure-se de que, ao tirá-los do pescoço, eles retornem a seu local específico; o sistema se desorganiza se você tiver vários locais.

Uma dessas estratégias gerais — providenciar duplicatas ou criar um local rigidamente determinado — funciona bem no caso de muitos itens cotidianos: batons, prendedores de cabelo, canivetes, abridores de garrafa, grampeadores, fita adesiva, escovas de cabelo, lixas de unha, canetas, lápis, blocos de anotações. O sistema não funciona com o que não pode ser duplicado, como o computador, o iPad, a correspondência do dia ou o celular. Quanto a esses, a melhor estratégia é aproveitar a energia do hipocampo, em vez de lutar contra ela: determine um local específico na sua casa que será o *lar* desses objetos. Seja exigente no cumprimento dessa estratégia.

Muitos podem estar pensando "ah, eu não sou detalhista assim — sou uma pessoa *criativa*". Mas uma personalidade criativa não briga com esse tipo de organização. A casa de Joni Mitchell é um exemplo de sistemas organizativos. Ela instalou dezenas de gavetas sob medida para determinados usos, a fim de organizar melhor justamente o que tende a ser mais difícil de achar. Uma gaveta é para rolos de fita adesiva transparente; outra, para rolos de fita adesiva branca. Uma gaveta é para produtos de embalagem e envio pelo correio; outra, para cordas e barbante; outra, para pilhas (organizadas por tamanho em pequenas bandejas plásticas); e uma gaveta especialmente funda guarda lâmpadas de reposição. Os utensílios e artigos de forno ficam separados dos de fritura. A despensa é organizada da mesma maneira. Biscoitos numa prateleira, cereais em outra, ingredientes para sopa numa terceira, enlatados numa quarta. "Não quero gastar energia tendo de procurar as coisas", diz ela. "De que adianta? Posso ser mais eficiente e produtiva, e ficar de melhor humor, se não passar aqueles minutos frustrantes procurando alguma coisa."[24] Na verdade, portanto, muita gente criativa tem tempo de ser criativa justamente porque dispõem de sistemas desse tipo para aliviar e desentulhar a mente.

Muitos músicos de rock e hip-hop têm estúdio em casa, e, apesar da fama de rebeldes beberrões que não ligam para nada, seus estúdios são meticulosamente organizados. O estúdio na casa de Stephen Stills tem gavetas específicas para cordas de guitarra, palhetas, chaves Allen, conectores, partes sobressalentes de equipamentos (organizadas pelo tipo de equipamento), fita transparente para emendar filme e assim por diante.[25] Um armário de cordas e cabos (parecido com um armário de gravatas) guarda cordas de instrumentos elétricos e acústicos de vários tipos em determinada ordem, de modo que ele possa pegar o que quiser sem sequer olhar. Michael Jackson catalogava minuciosamente cada um de seus pertences; entre a grande equipe de funcionários que empregava, um deles era intitulado *arquivista-chefe*.[26] John Lennon guardava caixas e mais caixas de fitas de canções em que estava trabalhando, cuidadosamente rotuladas e organizadas.[27]

Há algo quase consolador em se abrir uma gaveta e só ver coisas do mesmo tipo dentro dela, ou examinar um armário organizado. Achar as coisas sem ter de ficar remexendo e procurando poupa a energia mental para tarefas criativas mais importantes. Na verdade, é um alívio fisiológico evitar o estresse de ficar pensando se vamos ou não encontrar o que procuramos. Não achar alguma coisa lança a mente num nevoeiro confuso, um modo de vigilância tóxico que não é relaxado nem focado. Quanto mais cuidado você tiver ao criar suas categorias, mais organizado será o seu ambiente, e também a sua mente.

## Da gaveta da bagunça ao arquivo e vice-versa

O fato de nossos cérebros serem inerentemente capazes de criar categorias é uma poderosa alavanca para organizarmos nossas vidas. Podemos criar os ambientes de nossa casa e nosso trabalho de tal modo que eles se tornem extensões de nossos cérebros. Ao fazê-lo, precisamos aceitar a capacidade limitada de nosso executivo central. O relato padrão durante muitos anos foi de que a memória e a atenção chegavam a seu limite ao lidar com cinco a nove itens sem relação um com o outro. Experiências mais recentes demonstraram que, em termos mais realísticos, esse número provavelmente está mais próximo de quatro.[28]

A chave para criar categorias úteis em casa é limitar a um, ou no máximo a *quatro*, o tipo de coisas que elas incluem (respeitando a capacidade limitada da memória funcional). Isso geralmente é fácil de fazer. Se você tiver uma gaveta de cozinha que contenha guardanapos, espetos para kebab, fósforos, velas e descansos de copo, você pode designá-la como *apetrechos de festa*. Ao fazer essa conceituação, unimos todos esses objetos disparatados num nível superior. E então, quando alguém lhe der um sabonete especial que você só quer usar ao receber visitas, você saberá em que gaveta guardá-lo.

Nosso cérebro tem fortes circuitos implantados para criar categorias como essa, categorias cognitivamente flexíveis que podem ser arrumadas de modo hierárquico. Isto é, existem diferentes níveis de determinação do que constitui um tipo, e eles são dependentes do contexto. O armário do seu quarto provavelmente contém roupas que podem ser subdivididas em categorias especializadas, como roupas de baixo, camisas, meias, calças e sapatos. Isso ainda pode ser subdividido se você colocar todos os seus jeans num lugar e as calças mais formais em outro. Ao arrumar a casa, você pode jogar no armário tudo que tem relação com roupas e depois arrumá-lo de modo mais apurado. Pode botar tudo que diz respeito a ferramentas na garagem, separando depois pregos de martelos, parafusos de chaves de fenda. A observação importante é que podemos criar nossas próprias categorias, e elas são eficientes ao máximo, em termos neurológicos, se pudermos encontrar um único fio que una todos os seus integrantes.

David Allen, o perito em eficiência, comenta que geralmente o que as pessoas expressam quando dizem que querem se organizar é o desejo de *controlar* seu ambiente físico e psíquico.[29] Um achado pertinente da psicologia cognitiva para se adquirir esse controle é tornar visível o que você precisa regularmente e esconder aquilo de que não precisa.[30] Esse princípio foi originalmente formulado para a concepção de objetos como o controle remoto da televisão. Ponha de lado por um instante sua irritação com a quantidade de botões que esses objetos ainda possuem — é evidente que você não quer que o botão de ajuste de cores fique ao lado do botão para mudar de canal, pois você pode apertá-lo por engano. Nos melhores designs, os controles de configuração que são raramente usados ficam escondidos atrás de uma tampa, ou pelo menos afastados dos botões que você usa com frequência.

Ao organizar sua casa, as metas são desonerar o cérebro de algumas das funções da memória e descarregá-las no ambiente; manter seu ambiente visualmente organizado, de modo a não distraí-lo quando você quer relaxar, trabalhar ou achar algo; e criar determinados lugares para as coisas, para que sejam achadas com facilidade.[31]

Imagine que você tenha um espaço limitado para suas roupas e para alguns artigos de vestimenta que você raramente usa (smokings, vestidos de noite, roupas para esquiar). Transfira-os para outro armário, de modo que não ocupem espaço privilegiado e você possa organizar suas roupas diárias com mais eficiência. O mesmo se aplica à cozinha. Em vez de botar todos os seus artigos de confeitaria numa gaveta, faz sentido, em termos de organização, guardar suas formas de biscoitos de Natal numa gaveta especial dedicada a itens natalinos, de modo a reduzir o chocalhar na sua gaveta de uso diário — algo que você só usa durante duas semanas por ano não deveria ser um estorvo durante cinquenta semanas por ano. Guarde selos, envelopes e papéis na mesma gaveta da escrivaninha, porque você os usa conjuntamente.

A exposição de garrafas de bebida em bares e tabernas movimentadas (lugares que muitos consideram seus lares) obedece a este princípio.[32] As bebidas constantemente usadas ficam ao alcance da mão do barman, naquilo que ele chama *prateleira da velocidade*, presa à base do bar; usando esta prateleira, gasta-se pouco movimento e pouca energia mental para procurar garrafas ao preparar drinks populares. Com menor frequência, as garrafas vazias ficam de um lado, ou numa prateleira atrás. Então, num sistema assim, as garrafas de destilado semelhantes ficam lado a lado: os três ou quatro bourbons mais populares ao alcance da mão, um do lado do outro; os três ou quatro uísques escoceses mais populares ao lado deles, e os uísques de malte puro ao lado destes últimos. A configuração do que fica na prateleira da velocidade, tanto quanto do que fica em exposição, leva em consideração as preferências locais. Um bar em Lexington, Kentucky, teria muitas marcas conhecidas de bourbon expostas; um bar na universidade teria mais vodca e tequila.[33]

Num sistema bem organizado há um equilíbrio entre a abrangência da categoria e a sua especificidade. Em outras palavras, se você tiver apenas um punhado de pregos, seria uma bobagem dedicar uma gaveta inteira a eles. É mais eficiente e prático, portanto, combinar esses itens em categorias conceituais como "itens de reparos caseiros". No entanto, quando a quantidade de pregos atingir uma massa crítica, e você levar muito tempo no domingo tentando achar exatamente o prego de que precisa, faz sentido separá-los por tamanho em latinhas, como fazem na loja de ferragens. O tempo também merece ser pensado com cuidado: você espera usar essas coisas no decorrer de poucos anos?

Seguindo Fedro, mantenha o tipo de flexibilidade que lhe permita criar categorias de "todo o resto" — uma gaveta da bagunça. Mesmo que você tenha um sistema extremamente organizado em que cada gaveta, cada prateleira e cada escaninho em sua cozinha, escritório ou oficina sejam etiquetados, haverá com frequência coisas que não se encaixam em nenhum sistema existente. Ou, por outro lado, você pode ter coisas em quantidade insuficiente para dedicar uma gaveta inteira a elas. De um ponto de vista puramente obsessivo-compulsivo, seria bom ter toda uma gaveta dedicada apenas a lâmpadas, outra a adesivos (cola, adesivo forte, epóxi, fita dupla face), e uma terceira para a sua coleção de velas. Mas se você tiver apenas uma única lâmpada e um tubo de cola pela metade, isso não faz sentido.

Dois passos neurologicamente embasados para criar sistemas de informação caseiros são: primeiro, as categorias que você cria precisam refletir o modo como você usa e interage com seus pertences. Isto é, as categorias precisam fazer sentido para *você*. Precisam levar em conta o seu estilo atual de vida. (Todas aquelas iscas de pescaria em forma de mosca que seu avô lhe deixou podem ficar na caixa de pescaria, desarrumadas, até que você adote, algumas décadas depois, a pescaria com iscas assim, quando então vai querer arrumar as iscas com mais precisão.) Segundo, evite botar itens muito dessemelhantes numa gaveta ou pasta, a não ser que você crie um tema mais geral que os englobe. Se não for possível, MISCELÂNEA, BAGUNÇA ou INDISCRIMINADOS servem. Mas se você já tem quatro ou cinco gavetas de bagunça, talvez seja a hora de rearrumar e reagrupar o conteúdo delas, em MISCELÂNEA DE CASA contraposta a MISCELÂNEA DE JARDIM, contraposta a COISAS DE CRIANÇAS, por exemplo.

Além desses passos práticos personalizados, obedeça a três regras gerais de organização.

Regra de organização 1: Um item ou uma localização com etiqueta errada é pior do que um item sem etiqueta nenhuma.

Num pique de energia, Jim rotula uma gaveta de seu escritório com SELOS E ENVELOPES e outra com PILHAS. Depois de uns dois meses, ele troca o conteúdo das gavetas porque acha difícil se curvar quando precisa distinguir pilhas AAA de pilhas AA. Não troca as etiquetas porque dá muito trabalho, e acha que não é importante, porque *ele* sabe onde elas estão. Isso é uma ladeira escorregadia! Se você deixar etiquetas erradas nas gavetas, é questão de pouco tempo até relaxar na tarefa de criar "um lugar para tudo *e* tudo no seu lugar". Também dificulta que qualquer outra pessoa ache alguma coisa. Algo *sem rótulo* é preferível, na verdade, porque provoca este tipo de conversa: "Jim, onde você guarda suas pilhas?", ou, se Jim estiver ausente, uma busca sistemática. Se as gavetas têm etiquetas erradas, você não sabe em qual confiar ou não.

Regra de organização 2: Se existe um padrão, use-o.

Melanie tem uma lata de lixo reciclável e outra de lixo comum debaixo da pia da cozinha. Uma é azul, e a outra, cinza. Do lado de fora, as latas fornecidas pelo sistema de coleta de lixo da cidade são azuis (reciclagem) e cinza (lixo comum). Ela deveria se ater a esse sistema de código colorido porque é o padrão, e assim não precisaria memorizar dois sistemas diferentes e opostos.

Regra de organização 3: Não guarde aquilo que você não pode usar.

Se você não precisa de algo, ele está quebrado ou não dá para consertar, livre-se dele. Avery pega uma esferográfica na gaveta das canetas e percebe que não está escrevendo. Ela tenta tudo que sabe para fazê-la funcionar — umedece a ponta, esquenta com o isqueiro, sacode e faz rabiscos circulares num pedaço de papel. Como nada disso funciona, ela devolve a caneta à gaveta e pega outra. Por que ela faz isso? Por que também fazemos? Pouca gente sabe exatamente o que faz uma caneta funcionar. Recebemos uma recompensa aleatória pelo esforço que fazemos para obrigá-la a escrever — às vezes temos êxito, às vezes não. Devolvemos à gaveta pensando: "Talvez funcione da próxima vez". Mas uma gaveta entulhada com uma miscelânea de canetas, algumas funcionando, outras não, é um sorvedouro cerebral. É melhor jogar fora a caneta com defeito. Ou, se você não aguenta essa solução, determine uma caixa ou gaveta especiais para canetas recalcitrantes que um dia você tentará fazer funcionar. Se você guarda os calços de borracha sobressalentes que vieram junto com seu aparelho de TV que já deixou de funcionar, jogue fora esses calços.

Imagino que as pessoas ainda estarão assistindo a algo chamado TV quando este livro for publicado.

## O lar digital

Décadas de pesquisas demonstraram que o aprendizado humano é influenciado pelo local onde se dá esse aprendizado. Alunos que estudaram para uma prova na mesma sala onde a realizaram saíram-se melhor do que aqueles que estudaram em outro lugar qualquer.[34] Quando voltamos para o nosso lar de infância depois de uma longa ausência, uma enxurrada de lembranças esquecidas vem à tona. Daí a importância de termos um local próprio para cada um de nossos pertences — o hipocampo recorda por nós se associarmos algum objeto a uma determinada localização espacial. O que acontece na nossa casa quando a informação se torna cada vez mais digital? Há uma série de implicações importantes, numa época em que tantos trabalham em casa, ou fazem trabalho do escritório em casa.

Uma das maneiras de aproveitar o estilo de armazenamento de memórias naturalmente adaptadas ao hipocampo é criar diferentes espaços de trabalho para os diferentes tipos de trabalho que fazemos. Mas usamos o mesmo monitor para ver nosso saldo bancário, responder aos e-mails do chefe, fazer compras on-line, assistir a vídeos de gatos tocando piano, armazenar fotos de nossos entes queridos, ouvir nossa música favorita, pagar contas e ler as notícias diárias. Não é de admirar que não consigamos lembrar tudo — o cérebro simplesmente não foi projetado para receber tanta informação em um só lugar.[35] Esse conselho é provavelmente um luxo para poucos, mas em breve será possível, à medida que o preço dos computadores baixar: se você puder, ajuda bastante ter um aparelho reservado para determinado assunto. Em vez de usar seu computador para assistir a vídeos e ouvir música, arranje um aparelho de mídia específica para isso (iPod, iPad). Tenha um computador para negócios pessoais (contas e impostos), um segundo para atividades pessoais e de lazer (planejamento de viagens, compras on-line, armazenamento de fotos) e um terceiro para trabalhar. Crie diferentes planos de fundo para as áreas de trabalho, de maneira que as deixas visuais ajudem sua memória a situá-lo em relação a cada computador.

O neurologista e escritor Oliver Sacks vai ainda mais longe: se você estiver trabalhando em dois projetos completamente diferentes, dedique uma escrivaninha ou mesa, ou parte da casa, para cada um deles. O simples fato de entrar num espaço diferente equivale a apertar a tecla de restaurar no cérebro, o que permite pensar de modo mais criativo e produtivo.

Se não for possível ter dois ou três computadores diferentes, hoje a tecnologia permite que você tenha HDs externos com a mesma capacidade que seu HD instalado — você pode plugar um HD externo de "lazer", de "trabalho" ou de "finanças pessoais". Ou, em vez disso, em alguns computadores, os diversos modos para usuários diferentes mudam o display da área de trabalho, os arquivos disponíveis e o aspecto geral, o que facilita criar essas distinções localizadas, impulsionadas pelo hipocampo.

Isso nos leva à quantidade considerável de informação que ainda não foi digitalizada — vocês sabem, impressa nesse negócio chamado papel. Há duas escolas de pensamento que se opõem na questão de como organizar papéis relacionados a questões domésticas. Nessa categoria estão incluídos os manuais de instrução de vários aparelhos elétricos e eletrônicos, garantias de serviços e produtos adquiridos, contas pagas, cheques cancelados, apólices de seguro, outros documentos cotidianos e recibos.

Malcolm Slaney, engenheiro da Microsoft com passagem por Yahoo!, IBM e Apple, aconselha escanear tudo em PDF e guardar no computador. Os escâneres domésticos são relativamente baratos, e existem aplicativos incrivelmente bons para escanear nos celulares. Se for algo que você queira guardar, diz Malcolm, escaneie e salve com nome próprio num arquivo e numa pasta que o ajudarão a encontrá-lo depois. Utilize o modo OCR (reconhecimento ótico de caracteres), de modo que o PDF seja legível como caracteres de texto e não como simples imagem do documento, permitindo assim que a função de busca do seu próprio computador encontre palavras-chave específicas que você esteja buscando. A vantagem do arquivamento digital é que ele praticamente não ocupa espaço, não altera o ambiente e possibilita a busca eletrônica. Melhor ainda, se você quiser compartilhar o documento com alguém (seu contador, um colega), ele já está em formato digital, e, assim, basta simplesmente anexá-lo a um e-mail.

A segunda escola de pensamento é defendida por uma pessoa que chamarei de Linda, que trabalhou durante muitos anos como assistente executiva do presidente de uma dessas cem grandes companhias listadas pela *Fortune*. Ela pediu anonimato para resguardar a privacidade do chefe (que excelente assistente executiva!). Linda prefere guardar cópias de tudo em papel. A principal vantagem do papel é que ele é quase permanente. Em virtude das rápidas mudanças tecnológicas, os arquivos digitais raramente são legíveis depois de dez anos: o papel, por outro lado, dura centenas de anos. Muitos usuários de computador tomaram conhecimento, com grande surpresa, do seguinte fato: depois que seus computadores quebram, muitas vezes não é possível comprar um computador que contenha o antigo sistema operacional, e os novos sistemas não conseguem abrir seus velhos arquivos! Registros financeiros, declarações de impostos, fotos, música — tudo perdido. Nas grandes cidades, é possível encontrar quem converta seus arquivos em velho formato para novo formato, mas isso pode custar caro, ser incompleto e imperfeito. Os elétrons são gratuitos, mas tudo tem seu custo.

Outras vantagens do papel é que ele não pode ser tão facilmente alterado ou editado, nem corrompido por vírus, e você pode lê-lo mesmo quando falta energia elétrica. E ainda que o papel possa ser destruído pelo fogo, o seu computador também pode.

Apesar de comprometidos cada um com sua causa, até Malcolm e Linda guardam muitos de seus arquivos no formato que não é de sua preferência. Em alguns casos, porque é assim que chegam a nós — recibos de compras on-line são enviados como arquivos digitais por e-mail; as cobranças de pequenas companhias ainda chegam pelo correio, em papel.

Existem maneiras de organizar os dois tipos de informação, digital e em papel, de modo a maximizar sua utilidade. O mais importante é a facilidade de recuperá-la.

Para o papel, o clássico arquivo de escritório ainda é o melhor sistema conhecido. A última palavra dessa tecnologia é o sistema de pastas suspensas, inventado por Frank D. Jonas e patenteado em 1941 pela Oxford Filing Supply Company, que mais tarde se tornou a Oxford Pendaflex Corporation.[36] A Oxford e as escolas de secretariado descobriram princípios de criar pastas de arquivos, tudo para fazer com que as coisas fiquem mais fáceis de guardar e recuperar. Quando se trata de uma pequena quantidade de arquivos, digamos, menos de trinta, geralmente basta etiquetá-los e arrumá-los em ordem alfabética. Se forem mais, é melhor ordenar as pastas alfabeticamente dentro de categorias mais gerais, como CASA, FINANÇAS, FILHOS e assim por diante. Use o ambiente concreto para separar essas categorias — gavetas diferentes no arquivo, por exemplo, podem guardar diversas categorias mais gerais; dentro de uma gaveta, pastas — ou etiquetas de pastas — de cores diferentes nos possibilitam distinguir as categorias com maior rapidez. Algumas pessoas, especialmente as que sofrem de transtorno do déficit de atenção, entram em pânico se não conseguem distinguir todos os seus arquivos à primeira vista. Para isso, existem arquivos vazados que não usam gavetas, e assim elas não ficam escondidas.

Uma regra prática que muitas vezes se ensina sobre os sistemas tradicionais de arquivamento (isto é, botar papéis em pastas suspensas) diz que não devemos manter pastas com um único documento — isso é muito ineficaz. O objetivo é agrupar documentos em categorias para que sua pasta contenha de cinco a vinte e tantos documentos distintos. Com menos do que isso, fica difícil verificar rapidamente as etiquetas das inúmeras pastas; com mais do que isso, você perde tempo folheando o conteúdo da pasta. A mesma lógica se aplica à criação de categorias para objetos domésticos e de trabalho.

ORGANIZANDO NOSSAS CASAS   129

Montar um sistema de arquivamento doméstico não significa apenas colar uma etiqueta numa pasta. O melhor é ter um plano. Reserve um tempo para pensar em que consistem os diferentes documentos que você está arquivando. Pegue aquela pilha de papéis que estão sobre sua mesa e que há meses você vem pretendendo arrumar e crie categorias gerais nas quais eles se encaixem. Se o total de suas pastas de arquivos é menor do que, digamos, vinte, simplesmente destine uma pasta para cada tópico e arrume-as em ordem alfabética. Mas se forem mais, você simplesmente vai perder tempo na hora de procurar as pastas. Você pode ter categorias como FINANÇAS, COISAS DE CASA, MÉDICOS e MISCELÂNEA (a gaveta da bagunça do seu sistema, para coisas que não se encaixam em nenhum outro lugar: vacinas de animais domésticos, renovação da carteira de motorista, brochuras sobre aquela viagem que você quer fazer nas próximas férias).[37] Documentos para cada tópico devem ter sua própria pasta. Em outras palavras, se você tem uma conta de poupança, uma conta-corrente e uma capitalização para aposentaria, todas elas separadas, não coloque-as sob a etiqueta ASSUNTOS BANCÁRIOS; tenha uma pasta para cada assunto. A mesma lógica se aplica a todo tipo de objeto.

Não gaste mais tempo arquivando e classificando do que gastaria pesquisando. No caso de documentos que você precisa acessar com alguma frequência, digamos, prontuários médicos, crie pastas de arquivos e categorias que facilitem encontrá-los — pastas separadas para cada membro da família, ou pastas para MÉDICOS CLÍNICOS, DENTISTAS, OFTALMOLOGISTAS e assim por diante.[38] Se você tiver uma porção de pastas com apenas um documento, integre-as em um tema mais abrangente. Crie um arquivo especial para documentos importantes aos quais precisa ter acesso de modo regular, como passaporte, certidão de nascimento ou contrato do plano de saúde.

É claro que todos os princípios que se aplicam a pastas de arquivos concretas também se aplicam às pastas de arquivos virtuais do seu computador. A vantagem evidente do computador é que você pode armazenar seus arquivos de modo totalmente desorganizado, pois a função de busca geralmente irá ajudá-lo a achá-los quase de imediato (se você conseguir se lembrar dos nomes que deu a eles). Mas isso impõe um ônus à sua memória — pressupõe que você registre e se lembre de cada nome de arquivo que já tenha usado. Os arquivos e pastas organizados hierarquicamente têm a grande vantagem de poder ser percorridos para que você redescubra arquivos de que havia se esquecido. Isso translada a memória do cérebro para o computador.

Se você realmente adotar a ideia de fazer cópias eletrônicas de seus documentos importantes, pode criar bancos de dados e hyperlinks relacionais bastante flexíveis. Por exemplo, imaginemos que você faça sua contabilidade pessoal no Excel e tenha escaneado todos os seus recibos e faturas, armazenando-os em arquivos PDF. Dentro do Excel, você pode vincular qualquer entrada em uma célula a um documento no seu computador. Você quer procurar a garantia e o recibo de sua jaqueta de pesca Orvis? Busque *Orvis* no Excel, clique duas vezes na célula e você terá o recibo pronto para mandar por e-mail para o Departamento de Atendimento ao Cliente. Não são apenas documentos financeiros que podem ser vinculados dessa maneira. Num documento do Word em que você cita documentos de pesquisa, você pode criar links para esses documentos no seu HD, no servidor de uma empresa ou na nuvem.

Doug Merrill, ex-diretor de TI e vice-presidente de engenharia do Google, diz: "A organização não é — nem deve ser — igual para todos". No entanto, existem aspectos fundamentais como as listas de coisas a fazer, carregar blocos de anotações e fichas, ou "pôr tudo em determinado lugar e lembrar esse lugar".[39]

Mas esperem um momento — embora muitos de nós tenham escritório em casa e paguem contas em casa, nada disso parece muito caseiro. A casa não tem nada a ver com arquivos. O que há de bom em estar em casa? Aquela sensação de controle tranquilo e seguro de como passar seu tempo? O que você faz em casa? Se for como a maioria dos americanos, é multitarefa. Esse termo do início do século não se restringe mais ao trabalho. Os smartphones e tablets vieram para ficar.

Nossos celulares se tornaram instrumentos parecidos com canivetes suíços, contendo dicionários, calculadora, navegador de internet, e-mail, jogos, calendário, agenda, gravador de voz, afinador de guitarra, a previsão do tempo, GPS, processador de texto, Twitter, Facebook e lanterna. Eles são mais potentes e fazem mais coisas do que o computador mais avançado da sede da IBM fazia há trinta anos. E nós os usamos o tempo todo, como parte de uma mania do século XXI de encaixar todas as nossas atividades em todo momento livre que temos. Digitamos texto ao atravessar a rua, atualizamos os e-mails na fila do mercado e, enquanto almoçamos com amigos, de forma furtiva verificamos o que fazem os *outros* amigos. Na bancada da cozinha, na segurança e no aconchego do lar, fazemos listas de compras em nossos smartphones enquanto escutamos aquele *podcast* maravilhosamente informativo sobre apicultura urbana.

Mas há um senão. Apesar de acharmos que estamos fazendo várias coisas ao mesmo tempo, está demonstrado que isso é uma poderosa e diabólica ilusão. Earl Miller, neurocientista do MIT e um dos peritos mundiais em atenção dividida, diz que nossos cérebros "não foram feitos para realizar bem muitas tarefas ao mesmo tempo [...]. Quando as pessoas acham que estão fazendo muitas tarefas simultaneamente, estão na realidade mudando muito rápido de uma tarefa para outra. E toda vez que o fazem, o fazem a um custo cognitivo".[40] Portanto, na verdade, não mantemos uma porção de bolas no ar como bons malabaristas; somos mais parecidos com um equilibrista de pratos amador, passando freneticamente de uma tarefa a outra, ignorando a que não se encontra diretamente diante de nós, mas temerosos de que ela caia sobre nós a qualquer momento.[41] Apesar de acharmos que estamos realizando muita coisa, ironicamente, está comprovado que a multitarefa compromete a nossa eficiência.

Descobriu-se que a multitarefa aumenta o hormônio do estresse, o cortisol, além do hormônio da luta/fuga, a adrenalina, que podem superestimular o cérebro e causar entorpecimento mental ou pensamento confuso. Ela cria um laço viciante de dopamina em feedback, que na realidade recompensa o cérebro por perder o foco e buscar constantemente estímulos externos. Para piorar as coisas, o córtex pré-frontal tem uma preferência pela novidade. Isso significa que ele pode ser facilmente sequestrado por algo novo — o conhecido objeto brilhante que usamos para atrair a atenção de bebês, cãezinhos e gatinhos. A ironia disso para aqueles que estão tentando se concentrar em meio a atividades que competem entre si é clara: a região cerebral da qual dependemos para nos manter focados na tarefa é facilmente distraída. Atendemos o telefone,

## 132 A MENTE ORGANIZADA

olhamos algo na internet, verificamos o e-mail, mandamos um SMS, e cada uma dessas coisas atiça os centros cerebrais que buscam novidades e recompensas, causando um surto de opiáceos endógenos (não é de admirar que a sensação seja tão boa), tudo em detrimento de se ater à tarefa. É como um doce para o cérebro, sem valor nutricional e repleto de calorias. Em vez de colher as grandes recompensas advindas do esforço concentrado e constante, colhemos pequenas recompensas advindas de mil pequenas tarefas cobertas de glacê.

Nos velhos tempos, se o telefone tocasse e estivéssemos ocupados, ou não atendíamos ou desligávamos a campainha. Quando todos os telefones eram fixos, ninguém tinha a expectativa de poder falar conosco o tempo todo — podíamos ter saído para uma caminhada ou estar no trânsito, e assim, se alguém não conseguia nos encontrar (ou não quiséssemos ser encontrados), isso era considerado normal. Mas hoje há mais pessoas com celulares do que com banheiros.[42] Isso criou a expectativa implícita de que devemos conseguir encontrar alguém sempre que for da *nossa* conveniência, ainda que não seja da conveniência da pessoa. Essa expectativa está tão inculcada que, enquanto estão em reuniões, as pessoas muitas vezes atendem o celular apenas para dizer: "Sinto muito, não posso falar agora, estou numa reunião". Apenas uma década ou duas atrás, essas mesmas pessoas não atenderiam o telefone fixo na mesa durante uma reunião, porque as expectativas de se poder falar com alguém eram muito diferentes.

A simples *oportunidade* de fazer várias tarefas ao mesmo tempo já é suficiente para prejudicar o desempenho cognitivo. Glenn Wilson, do Gresham College, em Londres, a chama de infomania. Em uma pesquisa, Wilson descobriu que o simples fato de a pessoa estar tentando se concentrar numa tarefa e perceber que há um e-mail não lido na sua caixa de entrada pode subtrair dez pontos do seu QI.[43] E apesar de muitos alegarem que a maconha traz muitos benefícios, inclusive um acréscimo de criatividade e uma diminuição do limiar da dor e do estresse, está comprovado que o seu principal ingrediente, o canabinol, se liga a receptores especiais de canabinol no cérebro que interferem profundamente na memória e na capacidade de concentração simultânea em várias coisas. Wilson demonstrou que as perdas cognitivas provocadas pela multitarefa são até maiores do que aquelas provocadas pelo uso da maconha.

ORGANIZANDO NOSSAS CASAS    133

Russ Poldrack, um neurocientista de Stanford, descobriu que adquirir informação enquanto se realiza muitas tarefas ao mesmo tempo faz com que a informação vá para a parte errada do cérebro. Se os estudantes estudam enquanto veem TV, por exemplo, a informação que extraem de seus deveres de casa vai para o corpo estriado, região especializada no armazenamento de novos procedimentos e habilidades, e não fatos e ideias. Sem a distração representada pela TV, a informação vai para o hipocampo, onde é organizada e ordenada em categorias, de várias formas, o que torna mais fácil recuperá-la.[44] Earl Miller, do MIT, acrescenta: "As pessoas não conseguem fazer bem [muitas tarefas ao mesmo tempo] e, se dizem que podem, estão se iludindo".[45] E o fato é que o cérebro é muito eficiente nesse negócio de se autoiludir.[46]

Há também os custos metabólicos da própria troca de atividades, sobre os quais falei antes.[47] Pedir que o cérebro transfira a atenção de uma atividade para outra faz com que o córtex pré-frontal e o corpo estriado queimem glicose oxigenada, o mesmo combustível de que precisa para se manter focado em uma tarefa. E esse tipo de troca rápida e contínua, durante a realização de tarefas simultâneas, faz com que o cérebro queime combustível tão rápido que nos sentimos exaustos e desorientados até mesmo após pouco tempo. Literalmente exaurimos os nutrientes em nosso cérebro.[48] Isso leva a um comprometimento tanto do desempenho físico quanto do cognitivo. Entre outras coisas, a troca repetitiva de tarefas leva à ansiedade,[49] que aumenta no cérebro os níveis de cortisol, o hormônio do estresse, o que por sua vez pode levar a comportamentos agressivos e impulsivos.[50] Por outro lado, manter o foco em uma tarefa é atribuição do cingulado anterior e do corpo estriado, e, depois que ligamos o modo executivo central, empregamos menos energia; na verdade, reduzimos a necessidade de glicose do cérebro.[51,52]

Para piorar, fazer várias coisas ao mesmo tempo muitas vezes requer tomadas de decisão: respondo ou não a esta mensagem de texto? Como devo reagir a isto? Como vou arquivar este e-mail? Continuo a fazer o que estou fazendo agora ou dou um descanso? Acontece que as tomadas de decisão requerem muito esforço de seus recursos neuronais, e pequenas decisões parecem consumir tanta energia quanto grandes. Uma das primeiras coisas que perdemos é o controle do impulso. Isso decai rápido num estado de cansaço, no qual, depois de tomarmos várias pequenas decisões, acabamos tomando decisões realmente ruins sobre algo importante. Por que alguém haveria de acrescentar ao peso diário do processamento de informação a tentativa de realizar várias tarefas simultâneas?

Ao discutir a sobrecarga de informação com os quinhentos líderes da *Fortune*, cientistas de ponta, escritores, estudantes e pequenos empresários, o e-mail aparece cada vez mais como um problema. Não se trata de uma objeção filosófica ao e-mail em si, mas da quantidade entorpecedora de e-mails que recebemos. Quando perguntaram qual era o trabalho do pai ao filho de dez anos de meu colega Jeff Mogil, um neurocientista, ele respondeu: "Ele responde a e-mails". Depois de pensar um pouco, Jeff concluiu que isso não estava longe de ser verdade. Funcionários públicos, das artes e da indústria relatam que a quantidade de e-mails que recebem é simplesmente avassaladora, ocupando grande parte de seu dia. Nós nos sentimos na obrigação de responder aos e-mails, mas parece impossível fazer isso e conseguir fazer outra coisa.

Antes do e-mail, se quisesse escrever para alguém, precisava investir algum esforço nisso. Você se sentava com papel e caneta, ou máquina de escrever, e compunha com cuidado uma mensagem. O meio não tinha nada que lhe predispusesse a disparar rápidas anotações sem pensar muito, em parte por causa do ritual envolvido, e do tempo que se levava para escrever a mensagem, procurar o endereço e um envelope, acrescentar o selo e ir até uma caixa de correio. Uma vez que o próprio ato de escrever um bilhete ou carta a alguém demandava tantos passos e se estendia no tempo, não nos dávamos esse trabalho a não ser que tivéssemos algo importante a dizer. Em virtude do caráter imediato do e-mail, a maioria de nós não pensa duas vezes em digitar qualquer coisa que vem à cabeça e dar o comando de enviar. E o e-mail não custa nada. Certo, há o dinheiro que custou o computador e a conexão da internet, mas não existe nenhum custo adicional para enviar mais um e-mail. Compare isso com as cartas escritas em papel. Cada uma representa o custo do envelope e do selo, e, embora isso não represente muito dinheiro, a quantidade desses itens é limitada, e, se acabassem, você teria de ir à papelaria e ao correio comprar mais, então não os usava frivolamente. A simples facilidade de enviar e-mails levou a uma

ORGANIZANDO NOSSAS CASAS   135

mudança de modos, uma tendência a sermos menos polidos em relação ao que pedimos aos outros. Muitos profissionais contam o mesmo caso. Diz um deles:

> "Uma boa parte dos e-mails que recebo são de pessoas que mal conheço, me pedindo que faça algo que normalmente estaria fora do escopo do meu trabalho e da minha relação com elas. Parece que o e-mail torna viável que as pessoas peçam coisas que jamais pediriam por telefone, ou pessoalmente, ou por correspondência a passo de lesma, à moda antiga".

Há também diferenças importantes entre a correspondência antiga e o e-mail, na extremidade receptora. Nos velhos tempos, a única correspondência que recebíamos chegava uma vez por dia, o que de fato criava um momento especial e distinto do dia para pegá-la da caixa de correio e separá-la. E, o mais importante, já que levava alguns dias para chegar, não havia nenhuma expectativa de que você respondesse de imediato. Se estivesse comprometido com alguma outra atividade, você simplesmente deixava que a correspondência esperasse numa caixa do lado de fora, ou na sua mesa, até estar pronto para lidar com ela. Parecia até meio estranho ir correndo até a caixa de correio no momento em que o carteiro deixava a correspondência ali. (Ela levara dias para chegar, que diferença fariam alguns minutos a mais?) Agora os e-mails chegam sem parar, e a maioria exige uma resposta de algum tipo: clique no link para ver o vídeo de um bebê panda, ou responda à pergunta do colega de trabalho, ou marque um almoço com um amigo, ou delete aquele e-mail como spam. Toda essa atividade nos dá uma sensação de estar trabalhando — e, em alguns casos, isso é verdade. Mas estamos sacrificando a eficiência e a concentração profunda quando interrompemos nossas atividades prioritárias em prol do e-mail.

Até recentemente, cada um dos muitos modos de comunicação que usávamos assinalava a relevância, a importância e o objetivo dele. Se um ente querido se comunicava com você através de um poema ou uma canção, antes mesmo que a mensagem se tornasse aparente você tinha motivos para presumir algo sobre seu conteúdo e seu valor emocional. Se o mesmo ente querido se comunicasse, em vez disso, através de uma intimação entregue por um oficial de justiça, você já haveria de esperar um conteúdo diferente antes mesmo de ler a mensagem. Do mesmo modo, os telefonemas eram usados para um tipo de contato diferente das cartas comerciais e dos telegramas. O meio dava uma pista sobre a mensagem. Mas tudo isso mudou com o e-mail, e esta é uma de suas desvantagens que passa despercebida — ele é usado praticamente para tudo. Nos velhos tempos, é provável que você separasse a sua correspondência em duas pilhas, referentes, mais ou menos, a cartas pessoais e contas. Se você fosse um gerente corporativo com uma agenda ocupada, poderia colocar uma mensagem eletrônica para responder as ligações. Mas os e-mails são usados para *todas* as mensagens da vida. Verificamos compulsivamente a caixa de e-mails em parte porque não sabemos se a próxima mensagem será de lazer/diversão, de uma conta atrasada, um lembrete de um compromisso, alguma pergunta... algo que você possa fazer agora, depois, algo que mude sua vida, ou algo irrelevante.

Essa incerteza provoca o caos no nosso sistema de percepção rápida de categorias, além de estresse, e leva a uma sobrecarga decisória. Todo e--mail requer uma decisão! Respondo? Se for o caso, agora ou depois? Que importância tem? Quais serão as consequências sociais, econômicas e profissionais se eu não responder, ou se eu não responder *agora mesmo*?

É claro que o e-mail, hoje, está ficando quase obsoleto como meio de comunicação. A maioria das pessoas com menos de trinta anos acha o e-mail um modo antiquado de comunicação só usado por "gente velha". No lugar dele, mandam mensagens de texto, e algumas ainda postam no Facebook. Anexam documentos, fotos, vídeos e links a suas mensagens de texto e posts no Facebook, do mesmo modo que pessoas com mais de trinta fazem com o e-mail. Muita gente com menos de vinte anos hoje vê o Facebook como uma ferramenta da geração mais velha. Para eles, a mensagem de texto tornou-se o principal meio de comunicação. Ela oferece a privacidade que os telefonemas não propiciam, e um imediatismo que não se tem com o e-mail. Linhas diretas para lidar com crises começaram a aceitar chamadas de jovens em situações de risco por meio de mensagens, o que lhes dá duas grandes vantagens: podem lidar com mais de uma pessoa ao mesmo tempo e transferir a conversa para um especialista, se necessário, sem interrompê-la.[53]

Mas a mensagem de texto mostra os mesmos problemas que o e-mail, além de outros. Em razão do limite de caracteres, ela desencoraja discussões reflexivas e detalhes em qualquer nível. E os problemas adicionais são trazidos por seu hiperimediatismo. Os e-mails levam um tempinho para abrir caminho pela internet, através de servidores, roteadores e comutadores, e exigem que você dê o passo de abri-los explicitamente. As mensagens de texto surgem de forma mágica na tela de seu telefone, exigindo atenção imediata. Além disso, a expectativa social de que um texto sem resposta pode parecer um insulto ao remetente dá a receita de um vício: você recebe um texto e isso ativa seus centros de novidade; você responde e se sente recompensado por ter completado uma tarefa (embora ela fosse inteiramente desconhecida para você quinze minutos antes). Cada uma dessas coisas libera uma dose de dopamina, e seu sistema límbico grita: "Mais! Mais! Quero mais!".

Num célebre experimento, James Olds e meu colega da Universidade McGill, Peter Milner, colocaram um pequeno eletrodo no cérebro de ratos, numa pequena estrutura do sistema límbico chamada núcleo accumbens. Essa estrutura regula a produção de dopamina, e é a região que se ilumina quando o jogador ganha a aposta, viciados usam cocaína e as pessoas têm orgasmos — Olds e Milner chamaram-na de centro do prazer. Uma alavanca na gaiola permitia que os ratos enviassem um pequeno sinal elétrico diretamente a seus núcleos accumbens. Vocês acham que eles gostaram? Como não! Gostaram tanto que não faziam mais nada. Esqueceram-se de dormir e de comer. Mesmo com fome, ignoravam o alimento gostoso quando tinham oportunidade de pressionar a pequena barra cromada; chegavam a ignorar a oportunidade de fazer sexo. Os ratos continuaram a apertar a alavanca até morrer de fome e exaustão.[54] Isso o faz lembrar alguma coisa? Um homem de trinta anos em Cantão (China) morreu depois de jogar video game sem parar durante três dias. Outro morreu em Daegu (Coreia) depois de jogar video game sem parar por cinquenta horas, interrompido apenas por uma parada cardíaca.[55]

Toda vez que enviamos um e-mail, de um modo ou de outro, experimentamos uma sensação de realização, e nosso cérebro ganha uma gota de hormônios de recompensa que nos informam que conseguimos realizar algo. Cada vez que verificamos um tuíte no Twitter ou uma atualização no Facebook, encontramos uma coisa nova, nos sentimos mais socialmente conectados (de um estranho modo impessoal cyber) e recebemos outra dose de hormônios de recompensa. Mas não se esqueçam, é a parte burra do cérebro, a que busca novidades, que impele o sistema límbico e induz essa sensação de prazer, e não os centros de pensamento mais elevados no córtex pré-frontal, que planejam, esquematizam. Não se enganem: e-mail, Facebook e Twitter constituem vícios neuronais.

O segredo é estabelecer sistemas para nos enganar — para enganar nossos *cérebros* e fazer com que se atenham às tarefas quando precisamos. Primeiro, determinar certos períodos do dia para lidar com os e-mails. Os peritos recomendam verificar o e-mail de duas a três vezes por dia, deixan-do-os se acumular, em vez de verificá-los à medida que vão chegando. Muita gente tem seus programas de e-mail configurados para ver automa-ticamente cada e-mail que chega, ou a cada cinco minutos. Pense só nisto: se você estiver checando os e-mails a cada cinco minutos, estará fazendo isso duzentas vezes no decorrer de um dia de vigília. Isso só pode interferir com o avanço de seus objetivos principais. Talvez você tenha que habituar seus amigos e colegas de trabalho a não esperar respostas imediatas, a usar outros tipos de comunicação, como uma reunião mais tarde no mesmo dia, um encontro no almoço ou uma pergunta rápida.

Durante décadas, os funcionários eficientes fechavam a porta e desli-gavam seus telefones para ter "horas produtivas", quando podiam se con-centrar sem serem perturbados. Desligar nossos e-mails segue essa tradição e de fato acalma o cérebro, tanto neuroquímica quanto neuroeletricamen-te. Se o tipo de trabalho que você faz não permite isso, configure filtros de e-mail, marcando certas pessoas cuja correspondência passa direto, en-quanto o resto se acumula na sua caixa de entrada até você ter tempo de ver. E para pessoas que realmente não podem ficar afastadas do e-mail, o truque eficaz é criar outra conta especial e particular de e-mail, e dar esse endereço somente àqueles que precisam alcançá-lo de imediato, checando suas outras contas só em períodos determinados.

Lawrence Lessig — professor de direito de Harvard — e outros pro-moveram a ideia da falência do e-mail. Em certo momento, você percebe que jamais vai conseguir dar conta das mensagens. Quando isso acontece, delete ou arquive tudo que se encontra na sua caixa de entrada e, em segui-da, envie um e-mail coletivo a todos os seus correspondentes explicando que você ficou totalmente descompassado na sua correspondência e que, se al-gum assunto sobre o qual escreveram ainda for importante, eles devem mandar outro e-mail. A alternativa é fazer como algumas pessoas: criar uma resposta automática a qualquer mensagem de e-mail que chega. Essa resposta pode ser do tipo: "Tentarei responder a seu e-mail dentro da próxima semana. Caso se trate de algo que exija resposta imediata, por favor, me telefone. Se ainda estiver esperando uma resposta minha daqui a uma semana, por favor, reenvie sua mensagem com 'segunda tentativa' no assunto".

À medida que aumenta o trabalho paralelo e exige-se de nós que nos dediquemos mais a administrar nossos assuntos pessoais, a necessidade de ter contas com múltiplas companhias aumenta dramaticamente. Memorizar informações de login e senhas é algo difícil porque diferentes sites e provedores impõem restrições fantásticas quanto a esses parâmetros. Alguns provedores insistem em que você use seu endereço de e-mail para fazer o login, outros insistem em que não use; alguns exigem que suas senhas contenham caracteres especiais como $&*#, e outros não permitem nenhum desses. As exigências adicionais incluem a proibição de repetir um caracter mais de duas vezes (de modo que *aaa* jamais seria admissível na sua senha), ou de não poder usar a mesma senha que você usou nos últimos seis meses. Mas mesmo que logins e senhas pudessem ser uniformizados, não seria uma boa ideia usar o mesmo login e a mesma senha para todas as contas, porque se uma é exposta, todas as outras também serão.

Existem vários programas para manter controle sobre as senhas. Muitos armazenam a informação em servidores (na nuvem), o que apresenta uma possível ameaça de segurança — é apenas uma questão de tempo até que hackers invadam e roubem milhões de senhas. Há poucos meses, hackers roubaram as senhas de 3 milhões de clientes da Adobe,[56] de 2 milhões de clientes da Vodafone, na Alemanha,[57] e de 160 milhões de clientes do cartão de crédito e débito Visa.[58] Outras ficam no seu computador, o que as torna menos vulneráveis a ataques externos (embora não 100% seguras), porém mais vulneráveis se roubarem seu computador. Os melhores programas geram senhas diabolicamente difíceis de serem lembradas, e em seguida as armazenam num arquivo em código, de modo que mesmo que alguém consiga pôr as mãos no seu computador, não conseguirá abrir as senhas. Você só precisa lembrar a única senha que abre o arquivo de senhas — e que deve ser uma miscelânea danada de letras em caixa-alta e caixa--baixa, algarismos e símbolos especiais, algo como Qk8$@iP{%mA. Escrever senhas num pedaço de papel ou bloquinho de anotações não é recomendável, porque são a primeira coisa que os ladrões irão procurar.

140 **A MENTE ORGANIZADA**

Uma das opções é manter as senhas armazenadas no seu computador, num programa codificado de administração de senhas que reconhecerá os sites que você visita e fará automaticamente o seu login; outros programas simplesmente permitirão que você recupere a senha que perdeu. Uma alternativa barata é salvar suas senhas num arquivo do Excel ou do Word e proteger esse arquivo com senha (assegure-se de escolher uma senha que não irá esquecer, e que não seja igual a outras senhas que você está usando).

Nem pense em usar como senha o nome do seu cachorro ou a data do seu aniversário, ou qualquer palavra dicionarizada. Essas são fáceis demais de hackear. Um sistema que otimiza tanto a segurança quanto a facilidade de utilização é gerar senhas de acordo com uma fórmula que você memorizou e então escreveu num pedaço de papel ou num arquivo em código somente para sites que exigem uma alteração dessa fórmula básica. Uma forma inteligente de gerar senhas é pensar numa frase, memorizá-la e em seguida utilizar as primeiras letras de cada palavra da frase.[59] Você pode personalizar a senha para cada vendedor ou site. Imaginemos que sua frase seja: "Minha série favorita é *Breaking Bad*".

Para transformá-la numa senha, pegando a primeira letra de cada palavra, isso daria

msfeBB

Agora acrescente um símbolo especial e um número no meio, só para torná-la especialmente segura:

msf$6eBB

Você agora tem uma senha segura, mas não use a mesma senha para todas as contas. Personalize a senha acrescentando no começo ou no fim o nome do site que você acessa. Se você for usar a fórmula para a sua **c**onta-**c**orrente **d**o **C**itibank, pegue as letras *c d C* e comece sua senha com elas:

cdCmpfdT$6eBB

Para seu **p**rograma **d**e **m**ilhagem **d**a **U**nited **A**irlines, sua senha seria:

pdmdUAmpfdT$6eBB

Se um site não permitir caracteres especiais, simplesmente os remova. A senha para seu seguro de saúde Aetna poderia ser:

AmpfdTeBB

Em seguida, você só precisa anotar num pedaço de papel os desvios da fórmula padrão. Já que você não anotou a fórmula de fato, acrescentou um nível de segurança extra caso alguém descubra sua lista. Ela pode ser mais ou menos assim:

| | |
|---|---|
| Seguro de saúde Aetna | fórmula padrão sem caractere especial ou algarismo |
| Conta-corrente Citibank | fórmula padrão |
| Cartão Visa Citibank | fórmula padrão sem algarismo |
| Seguro residencial Liberty Mutual | fórmula padrão sem caractere especial |
| Conta de água | fórmula padrão |
| Conta de luz | seis primeiros dígitos da fórmula padrão |
| Cartão de crédito Sears | fórmula padrão + mês |

Alguns sites exigem que você troque a senha todo mês. Simplesmente acrescente o mês ao final da senha. Vamos supor que fosse seu cartão de crédito Sears. Para outubro e novembro, sua senha poderia ser:

SmpfdT$6eBBOut
SmpfdT$6eBBNov

Se tudo isso for muito trabalhoso, a IBM prediz que até 2016 não precisaremos mais de senhas, porque estaremos usando marcadores biométricos, tais como o escâner de íris (atualmente usado por entidades de controle de fronteiras nos Estados Unidos, Canadá e outros países), impressões digitais ou reconhecimento de voz.[60] No entanto, muitos consumidores resistirão à biometria por preocupações com a privacidade. Por isso talvez as senhas estejam aqui para ficar, pelo menos por mais algum tempo. A moral é que mesmo com algo intencionalmente não organizável como as senhas você pode aplicar uma fácil organização mental.

## Em casa é onde quero estar

Perder determinados objetos provoca mais estresse ou aborrecimento do que perder outros. Se você perder sua esferográfica Bic ou aquela nota de um dólar toda amassada no bolso de sua calça ao mandá-la para a lavanderia, não é nenhuma calamidade. Mas não conseguir entrar em casa no meio da noite durante uma nevasca, não poder encontrar as chaves do carro numa emergência, ou perder o celular ou o passaporte pode ser um acontecimento traumático.

Somos especialmente vulneráveis a perder as coisas quando estamos em viagem. Parte do motivo é que saímos de nossa rotina e nosso ambiente familiar, e os velhos apoios com os quais contamos em casa não estão disponíveis. Há um acréscimo de demanda sobre o nosso sistema de memória espacial, no hipocampo, ao tentarmos absorver um novo ambiente físico. Além disso, perder coisas na era da informação pode criar certos paradoxos ou armadilhas. Se você perder seu cartão de crédito, para qual telefone irá ligar para relatar o acontecido? Não é tão fácil, porque o número estava escrito no verso do cartão. E a maioria dos call centers dos cartões de crédito pedem que você tecle o número do seu cartão, algo que você não poderá fazer por não ter o cartão à sua frente (a não ser que tenha memorizado aquele número de dezesseis dígitos, *mais* os três dígitos do código de segurança, na parte de trás). Se perder sua carteira ou bolsa, pode ser difícil arranjar dinheiro em espécie porque estará sem carteira de identidade. Algumas pessoas se preocupam muito mais com isso do que outras. Se você está entre os milhões de pessoas que perdem coisas, organizar backups ou artifícios de segurança pode livrá-lo do estresse.

Daniel Kahneman recomenda que se tome um atitude ativa: pense na maneira como você pode perder algo e procure erigir barreiras para evitar isso.[61] Em seguida, crie uma rede de segurança contra o fracasso, que inclui:

- Esconder uma cópia da chave de casa no jardim ou na casa de um vizinho
- Guardar uma cópia da chave do carro na gaveta superior da escrivaninha
- Usar a câmera do celular para tirar uma foto em close de seu passaporte, sua carteira de habilitação e seu cartão do plano de saúde, e de ambos os lados de seu(s) cartão(ões) de crédito
- Carregar um pen drive com todo o seu histórico médico[62]
- Ao viajar, carregar algum documento de identidade, pelo menos algum dinheiro vivo ou um cartão de crédito num bolso ou em algum lugar separado de sua carteira e outros cartões, de modo que, se você perder um deles, não perderá todos
- Carregar um envelope para guardar recibos de viagem quando estiver fora da cidade, de modo que todos fiquem num lugar só, não misturados com outros recibos.

E o que você faz quando algo de fato se perde? Steve Wynn é o CEO da empresa que traz seu nome, a Wynn Resorts, e faz parte dos quinhentos maiores executivos americanos listados pela *Fortune*. Projetista dos premiados hotéis de luxo Bellagio, Wynn e Encore, em Las Vegas, e do Wynn Palace, em Macau, dirige um empreendimento com mais de 20 mil empregados. Ele detalha uma abordagem sistemática.

> É claro que, como todo mundo, eu perco chaves, carteira ou passaporte. Quando isso acontece, procuro recuperar alguma certeza. Onde tenho *certeza* de ter visto meu passaporte pela última vez? Estava com ele no andar de cima, quando falava ao telefone. Em seguida repasso as atividades que fiz desde então. Eu estava no telefone lá em cima. O telefone ainda está lá? Não. Eu trouxe o telefone aqui para baixo. O que fiz quando estava no andar de bai-

xo? Enquanto falava, eu mexia na tv. Para fazer isso precisei do controle remoto. Tudo bem, onde está o controle? Meu passaporte está junto dele? Não, não está ali. Ah! Peguei um copo d'água na geladeira. Pronto, o passaporte está do lado da geladeira — eu o larguei ali, sem pensar, enquanto falava ao telefone.

Então há todo o processo de recordar algo. Estou com o nome daquele ator na ponta da língua. Eu *sei* que sei. Só que não consigo dizer. Então penso nisso sistematicamente. Lembro que começa com "D". Então, vejamos, da, di, de, du, dru, dla, den... Me esforço em pensar como se estivesse levantando um peso, passando por cada combinação até encontrar a resposta.[63]

Muitas pessoas com mais de sessenta anos temem estar sofrendo de déficit de memória, enfrentando um surgimento precoce de Alzheimer ou simplesmente perdendo as faculdades mentais por ter esquecido algo tão simples como o fato de ter ou não ter tomado suas vitaminas no café da manhã. Mas — lá vem a neurociência em socorro — provavelmente o fato de tomar o comprimido se tornou tão banal que é esquecido imediatamente depois. Crianças geralmente não esquecem quando tomam comprimidos porque o fato ainda é uma novidade para elas. Elas se concentram bastante na experiência, se preocupam em engasgar ou ficar com um gosto ruim na boca, e tudo isso serve a dois propósitos: primeiro, elas reforçam a novidade do acontecimento na hora de tomar o comprimido; segundo, fazem a criança se concentrar intensamente nesse momento. Como vimos antes, a atenção é uma maneira muito eficaz de fazer algo entrar na memória.

Mas pense no que nós, adultos, fazemos quando tomamos um remédio, um ato tão banal que podemos fazê-lo sem pensar (e muitas vezes é o que acontece). Botamos o comprimido na boca, tomamos um gole, engolimos, pensando em seis coisas diferentes. Será que me lembrei de pagar a conta de luz? Qual o novo trabalho que o chefe me dará hoje naquela reunião às dez horas? Estou ficando cansado desse cereal no café da manhã, preciso me lembrar de comprar outro da próxima vez que for ao mercado... Toda essa conversa cruzada em nossos cérebros superativos, combinada com a ausência de atenção na hora de tomar o comprimido, aumenta a probabilidade de nos esquecermos dela poucos minutos depois. A sensação de espanto que temos em criança, a sensação de aventura em cada atividade, é em parte o motivo de termos tão boa memória quando jovens — não se trata, portanto, de estarmos ficando dementes.

Isso sugere duas estratégias para recordar atividades rotineiras. Uma é tentar recuperar a sensação de novidade em tudo que façamos. É mais fácil falar do que fazer, claro. Mas se conseguirmos adquirir uma clareza mental do tipo zen e prestar atenção ao que fazemos, abrindo mão de pensamentos sobre o futuro e o passado, lembraremos cada momento, porque cada momento será especial. Meu professor de saxofone e amigo Larry Honda, chefe do departamento de música da Fresno College e líder do Larry Honda Quartet, me deu um incrível presente quando eu tinha apenas 21 anos. Foi no meio do verão, e eu morava em Fresno, Califórnia. Ele veio até minha casa para nossa aula semanal de saxofone. Minha namorada Vicki acabara de colher mais uma cesta de morangos, muito abundantes naquele ano, da nossa horta, e, quando Larry se aproximou, ela ofereceu alguns a ele. Havia outros amigos presentes, e Vicki lhes ofereceu morangos; eles os comeram e continuaram a conversar sobre o que estavam conversando antes de os morangos surgirem, suas mentes e corpos a comer e a conversar ao mesmo tempo. Isso não chega a ser incomum na moderna sociedade ocidental.

Mas Larry tinha sua maneira de fazer as coisas. Ele parou e olhou para as frutas. Pegou um morango e acariciou o talho folhudo com os dedos. Fechou os olhos e respirou profundamente, com o morango bem debaixo das narinas. Provou-o e comeu-o lentamente com toda a concentração. Ele ficou tão imerso momento que fui contagiado, e me lembro desse episódio com clareza 35 anos depois. Larry abordava a música da mesma maneira, o que o tornava um grande saxofonista.

O segundo modo, mais corriqueiro, de lembrar esses pequenos momentos é muito menos romântico, e talvez menos satisfatório do ponto de vista espiritual, mas nem por isso menos eficaz (você já o ouviu antes): descarregue a memória no mundo físico em vez de no seu próprio e entulhado mundo mental. Em outras palavras, faça anotações num pedaço de papel ou, se preferir, arranje um sistema. A essa altura, a maioria de nós já conhece as pequenas caixas plásticas de remédio com os nomes dos dias da semana escritos, ou as horas do dia, ou os dois. Você enche o compartimento apropriado de comprimidos e depois não precisa mais lembrar nada, exceto que um compartimento vazio confirma que tomou sua dose. Esse tipo de caixa não está livre de erros (como diz o velho ditado, nada está livre de erros, porque os erros são insidiosos), mas acaba por reduzi-los ao descarregar informação corriqueira e repetitiva dos lobos frontais para o ambiente externo.

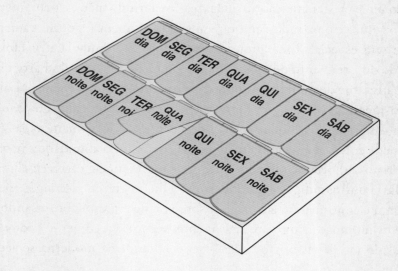

Além de determinar um lugar especial para botar coisas que você provavelmente acabará não achando (o gancho para chaves perto da porta da frente), colocar as coisas num local onde será mais provável que você venha a usá-las também ajuda. Isso descarrega totalmente a carga de memorizar e lembra o conselho de Skinner para botarmos o guarda-chuva ao lado da porta em dias em que há previsão de chuva. Por exemplo, as ferramentas especiais que vêm com a mobília e aparelhos — como chaves para o triturador de lixo, para desmontar certos mobiliários, para ajustar a bicicleta ergométrica — podem ser presas aos objetos com fita adesiva ou grampos de náilon. Se você grudar sua chave num apoio da perna sob a mesa, ela estará exatamente onde você precisa que esteja quando a mesa começar a ficar bamba e você tiver que apertar o parafuso. Isso está de acordo com o princípio da eficácia cognitiva: para que ser obrigado a recordar onde está algo? Ponha-o exatamente no lugar onde você irá precisar dele. Os fabricantes de lanternas começaram a fazer isso há décadas, quando puseram uma lâmpada reserva dentro da tampa que você tira para trocar as pilhas — você não consegue perdê-la, porque está exatamente onde precisa estar. E se você não conseguir fazer isso para quando precisar de alguma coisa? Ponha esses itens em sacolas com zíper individuais, com uma etiqueta indicando o objeto para que eles servem, e depois guarde todas as sacolas numa caixa de sapatos etiquetada: COISAS DE QUE VOU PRECISAR.

Os seres humanos diferem uns dos outros de milhares de maneiras, inclusive nos diversos níveis aceitáveis de estresse e segurança, mas se há algo que a maioria compartilha é o impulso para ordenar nosso ambiente imediato. Esse é um traço encontrado até em muitas espécies inferiores, inclusive alguns pássaros e roedores, que são capazes de perceber a presença de intrusos na sua casa quando encontram sinais de alterações em gravetos e folhas que deixaram meticulosamente em ordem.[64] Até quem prefere amontoar sua roupa em pilhas no chão, em vez de pendurá-las no armário ou dobrá-las e guardá-las na gaveta, sabe que as várias pilhas de roupas possuem determinado sistema.

Uma parte de nosso senso de ordem se manifesta em querer consertar coisas simples quando possível. Aqui novamente as pessoas diferem. Em um extremo, temos o fanático que não deixa uma única mossa no peitoril da janela passar sem conserto, ou uma torneira frouxa sem apertar. No outro extremo, temos o que pode deixar uma lâmpada queimada permanecer meses no bocal, ou rachaduras no emboço sem conserto durante anos. Porém, mais cedo ou mais tarde, a maioria de nós se mete a consertar algo em casa, e assim guardamos algumas ferramentas e materiais destinados a isso.

Na extremidade mais básica desse espectro, um sistema para organizar e guardar ferramentas pode ser tão simples quanto comprar uma caixa de ferramentas de quinze dólares na loja de ferragem e botar tudo referente a ferramentas e consertos lá dentro. No outro extremo, muita gente constrói um sistema de gavetas, cômodas e racks na garagem para manter as coisas organizadas — uma única gaveta para diferentes tipos de martelos; uma gaveta para chaves ajustáveis; uma gaveta para chaves fixas, e assim por diante. No meio do espectro, vários catálogos e lojas de ferragem vendem um kit de reparos domésticos compacto, com um conjunto de ferramentas para iniciantes guardadas numa caixa com moldes próprios — cada ferramenta tem seu lugar determinado na caixa, e assim fica evidente se alguma estiver faltando. Esses equipamentos compactos também incluem alguns pregos e parafusos dos mais usados.

James L. Adams, consultor de criatividade e professor aposentado de engenharia mecânica em Stanford, é uma das pessoas que tornaram popular a expressão "pensar fora da caixa". No seu tempo de lazer, Adams reconstrói e restaura caminhões e tratores antigos. Ele recomenda a Harbor Freight Tools e empresas semelhantes como meio relativamente barato de adquirir e organizar ferramentas. A Harbor Freight Tools, uma empresa de vendas pelo correio, com uma rede de lojas nos Estados Unidos, é especializada em ferramentas difíceis de achar, espelhos telescópicos e agarradores de peças, itens raros (uma ferramenta para remover parafusos encravados) e também ferramentas manuais, motorizadas, bancadas de trabalho e ferramentas pesadas, como guindastes de motor e rampas de automóveis (para subir com o carro na hora de trocar o óleo). Muitas ferramentas vêm em caixas que ajudam na sua organização. Um conjunto de produtos que simplifica enormemente e reorganiza a vida de quem gosta de restauração doméstica é o estojo de peças. Por exemplo, a Harbor Freight vende um estojo que contém porcas e parafusos de praticamente todos os tamanhos; também estão à venda estojos de parafusos e pregos, bem como um "estojo para lavadoras" que contém 141 peças por 4,99 dólares. O estojo de parafusos e porcas com 1001 peças, que inclui uma caixa de plástico (e etiquetas pré-impressas para as gavetas), custava 19,95 dólares na época em que este livro foi escrito.

Para muita gente, a ideia de ter 1001 porcas e parafusos organizados em pequenas gavetas cuidadosamente criadas, cada uma com compartimentos subdivididos, parece um terrível sintoma obsessivo. Mas é bom analisar isso de maneira lógica. Imaginemos que você tenha tempo de consertar aquele armário quebrado na cozinha e veja que falta um parafuso na dobradiça. Você não tem o parafuso adequado, então vai de carro ou de ônibus até a loja de ferragem, gastando pelo menos meia hora de seu dia e alguns dólares de transporte, sem falar no custo do parafuso. Bastam duas viagens assim e o estojo de parafusos já se pagou. O estojo de arruelas economiza algumas viagens à loja quando sua mangueira do jardim começa a vazar. Na próxima vez que você for fazer compras e estiver *por acaso* perto da loja de ferragem, pode substituir as peças que foram usadas do seu estojo. E se você achar parafusos, arruelas e porcas soltas pela casa, terá um lugar para guardá-los de modo organizado. Criar sua própria loja de ferragens em miniatura representa uma economia imediata de tempo e energia, em comparação com a compra peça por peça à medida que você sente necessidade delas. Muitas pessoas bem-sucedidas dizem desfrutar de benefícios mentais ao organizar armários e gavetas quando estão estressadas. E agora compreendemos o substrato neurológico disso: essa atividade permite que o cérebro explore novas conexões entre as coisas que entulham nosso espaço cotidiano, permitindo simultaneamente que o modo devaneio recontextualize e recategorize as relações desses objetos entre si e conosco.

Dito isso, é importante aceitar que os seres humanos diferem entre si de muitas maneiras, e que aquilo que pode deixar uma pessoa segura pode levar outra à loucura. Para um minimalista antimaterialista, a ideia de acumular mil parafusos e porcas que *talvez* sejam usados *algum dia* não apenas provoca estresse como contradiz a sua autoimagem. No outro extremo, os que são obcecados por questões de sobrevivência ficam estressados sem vinte galões de água e um suprimento de proteína embalada a vácuo que dure 45 dias. Esses dois tipos de pessoas existem, além de muitas entre os dois. É importante combinar seu estilo de organização com sua personalidade.

A presença de milhares de objetos diferentes no lar moderno não é o tipo de problema que nossos ancestrais enfrentavam. Para eles, os fatores geradores de estresse eram muito diferentes dos nossos, inclusive a ameaça muito real de morte precoce. Nós precisamos ser ativos quanto à redução do estresse, realizando atividades que reconfigurem as funções do cérebro — vivendo a experiência da natureza e da arte, permitindo que o modo devaneio funcione regularmente e convivendo com os amigos. Então como organizar isso?

# 4

# ORGANIZANDO NOSSO MUNDO SOCIAL

## Como os seres humanos se conectam hoje

Em 16 de julho de 2013, uma nova-iorquina mentalmente desequilibrada sequestrou seu filho de sete meses de uma agência de adoção em Manhattan.[1] Nesses casos, a experiência demonstra que as chances de encontrar a criança diminuem drasticamente a cada hora que passa. A polícia temia pela segurança do bebê e, sem pistas, recorreu a uma vasta rede social criada para fornecer alertas de situações de emergência nacional — enviou mensagens de texto para milhões de celulares na cidade. Pouco antes das quatro da madrugada, vários nova-iorquinos foram acordados pela mensagem de texto:

O alerta, que mostrava a placa do carro usado para sequestrar a criança, resultou na identificação do carro por alguém que chamou a polícia de Nova York e a criança foi recuperada em segurança.[2] A mensagem atravessou o filtro de atenção das pessoas.

Três semanas depois, a polícia rodoviária da Califórnia divulgou um alerta regional, e posteriormente estadual, relativo ao sequestro de duas crianças perto de San Diego. O alerta foi enviado por mensagem de texto para milhões de celulares na Califórnia, pelo Twitter, e repetido nos grandes letreiros normalmente usados para anunciar as condições de trânsito. Novamente, as vítimas foram recuperadas ilesas.

CHP Relações Públicas @chp_hq_Media          5 ago
Alerta Amber, informação de veículo suspeito: Nissan Versa azul, 4 portas, com placa da Califórnia: 6wcu986. Caso identificado, entrar em contato com o Departamento de Polícia de San Diego.
Expandir

Não foi apenas a tecnologia que tornou isso possível. Os seres humanos têm o impulso inato de proteger as crianças, mesmo as não aparentadas. Sempre que lemos sobre ataques terroristas ou atrocidades de guerra, as reações mais viscerais e violentas são ante danos a crianças. Esse sentimento parece ser universal e inato.

O alerta Amber é um exemplo de *crowdsourcing* — técnica em que milhares ou até milhões de pessoas ajudam a resolver problemas que seriam impossíveis ou difíceis de resolver de qualquer outra maneira. O *crowdsourcing* tem sido usado para todo tipo de questões, incluindo a contagem de pássaros e animais selvagens, o fornecimento de exemplos e citações aos editores do *Dicionário Oxford de Inglês* e a ajuda para decifrar textos ambíguos. Os militares e as forças de segurança norte-americanos interessaram-se pela questão porque isso aumenta potencialmente a quantidade de dados que recebem, ao transformar uma grande quantidade de civis em integrantes de uma equipe para coletar informações. O *crowdsourcing* é apenas um exemplo da organização de nosso mundo social — de nossas redes sociais — para aproveitar a energia, a qualificação e a presença física de muitos indivíduos em benefício de todos. Em certo sentido, representa outra forma de exteriorizar o cérebro humano, uma maneira de ligar as atividades, percepções e cognições de uma grande quantidade de cérebros numa atividade conjunta para o bem comum.

Em dezembro de 2009, a Darpa ofereceu 40 mil dólares para quem conseguisse localizar dez balões que ela havia colocado bem à vista no continente norte-americano.[3] Darpa é a sigla para Defense Advanced Research Projects Agency, agência de projetos de pesquisa avançada de defesa, organismo subordinado ao Departamento de Defesa norte-americano. A Darpa criou a internet (mais precisamente, projetaram e criaram a primeira rede de computadores, a Arpanet, a partir da qual foi modelada a atual World Wide Web, a internet).[4] A questão era como os Estados Unidos poderiam resolver problemas de segurança nacional e defesa em grande escala, e testar a capacidade de mobilização do país em períodos de crise. Substitua "balões" por "bombas sujas" ou outros explosivos e fica clara a importância do problema.

Num dia predeterminado, a Darpa escondeu dez balões meteorológicos vermelhos de 2,5 metros de diâmetro em vários locais no país. O prêmio de 40 mil dólares seria dado à primeira pessoa ou equipe, em qualquer lugar do mundo, que conseguisse identificar corretamente a localização exata de todos os dez balões. Assim que anunciaram a competição, os peritos frisaram que seria impossível resolver o problema por meio das técnicas tradicionais de coleta de informação.[5]

Houve grande especulação na comunidade científica sobre como seria resolvido o problema — durante semanas isso preencheu as conversas do horário do almoço em universidades e laboratórios de pesquisa em todo o mundo. A maioria supôs que a equipe vencedora usaria imagens de satélites, mas era aí que o problema ficava difícil. Como dividiriam os Estados Unidos em seções vasculháveis com definição alta o bastante para poder localizar os balões, e ainda assim viabilizar uma navegação rápida pela enorme quantidade de fotos? Será que as imagens de satélites seriam analisadas em salas cheias de seres humanos ou a equipe vencedora aperfeiçoaria um algoritmo de visão por computador para distinguir os balões vermelhos de outros balões e de outros objetos redondos e vermelhos que não representavam o objetivo? (Solucionando de fato o problema *Onde está Wally?*, algo que os programas de computador só conseguiram fazer em 2011.)[6]

Uma especulação adicional girava em torno do uso de aviões de reconhecimento, telescópios, sonar e radar. E espectrogramas, sensores químicos, lasers? Tom Tombrello, professor de física na Caltech, preferia uma

ORGANIZANDO NOSSO MUNDO SOCIAL 153

abordagem sorrateira: "Eu teria descoberto uma maneira de chegar aos balões antes de serem lançados, e colocar neles aparelhos de sinalização de GPS. Em seguida, achá-los seria banal".

A competição teve 53 equipes inscritas, num total de 4300 voluntários. A equipe vencedora, um grupo de pesquisadores do MIT, solucionou o problema em pouco menos de nove horas. Como fizeram? Não através de imagens altamente sofisticadas de satélites ou de reconhecimento, como muitos imaginaram, mas — como vocês podem adivinhar — construindo uma enorme rede social de colaboradores e observadores só para isso — em suma, por meio do *crowdsourcing*. A equipe do MIT alocou 4 mil dólares para encontrar cada balão. Se você avistasse o balão na vizinhança e lhes desse a localização correta, receberia 2 mil dólares. Se um amigo seu, recrutado por você, o achasse, esse amigo receberia os 2 mil dólares, e você, mil dólares simplesmente por ter encorajado seu amigo a se juntar ao esforço. Se um amigo do seu amigo achasse o balão, você receberia quinhentos dólares por essa referência de terceiro grau, e assim por diante. A probabilidade de um único indivíduo achar um balão é infinitesimalmente pequena. Mas se todo mundo que você conhece recrutar seus conhecidos, e cada um destes recrutar quem *ele* conhece, você constrói uma rede de olheiros em terra teoricamente capaz de cobrir o país inteiro. Um dos problemas interessantes sobre o qual os engenheiros de rede e os funcionários do Departamento de Defesa haviam especulado é quantas pessoas seriam necessárias para cobrir o país inteiro no caso de uma verdadeira emergência, tal como a busca de uma arma atômica errante. No caso dos balões da Darpa, foram necessárias apenas 4665 pessoas e menos de nove horas.

Um grande número de pessoas — o público — é capaz de ajudar a resolver grandes problemas fora das instituições tradicionais como as entidades públicas. A Wikipédia é um exemplo de *crowdsourcing*: qualquer pessoa que tenha informação é encorajada a contribuir, e, através desse expediente, ela se tornou a maior fonte mundial de referência.[7] O que a Wikipédia fez pelas enciclopédias a Kickstarter fez pelo capital de risco: mais de 4,5 milhões de pessoas contribuíram com mais de 750 milhões de dólares para financiar cerca de 50 mil projetos criativos de cineastas, músicos, pintores, designers e outros artistas.[8] A Kiva aplicou esse conceito ao banco, usando *crowdsourcing* para promover rapidamente a independência econômica, oferecendo microempréstimos para ajudar a criar pequenos negócios em países em desenvolvimento. Nos seus primeiros nove anos, a Kiva distribuiu empréstimos num total de 500 milhões de dólares para 1 milhão de pessoas em setenta países, com contribuições de quase 1 milhão de financiadores.

As pessoas que compõem a multidão no *crowdsourcing* são típicos amadores e entusiastas de hobbies, embora não necessariamente precise ser assim. O *crowdsourcing* é talvez mais evidente como forma de avaliação de consumidores através de Yelp, Zagat e avaliações de produtos em sites como a Amazon.com. Nos velhos tempos pré-internet, havia uma espécie de funcionário perito em avaliação, que compartilhava sua impressão sobre os produtos e serviços em artigos de jornais ou revistas como a *Consumer Reports*. Agora, com TripAdvisor, Yelp, Angie's List e outros, as pessoas comuns têm o poder de escrever resenhas sobre suas próprias experiências. Isso é uma faca de dois gumes. No melhor dos casos, podemos aprender com a experiência de centenas de pessoas se determinado motel é limpo e silencioso, ou se tal restaurante é sujo e serve porções pequenas. Por outro lado, há vantagens no velho sistema. Os avaliadores de antes da internet eram profissionais — viviam das críticas que faziam — e assim tinham uma experiência rica com que podiam contar. Se você estivesse lendo a crítica de um restaurante, estaria lendo o texto de quem já comera em *muitos* restaurantes, e não de alguém que tinha pouca experiência para poder comparar. Os críticos de carros e equipamento de alta fidelidade tinham um conhecimento técnico do assunto, e eram capazes de analisar o produto nas suas páginas, testando e prestando atenção em coisas a que poucos dariam atenção e que, no entanto, são importantes — como o funcionamento de freios antiderrapantes no asfalto molhado.

O *crowdsourcing* tem sido uma força democratizante na crítica, mas precisamos ser um pouco céticos quanto a ele. É possível confiar na multidão? Sim e não. O tipo de coisas de que todo mundo gosta pode não ser o tipo de coisa de que *você* gosta. Pense em um músico ou um livro que você adora, mas que não são populares. Ou em um livro ou um filme populares, mas que na sua opinião são horríveis. Por outro lado, em termos de julgamentos quantitativos, as multidões podem acertar bastante. Pegue um grande jarro de vidro cheio de centenas de jujubas e peça às pessoas que avaliem quantas há ali. Embora a maioria das respostas provavelmente seja muito errada, a média do grupo será surpreendentemente próxima à resposta certa.[9]

Amazon, Netflix, Pandora e outros fornecedores de conteúdo já usaram a sabedoria da multidão num algoritmo matemático chamado filtragem colaborativa. Trata-se de uma técnica em que as correlações e co-ocorrências de comportamento são rastreadas e usadas para fazer recomendações. Se você já viu uma pequena frase nos sites da internet que diz algo como "os consumidores que compraram *isto* também gostaram *daquilo*", então já teve uma experiência em primeira mão da filtragem colaborativa. O problema com esses algoritmos é que eles não levam em conta muitas nuances e circunstâncias que podem interferir na sua precisão. Se você acabou de comprar um livro de jardinagem para tia Berta, talvez receba links sobre livros de jardinagem — *recomendados só para você!* — porque o algoritmo não sabe que você detesta jardinagem, e só comprou o livro para dar de presente. Se já baixou filmes para seus filhos, e viu que as recomendações do site para você eram uma enxurrada de filmes infantis, quando o que você procurava era um bom drama para adultos, então viveu o outro lado da história.

Os sistemas de navegação também usam uma forma de *crowdsourcing*. Quando o Waze ou o Google Maps no seu smartphone lhe mostram o melhor caminho para o aeroporto, com base no fluxo atualizado do tráfego, como sabem disso? Rastreando seu celular e os celulares de milhares de outros usuários do aplicativo para saber a velocidade com que esses celulares estão fluindo no tráfego. Se você estiver preso num engarrafamento, seu celular transmitirá as mesmas coordenadas no GPS durante vários minutos; se o tráfego está fluindo depressa, seu celular muda de posição igualmente depressa com o carro, e esses aplicativos podem recomendar caminhos com base nisso. Como todo *crowdsourcing*, a qualidade do sistema global depende fundamentalmente da existência de uma multidão de usuários. Nesse sentido, eles são semelhantes a telefones, faxes e e-mail: se apenas uma ou duas pessoas os possuem, não adianta muito — sua utilidade cresce na medida da quantidade de usuários.

O artista e engenheiro Salvatore Iaconesi usou o *crowdsourcing* para compreender as opções terapêuticas para seu câncer de cérebro, colocando todos os seus exames médicos on-line. Recebeu 500 mil respostas. Formaram-se equipes, à medida que os médicos debatiam as opções terapêuticas entre si. "Vieram soluções de toda parte do planeta, abrangendo milhares de anos da história e das tradições humanas", disse Iaconesi. Examinando os conselhos, ele escolheu a cirurgia convencional, combinada com algumas terapias alternativas, e o câncer está agora em fase de remissão.[10]

Um dos empregos mais comuns do *crowdsourcing* é feito nos bastidores: reCAPTCHAS. São as palavras distorcidas que muitas vezes vemos nos sites.[11] Seu objetivo é impedir os computadores, ou "bots", de ter acesso a sites seguros, porque os computadores têm muita dificuldade em solucionar esses problemas, e os seres humanos geralmente não. (CAPTCHA é o acrônimo de **C**ompletely **A**utomated **P**ublic **T**uring Test to Tell **C**omputers and **H**umans **A**part [Teste de Turing Público Completamente Automatizado para Diferenciar Computadores de Humanos]. Os reCAPTCHAS têm esse nome porque fazem uma reciclagem — reciclam o poder de processamento humano.)[12] Os reCAPTCHAS agem como sentinelas contra os programas automatizados que tentam se infiltrar em sites para roubar endereços de e-mail e senhas, ou apenas explorar os usuários (por exemplo, programas de computador que compram grande quantidade de entradas para concertos e depois procuram vendê-las a preços inflacionados).[13] A origem dessas palavras distorcidas? Em muitos casos, páginas de velhos livros e manuscritos que o Google está digitalizando, e que seus computadores têm dificuldade em decifrar. Individualmente, cada reCAPTCHA leva apenas cerca de dez segundos para ser solucionado, mas, com mais de 200 milhões deles sendo solucionados todo dia, isso resulta em mais de 500 mil horas de trabalho feito *em um dia*. Por que *não* transformar todo esse tempo em algo produtivo?

A tecnologia para escanear automaticamente textos escritos e transformá-los em texto editável não é perfeita. Muitas palavras que os seres humanos são capazes de ler são lidas de maneira equivocada pelos computadores. Considere o seguinte exemplo de um livro que está sendo escaneado pelo Google:[14]

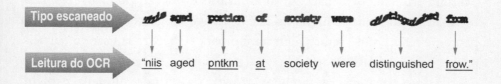

Depois que o texto é escaneado, dois programas diferentes de reconhecimento ótico de caracteres tentam comparar os borrões na página a palavras conhecidas. Se o programa não chega a uma conclusão, a palavra é considerada insolúvel, e, em seguida, o reCAPTCHA a utiliza como desafio a ser solucionado pelos usuários. Como o sistema sabe que você adivinhou corretamente uma palavra desconhecida? Não sabe! Mas o reCAPTCHA compara as palavras desconhecidas com palavras conhecidas; eles presumem que se você solucionou a palavra conhecida, você é um ser humano, e que seu palpite sobre a palavra desconhecida é razoável. Quando várias pessoas concordam quanto à palavra desconhecida, considera-se que ela foi solucionada, e essa informação é incorporada ao processo de escaneamento.

O Mechanical Turk da Amazon costuma ser usado em tarefas nas quais os computadores não são especialmente eficientes, mas que os seres humanos achariam tediosas e repetitivas. Uma experiência recente de psicologia cognitiva publicada na revista *Science* utilizou o Mechanical Turk da Amazon para encontrar seus participantes. Os voluntários (que receberam três dólares cada um a título de pagamento) precisavam ler uma história e em seguida se submeter a testes que mediam seu grau de empatia. A empatia demanda a habilidade de trocar de perspectiva sobre a mesma situação ou interação. Isso requer que se use o modo devaneio do cérebro (a rede negativa para tarefas), que envolve o córtex pré-frontal, o cingulado e suas conexões com a junção temporoparietal.[15] Os republicanos e democratas não usam essas regiões de empatia de seus cérebros ao pensar uns nos outros. A descoberta da pesquisa foi que pessoas que leem ficção literária — livros clássicos, aclamados pela crítica, também chamados de alta literatura (em contraposição à ficção popular ou não ficção) — são mais capazes de detectar as emoções de outra pessoa, e a teoria proposta era a de que a ficção literária envolve o leitor num processo de decodificar os motivos e pensamentos dos personagens, ao contrário da ficção popular e da não ficção, que são menos complexas. A experiência exigia centenas de participantes, e teria levado muito mais tempo para ser realizada usando participantes físicos no laboratório.

É claro que trapacear também faz parte da natureza humana, e quem estiver usando o *crowdsourcing* precisa empregar freios e contrapesos. Ao ler uma crítica on-line de um restaurante, você não tem como saber se ela foi escrita por alguém que de fato jantou lá ou se foi apenas o cunhado do dono. Para a Wikipédia, esses pesos e contrapesos são feitos pela simples quantidade de pessoas que contribui e critica os artigos. O pressuposto tácito é que enganadores, mentirosos e outras pessoas com diferentes graus de sociopatia constituem uma minoria em qualquer coletivo humano, e que as pessoas de bem triunfarão sobre as do mal. Infelizmente isso nem sempre é verdade, mas parece ser verdade o suficiente na maioria dos casos para que o *crowdsourcing* seja útil e muito confiável. Ele constitui também, em muitos casos, uma alternativa barata ao que muitos especialistas contratados custaria.

Os críticos defendem o argumento de que "a multidão está sempre certa", mas já foi demonstrado que isso não é verdade. Alguns membros da multidão podem ser teimosos e dogmáticos, e ao mesmo tempo desinformados, e a existência de um painel de peritos supervisores contribui bastante para a exatidão e o sucesso de programas de *crowdsourcing* como a Wikipédia. Como explica Adam Gopnik, ensaísta da *New Yorker*:

> Quando a concordância é fácil, ótimo, e quando há discordância generalizada sobre valores e fatos, como, digamos, sobre a origem do capitalismo, também é ótimo; você tem os dois lados.[16] O problema é quando um lado está certo e o outro está errado, e não se sabe quem está errado. As páginas sobre a questão da autoria dos textos de Shakespeare [Wikipédia] e do Sudário de Turim são palco de conflito constante, e estão repletas de informação não confiável. Os criacionistas ocupam o ciberespaço tão bem quanto os evolucionistas, e expandem suas mentes da mesma maneira. Nosso problema não é especialmente a falta de inteligência, mas o poder obstinado da burrice em estado puro.

As redes sociais modernas estão repletas de velhas e estúpidas disfunções e novas oportunidades maravilhosas.

## As relações sociais modernas não são complexas demais para serem organizadas?[17]

Algumas das maiores mudanças sociais que enfrentamos são culturais, mudanças no nosso mundo social e na maneira como interagimos entre nós. Imagine que você esteja vivendo no ano 1200. Você provavelmente teria quatro ou cinco filhos, e mais quatro ou cinco que já morreram antes de completar dois anos. Você moraria numa casa de um só aposento, com chão de terra e uma lareira no centro para esquentar. Você compartilharia essa casa com seus pais, filhos e uma família ampliada de tias, tios, sobrinhos e sobrinhas, todo mundo apertado. Sua rotina diária estaria intimamente ligada à dos cerca de vinte familiares.[18] Você conheceria umas duzentas pessoas, a maior parte delas durante a vida toda.[19] Os estranhos seriam vistos com desconfiança pelo fato de ser raro encontrá-los. A quantidade de pessoas que você conheceria durante sua vida inteira seria menor do que a de pessoas pelas quais você passaria durante a hora do rush na Manhattan de hoje.

Por volta de 1850, o grupo familiar europeu médio havia diminuído de vinte pessoas vivendo sob o mesmo teto para dez, e, em 1960, para exatamente cinco.[20] Hoje, 50% dos americanos moram sozinhos.[21] Menos indivíduos têm filhos, e, os que têm, têm menos. Durante dezenas de milhares de anos, a vida humana girou em torno da família. Na maior parte do mundo industrializado, não gira mais. Em vez disso, criamos vários mundos sociais que se sobrepõem — no trabalho, através de hobbies, nos nossos bairros. Nós nos tornamos amigos dos pais dos amigos de nossos filhos, ou dos donos dos cachorros amigos dos nossos. Criamos e mantemos redes sociais com nossos amigos da universidade ou do colégio, mas cada vez menos com a família. Conhecemos mais estranhos e os incorporamos às nossas vidas de muitas maneiras novas.

As noções de privacidade que achamos normais hoje são muito diferentes daquelas de apenas duzentos anos atrás. Anos depois do início do século XIX, ainda era uma prática comum dividir quartos e até mesmo camas nas hospedarias de beira da estrada.[22] Os diários nos revelam hóspedes reclamando de outros hóspedes retardatários que chegavam no meio da noite e deitavam em sua cama. Como observa Bill Bryson no seu livro cheio de detalhes íntimos, *Em casa*, "era inteiramente normal que um criado dormisse ao pé da cama de seu senhor, a despeito do que o senhor pudesse estar fazendo debaixo das cobertas".[23]

As relações sociais humanas baseiam-se em hábitos de reciprocidade, altruísmo, comércio, atração física e procriação. E aprendemos muito sobre essa realidade psicológica de nossos parentes biológicos mais próximos, os macacos e os grandes primatas. Existem consequências secundárias desagradáveis da intimidade social — rivalidade, ciúmes, desconfiança, mágoas, competição por maior projeção social. Os macacos e primatas vivem em mundos sociais muito menores do que os nossos hoje, geralmente em grupos com menos de cinquenta indivíduos. Mais de cinquenta levaria a rivalidades que destroem sua unidade. Por outro lado, os seres humanos têm convivido em vilas e cidades com dezenas de milhares de pessoas há vários milhares de anos.

Um vaqueiro no Wyoming ou um escritor no Vermont rural talvez não encontre ninguém ao longo de uma semana, enquanto um vendedor do Walmart talvez faça contato visual com 1700 pessoas por dia.[24] As pessoas que vemos constituem grande parte do nosso mundo social, e nós as categorizamos implicitamente, dividindo-as numa quantidade infinita de categorias: família, amigos, colegas de trabalho, fornecedores de serviços (caixa de banco, vendedor de mercearia, tintureiro, mecânico, jardineiro), consultores profissionais (médicos, advogados, contadores). Essas categorias são ainda mais subdivididas — sua família inclui uma família nuclear. Parentes que você gosta de encontrar e parentes que não. Há colegas de trabalho que você pode sair para tomar uma cerveja depois do expediente e outros que não. E o contexto importa: as pessoas com quem você gosta de conviver no trabalho não são necessariamente as que você gostaria de encontrar num fim de semana na praia.

Além da complexidade das relações sociais existem fatores contextuais ligados ao trabalho, ao lugar onde você mora e à sua personalidade. Um vaqueiro do Wyoming pode incluir no seu mundo social um pequeno número de pessoas mais ou menos constante; artistas, executivos das quinhentas em-

ORGANIZANDO NOSSO MUNDO SOCIAL    161

presas mais valiosas da *Fortune* e pessoas expostas ao público podem conhecer centenas de pessoas novas toda semana, sendo que irão querer interagir de novo com algumas delas por vários motivos pessoais ou profissionais.

Então como você acompanha essa horda de pessoas com quem deseja se conectar? O célebre advogado Robert Shapiro recomenda este método prático:

> "Quando conheço alguém novo, faço anotações — no seu cartão profissional ou num pedaço de papel — sobre onde e quando o conheci, sua área profissional, e, se tivermos sido apresentados por alguém, quem o apresentou. Isso me ajuda a contextualizar o elo que tenho com ele. Se tivermos almoçado juntos, anoto quem mais estava presente. Transmito essas informações à minha secretária, que digita tudo e o acrescenta à lista dos meus contatos. É claro que o sistema se torna mais elaborado com quem interajo regularmente. Depois que acabo os conhecendo, talvez acrescente à lista de contatos o nome da esposa, dos filhos, seus hobbies, coisas que fizemos, registrando a data e o lugar, talvez a data de seu aniversário."[25]

David Gold, especialista de produtos médicos regional da Pfizer, utiliza uma técnica similar.

> "Imagine que conheci o dr. Ware em 2008. Anoto o que conversamos num aplicativo de anotações no meu telefone e mando isso para mim mesmo por e-mail. Então, se o encontrar novamente em 2013, posso dizer: 'Lembra que a gente estava conversando sobre *naltrexona*, ou algo assim?'. Isso não só fornece um contexto para interações, mas dá continuidade. Embasa e organiza a cabeça de ambas as partes, e assim também a interação."[26]

Craig Kallman é presidente e CEO da Atlantic Records em Nova York — sua carreira depende de se manter em contato com uma quantidade enorme de pessoas: agentes, empresários, produtores, funcionários, colegas do ramo, diretores de estações de rádio, varejistas e, claro, os muitos músicos no seu catálogo, de Aretha Franklin a Flo Rida, do Led Zeppelin a Jason

Mraz, Bruno Mars e Missy Elliott.[27] Kallman tem uma lista de contatos eletrônica de 14 mil pessoas. Parte desse arquivo inclui a última vez em que se falaram e como os integrantes estão conectados entre si no seu banco de dados. A grande vantagem que o computador traz para um banco de dados desse tamanho é que você pode fazer buscas por intermédio de diversos parâmetros. Depois de um ano, Kallman talvez se lembre apenas de uma ou duas coisas sobre alguém que conheceu recentemente, mas pode fazer uma busca na lista de contatos e achar o registro certo. Talvez lembre apenas que almoçou com a pessoa em Santa Monica há cerca de um ano, ou que conheceu alguém por intermédio de Quincy Jones. Ele pode verificar, pela data do último contato, quem não encontra há um bom tempo.

Como vimos no Capítulo 2, as categorias são muitas vezes mais úteis quando possuem limites flexíveis e vagos. E as categorias sociais ganham muito com isso. O conceito de "amigo" depende da distância a que você se encontra de seu lar, de quão movimentada é sua vida social e de muitas outras circunstâncias. Se você topar com um velho amigo do colégio quando estiver visitando Praga, talvez aprecie jantar com ele. Mas em casa, onde você conhece uma porção de gente com quem prefere passar seu tempo, talvez jamais fizesse um programa com ele.

Organizamos nossas amizades em torno de várias motivações e necessidades: razões históricas (mantemos contato com velhos amigos do colégio e gostamos da sensação de continuidade com períodos anteriores de nossas vidas), admiração mútua, compartilhamento de objetivos, atração física, características complementares, ascensão social... Em condições ideais, os amigos são pessoas com quem podemos ser verdadeiramente como somos, com quem podemos baixar a guarda sem medo. (Pode-se argumentar que o amigo é uma pessoa com quem nos permitimos entrar no modo devaneio, com quem podemos trocar e destrocar diferentes modos de atenção sem nos sentirmos constrangidos.)

A amizade obviamente também gira em torno de gostos e aversões compartilhados — é mais fácil ser amigo de quem gosta de fazer as mesmas coisas de que gostamos. Mas mesmo isso é relativo. Se você é um entusiasta da confecção de colchas e existe apenas outra pessoa na cidade assim, o interesse compartilhado talvez os aproxime. Mas, numa convenção de fabricantes de colchas, talvez você descubra alguém cujo gosto por colchas combine melhor com o seu, e portanto haverá mais afinidade e potencialmente uma ligação mais estreita. É por isso que a companhia daquele amigo e compatriota é bem-vinda em Praga. (Finalmente alguém que sabe falar inglês e pode conversar sobre o Super Bowl!) E também é por isso que esse amigo se torna menos interessante quando você volta para casa, onde existem pessoas cujos interesses se alinham melhor com os seus.

Uma vez que viviam em grupos sociais que mudavam lentamente e encontravam as mesmas pessoas no decorrer de toda a vida, nossos ancestrais podiam memorizar quase todos os detalhes sociais de que precisavam saber. Hoje em dia, muitos de nós não conseguem acompanhar todas as pessoas que já conhecemos e as pessoas novas que passamos a conhecer. A neurociência cognitiva nos aconselha a exteriorizar a informação para clarear a mente. É por isso que Robert Shapiro e Craig Kallman mantêm arquivos de contatos com informação contextual sobre onde conheceram uma nova pessoa, o que conversaram ou quem os apresentou. Além disso, pequenos reparos ou notas no arquivo podem ajudar a organizar os registros — amigos de trabalho, amigos de colégio, amigos de infância, melhores amigos, conhecidos, amigos de amigos —, e não há motivo para não fazer múltiplos reparos num arquivo. Num banco de dados eletrônico você não precisa arrumar os registros, pode simplesmente procurar qualquer um que contenha a palavra-chave pela qual você se interessa.

Reconheço que isso pode parecer um trabalho tedioso — passar o tempo *organizando* dados sobre seu mundo social em vez de compartilhar seu tempo de fato com as pessoas. Acompanhar os aniversários ou saber qual o vinho predileto de alguém não exclui uma vida social dotada de espontaneidade, e não implica a necessidade de agendar rigidamente todo encontro. Trata-se de organizar a informação que você possui para permitir que essas interações espontâneas sejam emocionalmente mais significativas.

Não é preciso ter uma lista de contatos tão repleta de gente quanto a do CEO da Atlantic Records para sentir a pressão do trabalho, da família e do tempo que impede que você tenha a vida social que deseja. Linda, a executiva assistente apresentada no capítulo anterior, sugere uma solução prática para se manter em contato com uma vasta gama de amigos e contatos sociais — use um *lembrete.* Algo para despertar sua memória. Funciona melhor numa anotação em papel ou no seu calendário eletrônico. Você configura uma frequência — digamos, a cada dois meses — para fazer contato com seus amigos. Quando o lembrete surgir, se você não se comunicou com eles desde a última vez, mande um bilhete, texto, post no Facebook, ou dê um telefonema só para ver como estão. Depois de algumas experiências desse tipo, você se acostumará a certo ritmo e começará a ter prazer em manter contato com eles dessa forma; talvez eles até comecem a entrar em contato com você, reciprocamente.

Exteriorizar a memória não é algo que precisa ser feito em artefatos concretos como calendários, arquivos de lembretes, celulares, ganchos de chaves e fichas de papel — pode incluir outras pessoas. O professor é o maior exemplo de alguém que pode agir como repositório de informações herméticas de que você raramente vai precisar.[28] Ou sua esposa pode se lembrar do nome daquele restaurante de que você gostou tanto em Portland. A parte da memória externa que inclui outras pessoas é conhecida tecnicamente como *memória transativa*, e abrange quem na sua rede social possui o conhecimento que você busca[29] — saber, por exemplo, que se você perder o número do celular de Jeffrey, pode consegui-lo com sua esposa, Pam, ou dos filhos, Ryder e Aaron. Ou que, se não conseguir lembrar em que dia cairá o dia de Ação de Graças canadense este ano (sendo que você não está perto da internet), pode perguntar a seu amigo canadense Lenny.

Os casais que vivem uma relação íntima têm uma maneira de dividir a responsabilidade sobre o que precisa ser lembrado, e isso é na sua maior parte implícito, sem que cheguem a determinar essa tarefa mutuamente. Por exemplo, na maioria dos casais, cada membro domina uma área de conhecimento que o outro não tem, e essas áreas são bem conhecidas dos dois. Quando chega uma informação que diz respeito ao casal, aquele que tem o respectivo conhecimento assume a responsabilidade pela informação, e o outro deixa que seu companheiro tome as providências (desobrigando-se da necessidade de fazê-lo). Quando chega uma informação que não pertence à área de informação de nenhum dos dois, há normalmente uma breve negociação sobre quem cuidará disso. Essas estratégias de memória transativa se combinam, assegurando que a informação necessária ao casal seja sempre recolhida por pelo menos um dos parceiros.[30] Esse é o motivo pelo qual, depois de uma relação muito longa, quando um dos parceiros morre, o outro pode ficar em apuros, sem saber como navegar por vastos pedaços da vida cotidiana. Pode-se dizer que uma grande parte do nosso armazenamento de dados se encontra dentro do pequeno grupo de nossas relações pessoais.

ORGANIZANDO NOSSO MUNDO SOCIAL    165

Grande parcela de ter sucesso na organização de nosso mundo social depende, como tudo o mais, de identificar o que queremos dele. Uma parte de nossa herança primata faz com que a maioria de nós queira se sentir pertencente a um grupo, se encaixar em algum canto.[31] O grupo a que pertencemos tem menos importância para uns do que para outros, desde que façamos parte de um grupo e não fiquemos inteiramente isolados. Embora existam diferenças individuais, ficar muito tempo sozinho provoca mudanças neuroquímicas que podem resultar em alucinações, depressão, pensamentos suicidas, comportamento violento e até mesmo psicose.[32] O isolamento social é também um fator de risco de parada cardíaca e morte, mais ainda do que fumar.[33]

E apesar de muitos *acharem* que preferem ficar sozinhos, nem sempre sabemos o que queremos.[34] Em uma experiência, pessoas que vão de transporte público de casa para o trabalho foram perguntadas sobre qual seria sua viagem ideal: preferiam ficar sentadas quietas, sozinhas, ou conversar com a pessoa a seu lado? A resposta majoritária foi que preferiam ficar sentadas sozinhas — a ideia de ter que travar uma conversa com o companheiro de assento era aborrecida (confesso que eu teria respondido a mesma coisa). Os viajantes foram então orientados a sentar sozinhos e "usufruir sua solidão" ou conversar com a pessoa sentada ao lado. Os que conversaram com o vizinho de assento relataram ter tido uma viagem significativamente mais agradável. E os resultados não tinham a ver com diferenças de personalidade — continuavam os mesmos no caso de indivíduos extrovertidos ou tímidos, abertos ou reservados.[35]

No alvorecer de nossa espécie, o pertencimento ao grupo era essencial para a proteção contra predadores e tribos inimigas, para o compartilhamento de recursos alimentares limitados, a criação das crianças e cuidados quando se era ferido. Ter uma rede social preenche uma necessidade biológica profunda e ativa regiões do cérebro, no córtex pré-frontal anterior, que nos ajudam a nos posicionarmos diante dos outros e monitorar nossa posição social. Também ativa os centros emocionais no sistema límbico do cérebro, inclusive a amígdala, que nos ajudam a regular as emoções. Há um bem-estar na sensação de pertencimento.[36]

Então entram em cena os sites de redes sociais. De 2006 a 2008, o MySpace foi a rede social mais visitada no mundo, e o site mais visitado nos Estados Unidos, superando até o Google.[37] Hoje é o equivalente na internet a uma cidade fantasma, com bolas digitais de vegetação sendo sopradas por suas ruas vazias. O Facebook cresceu rapidamente para se tornar a rede social dominante, que hoje tem mais de 1,2 bilhão de usuários regulares por mês, mais de um a cada sete habitantes do planeta.[38] Como fez isso? Ele nos atraiu pela novidade e pelo nosso impulso de nos conectarmos a outras pessoas. Permitiu-nos manter contato com um grande número de pessoas apenas com um pequeno investimento de tempo. (E, para aqueles que realmente preferem ficar sozinhos, ele permite que permaneçam conectados com os outros sem ter que vê-los pessoalmente!)

Depois de toda uma vida tentando acompanhar as pessoas, e de pedacinhos de papel com o número de seus telefones e endereços, agora você pode procurá-las pelo nome e ver o que estão fazendo, e deixá-las ver o que você está fazendo, sem nenhum problema. É preciso lembrar que, historicamente, fomos criados em pequenas comunidades em que todos que conhecíamos em criança eram conhecidos pelo resto da vida. A vida moderna não funciona assim. Temos uma grande mobilidade. Saímos de casa para cursar a universidade ou para trabalhar. Saímos de casa ao formar uma família. Nossos cérebros carregam um anseio primordial e residual de saber para onde foi toda essa gente que fez parte de nossas vidas, de reconectar, de chegar a uma certeza. As redes sociais nos permitem fazer tudo isso sem exigir muito tempo. Por outro lado, como muitos já observaram, perdemos contato com essas pessoas por algum motivo! Houve uma rejeição natural, nós não seguimos as pessoas de que não gostávamos ou cuja relevância para nossas vidas diminuiu com o passar do tempo. Agora elas podem nos encontrar e ter a expectativa de poder nos encontrar. Mas, para milhões de pessoas, o lado positivo supera o negativo. Recebemos feeds de notícias, o equivalente ao pregoeiro público ou às fofocas do salão de beleza, nos nossos tablets e telefones, num fluxo contínuo. Podemos modelar esses fluxos para entrar em contato com quem ou aquilo que mais queremos, e ter nossa própria fonte de informação social. Não se trata de uma substituição do contato pessoal, mas algo suplementar, uma maneira fácil de permanecer ligado a pessoas dispersas e bastante ocupadas.[39]

Há talvez uma ilusão em tudo isso. A rede social fornece extensão, mas raramente profundidade, e nós ansiamos pelo contato pessoal, ainda que o contato on-line reduza um pouco esse anseio. Por fim, o contato on-line funciona melhor como um suplemento e não como substituto do contato pessoal. O custo de toda essa nossa conectividade eletrônica parece ser o de limitar nossa capacidade biológica de nos conectarmos com os outros.[40] Outra gangorra em que uma coisa substitui a outra na nossa atenção.

Além do impulso mínimo de pertencer a um grupo ou uma rede social, muita gente busca algo mais — ter amigos para fazer coisas juntos, para passar o tempo livre ou trabalhar em conjunto;[41] um círculo de pessoas que compreendam as dificuldades que podemos estar enfrentando, que sejam encorajadoras e ofereçam ajuda quando necessário;[42] uma relação que forneça ajuda prática, louvor, encorajamento, confidências e lealdade.[43]

Além da companhia, os casais buscam intimidade, que pode ser definida como a permissão para que o outro compartilhe e tenha acesso a nosso comportamento particular, nossos pensamentos particulares, alegrias, mágoas e medo de ser magoado.[44] A intimidade também inclui significados compartilhados — aquelas piadas particulares, o olhar de soslaio que só a sua amada compreende —, uma espécie de telepatia.[45] Inclui a liberdade de ser quem você é numa relação (sem a necessidade de projetar uma impressão falsa de si próprio) e permitir que o outro faça o mesmo. A intimidade nos permite falar abertamente de coisas que são importantes para nós e tomar uma posição clara em questões emocionalmente difíceis, sem medo de ser ridicularizado ou rejeitado.[46] Tudo isso descreve uma visão especificamente ocidental — outras culturas não consideram que a intimidade seja necessária, e nem sequer a definem da mesma maneira.[47]

Não é de admirar que homens e mulheres tenham imagens diferentes daquilo que a intimidade acarreta: as mulheres se concentram mais do que os homens na dedicação e na continuidade da comunicação,[48] e os homens, na intimidade física e sexual.[49] A intimidade, o amor e a paixão nem sempre andam juntos, evidentemente — eles pertencem a construtos multidimensionais muito diferentes.[50] Nós esperamos que a amizade e a intimidade tragam uma confiança mútua, mas nem sempre isso acontece. Tal como nossos primos chimpanzés, parece que temos uma tendência inata a ludibriar quando se trata de interesses próprios (motivo de uma quantidade incomensurável de frustrações e corações partidos, sem falar nos roteiros de sitcoms).[51]

A intimidade moderna é muito mais variada, plural e complexa do que era para nossos ancestrais.[52] No decorrer da história e no âmbito das culturas, a intimidade foi raramente enfatizada e valorizada como fazemos hoje.[53] Durante milhares de anos — os primeiros 99% de nossa história — não fazíamos grande coisa a não ser procriar e sobreviver.[54] O casamento e a procura pelo par eram motivados principalmente pela reprodução e as alianças sociais. Muitos casamentos em certos períodos históricos eram realizados para criar laços entre tribos vizinhas, como uma maneira de diminuir rivalidades e tensões a respeito de recursos limitados.

Em consequência da mudança das definições de intimidade, hoje muita gente espera mais coisas do que nunca de seus parceiros românticos. Esperamos que eles estejam presentes para nos dar apoio emocional, companheirismo, intimidade e suporte financeiro, e esperamos em várias circunstâncias que desempenhem a função de confidente, enfermeiro, bom ouvinte, secretário, tesoureiro, pai, protetor, guia, líder de torcida, massagista. Enquanto isso, esperamos que sejam consistentemente atraentes, sexualmente sedutores, e que acertem o passo com nossos próprios apetites e preferências sexuais. Esperamos de nossos companheiros que nos ajudem a conquistar nosso pleno potencial na vida. E eles o fazem crescentemente.

Nosso desejo cada vez maior de que nossos parceiros façam todas essas coisas têm raízes numa necessidade biológica de nos conectarmos profundamente pelo menos com uma pessoa. Quando não temos isso, criar essa conexão se torna uma alta prioridade. Quando essa necessidade é preenchida por uma relação íntima satisfatória, os benefícios são tanto psicológicos quanto fisiológicos. Pessoas numa relação usufruem de melhor saúde,[55] se recuperam mais rápido de doenças[56] e vivem mais.[57] Na verdade, a existência de uma relação íntima satisfatória é um dos mais fortes fatores para a previsão da felicidade e do bem-estar emocional, quando estes são medidos.[58] Como iniciamos e mantemos relações íntimas? Um fator de importância é como são organizados os traços de personalidade.

Das milhares de maneiras que os seres humanos diferem entre si, talvez o traço mais importante para se dar bem com os outros seja a simpatia. Na literatura científica, ser simpático é ser cooperativo, amistoso, ter consideração e ser prestativo[59] — atributos que são mais ou menos estáveis no decorrer da vida e se manifestam desde cedo na infância.[60] As pessoas simpáticas são capazes de controlar emoções indesejáveis, como raiva e frustração.[61] Esse controle se dá nos lobos frontais, que governam os impulsos e nos auxiliam a regular as emoções negativas, a mesma região que governa o nosso modo de atenção executiva. Quando há danos nos lobos frontais — por acidentes, derrame, Alzheimer ou um tumor, por exemplo —, a simpatia é muitas vezes a primeira coisa que se perde, junto do controle dos impulsos e da estabilidade emocional. Parte dessa regulação emocional pode ser aprendida — as crianças que recebem um reforço positivo ao controle dos impulsos e da raiva tornam-se simpáticas quando adultas. Como se pode imaginar, ser simpático é uma tremenda vantagem para a preservação de relações sociais positivas.[62]

Durante a adolescência, quando o comportamento é um tanto imprevisível e fortemente influenciado por relações interpessoais, reagimos e somos guiados em grau muito maior por aquilo que nossos amigos fazem.[63] Na verdade, um sinal de maturidade é ser capaz de pensar com independência e chegar às próprias conclusões.[64] Ter um melhor amigo durante a adolescência é parte importante de vir a ser um adulto bem ajustado. Os que não têm isso provavelmente tenderão mais a sofrer algum tipo de bullying e ser marginalizados, carregando essas experiências até se tornarem adultos desagradáveis. E a despeito da importância de ser agradável para as consequências da sociabilidade futura na vida, o simples fato de ter um *amigo* agradável também é uma forma de proteção contra problemas sociais futuros na vida, ainda que você mesmo não seja simpático.[65] Tanto meninas quanto meninos se beneficiam com um amigo simpático, embora as meninas se beneficiem mais do que os meninos.[66]

As relações íntimas, inclusive o casamento, estão sujeitas ao que os economistas comportamentais chamam de padrões fortes de seleção entre muitos atributos diversos.[67] Por exemplo, em média, os parceiros de casamento tendem a ter idade, nível educacional e capacidade de atração semelhantes. Como descobrir um ao outro num mar de desconhecidos?

Arranjar casamentos ou "prestar serviços de assistência romântica" não é novidade. A Bíblia descreve casamenteiros comerciais há mais de 2 mil anos, e as primeiras publicações a lembrar os jornais modernos, do início dos anos 1700, traziam anúncios de pessoas (na maior parte, homens) procurando parceiros.[68] Em várias épocas da história, quando se viam isoladas de parceiros potenciais — os primeiros colonos do Oeste americano, soldados da Guerra Civil, por exemplo —, as pessoas começavam a publicar anúncios à procura de parceiros ou a responder anúncios colocados por parceiros em potencial, que forneciam uma lista de atributos ou qualidades.[69] Quando a internet chegou à maioridade nos anos 1990, o namoro on-line foi introduzido como alternativa ao anúncio pessoal e, em alguns casos, aos casamenteiros, por intermédio de sites que usavam algoritmos científicos para aumentar as chances de compatibilidade.

A maior transformação do namoro entre 2004 e 2014 é que um terço dos casamentos nos Estados Unidos começou com relações on-line,[70] em comparação a uma fração disso na década anterior.[71] Metade desses casamentos teve início em sites de relacionamento, o resto pela mídia social, salas de bate-papo, mensagens instantâneas e assim por diante.[72] Em 1995, ainda era tão raro que um casamento tivesse começado pela internet que os jornais davam a notícia, muito excitados, como se fosse algo estranhamente futurístico e um tanto monstruoso.[73]

Essa mudança comportamental não foi causada tanto pela própria internet ou pela mudança de opções de namoro, e sim porque a população dos usuários da internet havia mudado. O relacionamento on-line costumava ser estigmatizado como uma extensão mais arrepiante do mundo um tanto suspeito dos anúncios pessoais dos anos 1960 e 1970 — o último recurso para os desesperados ou incapazes de namorar. O estigma inicial ligado ao relacionamento pela internet tornou-se irrelevante à medida que surgiu uma nova geração de usuários, para quem o contato on-line já era bem conhecido, respeitável e estabelecido. E, tal como o fax e o e-mail, o sistema só funciona quando um grande número de pessoas o utiliza. Isso começou a ocorrer por volta de 1999-2000.[74] Ao chegar a 2014, vinte anos depois da introdução do relacionamento on-line, os jovens usuários têm mais probabilidade de adotá-lo, porque são usuários ativos da internet desde criancinhas, utilizando-a para fins de educação, compras, entretenimento, jogos, vida social, procura de empregos, notícias e fofocas, vídeos e música.[75]

Como já se notou, a internet ajudou alguns de nós a se tornar mais sociais e a estabelecer e manter um grande número de relacionamentos. Para outros, especialmente usuários pesados e introvertidos, para começo de conversa, a internet os levou a ficar socialmente menos envolvidos, mais solitários e mais passíveis de depressão.[76] Estudos demonstraram um declínio dramático de empatia entre os estudantes universitários que parecem ser menos suscetíveis a valorizar a atitude de se pôr na pele do outro ou de tentar compreender seus sentimentos.[77,78] Não é só porque andam lendo menos literatura de boa qualidade, e sim porque passam mais tempo sozinhos, na ilusão de estar sendo sociais.

O namoro on-line é organizado de modo diferente do namoro convencional de quatro maneiras cruciais — acesso, comunicação, complementação e assincronia.[79] Ele nos dá acesso a um conjunto muito maior e mais amplo de parceiros em potencial do que jamais encontraríamos nas nossas vidas pré-internet. O campo dos elegíveis costumava ser limitado a pessoas que conhecíamos, com quem trabalhávamos, íamos à igreja, ao colégio ou que moravam na vizinhança.[80] Muitos sites de relacionamento alardeiam milhões de usuários, aumentando dramaticamente o tamanho do bolo. Na verdade, os cerca de 2 bilhões de pessoas que estão conectadas à internet são potencialmente acessíveis. Naturalmente, o acesso a milhões de perfis não significa necessariamente acesso a encontros virtuais ou face a face; simplesmente permite aos usuários ver quem mais está disponível, muito embora os disponíveis possam não estar reciprocamente interessados em você.[81]

O meio de comunicação do namoro on-line nos permite conhecer a pessoa, analisar um amplo conjunto de fatos e trocar informações antes do estresse do encontro cara a cara, e talvez evitar esse encontro se as coisas não estiverem correndo bem. O encontro do par se dá tipicamente através de algoritmos matemáticos que nos ajudam a selecionar parceiros em potencial, filtrando os que possuem traços indesejáveis ou não possuem os mesmos interesses.

A assincronia permite que ambas as partes reflitam a seu tempo antes de responder, e assim apresentem a melhor versão de si mesmas sem toda a pressão e a ansiedade que ocorrem nas interações sincrônicas, em tempo real. Você já abandonou uma conversa só para se dar conta, horas depois, do que desejaria ter dito? O namoro on-line resolve isso.

Tomados no conjunto, esses quatro fatores-chave que distinguem o namoro na internet nem sempre são desejáveis. Primeiro, há um descompasso entre aquilo que as pessoas acham atraente num perfil e aquilo que descobrem ao encontrar alguém pessoalmente.[82] E, como frisa o psicólogo da Universidade Northwestern, Eli Finkel, esse acesso formatado a um conjunto de milhares de parceiros em potencial "pode induzir um modelo mental tendente à avaliação que leva os namorados on-line a objetificar parceiros em potencial, e até a solapar seu desejo de se comprometer com algum deles".[83]

Também pode fazer com que as pessoas tomem decisões preguiçosas e duvidosas em razão da sobrecarga cognitiva e decisória.[84] Sabemos, a partir da economia comportamental — e de decisões que envolvem carros, apetrechos, casas e, sim, parceiros em potencial —, que os consumidores não podem dar conta de mais de duas ou três variáveis em termos de interesses ao avaliar um grande número de alternativas. Isto está diretamente relacionado às limitações da capacidade da memória funcional, discutidas no Capítulo 2. Também tem relação com as limitações da nossa rede de atenção. Ao considerar alternativas de relacionamento, precisamos necessariamente que nossa mente alterne entre o modo executivo central — monitorando todos aqueles pequenos detalhes — e o modo devaneio, aquele em que procuramos nos imaginar com cada um dos parceiros atraentes: como seria nossa vida, como se sentiriam ao nos dar o braço, será que vão se entender bem com nossos amigos, será que nossos filhos herdarão o nariz dele ou dela. Como é sabido, todas essas rápidas trocas entre os cálculos do executivo central e o devaneio da mente sonhadora exaurem os recursos neuronais, levando-nos a tomar decisões ruins. E quando os recursos cognitivos estão baixos, temos dificuldade em nos concentrar na informação relevante e ignorar a que é irrelevante.[85] Talvez o namoro on-line seja uma forma de organização social que descarrilou, transformando a ação decisória em algo mais difícil do que fácil.

Permanecer comprometido com qualquer relação monógama, quer tenha sido iniciada on-line ou não, requer fidelidade, ou "abrir mão do fruto proibido". Sabe-se que isso é uma função da disponibilidade de alternativas atraentes.[86] A mudança com o surgimento do namoro on-line, entretanto, tem a ver com o fato da existência possível de milhares de alternativas a mais no mundo virtual do que no mundo real, criando uma situação em que a tentação pode superar a força de vontade, tanto para homens quanto para mulheres. Casos de pessoas (normalmente homens) que se "esqueceram" de apagar seu perfil num site de relacionamento depois de encontrar e iniciar uma relação séria com alguém são uma enormidade.

Agora que um terço das pessoas que se casam se conheceram pela internet, a ciência do namoro on-line atingiu sua maturidade. Os pesquisadores mostraram o que todos suspeitávamos: os que namoram on-line enganam; 81% mentem sobre altura, peso ou idade.[87] Os homens tendem a mentir sobre a altura, as mulheres, sobre o peso. Ambos mentem sobre a idade. Numa pesquisa, foram observadas discrepâncias de dez anos, a informação sobre o peso era rebaixada em quinze quilos e a altura, exagerada em cinco centímetros.[88] Como tudo acabaria sendo descoberto num encontro pessoal, tais desinformações são mais estranhas ainda. E parece que, no mundo on-line, inclinações políticas são mais sensíveis e menos tendentes a ser reveladas do que idade, peso ou estatura. É mais fácil os que namoram on-line admitirem ser gordos do que republicanos.[89]

Na maioria desses casos, os mentirosos têm consciência das mentiras que contam. Então o que os motiva? Em virtude da grande quantidade de opções disponíveis aos que namoram on-line, o perfil resulta de uma tensão subjacente entre o desejo de veracidade e o de demonstrar a melhor aparência possível.[90] Os perfis muitas vezes dão uma ideia errada de como você era em algum momento do passado recente (por exemplo, tinha um emprego) ou transmitem a maneira como você gostaria de ser (por exemplo, alguns quilos mais magro e seis anos mais jovem).

Não importa se a organização do mundo social está dando errado ou não, o mundo do relacionamento on-line hoje demonstra pelo menos uma tendência promissora: até agora, o risco de casamentos iniciados na internet terminarem em divórcio é 22% menor.[91] Embora isso possa parecer impressionante, o efeito de fato é mínimo. Conhecer alguém na internet reduz o risco geral de divórcio de 7,7% para 6%. Se todos os casais que se conheceram off-line tivessem se conhecido on-line, somente seria evitado um divórcio em cada cem casamentos. Além disso, os casais que se conheceram na internet tendem a ser mais instruídos e a ter um emprego, se comparados aos casais que se conheceram pessoalmente, e o êxito educacional e o emprego ajudam a prever a longevidade matrimonial. Por isso esse efeito observado pode não se dever ao namoro on-line em si, mas ao fato de que os que namoram na internet tendem a ser mais instruídos e ter emprego, como grupo, do que os que namoram off-line.

Como se podia esperar, os casais que se conheceram por e-mail tendem a ser mais velhos do que os que conheceram o parceiro via redes sociais e mundos virtuais (os jovens não usam mais o e-mail com muita frequência). E, tal como a Darpa, a Wikipédia e a Kickstarter, sites de relacionamento que usam *crowdsourcing* têm surgido. Os aplicativos ChainDate, ReportYourEx e Lulu são apenas três exemplos do tipo Zagat de avaliação para encontrar parceiros de namoro.

Depois que iniciamos uma relação, romântica ou platônica, até que ponto conhecemos as pessoas com que nos relacionamos, e até que ponto somos capazes de saber o que pensam?[92] Somos surpreendentemente incapazes. Mal passamos da proporção 50/50 na hora de avaliar o que nossos amigos e colegas de trabalho pensam de nós, ou até se gostam de nós. Os *speed daters* são péssimos em avaliar quem deseja ou não namorá-los (que intuição...). Por um lado, casais que achavam que se conheciam bem adivinharam corretamente as reações do parceiro quatro em dez vezes — mas *acharam* que estavam acertando *oito* em dez tentativas.[93] Em outra experiência, voluntários assistiram a vídeos de pessoas mentindo, ou dizendo a verdade, sobre o fato de serem soropositivos. As pessoas achavam que conseguiam detectar as mentiras em 70% das vezes, mas, na realidade, não acertavam mais do que 50%.[94] Somos um tanto incapazes de dizer se alguém está mentindo, mesmo quando nossa vida depende disso.[95]

Isso tem consequências potencialmente graves para a política externa. Os ingleses acreditaram em Adolf Hitler, em 1938, quando ele afirmou que a paz seria preservada se ele obtivesse o território logo além da fronteira tcheca. Assim, os ingleses desencorajaram os tchecos a mobilizar seu exército. Mas Hitler mentia, já tendo preparado seu exército para a invasão. Um erro oposto de interpretação de intenções ocorreu quando os Estados Unidos acreditaram que Saddam Hussein mentia ao afirmar não possuir armas de destruição em massa — de fato, ele estava dizendo a verdade.[96]

Fora do contexto militar ou estratégico, em que a mentira é usada como tática, por que as pessoas mentem nas interações cotidianas? Um dos motivos é o medo da retaliação depois de termos feito algo que não devíamos. Não é o melhor lado da natureza humana, mas faz parte dela mentir para evitar o castigo. E isso começa cedo — crianças de seis anos já dizem "eu não fiz" enquanto estão fazendo! Os funcionários da empresa de petróleo Deepwater Horizon, nas águas do golfo na costa da Louisiana, sabiam dos problemas de segurança, mas tinham medo de falar, por receio de serem despedidos.[97]

Mas também faz parte da natureza humana perdoar, especialmente quando se recebe uma explicação. Um estudo mostrou que pessoas que tentavam furar fila eram perdoadas pelos outros mesmo diante de uma explicação ridícula. Numa fila de xerox, "Desculpe, posso passar na frente? Preciso fazer cópias" funcionava tão bem quanto "Desculpe, posso furar a fila? Preciso cumprir um prazo terrível".

Quando médicos dos hospitais da Universidade de Michigan começaram a revelar abertamente seus erros aos pacientes, as ações por erro médico caíram pela metade.[98] O maior empecilho para um acordo entre as partes era pedir aos pacientes que *imaginassem* o que seus médicos estavam pensando, e ter que processá-los para descobrir, em vez de simplesmente permitir que os médicos explicassem como o erro ocorrera.[99] Quando nos defrontamos com o elemento humano, as dificuldades que o médico precisa enfrentar, ficamos mais propensos a compreender e perdoar.[100] Nicholas Epley, professor da Booth School of Business, da Universidade de Chicago (e autor de *Mindwise* [Da mente]), diz: "Se ser transparente reforça os laços sociais que fazem a vida valer a pena ser vivida, e permite que os outros perdoem nossas faltas, por que não fazer isso com mais frequência?".

As pessoas mentem por outros motivos, é claro, não apenas por medo da retaliação. Às vezes é para evitar magoar os outros, e às vezes pequenas mentiras sociais são a cola social que impede a explosão da cólera e miniminiza o antagonismo.[101] Nesse contexto, somos surpreendentemente eficazes em descobrir quando os outros estão mentindo, e em fingir que não sabemos, cooperando, quase sempre. Isso tem a ver com nossa maneira delicada de pedir algo quando queremos evitar confrontos com as pessoas — os atos de fala indireta.

## Por que as pessoas são indiretas conosco

Grande parte da interação social humana requer que dominemos nossa hostilidade inata de primata a fim de podermos conviver. Embora de modo geral os primatas sejam uma das espécies mais sociais, há poucos exemplos de primatas vivendo em grupos integrados por mais de dezoito machos — as tensões interpessoais e hierarquias de domínio simplesmente se tornam excessivas para eles, que se separam. E, no entanto, os seres humanos têm vivido em cidades com dezenas de milhares de machos por vários milênios. Como conseguimos? Uma maneira de ajudar um grande número de seres humanos a viver próximos uns dos outros é através do uso de uma linguagem de não confronto, ou atos de fala indireta. Os atos de fala indireta não dizem aquilo que de fato queremos dizer, mas o insinuam. O filósofo Paul Grice os chamou de *implicaturas*.[102]

Vamos imaginar que John e Marsha estejam sentados no escritório, Marsha ao lado da janela. John sente calor. Ele pode dizer "abra a janela", que é uma afirmação direta e talvez faça Marsha se sentir meio incomodada. Se eles são colegas de trabalho e têm o mesmo status, quem é ele para dizer a ela o que fazer?, talvez pense Marsha. Mas se, em vez disso, John disser "puxa, está fazendo calor aqui", ele a está convidando a uma iniciativa de cooperação, uma decorrência simples, mas não banal, do que ele disse. Ele está insinuando seu desejo de uma forma não diretiva, não confrontadora. Normalmente, Marsha joga de acordo, inferindo que ele gostaria que ela abrisse a janela, e não que está simplesmente fazendo uma observação sobre o clima. Nesse ponto, Marsha tem várias opções de como reagir:

a. Sorri para John e abre a janela, sinalizando que está jogando esse pequeno jogo social e cooperando com o objetivo da charada.

b. Ela diz "ah, é? Na verdade estou sentindo um pouquinho de frio". Isso sinaliza que ela ainda está participando do jogo, mas que eles têm uma diferença de opinião sobre alguns fatos básicos. Marsha está cooperando, embora exprima um ponto de vista diferente. O comportamento de cooperação da parte de John nessa altura requer que ele abandone o assunto ou rearfirme sua posição, o que arrisca elevar os níveis de confronto e agressão.

c. Marsha pode dizer "ah é, está, sim". Dependendo do *modo* de dizer, John pode interpretar sua resposta como brincalhona e sedutora ou sarcástica e mal-educada. No primeiro caso, ela está convidando John a ser mais explícito, sinalizando na realidade que eles podem parar com esse subterfúgio; a relação deles é suficientemente sólida para que ela dê a John a permissão de ser direto. No segundo caso, se Marsha emprega um tom sarcástico, indica concordância com a premissa — está quente aqui —, mas não quer abrir a janela.

d. Marsha pode dizer "por que você não tira o suéter?". Isso é não cooperativo, e um pouco confrontador — Marsha opta por sair do jogo.

e. Marsha pode dizer "estava quente até eu tirar o suéter. Acho que o sistema de aquecimento finalmente voltou a funcionar". Isso é menos confrontador. Marsha concorda com a premissa, mas não com a iniciativa que deveria ser tomada. É parcialmente cooperativa no sentido de que está ajudando John a solucionar o problema, embora não da maneira pretendida por ele.

f. Marsha pode dizer "foda-se". Isto sinaliza que ela não quer jogar o jogo das insinuações e, além disso, está transmitindo agressão. As opções de John são limitadas a essa altura — ele pode ignorá-la (recuando de fato) ou realçar sua posição inicial, se levantando, passando de modo violento pela mesa dela e abrindo com força a maldita janela. (Agora é guerra.)

Os casos mais simples dos atos de fala são aqueles em que o locutor exprime uma frase e quer dizer exata e literalmente o que diz.[103] No entanto, os atos de fala *indireta* constituem uma poderosa cola social que permite a nossa convivência. Neles, o locutor exprime exatamente o que diz, mas também algo mais. Esse algo mais é supostamente aparente para o ouvinte, mas permanece não dito. Portanto, o ato de fala indireta pode ser considerado um ato lúdico, um convite de cooperação num jogo de pique-esconde verbal, do tipo "você compreende o que estou dizendo?". O filósofo John Searle diz que o mecanismo que permite a eficácia da fala indireta é que ela evoca, tanto no falante quanto no ouvinte, uma representação compartilhada do mundo; ela depende de informação compartilhada de bastidores, que é tanto linguística quanto social. Ao apelar ao conhecimento compartilhado dos dois, falante e ouvinte criam um pacto, afirmando sua visão do mundo em comum.

Searle nos convida a considerar outro tipo de caso, com dois falantes, A e B.

**A:** Vamos ao cinema hoje à noite.

**B:** Preciso estudar para uma prova.

O falante A não está fazendo uma implicatura — a fala pode ser compreendida literalmente como um pedido direto, marcado por *vamos*. Mas a resposta do falante B é claramente indireta. Ela quer comunicar tanto uma mensagem literal ("vou estudar para uma prova esta noite") quanto uma insinuação implícita ("portanto não posso ir ao cinema"). A maioria das pessoas concorda que B está empregando um meio mais delicado de resolver um conflito potencial entre duas pessoas, evitando o confronto. Se, em vez disso, B dissesse:

**B1:** Não.

o falante A se sentiria rejeitado, sem motivo ou explicação. Nosso medo de rejeição é compreensivelmente muito forte; na verdade, a rejeição social ativa a mesma parte do cérebro ativada pela dor,[104] e — talvez surpreenda, mas é coerente — o Tylenol pode reduzir a experiência de sofrimento social.[105]

O falante B frisa sua posição dentro de uma moldura cooperativa e, ao fornecer uma explicação, insinua que realmente gostaria de ir, mas simplesmente não pode. Isso equivale à pessoa que fura a fila para fazer cópias e fornece uma explicação sem sentido, que é mais bem recebida do que explicação nenhuma. Mas nem todas as insinuações são criadas do mesmo modo. Se, ao contrário, B tivesse dito:

**B2:** Esta noite preciso lavar o cabelo.

ou

**B3:** Estou no meio de um jogo de paciência que preciso terminar.

então B espera que A julgue a resposta como rejeição, e não oferece nenhuma explicação simpática — é uma espécie de bofetada em termos da conversa, embora amplie o jogo de implicaturas. B2 e B3 são maneiras de recusar ligeiramente mais gentis, pois não envolvem a negativa seca e sem rodeios.

Searle estende a análise dos atos de fala indireta de modo a incluir falas cujo significado pode ser inteiramente indecifrável, mas cuja intenção, se estivermos certos, é 100% clara.[106] Ele pede que consideremos o seguinte: imagine que você fosse um soldado americano sem uniforme capturado pelos italianos durante a Segunda Guerra Mundial. Então, para fazer com que o soltem, inventa um plano para convencê-los de que é um oficial alemão. Você poderia dizer a eles, em italiano, "sou um oficial alemão", mas eles poderiam não acreditar. Imagine ainda que seu italiano não seja bastante fluente para dizer isso.

A fala ideal nesse caso seria dizer, em alemão perfeito, "sou um oficial alemão. Solte-me, e depressa". Imagine, no entanto, que você não sabe alemão o bastante para dizer isso, e que a única coisa que sabe é um verso de um poema que aprendeu no colégio: *"kennst du das Land, wo die Zitronen blühen?"*, que significa "conheces a terra onde os limões florescem?". Se seus guardas italianos não falam nada de alemão, o fato de você dizer "kennst du das Land, wo die Zitronen blühen?" tem o *efeito* de comunicar que você é alemão. Em outras palavras, o sentido literal de seu ato de fala se torna irrelevante, e somente o significado implícito possui uma função. Os italianos ouvem apenas aquilo, que reconhecem ser alemão, e você espera que eles deem o salto lógico e concluam que você de fato deve ser alemão, e portanto merece ser solto.

Outro aspecto da comunicação é que a informação pode ser atualizada através de contratos sociais.[107] Você pode comentar com seu amigo Bert que Ernie disse isso e aquilo, mas Bert acrescenta a nova informação de que agora sabemos que Ernie é um mentiroso[108] e não merece confiança.[109] Nós ficamos sabendo que Plutão não é mais um planeta quando um grupo de especialistas devidamente habilitado, autorizado pela sociedade a emitir essas decisões e juízos, disse isso.[110] Determinadas falas possuem, por via do contrato social, a autoridade de mudar o estado do mundo. O médico que o declara morto muda na mesma hora o seu estado, que tem por efeito mudar totalmente a sua vida, quer você esteja ou não esteja morto de fato. Um juiz pode declará-lo culpado ou inocente de uma acusação, e, mais uma vez, a verdade não importa tanto quanto a força que essa decisão terá em termos de determinar seu futuro. O conjunto de pronunciamentos capazes de mudar dessa forma o estado do mundo é limitado, mas poderoso. Nós damos poder a essas autoridades legais ou quase legais para facilitar a nossa compreensão do mundo social.

Com exceção desses pronunciamentos formais e legalistas, Grice e Searle adotam como premissa que toda conversação é um empreendimento cooperativo, que necessita tanto do sentido literal quanto do implícito para ser processada.[111] Grice sistematizou e categorizou as várias regras que governam a fala normal, cooperativa, ajudando a iluminar os mecanismos por meio dos quais os atos de fala indireta funcionam. As quatro máximas de Grice são:

1. Quantidade. Contribua para a conversa de modo tão informativo quanto necessário. Não contribua de modo mais informativo do que o necessário.
2. Qualidade. Não diga o que você acredita ser falso. Não diga aquilo a que faltam evidências adequadas.
3. Modo. Evite expressar-se de modo obscuro (não use palavras que seu pretenso ouvinte não conheça). Evite a ambiguidade. Seja breve (evite a prolixidade desnecessária). Seja ordeiro.
4. Relação. Que sua contribuição seja relevante.

Os três exemplos a seguir demonstram a violação da máxima 1, quantidade, em que o segundo falante não contribui de modo suficientemente informativo:

**A:** Aonde você vai hoje à tarde?

**B:** Sair.

**A:** Como foi seu dia?

**B:** Ótimo.

**A:** O que você aprendeu na escola hoje?

**B:** Nada.

Mesmo não tendo conhecimento das máximas de Grice, reconhecemos intuitivamente que essas respostas não são cooperativas. O primeiro falante, em cada caso, *insinua* que gostaria de saber alguma coisa com certo grau de detalhe em resposta à sua pergunta, e o segundo falante opta por negar qualquer cooperação desse tipo.

## ORGANIZANDO NOSSO MUNDO SOCIAL   181

Outro exemplo: imagine que o professor Kaplan esteja escrevendo uma recomendação para um aluno que está tentando uma vaga num curso de pós-graduação.

> Prezado sr., o dominío de inglês do sr. X é excelente e ele tem frequentado com regularidade as minhas aulas. Atenciosamente, professor Kaplan.

Ao violar a máxima da quantidade — não fornecendo informação suficiente —, o professor Kaplan insinua que o sr. X não é um aluno muito bom, sem dizê-lo de fato.

Eis um exemplo do extremo oposto, em que o segundo falante fornece informação em demasia:

> **A:** Pai, onde está o martelo?
>
> **B:** No chão, a cinco centímetros da porta da garagem, numa poça d'água onde você o deixou três horas atrás, depois que lhe pedi que o devolvesse à caixa de ferramentas.

O segundo falante, nesse caso, ao fornecer informação em demasia, insinua mais do que os fatos da fala, sinalizando aborrecimento.

A está parado ao lado de um carro claramente enguiçado quando B passa.

> **A:** Minha gasolina acabou.
>
> **B:** Há uma oficina uns quatrocentos metros rua abaixo.

B está violando a máxima da qualidade se, na verdade, não houver nenhuma oficina na rua, ou se souber que a oficina está aberta, mas não tem gasolina. Imagine que B queira roubar os pneus do carro de A. A presume que B esteja dizendo a verdade e por isso se afasta, dando bastante tempo a B para levantar o carro com o macaco e tirar um ou dois pneus.

**A:** Onde está Bill?

**B:** Tem um Volkswagen amarelo do lado de fora da casa de Sue...

B foge da máxima da relevância ao insinuar que A deve inferir algo. Agora, A tem duas opções:

1. Aceitar que a afirmativa de B foge da máxima da relevância, e que se trata de um convite a cooperar. A diz (consigo mesmo): Bill tem um Volkswagen amarelo. Bill conhece Sue. Bill deve estar na casa de Sue (e B não quer ser direto e afirmar isso por algum motivo; talvez seja um assunto delicado e B prometeu não contar).
2. Abandonar o diálogo proposto por B e repetir a pergunta original: "Sim, mas onde está Bill?".

É claro que B tem outras respostas possíveis à pergunta "Onde está Bill?".

**B1:** Na casa de Sue. (Sem implicatura.)

**B2:** Bem, eu vi um Volkswagen estacionado na casa de Sue, e Bill tem um Volkswagen. (Leve implicatura, preenchendo a maioria das lacunas para A.)

**B3:** Que pergunta indiscreta! (Direta, um tanto confrontadora.)

**B4:** Eu não devia contar a você. (Menos direta, mas ainda um tanto confrontadora.)

**B5:** Não faço ideia. (Violando a qualidade.)

**B6:** [Se afasta] (Decidindo abandonar a conversa.)

Atos de fala indireta como esses refletem o modo como realmente usamos a linguagem na fala cotidiana. Não há nada que não seja familiar nessas trocas. A grande contribuição de Grice e Searle foi que eles as organizaram, colocando-as num sistema através do qual podemos analisar e compreender como funcionam. Tudo isso acontece num nível subconsciente para a maioria. Indivíduos com disfunções relacionadas ao autismo muitas vezes têm dificuldade com atos de fala indireta, por conta de diferenças biológicas em seus cérebros que dificultam sua compreensão de ironia, fingimento, sarcasmo ou qualquer outra fala não literal.[112] Será que há correlações neuroquímicas para a boa convivência e a manutenção dos laços sociais?

Existe um hormônio no cérebro liberado pela parte anterior da glândula pituitária, a oxitocina, que foi chamado pela imprensa popular de hormônio do amor, uma vez que a oxitocina era considerada a substância que fazia as pessoas se apaixonarem. Quando alguém tem um orgasmo, há uma liberação de oxitocina, e um de seus efeitos é nos fazer sentir que estamos ligados ao outro.[113] Os psicólogos evolucionistas especularam que se tratava da maneira através da qual a natureza induzia os casais a quererem permanecer juntos depois do sexo, para criar quaisquer filhos produzidos pelo ato sexual. Em outras palavras, é evidentemente uma vantagem evolucionária para a criança quando esta tem dois pais que cuidam dela e a protegem. Se os pais se sentem ligados um ao outro por meio da liberação da oxitocina, é mais provável que compartilhem a criação dos filhos, desse modo propagando a sua tribo.

Além da dificuldade de compreender qualquer fala não literal, indivíduos com disfunções relacionadas ao autismo não se sentem ligados às pessoas da mesma forma que os outros, e têm dificuldade em sentir empatia pelos demais. Esses indivíduos revelam ter níveis mais baixos de oxitocina do que o normal, e a administração desse hormônio faz com que se tornem mais sociais e melhora o reconhecimento das emoções. (Também reduz seus comportamentos repetitivos.)

A oxitocina tem sido, além disso, associada a sentimentos de confiança. Numa experiência típica, as pessoas ficam assistindo a políticos discursando. Os observadores estão sob a influência da oxitocina durante metade dos discursos a que assistem e de um placebo durante a outra metade (é claro que sem saber disso). Quando lhes pedem que indiquem os políticos que mereceram mais sua confiança e seu provável voto, as pessoas escolhem os candidatos que viram sob a influência da oxitocina.[114]

É bem sabido que as pessoas que recebem apoio social durante uma doença (simples cuidados e assistência) se recuperam melhor e mais rápido.[115] O simples contato social quando estamos doentes também libera oxitocina, ajudando por sua vez a melhorar os prognósticos saudáveis, ao reduzir o nível de estresse e do hormônio cortisol, que é capaz de lesar o sistema imunológico.

Paradoxalmente, os níveis de oxitocina também aumentam durante as lacunas ou mesmo a escassez de apoio social (assim, a ausência torna o coração mais amoroso — ou pelo menos mais apegado). A oxitocina é capaz, portanto, de agir como um sinal de perigo pressionando a pessoa a buscar contato social. Para resolver esse paradoxo — a oxitocina é a droga do amor ou do desamor? —, uma teoria recente está ganhando terreno, a de que a oxitocina regula a importância da informação social, e é capaz de induzir emoções sociais positivas e negativas. Seu verdadeiro papel é organizar o comportamento social.[116] Há evidências iniciais promissoras a sugerir que a farmacoterapia com a oxitocina é capaz de promover sentimentos de confiança e reduzir a ansiedade social, inclusive em pessoas com fobia social e transtorno de personalidade limítrofe. Terapias sem drogas, como a musicoterapia, talvez produzam efeitos terapêuticos semelhantes, através da regulagem oxitocinérgica; revelou-se que a música eleva os níveis de oxitocina, especialmente quando as pessoas ouvem ou tocam música juntas.[117]

Um elemento químico cerebral aparentado, uma proteína chamada vasopressina, também foi associado à regulagem do sentimento de pertencimento, à sociabilidade e ao namoro. Se você acha que seus comportamentos sociais estão em grande parte sujeitos ao seu controle consciente, está subestimando o papel dos neuroquímicos na modelagem dos seus pensamentos, sentimentos e atos. Um exemplo: existem dois tipos de ratos silvestres; um é monógamo, o outro não. Basta injetar vasopressina nos ratos namoradores que eles se tornam monógamos; ou bloquear a vasopressina nos que são monógamos para que se tornem lascivos como Gene Simmons num filme de John Holmes.

Injetar vasopressina também induz comportamentos agressivos inatos a se tornarem mais seletivos, protegendo o parceiro de ataques emocionais (e físicos).[118]

Descobriu-se que drogas recreativas como o LSD e a maconha induzem sensações de comunhão entre os seus usuários e outras pessoas, e, em muitos casos, a sensação de maior comunhão com o mundo em geral. O ingrediente ativo da maconha ativa receptores neuronais específicos chamados receptores de canabinol, e já foi demonstrado experimentalmente em ratos que ele aumenta a atividade social (quando os ratos conseguiam levantar do sofá).[119] A ação do LSD no cérebro inclui a estimulação da dopamina e determinados receptores de serotonina, enquanto atenua o estímulo sensorial do córtex visual (que talvez seja parcialmente responsável pelas alucinações visuais). No entanto, o motivo de o LSD provocar sentimentos de comunhão social ainda é desconhecido.

Para nos sentirmos socialmente conectados aos outros, gostamos de pensar que os conhecemos e até certo ponto podemos prever sua conduta. Separe um instante para pensar em alguém que você conhece bem — um amigo íntimo, um membro da família, cônjuge, e assim por diante — e classifique a pessoa segundo as três opções abaixo.

A pessoa em que estou pensando tende a ser:

| | | |
|---|---|---|
| a. subjetiva | analítica | depende da situação |
| b. enérgica | descontraída | depende da situação |
| c. formal | casual | depende da situação |
| d. quieta | falante | depende da situação |
| e. cautelosa | ousada | depende da situação |
| f. permissiva | firme | depende da situação |
| g. intensa | tranquila | depende da situação |
| h. realista | idealista | depende da situação |

Agora volte e se classifique de acordo com os mesmos itens.

A maioria das pessoas classifica os amigos em termos de traços (as primeiras duas colunas).[120] Por quê? Porque, por definição, só enxergamos os atos públicos dos outros. Quanto à nossa conduta, enxergamos não apenas os atos públicos, mas atos privados, sentimentos e pensamentos íntimos. Nossas vidas nos parecem muito mais repletas de uma complexa diversidade de pensamentos e condutas porque experimentamos um leque mais amplo de comportamentos próprios, enquanto de fato só possuímos evidências parciais sobre os outros. Daniel Gilbert, psicólogo de Harvard, chama isso de o problema da "invisibilidade" — os pensamentos íntimos dos outros são invisíveis para nós.[121]

No Capítulo 1, as ilusões cognitivas foram comparadas às ilusões visuais. Elas representam uma janela que se abre sobre o funcionamento interno da mente e do cérebro, revelando-nos algumas das subestruturas que sustentam a cognição e a percepção. Tal como as ilusões visuais, as ilusões cognitivas são automáticas — isto é, mesmo quando sabemos que elas existem, é difícil ou impossível desligar o maquinário mental que lhes dá origem. As ilusões cognitivas nos levam a percepções erradas da realidade e a tomar decisões ruins em relação a alternativas que nos são apresentadas, a opções médicas e também quando se trata de interpretar a conduta de outras pessoas, especialmente aqueles que constituem nosso mundo social. Interpretar mal a motivação alheia leva a compreensão equivocada, desconfiança e conflito interpessoal, e, no pior dos casos, à guerra. Felizmente, muitas ilusões cognitivas podem ser superadas pelo treinamento.

Uma das descobertas mais sólidas da psicologia social diz respeito a como interpretamos as ações dos outros, e está relacionada à demonstração que acabamos de citar. Existem duas categorias amplas para explicar por que as pessoas fazem o que fazem — *disposicional* ou *situacional*. As explicações disposicionais adotam a ideia de que todos possuímos certos traços (disposições) que são mais ou menos estáveis no decorrer de nossas vidas. Como você acabou de ver, tendemos a descrever as pessoas que conhecemos em termos de traços: são extrovertidas ou introvertidas, simpáticas ou desagradáveis, festivas ou estraga-prazeres.

As explicações situacionais, por outro lado, reconhecem que a circunstância momentânea às vezes contribui para nossas reações e pode sobrepujar as predisposições inatas. Essas abordagens opostas são às vezes caracterizadas como "a pessoa em contraposição à situação". A explicação disposicional diz: "Eu nasci (ou sou feito) deste jeito". A situacional (citando o humorista Flip Wilson) diz: "Foi o demônio quem me obrigou a fazer".

Em uma célebre pesquisa, pediram aos alunos do Princeton Theological Seminary que fossem até uma sala para dar suas opiniões sobre "a educação religiosa e as vocações".[122] Depois de eles terem preenchido uma série de questionários, o pesquisador explicou que questionários tendem a ser muito simplistas e que, para a parte final da experiência, desejava que gravassem uma fala de três a cinco minutos baseada num texto pequeno.

ORGANIZANDO NOSSO MUNDO SOCIAL   187

Cada aluno recebeu então um de dois textos: um parágrafo debatendo se "a pregação" pode ser eficaz entre os clérigos profissionais nos dias de hoje ou a parábola do bom samaritano do Novo Testamento (que parou para ajudar um homem doente depois que um sacerdote e um levita simplesmente passaram por ele numa estrada).

Ora, numa experiência de psicologia social, as coisas geralmente não são o que parecem — os pesquisadores fazem um enorme esforço para esconder o que realmente pretendem, de modo a reduzir a possibilidade de os participantes ajustarem seu comportamento à experiência. Nesse caso, o pesquisador disse aos participantes que o espaço no prédio em que estavam era apertado, e que por isso arranjara para que a fala fosse gravada num prédio ao lado (isso fazia parte da dissimulação). O pesquisador então desenhou mapas para os participantes, mostrando como chegar lá.

Treze participantes em cada grupo de leitura foram informados de que deveriam se apressar porque um auxiliar no prédio adjacente já os esperava havia alguns minutos. A outros treze foi dito: "Eles ainda vão precisar de alguns minutos para recebê-los, mas em todo caso vocês já podem ir para lá".[123] Isso constitui um fator situacional — alguns estudantes têm pressa, outros não. Algumas pessoas são mais prestativas do que outras, um traço intrínseco que presumimos possuir certa estabilidade ao longo da vida de alguém. Mas este grupo específico — alunos de seminário — é, sem dúvida, mais prestativo do que a média, porque estudam para ingressar no sacerdócio, uma profissão prestativa. Presumimos que as diferenças nos traços de solicitude e compaixão sejam minimizadas nessa população específica, e, além do mais, quaisquer diferenças individuais remanescentes seriam distribuídas de modo igualitário pelas duas condições da experiência, já que os pesquisadores distribuíram os estudantes a esmo entre essas duas condições. O propósito da experiência joga com inteligência os fatores disposicionais contra os situacionais.

Entre os dois prédios de Princeton, os pesquisadores haviam colocado um cúmplice — um auxiliar de pesquisa — sentado, caído numa porta, parecendo precisar de cuidados médicos. Cada vez que um estudante de teologia passava, o cúmplice tossia e gemia.

Se você acredita que os traços de uma pessoa são a melhor maneira de prever sua conduta, preveria que todos, ou a maioria dos alunos do seminário, parariam para ajudar aquela pessoa doente. E, num acréscimo elegante à experiência, metade deles havia acabado de ler sobre o bom samaritano, que parara para auxiliar uma pessoa numa situação *muito parecida com aquela*.

Qual foi o achado dos pesquisadores? Os estudantes que tinham pressa eram seis vezes mais propensos a continuar andando, e passar por aquele sujeito visivelmente doente sem ajudá-lo, do que os estudantes que tinham bastante tempo. A quantidade de tempo que os estudantes tinham era o fator situacional que previa seu comportamento, e o parágrafo que haviam lido não tivera importância nenhuma.

Esse achado surpreende a maioria das pessoas. Já foram feitas dezenas de experiências desse tipo para demonstrar como se fazem previsões incorretas, supervalorizando a importância dos traços e subestimando a força da situação, na tentativa de explicar o comportamento das pessoas. Essa ilusão cognitiva é tão poderosa que recebeu um nome: erro fundamental de atribuição. Uma parte adicional do erro fundamental de atribuição é deixarmos de avaliar que os papéis que as pessoas são obrigadas a desempenhar em certas circunstâncias compelem seu comportamento.

Numa inteligente demonstração disso, Lee Ross e seus colegas encenaram um falso jogo em Stanford.[124] Ross escolheu um punhado de alunos de sua turma para um jogo trivial e, aleatoriamente, designou metade deles Inquiridores e a outra metade Contendores. Pediu aos Inquiridores que formulassem perguntas de conhecimento geral difíceis, mas não impossíveis de serem respondidas — podiam explorar qualquer área em que tivessem interesse ou conhecimento, como cinema, livros, esportes, música, literatura, o currículo do curso ou algo do noticiário. Ross lembrou que cada um tinha determinado conhecimento que provavelmente ninguém mais na sala de aula tinha. Talvez eles colecionassem moedas, e uma boa pergunta seria em que anos os Estados Unidos cunharam moedas de aço em vez de cobre. Ou talvez estivessem fazendo um curso excepcional sobre Virginia Woolf no Departamento de Letras, e uma pergunta seria em que década foi publicado *Um teto todo seu*. Uma pergunta indevida seria "qual o nome da minha professora do primeiro grau?".

Os Inquiridores então se puseram diante da turma e fizeram perguntas aos Contendores enquanto o resto observava. Eles exploraram temas de

## ORGANIZANDO NOSSO MUNDO SOCIAL 189

conhecimento geral, trivialidades e factoides como os que vemos nos programas de perguntas e respostas da TV; perguntas como "O que querem dizer as iniciais de W. H. Auden?"; "Qual é o atual regime de governo do Sri Lanka?"; "Qual é a maior geleira do mundo?"; "Quem foi o primeiro atleta a correr um quilômetro e meio em quatro minutos?"; e "Qual foi o time que venceu a World Series de 1969?".[125]

Os Contendores não se saíram muito bem nas respostas. Um ponto importante aqui é que a manipulação sobre quem seria Inquiridor e quem seria Contendor era óbvia para todos os implicados, já que a escolha fora feita de modo aleatório. Depois de terminado o jogo, Ross pediu aos observadores na turma que respondessem a duas perguntas: "Numa escala de um a dez, que grau de inteligência você daria ao Inquiridor em comparação com o aluno médio de Stanford?" e "Numa escala de um a dez, que grau de inteligência você daria ao Contendor comparado ao aluno médio de Stanford?".

Nós, seres humanos, temos uma tendência bem inculcada de prestar atenção às diferenças individuais. Isso provavelmente nos foi bastante útil no decorrer da história da evolução, na hora de tomar decisões sobre com quem acasalar, caçar, em quem confiar como aliado. Traços como *consolador, afetuoso, emocionalmente estável, confiável, fiel* e *inteligente* teriam sido critérios importantes. Se estivéssemos sentados na turma de Lee Ross em Stanford, observando esse falso game show, nossa impressão esmagadora seria de surpresa diante do conhecimento enigmático demonstrado pelos Inquiridores — como podiam saber tanto? E sobre tanta coisa diferente? Não eram apenas os *Contendores* que não sabiam as respostas; a maioria dos *observadores* também não sabia!

Um aspecto importante da experiência é que ela foi concebida para conferir uma vantagem na autoapresentação dos Inquiridores sobre os Contendores ou observadores. Depois que Ross juntou os dados, verificou que os alunos observadores da turma realmente classificaram os Inquiridores como sendo verdadeiramente mais inteligentes do que o aluno médio de Stanford. Além disso, classificaram os Contendores como estando abaixo da média. Os classificadores atribuíram a cena que viram a disposições estáveis. O que deixaram de fazer — a ilusão cognitiva — foi perceber que o papel desempenhado pelos Inquiridores praticamente garantia que eles parecessem instruídos, do mesmo modo que o papel desempenhado pelos Contendores garantia que parecessem ignorantes. O papel de Inquiridor conferia uma grande vantagem, uma oportunidade de demonstrar a construção de uma imagem em proveito próprio. Nenhum Inquiridor em seu juízo perfeito faria uma pergunta cuja resposta já não soubesse, e como ele havia sido encorajado a forjar perguntas difíceis e obscuras, não seria provável que os Contendores soubessem muitas respostas.[126]

O jogo não só foi fraudado, mas também as reações mentais dos participantes — na verdade, as reações mentais de todos nós. Sucumbimos com frequência à ilusão cognitiva do erro fundamental de atribuição.[127] Saber que ele existe pode nos ajudar a superá-lo. Imagine que você está andando no corredor do seu escritório e passa por um novo colega de trabalho, Kevin. Você o cumprimenta e ele não responde. Você poderia atribuir sua conduta a um traço estável de personalidade e chegar à conclusão de que ele é tímido ou mal-educado. Ou poderia atribuir sua conduta a um fator situacional — talvez estivesse distraído pensando em alguma coisa, atrasado para uma reunião ou zangado com você. A ciência não afirma que Kevin raramente reage ao fator situacional, apenas que os observadores tendem a não dar importância a ele. Daniel Gilbert foi ainda mais longe ao mostrar que esse erro fundamental de atribuição é produzido pela sobrecarga de informação. Para ser mais específico, quanto maior é a sua sobrecarga de informação, maior é a probabilidade de que você cometa erros sobre a motivação da conduta de alguém.

Outro modo de contextualizar os resultados da experiência de Stanford é observando que os participantes chegaram a uma conclusão muito influenciada pelo desfecho do jogo, fazendo uma inferência baseada numa predisposição sobre o desfecho.[128] Se você ouviu falar que Jolie passou para um curso difícil na universidade e Martina não, talvez conclua que Jolie seja mais inteligente, estudou mais ou é melhor aluna.[129] A maioria pensaria isso. O resultado parece ser um indicador irrefutável de algo relativo à capacidade acadêmica. E se você descobrisse que Jolie e Martina tiveram examinadores diferentes nas provas? Tanto Jolie quanto Martina acertaram a mesma quantidade de perguntas, mas o examinador de Jolie era indulgente, e deixou que todo mundo da turma passasse, enquanto o examinador de Martina era rigoroso e reprovou quase todo mundo. Mesmo saben-

ORGANIZANDO NOSSO MUNDO SOCIAL    191

do isso, o viés do resultado é tão forte que as pessoas continuam a concluir que Jolie é mais inteligente.[130] Por que isso tem tanta força apesar de às vezes estar errado?

Eis o segredo. É porque na maior parte do tempo o resultado tem um valor de previsão e funciona como uma simples pista para tirar inferências quando estamos fazendo juízos. A confiança em pistas inconscientes e primais como essas é eficaz, geralmente rendendo juízos precisos com muito menor esforço e menor carga cognitiva.[131] Na era da sobrecarga de informação, preconceitos baseados em resultados podem poupar tempo, mas precisamos ter consciência disso, porque às vezes eles simplesmente nos induzem ao erro.

## Na margem do seu mundo social

Outra ilusão cognitiva relativa aos juízos sociais é que temos muita dificuldade em ignorar informação que depois é desmentida. Imagine que você esteja tentando decidir entre o trabalho A e o trabalho B; ofereceram-lhe cargos nas duas empresas com o mesmo salário. Você começa a fazer perguntas, e uma amiga lhe diz que o pessoal da empresa A é muito difícil de lidar e que, além disso, já houve vários processos por assédio sexual contra a gerência da empresa. É muito natural repassar na sua mente todas as pessoas que você conheceu na empresa A, tentando imaginar quem é difícil e quem está envolvido nas acusações de assédio. Alguns dias depois, você e sua amiga estão conversando e ela se desculpa, dizendo que confundiu a empresa A com uma diferente com nome parecido — a evidência que o fez chegar à primeira conclusão foi então sumariamente cancelada. Dezenas de experiências mostraram que o conhecimento original — agora tido como falso — exerce uma influência prolongada sobre os juízos; é impossível apertar a tecla reset. Os advogados sabem bem disso, e muitas vezes inoculam a semente de uma ideia falsa na cabeça dos jurados e do juiz. Depois da objeção do advogado da outra parte, o aviso do juiz — "o júri deve ignorar esta última informação" — chega tarde demais para afetar a impressão causada e o juízo feito.[132]

Um exemplo vívido disso é dado por uma experiência realizada pelo psicólogo Stuart Valins. Essa experiência revela sua idade — é dos anos

1960 —, e não é nem de longe politicamente correta pelos padrões atuais. Mas os dados fornecidos são válidos e foram replicados solidamente em dezenas de estudos conceitualmente semelhantes.[133]

Levados ao laboratório, estudantes do sexo masculino foram informados de que participariam de uma experiência sobre o que o estudante universitário médio acha atraente numa mulher.[134] Eles foram colocados numa cadeira, com eletrodos nos braços e um microfone no peito. O pesquisador explicou que os eletrodos e o microfone mediriam a excitação fisiológica em reação a pôsteres de mulheres que foram capas da *Playboy*, que seriam mostrados um a um. Cada participante viu as mesmas fotos que os outros participantes, mas em ordem diferente. Um alto-falante irradiava o som das batidas do coração dos participantes. Todos eles olharam, uma a uma, as fotos mostradas pelo pesquisador, e as batidas do coração aumentavam e diminuíam audivelmente em função da atração exercida na foto de cada mulher.

Sem que os participantes soubessem, os eletrodos em seus braços e o microfone no peito não estavam conectados ao alto-falante — era tudo um ardil. As batidas que pensavam estar ouvindo eram, na realidade, a gravação de um pulso num sintetizador, e as flutuações no ritmo haviam sido predeterminadas pelo pesquisador.[135] Terminada a experiência, o pesquisador mostrou aos alunos a verdadeira natureza do som das batidas do coração — na realidade, o pulso no sintetizador, que nada tinha a ver com seu ritmo cardíaco. O pesquisador mostrou aos participantes o sistema de playback do gravador, e que os eletrodos no braço e o microfone no peito não estavam ligados a nada.

Pense nisso do ponto de vista do participante. Por um breve momento, deram-lhe a impressão de que as verdadeiras reações físicas de seu corpo demonstravam que ele havia achado determinada mulher especialmente atraente. Depois, a evidência dessa impressão havia sido anulada por completo. Logicamente, se ele estivesse comprometido com tomadas de decisão racionais, apertaria a tecla reset das suas impressões e concluiria que não havia motivo para confiar no som saído dos alto-falantes. A recompensa pela experiência veio em seguida, quando o pesquisador deixou que os participantes selecionassem fotos para levar para casa, em retribuição pelo seu auxílio na experiência. Que fotos os homens escolheram? Na sua maioria, as que haviam sido acompanhadas pelas batidas mais fortes do coração. A crença que tinham — e cuja evidência havia sido depois removida — persistiu, obnubilando seu julgamento. Valins acredita que o mecanismo responsável por essa ocorrência é a autopersuasão. As pessoas investem uma quantidade significativa de esforço cognitivo para gerar uma crença que é coerente com o estado fisiológico pelo qual estão passando. Tendo feito isso, os resultados desse processo são relativamente persistentes e resistentes à mudança, porém representam um erro de julgamento traiçoeiro.[136] Nicholas Epley diz que, na maioria dos casos, não temos consciência da construção de nossas crenças nem dos processos mentais que levam a elas.[137] Assim, mesmo quando a evidência é explicitamente retirada, a crença persiste.

A persistência da crença surge na vida cotidiana através da fofoca. A fofoca não tem nada de novo, é claro. É um dos mais antigos defeitos humanos registrados por escrito, no Velho Testamento e em outras fontes antigas, desde a aurora da escrita. Os seres humanos fofocam por muitos motivos. Talvez isso nos ajude a nos sentirmos superiores aos outros quando nos sentimos inseguros sobre nós mesmos, ou nos auxilie a construir laços com outros para testar sua fidelidade — se Tiffany está querendo se juntar a mim para fofocar contra Britney, talvez eu possa considerá-la uma aliada. O problema da fofoca é que ela pode ser falsa. Isso é especialmente verdade quando o boato é passado de boca em boca e de orelha a orelha por várias pessoas, cada uma embelezando-o mais. Por causa da persistência da crença, o erro na informação social, baseado numa mentira deslavada ou na distorção dos fatos, pode ser difícil de erradicar. E depois pode ser difícil consertar as carreiras e relações sociais.

Além de nossos cérebros conterem uma predisposição inata para atribuir traços e gostar de boatos, os seres humanos tendem a ter uma desconfiança inata de forasteiros, sendo que forasteiro pode ser qualquer um diferente de nós. "Diferente de nós" pode ser descrito por meio de várias dimensões e qualidades: religião, cor da pele, cidade de origem, o colégio em que nos formamos, nosso nível de renda, o partido político a que pertencemos, o tipo de música que ouvimos, o time pelo qual torcemos. Nas escolas de ensino médio em todo o território americano, os alunos tendem a formar grupinhos com base em alguma dimensão diferencial marcante (para eles). A dimensão divisória primordial é geralmente entre os alunos que se filiam e endossam a tese generalizada de que o colégio os ajudará e aqueles que, por motivos de origem, experiência familiar ou condição socioeconômica, creem que o colégio seja uma perda de tempo.[138] Além dessa divisão primordial, os estudantes geralmente se subdividem em grupos menores, com base numa divisão posterior daquilo que constitui "gente como nós".

Essa divisão da filiação ao grupo social surge numa época em que nossos cérebros e corpos estão sofrendo mudanças neuronais e hormonais dramáticas. Socialmente, começamos a compreender que podemos ter nossos próprios gostos e desejos. Não precisamos gostar daquilo que nossos pais gostam e dizem que deveríamos gostar — exploramos, e a seguir desenvolvemos e refinamos, nosso próprio *gosto* para música, roupas, filmes, livros e atividades. É por isso que os colégios de ensino fundamental tendem a ter relativamente poucos grupos sociais, enquanto as escolas de ensino médio têm tantos.

Mas junto a tantas outras ilusões cognitivas que levam ao julgamento social falho existe um fenômeno conhecido como o preconceito de grupo. Tendemos — erroneamente, é claro — a pensar que as pessoas que fazem parte do *nosso* grupo são indivíduos, enquanto os membros de outros grupos são considerados um coletivo menos diferenciado. Isto é, quando nos pedem que julguemos o grau de disparidade entre os interesses, personalidades e inclinações dos membros do nosso grupo, em contraposição aos do outro grupo, tendemos a superestimar as semelhanças entre os membros do grupo que não é o nosso.

Então, por exemplo, se pedem aos democratas que descrevam a semelhança entre um democrata e outro, eles podem dizer algo do tipo "ah, os democratas são oriundos de todos os setores — somos um grupo muito diversificado". Se, em seguida, lhes pedirem que descrevam os republicanos, talvez digam "ah, esses republicanos, eles só se importam com impostos mais baixos. São todos iguais". Nós também tendemos a preferir membros do nosso grupo. Geralmente, um grupo será percebido de maneira diferente, e com maior precisão, pelos próprios membros do que por forasteiros.[139]

O efeito grupo comum/grupo de fora tem uma base neurológica. Dentro de uma região do cérebro chamada córtex pré-frontal medial existe um grupo de neurônios que dispara quando pensamos em nós mesmos e em pessoas parecidas conosco.[140] Essa rede neuronal está relacionada ao modo devaneio, descrito no Capítulo 2 — o modo devaneio está ativo quando pensamos em nós mesmos em relação a outros, e quando nos metemos a encarar as coisas sob perspectiva.[141]

Uma explicação plausível para o efeito grupo comum/grupo de fora é que ele é meramente um produto do contato — conhecemos uma porção de pessoas diferentes em nosso grupo, e as conhecemos mais do que as pessoas do outro grupo. Isso precisa ser verdadeiro por definição; nós nos associamos aos membros do nosso grupo, não com o grupo de fora. Portanto, nos defrontamos regularmente com a complexidade e a diversidade de nossos amigos, a quem conhecemos bem, enquanto acreditamos equivocadamente que as pessoas que não conhecemos são menos complexas e diversificadas. Somos mais capazes de engajar o córtex pré-frontal medial com membros do nosso grupo porque o comportamento deles é mais facilmente visualizado pelo nosso cérebro, em todas as suas nuances.

Mas essa hipótese é contrariada pelo fato espantoso de que aquilo que constitui um grupo comum e um grupo de fora pode ser definido a partir das premissas mais frágeis, tais como um cara ou coroa entre dois grupos formados aleatoriamente.[142] Um critério para se sentir pertencente ao grupo é a interdependência do destino.[143] Depois de estabelecer o destino comum pelo cara ou coroa — um grupo ganharia um pequeno prêmio, o outro não —, pediu-se a estudantes que participavam de uma experiência que julgassem as semelhanças e as diferenças de vários membros de cada grupo. Houve um forte efeito grupo comum/grupo de fora até mesmo nesse agrupamento controlado. Membros de um grupo relataram que as pessoas de seu grupo — pessoas que haviam acabado de conhecer — tinham mais qualidades desejáveis, e que preferiam conviver com elas. Outras pesquisas mostraram que manipulações igualmente fracas levaram os membros de um grupo a se avaliarem como mais diferentes entre si do que membros do grupo de fora.[144] Parece que dividir pessoas em categorias mutuamente exclusivas ativa a percepção de que "nós" somos melhores do que "eles", mesmo quando não há uma base racional para isso.[145] Simplesmente é como "nós" somos.

Quando pensamos em organizar nosso mundo social, a implicação do preconceito de grupo é evidente. Tendemos obstinadamente a fazer mau juízo dos forasteiros, diminuindo nossa capacidade de construir novas relações sociais potencialmente cooperativas e valiosas.

O racismo é uma forma de juízo social negativo que surge de uma combinação de crença persistente, preconceito contra grupos de fora, erro de categorização e raciocínio indutivo falho. Ouvimos falar de um determinado traço ou ato indesejável da parte de um indivíduo e logo concluímos que se trata de algo totalmente previsível em alguém daquela origem étnica ou nacional. A forma do argumento é a seguinte:

1.0.   A mídia relatou que o sr. A fez isso.
1.1.   Eu não gosto do que ele fez.
1.2.   O sr. A é da Horrolândia.
1.3.   Logo, todo mundo da Horrolândia faz coisas de que não gosto.

Não há nada de errado, obviamente, com as afirmações 1.0 e 1.1. A afirmação 1.2 parece violar (desprezar) a máxima griceana sobre a importância, mas, em si mesma, não é uma violação. Notar o país de origem de alguém não é algo moral nem imoral em si mesmo. Existe como fato, fora da moralidade. É no modo como se usa a informação que entra a moralidade. Pode-se reparar na religião ou no país de origem de alguém como um passo para a aproximação, para entender melhor as diferenças culturais. Ou pode-se usar isso para generalizações racistas. De um ponto de vista lógico, o verdadeiro problema acontece em 1.3, uma generalização a partir de um único exemplo específico. Por uma série de motivos históricos e cognitivos, os seres humanos desenvolveram uma infeliz tendência a agir assim, sendo que em alguns casos trata-se de uma questão adaptativa. Eu como um pedaço de fruta que nunca vi antes, passo mal, então presumo (raciocínio indutivo) que *todos* os pedaços dessa fruta são potencialmente não comestíveis. Fazemos generalizações sobre todo tipo de pessoas e coisas porque o cérebro é uma gigantesca máquina de inferir, e utiliza quaisquer dados à mão para assegurar nossa sobrevivência.[146]

No final dos anos 1970, o psicólogo social Mick Rothbart ministrava uma disciplina sobre relações raciais para uma turma com aproximadamente a mesma quantidade de alunos negros e brancos.[147] Quase sempre um aluno branco começava sua pergunta com a introdução "será que os negros não sentem...", e Mick pensava consigo mesmo: "boa pergunta". Mas se algum aluno negro começasse sua pergunta com "será que os brancos não sentem...", Mick se via pensando: "o que será que eles querem dizer com 'brancos'? Existem vários tipos de brancos: conservadores, alguns mais à esquerda, judeus, gentios, gente sensível aos problemas das minorias, gente insensível a eles. 'Brancos' é demasiadamente amplo e sem sentido para se usar como categoria, e não há como responder à... pergunta... formulada dessa maneira".

É claro que os mesmos pensamentos provavelmente passavam pela cabeça dos estudantes negros da turma quando a pergunta começava com "será que os negros não sentem...". Nos casos de preconceito de grupo, cada grupo pensa no outro como algo homogêneo e monolítico, e se enxerga como algo variado e complexo.[148] Você provavelmente está pensando que para resolver o problema basta uma crescente exposição deste fato — se os integrantes dos grupos passarem a se conhecer melhor, os estereótipos desaparecerão.[149] Isso é em grande parte verdade, mas o preconceito de grupo, por estar tão profundamente enraizado na nossa biologia evolutiva, é algo difícil de suprimir. Numa experiência, homens e mulheres que se avaliaram mutuamente como grupo caíram na mesma armadilha cognitiva. "É impressionante", escreveu Mick Rothbart, "ter demonstrado esse fenômeno com dois grupos que mantêm contato quase contínuo, e possuem uma grande quantidade de informações um sobre o outro."[150] Depois que formamos um estereótipo, tendemos a não reavaliá-lo.[151] Em vez disso, descartamos qualquer nova prova em contrário como "exceção". Essa é uma forma de persistência na crença.

Os sérios problemas da fome, da guerra e da mudança climática que enfrentamos exigirão soluções que envolvem todos os que apostam no futuro do planeta. Nenhum país ou coletivo de países conseguirá resolver essas questões sozinho se tiverem visões excludentes uns dos outros, em vez de includentes. Pode-se dizer que o destino do mundo depende (entre outras coisas) de se abolir a exclusão grupal oriunda do preconceito. Num determinado caso, foi o que aconteceu.

Outubro de 1962 foi talvez o momento histórico em que estivemos mais próximos de destruir completamente o planeta, quando o presidente

Kennedy e o secretário Khruschóv chegaram a um impasse nuclear, conhecido no Ocidente como a crise dos mísseis de Cuba.[152] (Ou, como chamavam os soviéticos, a crise do Caribe de 1962.)

Um dos aspectos principais da solução da crise foi uma comunicação particular, através de canais não oficiais, entre JFK e Khruschóv. Estava-se no auge da Guerra Fria. Funcionários de cada lado acreditavam que o outro queria dominar o mundo e não merecia confiança. Kennedy via a si mesmo e todos os americanos como membros de um *grupo comum*, e Khruschóv e os soviéticos como um *grupo de fora*. Acumulavam-se todos os preconceitos que já vimos: os americanos acreditavam-se merecedores de confiança, e qualquer comportamento agressivo dos EUA (mesmo a julgar por padrões internacionais) justificava-se; qualquer comportamento agressivo dos soviéticos mostrava apenas sua verdadeira natureza, de gente má, irracional, sem compaixão, determinada à destruição.

A virada aconteceu quando Khruschóv dispensou toda a retórica e fanfarronice e pediu a Kennedy que visse as coisas sob a perspectiva *dele*, que demonstrasse um pouco de empatia. Implorou a Kennedy várias vezes que "tentasse se colocar no nosso lugar".[153] Em seguida, frisou a semelhança entre eles, como líderes de seus respectivos países. "Se você está realmente preocupado com a paz e o bem-estar de seu povo, que é sua responsabilidade de presidente, então eu, como secretário do Conselho de Ministros, também estou, em relação ao meu povo.[154] E, mais ainda, a preservação da paz mundial deveria ser nossa preocupação conjunta, uma vez que, nas condições atuais, se a guerra estourar, não será apenas uma guerra em torno de reivindicações recíprocas, mas uma guerra mundial cruel e destrutiva."

De fato, Khruschóv realçou um grupo a que tanto ele quanto Kennedy pertenciam — líderes de grandes potências mundiais. Ao fazê-lo, transformou Kennedy, de membro de um grupo de fora, em membro de um grupo comum.[155] Foi essa a virada na crise, que abriu possibilidades para uma solução de compromisso que a resolveu, em de 26 de outubro de 1962.

A ação militar é muitas vezes equivocada. Durante a Segunda Guerra Mundial, os nazistas bombardearam Londres na esperança de provocar uma rendição; a atitude teve o efeito contrário, aumentando a determinação dos britânicos de resistir. Em 1941, os japoneses tentaram impedir que os Estados Unidos entrassem na guerra, atacando Pearl Harbor, tiro que saiu pela culatra ao empurrar os Estados Unidos para a guerra. Nos anos 1980, o governo norte-americano financiou uma ação militar contra a Nicarágua para obter uma reforma política. Durante o final de 2013 e o começo de 2014, três anos após o início da revolta democrática no Egito, o governo no poder ficou preso num círculo vicioso de terrorismo e repressão com a Irmandade Muçulmana, que endureceu a determinação de ambos os lados.[156]

Por que essas intervenções tantas vezes fracassam? Em virtude do preconceito de grupo, tendemos a pensar que a coerção será mais eficaz contra nossos inimigos do que contra nós mesmos, e que a conciliação será mais eficaz a partir de nós mesmos do que de nossos inimigos.[157] O ex-secretário de Estado George Shultz, refletindo sobre quarenta anos de política externa americana, de 1970 ao momento presente, disse: "Quando pensamos em todo o dinheiro que gastamos em bombas e munição, e em nossos fracassos no Vietnã, Iraque, Afeganistão e em outros lugares ao redor do mundo [...]. Em vez de promover nossos interesses por meio da força, deveríamos ter construído escolas e hospitais nesses países, melhorando a vida das crianças. A essa altura, essas crianças teriam chegado a uma idade em que teriam influência, e nos apreciariam, em vez de nos odiar".[158]

## Quando queremos escapar de um mundo social

Numa sociedade organizada e civilizada, dependemos uns dos outros de várias maneiras. Presumimos que as pessoas não jogarão o lixo de qualquer jeito na calçada da nossa casa, que os vizinhos nos avisarão se virem qualquer atividade suspeita quando estivermos viajando e que se precisarmos de auxílio médico urgente, alguém vai parar e chamar uma ambulância. O fato de morar em grandes e pequenas cidades é sobretudo um fator de cooperação. O governo, em seus vários níveis (federal, estadual, municipal, distrital), faz leis para definir o comportamento cívico que, na melhor das hipóteses, só enquadram casos de extrema incivilidade. Dependemos uns dos outros não apenas no cumprimento da lei, mas no que diz respeito a sermos prestativos e cooperativos para além da lei. Poucas jurisdições possuem uma lei que estipule que se você vir a filha de quatro anos de Cedric

## 200 A MENTE ORGANIZADA

cair da bicicleta na rua, será obrigado a ajudá-la ou a avisar a Cedric. Mas seria considerado monstruoso se você não fizesse isso. (A Argentina é um dos países que exige legalmente que as pessoas ajudem no caso de outras precisarem de ajuda.)[159]

Ainda assim, as interações sociais são complexas, e uma série de experiências demonstrou que ou agimos em interesse próprio ou simplesmente não queremos nos envolver. Imagine, por exemplo, ser testemunha de um sequestro, assalto ou qualquer acontecimento perigoso. Existem normas sociais claras sobre o socorro à vítima de uma situação assim. Mas também existem temores perfeitamente justificáveis sobre as consequências que alguém pode sofrer se intervir.[160] Contrapostas às normas sociais e à inclinação ao socorro, existem várias forças psicológicas que nos empurram para a inação. Como dizem os psicólogos sociais John Darley e Bibb Latané, "'eu não queria me meter' é um comentário bem conhecido, que encobre temores de males físicos, de passar vergonha, de se envolver com a rotina policial, de perder dias de trabalho e até o emprego, e outros perigos desconhecidos".[161]

Além disso, há muitas circunstâncias em que não somos as únicas testemunhas de um fato que parece exigir uma intervenção, como nos lugares públicos. Na condição de espécie altamente social, que vive em íntima proximidade com milhares de outras pessoas, nós queremos pertencer. Por sua vez, esse desejo nos faz olhar para os outros em busca de pistas sobre o que é aceitável em determinada situação. Vemos alguém do outro lado da rua que parece estar sendo assaltado. Olhamos em volta e vemos dezenas de outras pessoas que assistem à mesma situação sem fazer nada. "Talvez", pensamos, "isso aí não seja o que parece ser. Nenhuma dessas pessoas está reagindo. Talvez saibam alguma coisa que eu não sei. Talvez não seja um assalto de verdade, apenas dois conhecidos que resolveram improvisar uma luta. Preciso respeitar sua privacidade." Sem que saibamos, dezenas de outras pessoas também estão olhando em volta e tendo o mesmo diálogo interno, chegando à mesma conclusão de que é contra a norma social se envolver nesse conflito específico. Não se trata apenas de problemas em um livro didático. Em 2011, um sujeito de 61 anos, Walter Vance, que sofria do coração, morreu depois de desmaiar numa loja Target na Virgínia Ocidental, enquanto centenas de fregueses passavam por ele, até por cima dele.[162] Em 2013, os clientes de uma loja de conveniência Quick-

Stop, em Kalamazoo, Michigan, passaram por uma pessoa que havia levado um tiro e estava morrendo na porta.[163] O caixa não foi verificar se o homem estava vivo; continuou a atender os clientes.

Essa tendência de não se deixar envolver é impulsionada por três poderosos princípios psicológicos inter-relacionados. Um deles é o forte desejo de se adequar ao comportamento alheio na esperança de que isso nos ajude a conquistar a aceitação do nosso próprio grupo social, a ser considerado cooperativo e simpático.[164] O segundo é o da comparação social — tendemos a examinar nosso comportamento em termos dos outros.[165]

A terceira força que nos impele à inação é a difusão da responsabilidade. Isso se baseia num sentido muito natural e inculcado de justiça e de querer castigar os acomodados: "Por que eu deveria me expor se toda essa gente aí não está fazendo nada? *Eles* poderiam tomar uma atitude tanto quanto eu". Darley e Latané fizeram uma experiência clássica reproduzindo uma emergência médica na vida real. Os participantes tinham três vezes mais probabilidade de rapidamente pedir socorro — que estava tendo uma convulsão — quando se consideravam as únicas testemunhas do que quando achavam que havia mais quatro pessoas também presentes. A difusão da responsabilidade acarreta a difusão da culpa pela inação, e pela possibilidade muito real de que alguém já tivesse tomado, sem que soubéssemos, uma iniciativa de obter socorro, como, por exemplo, chamar a polícia.[166] Como dizem Darley e Latané:

> Quando existe apenas uma testemunha de uma emergência, se houve socorro, ele deve ter partido de sua iniciativa. Apesar de poder ignorá-la (pela preocupação com sua segurança pessoal ou pelo desejo de "não se envolver"), qualquer pressão para obter socorro se concentra apenas nessa única testemunha. Diante da presença de vários observadores, no entanto, a pressão de intervir não recai sobre nenhum deles; antes, a responsabilidade de intervir é compartilhada por todos os espectadores. Como resultado, ninguém ajuda.[167]

É claro que essa não é nenhuma forma especialmente admirável de conduta, mas captura uma parte essencial da natureza humana, que, é preciso que se diga, não representa nada que possa nos trazer orgulho como espécie. Não somos apenas uma espécie social, mas muitas vezes também uma espécie egoísta. Como disse uma participante da experiência de Darley e Latané a respeito da convulsão que outra pessoa estava sofrendo: "Que azar, isso só acontece comigo!". Isto é, ela não conseguiu sentir empatia pela vítima, pensando apenas no inconveniente de ser incomodada. Felizmente, não somos todos assim, nem em toda situação. Os seres humanos e outros animais são muitas vezes altruístas. Os gansos se socorrem mutuamente mesmo com um grande risco pessoal;[168] os macacos-vervet dão gritos de alarme diante da proximidade de predadores,[169] tornando-se assim muito mais visíveis diante desses mesmos predadores, e os suricatos ficam de sentinela enquanto o resto do bando come.[170] Qual o mecanismo neuroquímico que sustenta esse comportamento altruísta de ficar de guarda? A oxitocina — o mesmo hormônio de filiação social que aumenta a confiança e a cooperação social entre os homens.[171]

A distinção entre as nossas reações egoístas e altruístas podem ser consideradas um erro de categorização. Quando praticamos o conformismo, a comparação social ou a difusão de responsabilidade, estamos nos incluindo na categoria do grupo majoritário, em contraposição à vítima. Nós nos vemos conectados a *ele*, que se torna nosso grupo comum. Deixamos de nos identificar com a vítima, que se torna um integrante de um grupo de fora, não merecendo confiança nem grande compreensão. Por isso Darley e Latané descobriram que tantos de seus participantes corriam para ajudar quando se viam na posição de únicas testemunhas — sem um grupo social em cuja categoria pudessem se incluir, estavam livres para se identificar com a vítima. Conhecer esses princípios pode nos ajudar a superá-los, sentir empatia pela vítima e sufocar a tendência a dizer "eu não quero me meter".

O seu mundo social é o seu mundo social. Quem pode dizer como ele deve ser organizado? Estamos todos crescentemente interconectados, e nossa felicidade e nosso bem-estar são cada vez mais interdependentes. Uma das medidas do êxito de uma sociedade é o grau de compromisso dos cidadãos com o bem comum. Se você vir o alerta da polícia sobre a placa de um carro, na estrada, e depois uma placa idêntica, chame a polícia. Procure ser solidário. Apesar de toda a digitalização de nossa vida social, ainda estamos todos juntos nesta aventura.

# 5

## ORGANIZANDO NOSSO TEMPO

### Qual o mistério?

Ruth era uma mulher casada de 37 anos, mãe de seis filhos.[1] Planejava servir o jantar para o irmão, o marido e os filhos às seis horas. Às 18h10, quando entrou na cozinha, seu marido percebeu que havia duas panelas no fogão, mas a carne ainda estava congelada, e a salada, apenas parcialmente pronta. Ruth acabara de pegar uma bandeja com a sobremesa e estava pronta para servi-la. Ela não tinha nenhuma consciência de estar fazendo as coisas na ordem errada, nem mesmo de que existe uma ordem certa.

Ernie começou a carreira como contador e foi promovido a contador chefe de uma construtora aos 32 anos. Seus amigos e sua família consideravam-no especialmente responsável e honesto. Aos 35 anos, ele investiu todas as suas economias numa sociedade com um homem duvidoso e foi obrigado a pedir falência. Ernie passou de emprego em emprego, sendo dispensado de todos por atraso, desorganização e uma deterioração na sua capacidade de planejar qualquer coisa ou priorizar tarefas. Ele precisava de mais de duas horas para se arrumar para o trabalho, e muitas vezes passava manhãs inteiras sem fazer nada além de se barbear e lavar o cabelo. Ernie perdera de repente a capacidade de avaliar necessidades futuras.[2] Ele se recusava terminantemente a se livrar de pertences inúteis, como seis aparelhos de televisão quebrados, seis ventiladores quebrados, uma miscelânea de vasos de plantas mortas e três sacolas repletas de latas vazias de suco de laranja congelado.

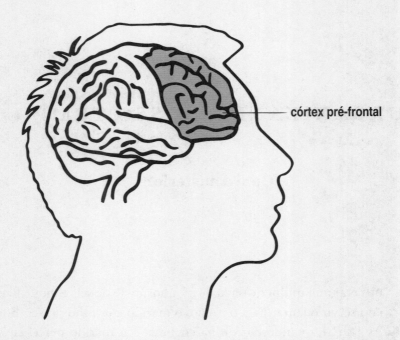

Peter havia sido um arquiteto de sucesso diplomado em Yale, com um talento especial para matemática e ciência e um QI 25 pontos acima da média. Quando recebeu a simples tarefa de reorganizar o pequeno espaço de um escritório, se viu inteiramente perplexo. Levou quase duas horas se preparando para começar o projeto, e, depois de começar, inexplicavelmente não parava de começar de novo. Fez vários esboços preliminares de fragmentos de ideias, mas foi incapaz de ligar essas ideias ou refinar os esboços. Tinha plena consciência do seu raciocínio desordenado. "Sei o que quero desenhar, mas simplesmente não faço. É uma maluquice... é como se eu tivesse uma linha de pensamento e, quando começasse a desenhar, perdesse essa linha. Depois tenho outra linha de pensamento, que vem de uma direção diferente, e as duas não se juntam... isso é um problema muito simples."[3]

Aquilo que Ruth, Ernie e Peter têm em comum é que, pouco antes desses episódios, os três sofreram danos ao córtex pré-frontal. Essa é a parte do cérebro sobre a qual escrevi antes e que, junto com o cingulado anterior, os gânglios basais e a ínsula, nos ajuda a organizar o tempo e trabalhar no planejamento, manter a atenção e nos dedicarmos a uma tarefa depois de tê-la começado. O cérebro conectado em redes não é uma massa de tecido indiferenciado — danos em regiões discretas muitas vezes resultam em deficiências bastante específicas. Danos no córtex pré-frontal criam um caos na habilidade de planejar uma sequência de acontecimentos, e de sustentar, assim, um esforço tranquilo e produtivo que resulte na consecução de objetivos que projetamos para nós mesmos, dentro do tempo de que dispomos. Porém, mesmo os mais saudáveis dentre nós às vezes se comportam como se tivessem sofrido danos no córtex pré-frontal, faltando a compromissos, cometendo erros bobos de vez em quando e não aproveitando ao máximo a capacidade de organização cerebral em relação ao tempo, adquirida durante a evolução.

## A realidade biológica do tempo

Tanto os místicos quanto os físicos nos dizem que o tempo é uma ilusão, uma simples criação de nossa mente. Nesse sentido, o tempo é como a cor — não existe cor no mundo físico, apenas os diversos comprimentos de ondas de luz refletindo sobre os objetos; como disse Newton, as próprias ondas luminosas são incolores.[4] Toda nossa sensação de cor resulta do processamento desses comprimentos de onda pelo córtex visual, que os interpreta como cor. É claro que isso não torna a coisa subjetivamente menos real — olhamos um morango e ele é vermelho, não *parece* apenas ser vermelho. Do mesmo modo, o tempo pode ser pensado como uma interpretação que nossos cérebros impõem à nossa experiência do mundo. Sentimos fome, passado certo tempo, e também sono, depois de horas acordados. A rotação regular da Terra sobre seu eixo e ao redor do Sol nos leva a organizar o tempo segundo uma série de acontecimentos cíclicos, como o dia, a noite e as quatro estações, que por sua vez nos permitem registrar mentalmente a passagem do tempo. E tendo registrado o tempo mais do que nunca na história humana, nós o dividimos em segmentos, unidades a que destinamos atividades específicas e expectativas do que faremos. E esses segmentos de tempo são tão reais para nós quanto o vermelho do morango.

A maioria de nós vive pelo relógio. Marcamos compromissos, acordamos, dormimos, comemos e organizamos nosso tempo em torno das 24 horas do relógio. A duração do dia está ligada ao período de rotação da

Terra, mas o que dizer da ideia de dividir isso em partes iguais — de onde veio? E por que 24?

Ao que sabemos, os sumérios foram os primeiros a dividir o dia em períodos. A divisão deles correspondia ao período de um sexto da luz do dia (o que equivale aproximadamente a duas de nossas horas atuais). Outros sistemas de tempo antigos calculavam o dia do nascer ao pôr do sol, e dividiam esse período em duas partes iguais. Como resultado, essas antigas tardes e manhãs variavam na sua duração, à medida que os dias ficavam mais curtos ou longos.

As três divisões mais comuns do tempo que hoje fazemos continuam a ser baseadas nos movimentos dos corpos celestes, embora agora chamemos isso de astrofísica. A extensão do ano é determinada pelo tempo que a Terra leva para circular o Sol; a duração do mês é (mais ou menos) o tempo que a Lua leva para girar em volta da Terra; a duração do dia é o tempo que a Terra leva para girar em torno de seu eixo (que é observado por nós como o intervalo entre dois nascentes e dois poentes sucessivos). Mas divisões além destas não se baseiam em qualquer lei física e tendem a repousar sobre fatores históricos, na maior parte das vezes arbitrários. Não há nada inerente em qualquer ciclo biológico ou astrofísico que levasse à divisão do dia em 24 segmentos iguais.

A prática atual de dividir o relógio em 24 horas provém dos antigos egípcios, que dividiam o dia em dez partes e, em seguida, acrescentavam uma hora para cada um dos períodos ambíguos do crepúsculo, o que dava doze partes. Os relógios de sol nos sítios arqueológicos provam isso. Depois do cair da noite, marcava-se o tempo de várias maneiras, inclusive acompanhando o percurso das estrelas, pelo queimar de velas ou a quantidade d'água que escapava de um recipiente para outro.[5] Os babilônios também usavam uma duração fixa, com 24 horas num dia, como fazia Hiparco, o antigo matemático e astrônomo grego.[6,7]

A divisão da hora em sessenta minutos, e do minuto em sessenta segundos, também é arbitrária, e deriva do matemático grego Eratóstenes, que dividiu o círculo em sessenta partes para criar um antigo sistema cartográfico que representasse latitudes.

Durante a maior parte da história da humanidade, não tínhamos relógios e, na verdade, nenhuma maneira exata de calcular o tempo. Os encontros e reuniões rituais eram marcados em referência a acontecimentos naturais evidentes, tal como "venha a nosso acampamento quando a lua estiver cheia", ou "encontro você ao pôr do sol". Era impossível uma exatidão maior do que essa, mas ela tampouco era necessária. O tipo de exatidão a que estamos acostumados começou depois da construção das ferrovias. Talvez você pense que a razão disso é que os funcionários da ferrovia quisessem assegurar a pontualidade das partidas como uma conveniência para os passageiros, mas a verdade é que essa exatidão nasceu por motivos de segurança. Depois de uma série de colisões ferroviárias no começo dos anos 1840, os investigadores buscaram maneiras de aperfeiçoar a comunicação e reduzir os riscos de acidentes. Antes disso, o horário era considerado uma questão local de cada cidade. Uma vez que não havia formas rápidas de comunicação ou transporte, não havia nenhuma desvantagem prática no fato de uma localidade se encontrar dessincronizada em relação a outra — e nenhuma maneira de se saber de fato! Sir Sandford Fleming, um engenheiro escocês que ajudara a projetar muitas ferrovias no Canadá, teve a ideia dos fusos horários mundiais, adotados por todas as ferrovias canadenses e americanas no final de 1883. O Congresso dos Estados Unidos só transformou isso em lei 35 anos depois, através do Standard Time Act.

Ainda assim, o que chamamos horas, minutos e dias é arbitrário. Não há nada biológica ou fisicamente crucial em se dividir o dia em 24 partes, e a hora e o minuto em sessenta partes. Essas divisões foram facilmente aceitas porque não iam contra nenhum processo biológico inerente.

Existem constantes biológicas do tempo? Nosso tempo de vida parece limitado a cerca de cem anos (vinte anos a mais ou a menos), pelo envelhecimento. Segundo uma teoria, os limites da vida são geneticamente programados para limitar o tamanho da população, mas essa ideia foi descartada, porque nas duras condições da vida selvagem, a maioria das espécies não vive o bastante para envelhecer, de maneira que não haveria nenhuma ameaça de superpopulação. Algumas espécies nem sequer envelhecem, sendo assim teoricamente imortais — entre elas, algumas espécies de água-viva, lombrigas (planária) e hidras, que só morrem por doenças ou ferimentos. Isso contrasta violentamente com os seres humanos — de aproximadamente 150 mil pessoas que morrem por dia no mundo de hoje, dois terços morrem por problemas ligados ao envelhecimento, e esse número pode atingir 90% nas nações industrializadas que vivem em paz, onde a guerra e as doenças têm menos probabilidade de reduzir a vida.[8]

A seleção natural tem oportunidades muito limitadas, ou nenhuma oportunidade, de exercer influência direta sobre o envelhecimento. A seleção natural tende a favorecer genes que exerçam bons efeitos no organismo cedo na vida, antes do estágio reprodutivo, mesmo que tenham efeitos ruins em idades mais avançadas.[9] Depois que um indivíduo se reproduz e transmite seus genes à geração seguinte, a seleção natural não possui mais meios de intervir no genoma dessa pessoa. Isso tem duas consequências. Se um ser humano antigo herdasse uma mutação genética que reduzisse sua probabilidade de se reproduzir — um gene que o tornasse vulnerável à doença, ou simplesmente um parceiro pouco atraente —, o surgimento desse gene seria menos provável na geração seguinte. Por outro lado, vamos supor que existissem duas mutações genéticas que proporcionassem, cada uma, vantagens de sobrevivência e tornassem esse ser humano antigo especialmente atraente, mas que uma delas tivesse o efeito secundário de provocar um câncer aos 75 anos, décadas depois da idade mais provável para que um indivíduo se reproduza. A seleção natural não tem como inibir o gene causador de câncer, porque esse gene só dá sinal muito tempo depois de ter sido transmitido à geração seguinte. Assim, as variações genéticas que frustram a sobrevivência, até uma idade muito avançada — variações como suscetibilidade ao câncer, ou enfraquecimento ósseo —, tenderão a se acumular à medida que a pessoa envelhece ou passa muito da idade ideal de reprodução.[10] (Isso porque a percentagem de organismos capazes de se reproduzir depois de certa idade é tão pequena que qualquer investimento em mecanismos genéticos que garantam a sobrevivência além dessa idade vão beneficiar uma percentagem muito pequena da população.) Existe também o limite Hayflick, que afirma que as células só podem se dividir até um limite máximo, por causa de erros que se acumulam durante as sucessivas divisões celulares.[11] O fato de que não apenas morremos, mas de que nosso tempo é limitado tem efeitos diferentes sobre nós ao longo da vida — algo que irei abordar no final deste capítulo.

No nível das horas e dos minutos, as constantes mais relevantes são: o ritmo cardíaco, que normalmente varia de sessenta a cem batidas por minuto;[12] a necessidade de passar aproximadamente um terço de nosso tempo dormindo para funcionar direito; e, sem receber pistas do sol, nossos corpos acabam chegando ao dia de 24 horas. Os biólogos e fisiologistas ainda não sabem o motivo. Aprofundando-se no nível temporal, a um milésimo de segundo, existem constantes biológicas relativas à resolução temporal de nossos sentidos. Se um som possuir uma lacuna menor do que dez milissegundos, tendemos a não percebê-lo, devido a limites na resolução do sistema auditivo. Pelo mesmo motivo, uma série de cliques para de soar como cliques e se torna uma nota musical quando os cliques se apresentam a intervalos de mais ou menos 25 milissegundos. Se você estiver folheando fotos, precisa passar de uma a outra a menos de quarenta milissegundos para poder vê-las como imagens separadas. Qualquer coisa mais rápida do que isso excede a resolução temporal de nosso sistema visual, e perceberemos movimento onde não há nenhum (isso é a base do cinema e dos folioscópios).

As fotografias são interessantes porque conseguem capturar e conservar o mundo em resoluções que excedem as de nosso sistema visual.[13] Quando isso acontece, elas nos permitem distinguir um mundo que nossos olhos e cérebro jamais seriam capazes de ver sozinhos. Velocidades de obturador de 125 e 250 nos fornecem amostras do mundo em segmentos de 8 e 4 milissegundos, e isso é parte do motivo por que nos fascinam, especialmente quando captam movimento e expressões humanas. Esses limites sensoriais são controlados por uma combinação de biologia neuronal e a mecânica física de nossos órgãos de sentido. Os neurônios individuais têm um leque de velocidades de disparo que vai de uma vez por milissegundo a uma vez por 250 milissegundos, aproximadamente.[14]

Temos um córtex pré-frontal muito mais desenvolvido do que o de qualquer outra espécie. Ele é a sede de muitos comportamentos que consideramos distintamente humanos: lógica, capacidade analítica, resolução de problemas, juízo, planejamento futuro e tomada de decisão. Por esse motivo é chamado de o executivo central, ou CEO, do cérebro.[15] Extensas conexões de mão dupla entre o córtex pré-frontal e praticamente qualquer outra região do cérebro o colocam numa posição singular de organizar, monitorar, administrar e manipular quase toda atividade que empreendemos.[16] Tal como os CEOs de verdade, esses CEOs cerebrais são altamente remunerados em moeda metabólica. Compreender como funcionam (e a maneira exata como são pagos) pode nos ajudar a empregar nosso tempo de modo mais eficaz.

Uma vez que o córtex pré-frontal rege toda essa atividade e os pensamentos, é natural pensar que ele deve ter enormes dutos neuronais para a comunicação cruzada com outras regiões cerebrais, de modo a conseguir excitá-las e fazê-las funcionar. Na verdade, a maioria das conexões do córtex pré-frontal com outras regiões do cérebro não são excitatórias; pelo contrário: são inibitórias. Isso porque uma das grandes conquistas do córtex pré-frontal humano é nos dotar do controle dos impulsos e, consequentemente, da capacidade de adiar a gratificação, algo ausente na maioria dos animais.[17] Experimente balançar um pedaço de barbante na frente de um gato ou jogar uma bola na frente de um cão e veja se eles conseguem ficar quietos. Como o córtex pré-frontal só se desenvolve completamente depois dos vinte anos, o controle dos impulsos não é algo plenamente desenvolvido nos adolescentes (como muitos pais podem observar).[18] Por essa razão, crianças e adolescentes não são especialmente bons em planejar as coisas ou adiar a gratificação.

Quando há danos no córtex pré-frontal (por exemplo, por doença, ferimentos ou tumores), isso leva a uma patologia médica específica chamada síndrome disexecutiva.[19]

A patologia pode ser reconhecida pelos tipos de déficits de planejamento e coordenação temporal de que Ruth, a dona de casa, Ernie, o contador, e Peter, o arquiteto, sofriam tanto. Muitas vezes também é acompanhada de uma total falta de inibição em vários tipos de comportamento, especialmente em ambientes sociais. Os pacientes podem deixar escapar comentários impróprios, meter-se em jogatinas, bebedeiras ou farras sexuais com companheiros inadequados. E tendem a agir de acordo com aquilo que têm bem à sua frente. Se veem alguém se mexendo, têm dificuldade em inibir o impulso de imitá-los; se veem um objeto, pegam e usam.[20]

O que isso tudo tem a ver com a organização do tempo? Se suas inibições são reduzidas e você tem dificuldade em distinguir as consequências futuras de suas ações, tenderá a fazer agora coisas de que talvez se arrependa mais tarde, ou que dificultem a boa finalização de projetos em que está trabalhando. Resolveu assistir a toda uma temporada de *Mad Men* em vez de trabalhar no arquivo Pensky? Comeu um bolinho (ou dois) em vez de se ater a sua dieta? Isso é seu córtex pré-frontal deixando de fazer seu trabalho. Além disso, danos ao córtex pré-frontal provocam uma incapacidade mental de avançar e recuar no tempo — lembrem-se da descrição de Peter, o arquiteto, de começar e recomeçar e não ser capaz de fazer avanços. Os pacientes com síndrome disexecutiva ficam muitas vezes presos ao presente, fazendo e refazendo alguma coisa, perseverando, demonstrando ausência de controle temporal.[21] Isso pode ser terrível para a organização de calendários e listas de coisas a fazer, pois há uma dupla carga de déficits neuronais. Primeiro, eles são incapazes de ordenar os acontecimentos na ordem temporal correta. Um paciente com danos severos pode tentar assar o bolo antes de ter acrescentado todos os ingredientes. E muitos pacientes com problemas no lobo frontal não têm consciência de seu déficit; a perda de percepção é associada a essas lesões no lobo frontal, de modo que os pacientes geralmente subestimam sua incapacidade.[22] Ter uma incapacidade já é ruim, mas, se você não percebe que a tem, tende a se jogar de cabeça em determinadas situações sem se precaver, e acaba tendo problemas.

Como se não bastasse, danos avançados no córtex pré-frontal interferem na capacidade de fazer conexões e associações entre pensamentos e disparates, resultando numa perda de criatividade.[23] O córtex pré-frontal é especialmente importante para gerar atos criativos na arte e na música. É *essa* a região mais ativa do cérebro quando os artistas criativos atingem o auge de suas funções.

Se você quer saber como uma pessoa fica quando tem danos no córtex pré-frontal, existe uma maneira simples e reversível. Embebede-se. O álcool interfere na capacidade de comunicação dos neurônios do córtex pré-frontal, desorganizando receptores de dopamina e bloqueando um neurônio especial chamado receptor de NMDA, assim imitando os estragos que vemos nos pacientes com problemas no lobo frontal.[24] Os beberrões inveterados também sofrem um duplo infortúnio no lobo frontal: podem perder determinadas habilidades, como controlar os impulsos, a coordenação motora ou a capacidade de dirigir de modo seguro, mas não têm consciência de tê-las perdido — ou simplesmente não se importam —, por isso seguem em frente de qualquer maneira.

Um aumento exagerado de neurônios dopaminérgicos nos lobos frontais leva ao autismo (caracterizado por dificuldade de socialização e comportamentos repetitivos), que também imita até certo ponto os danos nos lobos frontais.[25] O oposto, uma redução dos neurônios dopaminérgicos nos lobos frontais, ocorre no mal de Parkinson e no déficit de atenção. O resultado é o pensamento fragmentado e a falta de planejamento, que às vezes podem ser melhorados com a administração de L-dopa ou o metilfenidato (também conhecido pelo nome comercial Ritalina), drogas que aumentam a dopamina nos lobos frontais.[26] Com o autismo e o mal de Parkinson, aprendemos que dopamina de mais, ou de menos, provoca uma disfunção. A maioria de nós vive numa zona Goldilocks em que tudo está certo. É quando planejamos nossas atividades, damos seguimento a nossos planos e inibimos impulsos que nos afastariam do caminho.

Isso pode ser óbvio, mas o cérebro coordena grande parte da administração doméstica e das funções de controle de tempo do corpo — regulando o ritmo cardíaco e a pressão sanguínea, sinalizando quando é hora de dormir e acordar, informando-nos quando estamos com fome ou satisfeitos, e mantendo a temperatura corporal mesmo quando a temperatura externa muda. Essa coordenação se dá no chamado cérebro reptiliano, em estruturas que compartilhamos com todos os vertebrados. Além disso, existem no cérebro funções cognitivas mais elevadas controladas pelo córtex cerebral: raciocínio, resolução de problemas, linguagem, música, movimentos atléticos de precisão, habilidade matemática, arte e as operações mentais que lhes dão sustentação, inclusive memória, atenção, percepção, planejamento motor e categorização. O cérebro inteiro pesa 1,4 quilo, constituindo assim apenas uma pequena porcentagem do peso total do adulto, em geral 2%. Mas consome 20% de toda a energia que o corpo utiliza.[27] Por quê? Talvez a resposta mais simples seja que tempo é energia.

A comunicação neural é — obrigatoriamente — muito rápida, chegando a velocidades de mais de 480 quilômetros por hora, com os neurônios se comunicando entre si centenas de vezes por segundo. A voltagem de saída de um único neurônio em descanso é de 70 milivolts, mais ou menos a saída de linha de um iPod.[28] Se você pudesse ligar um neurônio a um par de fones de ouvidos, seria capaz de ouvir o ritmo de saída como uma série de cliques. Meu colega Petr Janata fez isso há muitos anos com neurônios de uma coruja. Ele ligou fios muito finos a neurônios no cérebro da coruja, conectando a outra extremidade desses fios a um amplificador e um alto-falante. Ao tocar música para a coruja, Petr pôde ouvir no padrão de disparo neuronal o mesmo padrão de batidas e tons presentes na música original.[29]

Os neuroquímicos que controlam a comunicação entre os neurônios são fabricados no próprio cérebro, e incluem substâncias relativamente bem conhecidas, como serotonina, dopamina, oxitocina, epinefrina, além de acetilcolina, GABA, glutamato e endocanabinóides. Essas substâncias são liberadas em locais muito específicos, e atuam em sinapses também específicas que mudam o fluxo de informação no cérebro.[30] Fabricar essas substâncias e dispersá-las para regular e modular a atividade do cérebro exige energia — os neurônios são células vivas que possuem metabolismo e obtêm sua energia da glicose.[31] Nenhum outro tecido no corpo depende unicamente da glicose para obter energia, exceto os testículos.[32] (É por isso que os homens às vezes vivem uma guerra por recursos entre seu cérebro e suas glândulas.)

Uma variedade de estudos demonstrou que comer ou beber glicose melhora o desempenho em tarefas mentalmente exigentes.[33] Por exemplo, os participantes de uma experiência são postos diante de um problema difícil de resolver, sendo que metade recebe alguma coisa açucarada e a outra metade não. Os que receberam algo açucarado têm um desempenho melhor e mais rápido porque estão fornecendo ao corpo glicose, que vai direto ao cérebro para ajudar a alimentar os circuitos neuronais que estão resolvendo o problema. Isso não significa que você deva sair por aí comendo doce — porque o cérebro pode utilizar vastas reservas de glicose contidas no corpo quando precisar. Além disso, a ingestão crônica de açúcares — essas experiências investigaram apenas a ingestão a curto prazo — pode lesar outros sistemas e levar à diabetes e à hipoglicemia reativa, à súbita exaustão que muita gente sente depois que passa do pico da excitação causada pelo açúcar.

Mas a despeito de onde a obtenha, o cérebro queima glicose como um carro queima gasolina, apenas para abastecer as operações mentais. Quanta energia o cérebro usa exatamente? Em uma hora de relaxamento ou devaneio, ele gasta onze calorias ou quinze watts — mais ou menos o mesmo que essas lâmpadas novas econômicas. Usando o executivo central durante uma hora de leitura, gasta aproximadamente 42 calorias. Sentado na aula, em comparação, gasta 65 — mas não por ficar se mexendo na cadeira (gasto não computado), e sim pela energia mental adicional despendida para absorver informação nova.[34] A maior parte da energia cerebral é usada para fazer as transmissões sinápticas, ou seja, para conectar um neurônio a outro e, por sua vez, conectar pensamentos e ideias entre si.[35] Isso tudo nos leva a pensar que a boa administração temporal deveria ser a administração do nosso tempo de modo a maximizar a eficácia cerebral. A grande pergunta que todos se fazem hoje é: isso resulta de se fazer uma ou muitas coisas de cada vez? Se fizermos só uma tarefa de cada vez, será que há esperança de ficarmos em dia com as coisas?

## Dominando a gangorra dos acontecimentos

O cérebro "só absorve o mundo em pequenos pedaços ou fragmentos de cada vez", diz Earl Miller, o neurocientista do MIT. Você pode achar que existe um fluxo ininterrupto de dados que chega a partir das coisas que acontecem a sua volta, mas a verdade é que seu cérebro "pega e escolhe aquilo que acha que será importante, aquilo a que você deve prestar atenção".[36]

Nos Capítulos 1 e 3, falamos sobre o custo metabólico de fazer muitas tarefas ao mesmo tempo, como ler, se dedicar aos e-mails e falar ao telefone, ou navegar nas redes sociais enquanto você lê um livro. Alternar sua atenção de uma tarefa para outra exige mais energia. Focar exige menos. Isso significa que as pessoas que organizam seu tempo de modo a permitir a concentração não só produzirão mais, como ficarão menos cansadas e neuroquimicamente menos exauridas depois. O devaneio também exige menos energia do que fazer várias coisas ao mesmo tempo. E a gangorra intuitiva e natural entre se concentrar e devanear ajuda a recalibrar e restaurar o cérebro. Fazer muitas tarefas ao mesmo tempo, não.

Talvez esse fato seja mais importante ainda: as muitas tarefas simultâneas desorganizam o tipo de pensamento contínuo que costuma ser necessário para resolver problemas e desenvolver a criatividade. Gloria Mark, professora de informática na UC Irvine, explica que as tarefas simultâneas não incrementam a inovação. "Dez minutos e meio num projeto", diz ela, "não é tempo suficiente para pensar profundamente em coisa alguma."[37]

As soluções criativas muitas vezes surgem ao se permitir uma sequência de disputas entre a entrega à concentração e a entrega ao devaneio.

Para complicar ainda mais as coisas, o sistema de alerta do cérebro tem um fraco pela novidade, o que significa que sua atenção pode ser facilmente sequestrada por algo novo — os famosos objetos brilhantes que usamos para atrair crianças, cãezinhos e gatos.[38] E esse fraco é mais forte do que muitos dos nossos mais profundos impulsos de sobrevivência: os seres humanos se esforçam tanto para obter novidade quanto para obter comida ou um parceiro.[39] Aqui, a dificuldade para aqueles que estão tentando se concentrar no meio de atividades que competem entre si é clara: a própria região do cérebro da qual dependemos para nos atermos a uma tarefa é facilmente distraída por objetos novos e brilhantes. Ao realizar tarefas simultâneas, entramos sem saber num círculo vicioso, na medida em que os centros de novidade do cérebro são recompensados por processar estímulos novos e brilhantes em detrimento do esforço contínuo e da atenção. Precisamos nos treinar para buscar a recompensa que tarda e esquecer a mais imediata. Não se esqueça de que saber que há um e-mail não lido na sua caixa de entrada pode subtrair dez pontos do seu QI, e que a multitarefa faz com que a informação que você quer aprender seja dirigida à parte errada do cérebro.

Existem diferenças individuais de estilo cognitivo, e o lado negativo comparado ao positivo nas tarefas simultâneas muitas vezes se reduz a concentração versus criatividade. Quando dizemos que uma pessoa está focada, geralmente queremos dizer que está prestando atenção ao que tem diante dela, evitando distrações, internas ou externas. Por outro lado, a criatividade muitas vezes implica a capacidade de fazer conexões entre coisas díspares. Consideramos criativa a descoberta que explora novas ideias por analogia, metáfora ou associando coisas cuja conexão não percebíamos. Isso exige um equilíbrio delicado entre a concentração e uma visão mais expansiva. Alguns indivíduos que tomam drogas estimuladoras da dopamina, como o metilfenidato, dizem que ela os ajuda a permanecer motivados para o trabalho, a manter o foco e a evitar distrações, e que facilita o desempenho em tarefas repetitivas. O lado negativo, dizem, é que ela pode destruir sua capacidade de fazer conexões e associações, e de se entregar ao pensamento criativo e expansivo — diminuindo o movimento de gangorra entre foco e criatividade.[40]

Existe um gene interessante, conhecido como COMT, que parece modular a facilidade com que as pessoas conseguem alternar tarefas, regulando a quantidade de dopamina no córtex pré-frontal. O COMT leva instruções ao cérebro sobre como fabricar uma enzima (neste caso, a catecol-O-metiltransferase, daí a abreviatura COMT) que auxilia o córtex pré-frontal a preservar níveis ótimos de dopamina e noradrenalina, os neuroquímicos cruciais à atenção.[41] Os indivíduos com uma versão especial do gene COMT (chamada Val158Met) têm níveis *baixos* de dopamina no córtex pré-frontal e, ao mesmo tempo, demonstram maior flexibilidade cognitiva, maior facilidade para alternar tarefas e maior criatividade do que a média. Indivíduos com uma versão diferente do gene COMT (chamado Val/Val homozigotos) têm *altos* níveis de dopamina, menos flexibilidade cognitiva e dificuldade para alternar tarefas. Isso coincide com as observações de que muita gente que parece ter transtorno do déficit de atenção — caracterizado por níveis baixos de dopamina — é mais criativa, e que os que conseguem permanecer muito focados em uma tarefa podem ser excelentes profissionais, mas não são especialmente criativos.[42] Tenham em mente que essas são generalizações amplas, baseadas em agregados estatísticos, e que existem muitas variações e diferenças individuais.

Ruth, Ernie e Peter ficavam atrapalhados com coisas corriqueiras como preparar uma refeição, jogar fora coisas quebradas e inúteis ou redecorar um pequeno escritório. Completar uma tarefa exige que definamos um começo e um fim. No caso de operações mais complexas, precisamos dividir a tarefa em segmentos que podemos cumprir, cada um com seu começo e seu fim. Construir uma casa, por exemplo, pode parecer impossivelmente complicado. Mas os construtores não pensam dessa maneira — dividem o projeto em etapas e setores: nivelar e preparar o terreno, construir os alicerces, fazer as molduras da superestrutura e dos apoios, encanamento, instalação elétrica e divisórias, pisos, portas, armários, pintura. E, depois, cada uma dessas etapas é subdividida em segmentos administráveis. Lesões no córtex pré-frontal podem levar, entre outras coisas, a déficits tanto na segmentação de processos — é por isso que Peter tinha dificuldade em redecorar seu escritório — quanto na reordenação original de processos segmentados — é por isso que Ruth estava cozinhando fora de ordem.

Uma das coisas mais complicadas que os seres humanos fazem é colocar os componentes de uma sequência com muitas partes na sua ordem temporal correta. Para conseguir fazer isso, o cérebro humano precisa construir diferentes cenários, uma série de hipóteses condicionais, e embaralhá-los em diferentes configurações para descobrir como afetam uns aos outros. Avaliamos o tempo de completar a tarefa e trabalhamos de trás para a frente. A ordem temporal é representada no hipocampo junto com mapas da memória e mapas espaciais.[43] Se você estiver plantando flores, primeiro cava um buraco, *depois* tira as flores dos vasos provisórios, *depois* põe as flores na terra, *depois* tapa o buraco com terra, *depois* rega. Isso parece óbvio para algo que fazemos o tempo todo, mas qualquer um que já tenha tentado montar um móvel sabe que, se fizer as coisas na ordem errada, talvez seja necessário desmontar tudo e começar de novo. O cérebro é adepto deste tipo de ordenação, que requer uma comunicação entre o hipocampo e o córtex pré-frontal, que está trabalhando dedicadamente para montar uma imagem mental do trabalho completo, junto de imagens mentais do trabalho parcialmente completo — na maior parte do tempo, de modo subconsciente —, imaginando o que aconteceria se você fizesse as coisas na sequência errada. (Você não vai querer bater o creme *depois* de tê-lo colocado em cima da torta — que trapalhada!)

Cognitivamente mais oneroso é ser capaz de pegar um conjunto de operações distintas, cada uma com seu tempo de conclusão, e organizar os momentos de seus inícios de modo que terminem todas ao mesmo tempo. Duas atividades humanas corriqueiras em que se faz isso formam um estranho par: a cozinha e a guerra.

Você sabe por experiência que não deve servir a torta assim que ela sai do forno, porque está muito quente, ou que leva tempo para pré-aquecer o forno. Seu objetivo de servir a torta na hora certa significa que você precisa levar em conta esses vários parâmetros de sincronização, e então você elabora um cálculo rápido e improvisado de quanto tempo levarão o cozimento e o esfriamento da torta, quanto tempo todo mundo levará para tomar a sopa e comer a massa, e qual será o tempo de espera adequado entre a hora em que todo mundo acabar o prato principal e a hora em que vão querer a sobremesa (se você servi-la depressa demais, eles vão se sentir atropelados; se demorar muito, ficarão impacientes). Desse ponto, trabalhamos de trás para a frente, da hora em que queremos servir a torta até quando precisamos pré-aquecer o forno para garantir a sincronização correta.

As manobras militares também exigem essencialmente essa mesma organização precisa e esse planejamento temporal. Na Segunda Guerra, os Aliados pegaram o exército alemão de surpresa usando uma série de ardis e o fato de não existir um porto no lugar da invasão; os alemães presumiram que seria impossível sustentar uma ofensiva sem materiais transportados por navios. Os Aliados transportaram em segredo para a Normandia uma quantidade inaudita de militares e suprimentos, de modo que portos portáteis, artificiais, pudessem ser construídos rapidamente em Saint-Laurent-sur-Mer e Arromanches. Os portos, chamados em código de Mulberry, foram montados como um gigantesco quebra-cabeça, e, quando em plena capacidade de funcionamento, eram capazes de receber 7 mil toneladas de veículos, suprimentos e soldados por dia.[44] A operação exigiu 420 mil metros cúbicos de concreto, 66 mil toneladas de aço de reforço, 9 mil toras de madeira (aproximadamente 42 mil metros cúbicos), 370 mil metros quadrados de compensado e 156 quilômetros de cabos de aço, empregando 20 mil homens na sua construção, tudo tendo que chegar na ordem e na hora certas.[45] Construí-los e transportá-los para a Normandia sem que fossem detectados ou levantassem suspeitas é considerado um dos maiores feitos de engenharia militar na história da humanidade, e uma obra-prima do planejamento e do timing humanos — graças a conexões entre os lobos frontais e o hipocampo.[46]

O segredo de planejar a invasão da Normandia foi, como acontece com todos os projetos que a princípio parecem tremendamente difíceis, dividi-lo de maneira eficiente em pequenas tarefas — milhares delas. Este princípio se aplica em todas as escalas: se você precisar fazer algo grande, divida-o em segmentos — significativos, implementáveis, factíveis. Isso torna a administração muito mais fácil; basta que você administre o tempo para completar um único segmento. E existe uma satisfação neuroquímica com o término de cada etapa.

Em seguida há o equilíbrio entre fazer e monitorar o progresso, que é necessário para qualquer projeto em muitas etapas. Cada etapa exige que paremos o trabalho de vez em quando para observá-lo de modo objetivo, a fim de assegurar que o estamos fazendo direito e que, por ora, estamos satisfeitos com o resultado. Fazemos um recuo mental para examinar o que realizamos, para resolver se é preciso refazer alguma coisa e se podemos avançar. É a mesma coisa se estivermos lixando um belo armário de madeira, batendo massa de pão, penteando o cabelo, pintando um quadro ou criando uma apresentação no PowerPoint. Trata-se de um ciclo bem conhecido. Nós trabalhamos, examinamos o trabalho, fazemos ajustes, avançamos. O córtex pré-frontal coordena a comparação entre o que existe por aí no mundo e o que está dentro de nossa cabeça. Pense num artista que avalia se a tinta que acabou de aplicar teve um efeito desejável no quadro. Ou pense em algo tão simples quanto limpar o chão — não estamos empurrando o esfregão de qualquer jeito para lá e para cá; estamos fazendo questão de que o chão fique limpo. E, se não ficar, voltamos e esfregamos mais um pouco, até certo ponto. Em muitas tarefas, tanto criativas quanto práticas, precisamos constantemente ir e vir do trabalho para a avaliação, comparando a imagem ideal na nossa cabeça com o trabalho diante de nós.

Das coisas que nosso cérebro é capaz de fazer, esse vaivém constante é uma das que mais consomem metabolismo. Abandonamos o ritmo, escapamos do momento e avaliamos a totalidade. Gostamos do que vemos ou não, e então voltamos ao trabalho, avançando ou recuando para consertar algum erro conceitual ou físico. Como sabemos, essa mudança de atenção e de perspectiva é desgastante, e, como acontece na multitarefa, consome mais nutrientes cerebrais do que permanecer focado em uma única tarefa.

Em situações assim, funcionamos tanto como patrão quanto como empregado. Só porque você desempenha bem uma função, não quer dizer que seja bom em outra. Todo construtor conhece pintores, carpinteiros ou azulejadores que fazem um ótimo trabalho, mas só quando existe alguém de fora para lhes dar os parâmetros. Muitos dos operários que de fato realizam o trabalho não têm nem o desejo nem a capacidade de pensar sobre orçamentos ou tomar decisões a respeito de tempo e dinheiro. Na verdade, se forem deixados por conta própria, alguns são tão perfeccionistas que nada jamais ficará pronto. Certa vez, trabalhei com um engenheiro de som que estourou o orçamento tentando tornar perfeita uma música de três minutos, antes que eu pudesse impedi-lo e lembrá-lo de que ainda tínhamos de gravar onze músicas. No mundo da música, não é por acaso que apenas poucos artistas sejam efetivamente capazes de produzir seus próprios álbuns (Stevie Wonder, Paul McCartney, Prince, Jimmy Page, Joni Mitchell e Steely Dan). Muitos alunos de doutorado se incluem nessa categoria — não chegam a concluir o curso porque não conseguem avançar, porque são muito perfeccionistas. A verdadeira tarefa do orientador não é ensinar-lhes, e sim mantê-los na linha.

Planejar e fazer são coisas que exigem partes diferentes do cérebro. Para ser tanto patrão quanto empregado, é preciso criar e sustentar conjuntos múltiplos de atenção, hierarquicamente organizados, e depois navegar de lá pra cá entre eles. É o executivo central de seu cérebro que nota que o chão está sujo. Ele cria um conjunto de atenção *executiva* para "esfregar o chão", e em seguida cria um conjunto de atenção *operacional* encarregado do trabalho efetivo de limpar. O conjunto executivo se importa apenas se a tarefa foi feita, e bem-feita. Ele pode achar o esfregão, um balde no qual cabe o esfregão, o produto de limpeza apropriado. Em seguida, o conjunto operacional se põe a molhar o esfregão, a monitorar a estopa do esfregão de modo, a saber, quando é hora de botá-lo de volta no balde, a enxaguá-la quando fica muito suja. Um bom trabalhador será capaz de utilizar um nível de atenção subordinado a tudo isso, tornando-se momentaneamente uma espécie de operário detalhista que, ao distinguir uma mancha que não será removida pelo esfregão, ficará de quatro e esfregará ou raspará a mancha, usando qualquer método que seja necessário para limpá-la. Esse operário detalhista tem um conjunto mental e objetivos diferentes do operário normal, e do patrão. Se sua esposa entrar, depois de o detalhista já ter dedicado quinze minutos a uma mancha no canto, e disser "O quê — ficou maluco!? Você ainda precisa limpar o resto do chão, e os hóspedes chegam dentro de quinze minutos!", o detalhista vai se enquadrar na perspectiva do patrão e tornar a ver a imagem como um todo.

Todas essas mudanças de nível, do patrão para o operário, para o detalhista, e de volta ao patrão, são mudanças do conjunto de atenção e implicam o custo metabólico da multitarefa.[47] É exatamente por isso que um lava-rápido manual distribui essas tarefas entre três tipos de funcionários. Há dois lavadores que fazem a limpeza bruta, aplicando detergente e enxaguando o carro, e depois entra em cena o detalhista, que procura sinais de sujeira remanescente, limpa as rodas e os para-choques e entrega o carro. Há também um chefe que supervisiona toda a operação para ter certeza de que nenhum funcionário leve tempo de mais ou de menos debruçado sobre qualquer parte do carro. Dividindo os papéis dessa maneira, cada funcionário cria um em vez de três conjuntos de atenção, e é capaz de se entregar a esse papel sem precisar se preocupar com qualquer coisa de um nível diferente.

Todos nós podemos aprender com isso, porque todos precisamos ser operários, de uma forma ou de outra, pelo menos durante certo tempo. As pesquisas dizem que, se você tiver tarefas pela frente, o melhor é juntar as tarefas semelhantes. Se você juntou um conjunto de contas a pagar, simplesmente pague-as — não utilize esse tempo para tomar grandes decisões sobre se mudar ou não para uma casa menor ou comprar um carro novo. Se você separou um tempo para limpar a casa, não use esse tempo para consertar a escada da frente ou reorganizar a despensa. Permaneça focado e mantenha um único conjunto atencional funcionando até completar a tarefa. Organizar eficazmente nossos recursos mentais significa abrir buracos em nossas agendas, de modo que possamos exercitar um conjunto atencional durante um longo período. Isso nos permite produzir mais e terminar com mais energia de sobra.

Ligado à distinção administrador/operário está o fato de que o córtex pré-frontal contém circuitos responsáveis por nos informar se *estamos* controlando algo ou se é outra pessoa que está fazendo isso. Quando montamos um sistema, essa parte do cérebro põe uma marca nele dizendo que foi autogerado. Quando entramos no sistema de outra pessoa, o cérebro o marca de outra maneira. Isso pode explicar por que é mais fácil se ater a um programa de exercícios ou dieta montado por outra pessoa. Geralmente confiamos mais neles, como peritos, do que em nós mesmos. "Meu instrutor me disse para fazer três séries de dez repetições com dezoito quilos — ele é instrutor, deve saber o que está falando. Não posso montar meu programa de exercícios — o que sei disso?" É preciso uma disciplina gigantesca para superar o preconceito do cérebro contra sistemas de motivação autogerados. Por quê? Porque tal como no erro fundamental de atribuição que vimos no Capítulo 4, não temos acesso à mente dos outros, somente à nossa. Temos dolorosa ciência de toda a preocupação e a insegurança, de todas as nuances de nosso processo interno de tomada de decisão que nos levou a determinada conclusão. (Preciso levar os exercícios realmente a sério.) Não temos acesso a esse processo (em grande parte, interno) nos outros, de modo que tendemos a considerar sua certeza mais sólida do que a nossa. (Aqui está o seu programa. Faça os exercícios todo dia.)

Para desempenhar quase todas as tarefas, com exceção das mais simples, exige-se pensamento flexível e capacidade de adaptação. Além dos muitos outros traços caracteristicamente humanos já discutidos, o córtex pré-frontal nos possibilita a flexibilidade de mudar de comportamento segundo o contexto. Mudamos a força com que fatiamos a cenoura em comparação com a que usamos para fatiar o queijo; explicamos nosso trabalho de um jeito para nossa avó e de outro jeito para nosso chefe; usamos luvas para tirar uma vasilha do forno, mas não da geladeira. O córtex pré-frontal é necessário para essas estratégias adaptativas presentes na vida cotidiana, quer estejamos caçando comida na savana ou morando em arranha-céus na cidade.[48]

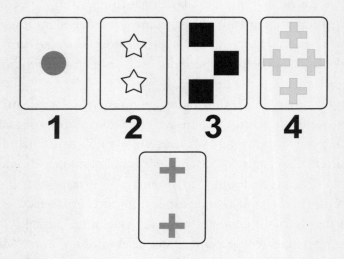

O equilíbrio entre pensamento flexível e dedicação a uma tarefa é avaliado pelos neuropsicólogos através de um teste chamado Wisconsin Card Sorting. Pede-se às pessoas que arrumem um baralho de cartas especialmente marcadas de acordo com uma regra. No exemplo, a instrução pode ser arrumar a carta nova sem número pelo tom de cinza, e nesse caso ela deve ser colocada na pilha 1. Depois que você se acostumou a arrumar uma porção de cartas de acordo com essa regra, então lhe dão uma nova regra, como, por exemplo, arrumar pelo formato (nesse caso, a carta nova deve ser colocada na pilha 4) ou por número (nesse caso, a carta nova deve ser colocada na pilha 2).

Pessoas com déficits no lobo pré-frontal têm dificuldade para mudar de regra depois de terem começado; elas tendem a perseverar, aplicando a velha regra depois de a nova ter sido dada.[49] Ou demonstram incapacidade de se ater a uma regra, e erram ao aplicar de repente uma nova sem que tenham sido instruídos a fazer isso. Descobriu-se recentemente que manter uma regra na cabeça e cumpri-la é tarefa de uma rede de neurônios que sincronizam seu padrão de disparos, criando uma onda cerebral característica. Por exemplo, se você estiver obedecendo à regra da tonalidade ao arrumar as cartas, suas ondas cerebrais oscilarão numa determinada frequência, até que você mude e passe a arrumar por formato, quando então elas oscilarão numa frequência diferente.[50] Pode-se pensar nisso em analogia com a radiodifusão: é como se determinada regra funcionasse no cérebro numa frequência especial, de modo que todas as instruções e comunicações dessa regra fossem capazes de permanecer separadas de instruções e comunicações sobre outras regras, cada qual sendo transmitida e coordenada na própria frequência.

Para alcançar nossos objetivos com eficácia, é preciso que sejamos capazes de nos concentrarmos seletivamente nas características da tarefa que são mais relevantes para sua conclusão, e ao mesmo tempo ignorar outras características ou estímulos ambientais que competem por atenção.[51] Mas como saber quais fatores são ou não são relevantes? Aí é que entra a perícia — na verdade, pode-se dizer que o que distingue os peritos dos iniciantes é que os primeiros sabem os fatores que merecem ou não merecem sua atenção. Se você não sabe nada sobre carros e está tentando diagnosticar um problema, cada guincho, rateio ou batida do motor são informações potenciais, e você procura lhes dar atenção. Se você for um mecânico experimentado, se concentra no barulho que é relevante e ignora os demais. Um bom mecânico é um detetive (tal como um bom médico) que investiga as origens de um problema para descobrir a história do que aconteceu. Alguns componentes do carro são relevantes para essa história, outros não. O fato de você ter enchido o tanque de manhã com gasolina de má qualidade pode ser relevante para os estampidos na descarga. Quanto ao chiado nos freios, não. Do mesmo modo, alguns acontecimentos temporais são importantes, outros não. Se você botou a gasolina ruim hoje de manhã, é diferente de se fez isso um ano atrás.

Não temos dúvida de que os filmes têm molduras temporais bem definidas — cenas —, partes da narrativa que são segmentadas e têm início e fim. Uma maneira de sinalizar isso é que, quando uma termina, há uma interrupção na continuidade — um corte. Esse termo é derivado do filme analógico; na sala de montagem, o filme era cortado concretamente no final de cada cena e emendado ao começo de outra (hoje isso é feito digitalmente, e não há corte concreto, mas as ferramentas de edição digital usam pequenas tesouras como ícone para representar o ato, e ainda chamamos isso de corte, do mesmo modo que cortamos e colamos com nossos editores de texto). Sem cortes que sinalizassem o término das cenas, nosso cérebro teria dificuldade em processar e digerir esse material que representa uma avalanche compacta de informação com 120 minutos de duração. É evidente que o cinema moderno, especialmente nos filmes de ação, usa muito mais cortes do que antes, de modo a provocar um apetite cada vez mais voraz pela estimulação visual.

O cinema usa o corte de três maneiras diferentes, que aprendemos a interpretar por experiência. Um corte pode significar uma descontinuidade de tempo (a nova cena começa três horas depois), de lugar (a nova cena começa no outro lado da cidade) ou de perspectiva (como quando você vê duas pessoas conversando e a câmera muda o foco de uma pessoa para outra).

Essas convenções nos parecem óbvias. Mas nós as aprendemos durante uma vida toda de exposição a revistas de história em quadrinhos, televisão e filmes. Elas são, na verdade, invenções culturais que não têm sentido para alguém fora de nossa cultura. Jim Ferguson, um antropólogo de Stanford, descreve suas observações empíricas sobre isso enquanto esteve fazendo trabalho de campo na África subsaariana:

> Quando eu estava morando com os sotho, uma vez fui à cidade com um dos aldeões. A cidade era algo com o qual ele não tinha experiência alguma. Era um homem inteligente e alfabetizado — havia lido a Bíblia, por exemplo. Mas quando viu uma televisão pela primeira vez em uma loja não conseguiu entender o que estava acontecendo. As convenções narrativas que usamos para contar uma história no cinema e na TV eram totalmente desconhecidas por ele. Por exemplo, acabava uma cena e começava outra num lugar e num momento diferentes. Essa lacuna era para ele inteiramente espantosa. Ou, durante uma única cena, a câmera focava uma pessoa, de-

pois outra, para denotar uma perspectiva diferente. Ele se esforçava, mas simplesmente não conseguia acompanhar a história. *Nós* achamos essas coisas muito naturais porque crescemos com elas.[52]

Os cortes nos filmes são extensões de convenções narrativas culturalmente específicas que também vemos em peças, romances e contos.[53] As narrativas não incluem todos os detalhes da vida de um personagem — saltam para abordar detalhes proeminentes, e fomos treinados para compreender o que está acontecendo.

Nosso cérebro codifica informação em cenas ou segmentos, imitando o trabalho de escritores, diretores e editores. Para fazer isso, os pacotes de informação precisam ter princípio e fim, como as cenas de um filme. Está implícito na nossa administração do tempo que nossos cérebros automaticamente organizam e dividem as coisas que vemos e fazemos em segmentos de atividade. Richard não está construindo uma casa hoje ou mesmo o banheiro, está preparando o piso da cozinha para receber os ladrilhos. Até mesmo o Super-Homem segmenta — ele pode acordar todas as manhãs e dizer a Lois Lane "Vou sair para salvar o mundo hoje, amor", mas o que ele diz a si mesmo é o rol comum de tarefas segmentadas que precisa fazer para chegar a esse objetivo, cada uma com começo e fim definidos. (1. Capturar Lex Luthor. 2. Descartar a kriptonita com segurança. 3. Arremessar a bomba-relógio ativada no espaço. 4. Pegar uma capa limpa na lavanderia.)

A segmentação alimenta duas funções importantes em nossas vidas. Primeiro, torna factíveis projetos em grande escala, nos proporcionando tarefas bem diferenciadas. Segundo, torna memoráveis as experiências de nossas vidas ao segmentá-las com princípio e fim bem definidos no tempo. O ato de tomar o café da manhã tem um começo e um fim mais ou menos definidos, como nosso banho matutino. Eles não invadem o espaço um do outro na memória porque o cérebro faz a edição, segmentando-os e etiquetando-os. E podemos subdividir essas cenas à vontade. Fazemos sentido dos acontecimentos nas nossas vidas segmentando-os e dando a eles limites temporais. Não tratamos nossa vida cotidiana como se fosse feita de momentos indiferenciados; agrupamos os momentos em acontecimentos significantes como "escovando os dentes", "tomando café da manhã", "lendo o jornal" e "indo de carro para a estação de trem". Isto é, nossos cérebros impõem implicitamente um começo e um fim aos acontecimentos. Do mesmo modo, não lembramos um jogo de futebol como uma sequência contínua de ações, mas em termos de gols, faltas, jogadas específicas. E não só porque as regras do jogo criam essas divisões. Ao falar de uma jogada especial, podemos ainda subdividi-la: lembramos o recuo, os dribles, os passes trocados, a finta, o lançamento do lateral direito para a entrada da área, a cabeçada num ângulo inesperado, o gol.

Existe uma parte especial do cérebro que segmenta os longos acontecimentos, e trata-se mais uma vez do córtex pré-frontal. Uma característica interessante dessa segmentação dos acontecimentos é que nesse processo são criadas hierarquias, sem que sequer pensemos nelas, e sem que ordenemos ao cérebro que as crie.[54] Isto é, nossos cérebros criam automaticamente múltiplas representações hierárquicas da realidade. E podemos revê-las de qualquer ponto de vista — de cima para baixo, ou seja, de grandes escalas temporais até as menores, ou de baixo para cima, das pequenas escalas temporais até as maiores.

Pense num problema como perguntar a um amigo "O que você fez ontem?". Seu amigo pode responder de modo simples e vago, como "Ontem foi igual a qualquer outro dia. Fui trabalhar, voltei para casa, jantei e depois assisti à televisão". Descrições assim são típicas do modo como as pessoas falam dos acontecimentos, dando um sentido parcial a um mundo complexo e dinâmico, segmentando-o numa soma modesta de unidades significativas.[55] Reparem como essa resposta implicitamente evita vários detalhes, provavelmente genéricos e sem importância, sobre como seu amigo acordou e saiu de casa. E a descrição pula o resto e vai direto ao trabalho. A isto se seguem mais dois acontecimentos proeminentes: jantar e ver televisão.

A prova da existência de um processo hierárquico é que as pessoas normais e saudáveis podem subdividir a resposta em partes cada vez menores, se você lhes pedir. Peça a elas que falem mais sobre o jantar e talvez digam "Bem, fiz uma salada, esquentei algumas sobras da festa da noite anterior e, em seguida, terminei aquele ótimo Bordeaux que Heather e Lenny trouxeram, embora Lenny não beba".

E você pode afunilar ainda mais: "Como foi exatamente que você fez a salada? Não omita nada".

"Peguei um pouco de alface da geladeira, lavei, fatiei uns tomates, cortei em tirinhas umas cenouras, em seguida acrescentei uma lata de palmito. Depois botei um pouco de molho de salada italiano."

"Conte com mais detalhes ainda como você preparou a alface. Como se estivesse contando a alguém que nunca fez isso antes."

"Tirei uma saladeira de madeira do armário e limpei-a com um pano. Abri a geladeira e peguei uma alface roxa da gaveta de verduras. Fui tirando as folhas da alface, olhei com cuidado para ver se tinham bicho, rasguei as folhas em pedaços menores, em seguida deixei-as um pouco de molho numa vasilha com água. Depois tirei a água, enxaguei as folhas em água corrente e em seguida coloquei-as num secador de verduras. Depois pus a alface já seca na saladeira e acrescentei os outros ingredientes de que falei."

Cada descrição dessas tem um lugar na hierarquia e pode ser considerada um acontecimento com um nível diferente de resolução temporal. Existe um nível natural em que tendemos a descrever esses acontecimentos, parecido com o nível descritivo natural de que falei no Capítulo 2 — o *nível básico* de categorias ao descrever algo como árvore e pássaro. Se você usa um nível descritivo elevado ou baixo demais — quer dizer, inesperado ou atípico —, geralmente é para frisar algo. Parece um tanto anormal utilizar o nível descritivo errado; é uma violação da máxima da quantidade de Grice.

Os artistas muitas vezes desrespeitam essas normas para criar um gesto artístico, para fazer o público enxergar as coisas de um jeito diferente. Podemos imaginar uma sequência num filme em que alguém está preparando uma salada e cada pequeno gesto de rasgar as folhas de alface é mostrado em close. Isso parece violar a convenção narrativa de dar a informação que faz a história avançar, mas, ao nos surpreender com o fato aparentemente inócuo de rasgar a alface, o diretor ou roteirista cria um gesto dramático. Ao focar o que é corriqueiro, ele talvez queira transmitir algo do estado mental do personagem, ou acumular tensão, no sentido de uma crise iminente na narrativa. Ou talvez notemos uma larva na alface que o personagem não nota.

A segmentação temporal criada pelo cérebro nem sempre é explícita. No cinema, quando a cena é cortada para dar lugar a outro momento, nosso cérebro preenche automaticamente a lacuna na informação, muitas vezes segundo um conjunto totalmente diferente de convenções culturais. Nos programas de TV dos anos 1960, uma época relativamente recatada (Rob e Laura Petrie dormiam em camas separadas!), era possível ver um sujeito e uma mulher sentados na beira da cama, se beijando, antes que a cena fosse interrompida por um fade out e passasse à manhã seguinte, quando ambos acordavam juntos. Espera-se que façamos inferência sobre muitas atividades íntimas ocorridas entre o fade out e a nova cena, atividades que não podiam ser mostradas na TV aberta nos anos 1960.

Um exemplo especialmente interessante de inferência pode ser encontrado em algumas histórias em quadrinhos de um só quadrinho. Muitas vezes o humor exige que você imagine o que acontece antes ou depois da cena retratada no quadrinho.[56] É como se o cartunista tivesse planejado uma série de quatro ou cinco quadrados para contar a história e tivesse optado por mostrar só um — em geral, nem sequer o mais engraçado, que seria o que viria logo antes ou logo depois. É esse convite à participação e à imaginação do público que torna a história em quadrinho de um só quadrinho tão interessante e agradável — para compreender a piada, você precisa adivinhar alguns desses quadrinhos que faltam.

Veja este exemplo de *Bizarro*:

O humor não está apenas no que o juiz diz, mas no que imaginamos que deve ter acontecido no tribunal, momentos antes, para provocar essa advertência! Por sermos coparticipantes no ato de desvendar a piada, cartuns como esse são mais memoráveis e divertidos do que aqueles em que cada detalhe nos é dado. Isso obedece a um princípio bem estabelecido da psicologia cognitiva, o dos níveis de processamento: itens que são processados em nível mais profundo, com um envolvimento mais ativo de nossa parte, tendem a ser mais fortemente codificados na memória.[57] É por isso que a aprendizagem passiva através de livros didáticos e palestras não é nem de longe tão eficaz para o aprendizado como quando nós mesmos chegamos à conclusão das coisas, um método chamado *aprendizagem por pares* [*peer instruction*], que já começa a ser introduzido nas salas de aula com grande sucesso.[58]

## Tempo de sono

Você vai dormir mais tarde ou acorda mais cedo. Uma tática diária de administração do tempo que todos usamos e mal notamos gira em torno desse grande bloco temporal de tempo perdido, capaz de nos fazer sentir improdutivos: o sono. Foi só recentemente que começamos a compreender a enorme quantidade de processamento cognitivo que ocorre enquanto dormimos. Mais especificamente, agora sabemos que o sono desempenha um papel vital na consolidação dos acontecimentos dos dias anteriores, e, portanto, na formação e na proteção das memórias.

As memórias recém-adquiridas são de início instáveis, e exigem um processo de fortalecimento ou consolidação neuronal para que se tornem resistentes à interferência e acessíveis quando queremos recuperá-las.[59] O fato de uma memória tornar-se acessível quer dizer que podemos recuperá-la utilizando uma variedade de dicas. Por exemplo, o prato de espaguete com camarão que compartilhei no almoço com meu amigo de colégio, Jim Ferguson, na praia, algumas semanas atrás. Hoje, se meu sistema mnemônico estiver funcionando normalmente, qualquer uma das perguntas a seguir deve ser capaz de evocar uma ou mais memórias associadas a essa experiência:

- Alguma vez já comi espaguete com camarão?
- Qual foi a última vez que comi frutos do mar?
- Qual foi a última vez que vi meu amigo Jim Ferguson?
- Jim Ferguson tem boas maneiras à mesa?
- Você ainda tem contato com amigos de colégio?
- Você eventualmente almoça fora?
- Venta muito na praia nesta época do ano?
- O que você fazia quarta-feira passada à uma da tarde?

Em outras palavras, existem várias maneiras pelas quais um único acontecimento, como um almoço com um velho amigo, pode ser contextualizado. Para que todos esses atributos sejam associados ao evento, o cérebro precisa virar de lá para cá, analisar a experiência depois que aconteceu, extraindo e arrumando a informação de modo complexo. E essa nova memória precisa ser integrada a molduras conceituais existentes, a memórias mais antigas previamente armazenadas no cérebro (camarão é um fruto do mar, Jim Ferguson é um velho amigo de colégio, boas maneiras à mesa *não* incluem falar de boca cheia).

Nos últimos anos adquirimos uma compreensão mais detalhada de como esses processos acontecem durante fases distintas do sono.[60] Eles tanto conservam as memórias em sua forma original quanto extraem características e significados das experiências. Isso permite que experiências novas sejam integradas a representações mais generalizadas e hierarquizadas do mundo externo que guardamos dentro da cabeça.[61] A consolidação da memória exige que nossos cérebros façam um ajuste fino dos circuitos neuronais que primeiro se deparam com a nova experiência. De acordo com uma teoria que vem conquistando aceitação, isso precisa ser feito enquanto dormimos; do contrário, a atividade nesses circuitos seria confundida com uma experiência que de fato tivesse ocorrido.[62] Ajuste fino, extração e consolidação, nada disso se processa apenas durante uma noite, mas se desdobra ao longo de várias noites seguidas. O sono que é interrompido dois ou três dias depois de uma experiência é capaz de arruinar sua recordação dela meses ou anos depois.

Os peritos em sono Matthew Walker (da UC Berkeley) e Robert Stickgold (da Faculdade de Medicina de Harvard) frisam os três tipos de processamento de informação que ocorrem durante o sono.[63] O primeiro é a *unificação*, a combinação de elementos discretos ou pedaços de uma experiência num conceito unificado. Por exemplo, os músicos e atores que estão aprendendo uma nova música ou cena talvez ensaiem uma frase de cada vez; a unificação durante o sono solda todos esses elementos num todo perfeito.[64]

O segundo tipo de processamento de informação que fazemos durante o sono é a *assimilação*. É quando o cérebro integra a nova informação à estrutura em rede existente sobre as outras coisas que você já sabia. Ao aprender novas palavras, por exemplo, seu cérebro trabalha inconscientemente construindo frases com elas, examinando-as e experimentando como elas se encaixam no seu conhecimento preexistente. Qualquer célula cerebral que utilizou muita energia durante o dia dá mostras de um aumento de ATP (o trifosfato de adenosina) durante o sono, e isto tem sido associado à assimilação.[65]

O terceiro processo é a *abstração*, e é aqui que as regras ocultas são descobertas e em seguida inseridas na memória. Se você aprendeu português quando criança, aprendeu certas regras sobre a formação de palavras, tais como "acrescente um *s* ao final da palavra para formar o plural", ou "acrescente *eu* no final da palavra para formar o passado". Se você for como a maioria das pessoas, ninguém lhe ensinou isso — seu cérebro abstraiu essas regras ao ser exposto a elas em várias circunstâncias. É por isso que crianças cometem o erro perfeitamente lógico de dizer "ele trazeu" em vez de "ele trouxe". A abstração foi correta; só que não se aplica a esse verbo, por ser irregular. Abrangendo uma porção de inferências que não envolvem apenas a língua, mas a matemática, problemas lógicos e o raciocínio espacial, mostrou-se que o sono incrementa a formação e a compreensão de problemas abstratos, tanto que há pessoas que acordam tendo resolvido um problema que não haviam conseguido resolver na noite anterior. Em parte, talvez seja por isso que as crianças dormem tanto quando estão aprendendo a falar.

Assim, viu-se que muitos tipos de aprendizado eram aperfeiçoados depois de uma noite de sono, o que não acontece depois de um período equivalente de vigília.[66] Os músicos que aprendem uma nova melodia demonstram um significativo aperfeiçoamento ao executá-la depois de uma noite de sono.[67] Estudantes que empacaram em um problema de cálculo no dia em que se defrontaram com ele são mais capazes de resolvê-lo depois de uma noite de sono do que depois de um igual período de vigília.[68] Novas informações e novos conceitos parecem ser silenciosamente ensaiados enquanto dormimos, às vezes surgindo em sonhos. Uma noite de sono mais que dobra a probabilidade de que você resolva um problema que requer intuição.[69]

Muitas pessoas lembram o primeiro dia em que brincaram com um cubo mágico. Nessa noite, relatam que seus sonhos foram perturbados pelas imagens desses quadrados de cores vivas rodando e clicando enquanto dormiam. No dia seguinte, melhoraram bastante no jogo — enquanto estavam dormindo, seus cérebros haviam extraído princípios da localização das coisas, calcados nas percepções conscientes do dia anterior e numa miríade de percepções inconscientes. Os pesquisadores descobriram o mesmo ao estudar os sonhos de jogadores de Tetris. Apesar de os jogadores revelarem que sonhavam com o Tetris, especialmente quando estavam no início da aprendizagem, não sonhavam com partidas nem jogadas específicas que haviam feito; antes, sonhavam com elementos abstratos do jogo.[70] Os pesquisadores formularam a hipótese de que isso criava um modelo através do qual seus cérebros podiam organizar e armazenar justamente o tipo de informação genérica necessária para ter sucesso no jogo.

Esse tipo de consolidação da informação ocorre o tempo todo em nossos cérebros, porém mais intensamente em relação às tarefas em que estamos mais engajados. Aqueles estudantes de cálculo não apenas passaram os olhos pelo problema durante o dia, mas tentaram resolvê-lo ativamente, se concentraram nele, e em seguida o retomaram após uma noite de sono. Se você se dedica superficialmente às suas gravações de aulas de francês, é pouco provável que o sono vá ajudá-lo a aprender o vocabulário e a gramática. Mas se você lutar com o idioma durante uma hora ou mais durante o dia, com investimento de concentração, energia e emoção, então a coisa estará madura para ser retomada e elaborada durante o sono. É por isso que a imersão na linguagem funciona tão bem — você está emocionalmente investido e envolvido de modo interpessoal com o idioma enquanto procura sobreviver num novo ambiente linguístico. Esse tipo de aprendizado é, de certo modo, difícil de se criar na sala de aula ou em cursos de idiomas.

Talvez o princípio mais importante da memória seja a tendência de lembrar aquilo de que gostamos mais. No nível biológico, criam-se etiquetas que são coladas nas experiências emocionalmente importantes, que são aquelas às quais nossos cérebros aparentemente se apegam.

Nem todo sono é equivalente quando se trata de melhorar a memória. As duas categorias principais do sono são REM (*rapid eye movement*, ou movimento rápido dos olhos) e NREM (não REM), sendo que o sono NREM é ainda subdividido em quatro estágios, cada um deles com um padrão distinto de ondas cerebrais. O sono REM é quando ocorrem os nossos sonhos mais vívidos e detalhados. Sua característica mais evidente é a supressão seletiva e temporária da musculatura (de modo que, se você estiver correndo no sonho, não irá sair da cama e começar a correr pela casa). O sono REM também se caracteriza por um padrão de ondas cerebrais de baixa voltagem (EEG), e pelos movimentos rápidos e tremelicantes das pálpebras a que deve seu nome. Costumava-se pensar que todos os nossos sonhos ocorriam durante o sono REM, mas há evidências mais recentes de que podemos sonhar também durante o sono NREM, embora esses sonhos tendam a ser menos elaborados.[71] A maioria dos mamíferos tem estados fisiológicos semelhantes, e presumimos que todos sonhem, mas não temos como saber ao certo. Outros estados oníricos podem ocorrer no momento em que estamos entrando no sono; eles podem conter imagens auditivas e visuais muito nítidas, que parecem alucinações.

Acredita-se que o sono REM é a etapa em que o sono processa mais profundamente os acontecimentos — a unificação, a assimilação e a abstração sobre as quais falamos. As substâncias cerebrais que mediam isso incluem um decréscimo da noradrenalina e um aumento dos níveis de acetilcolina e cortisol.[72] A preponderância da atividade das ondas teta facilita a ligação associativa de regiões cerebrais díspares durante o REM.[73] Isso provoca dois efeitos diferentes. O primeiro é permitir que o cérebro extraia conexões, conexões subjacentes profundas, entre os acontecimentos de nossas vidas, que de outro modo não perceberíamos, pela ativação de pensamentos bem espalhados em nossa consciência e nossa inconsciência. É o que nos permite perceber, por exemplo, que as nuvens se parecem um pouco com marshmallow, ou que a música "Der Komissar" de Falco usa o mesmo gancho musical da "Super Freak" de Rick James. O segundo efeito é o que parece provocar sonhos em que essas situações se transformam uma nas outras. Você sonha que está comendo um marshmallow e de repente ele sobe para o céu e se torna uma nuvem; você está assistindo a Rick James na TV e ele está dirigindo um Ford Falcon (o cérebro pode ser incrivelmente bom com trocadilhos — Falco se torna Falcon); você está andando pela rua e de repente a rua é numa cidade completamente diferente, e a calçada vira água. Essas distorções são produto da exploração de ideias e coisas díspares pelo cérebro. E, felizmente, só acontecem quando estamos dormindo, ou nossa visão da realidade não seria confiável.

Ocorre outro tipo de distorção quando dormimos — distorções do tempo. O que pode parecer um sonho longo e elaborado talvez na realidade se passe num único minuto. Isso talvez porque o próprio relógio interno do corpo esteja num estado de ativação reduzido (pode-se dizer que também está adormecido), e por isso se torna inexato.

Acredita-se que a transição entre o sono REM e o NREM é mediada por neurônios GABAérgicos perto do tronco cerebral, os mesmos neurônios que atuam como inibidores do córtex pré-frontal. Hoje acredita-se que esses e outros neurônios no cérebro agem como comutadores, levando-nos de um estado a outro.[74] Danos em uma parte desse tronco causam uma redução dramática do sono REM, enquanto em outra causam um aumento.

Um ciclo humano normal de sono dura cerca de noventa a cem minutos. Aproximadamente vinte desses minutos são passados em sono REM, e setenta a oitenta em sono NREM, embora a duração varie ao longo da noite. Os períodos REM podem ser de apenas cinco a dez minutos no início da noite, e aumentar para trinta minutos ou mais depois, nas primeiras horas da manhã.[75] A maior parte da consolidação da memória ocorre nas primeiras duas horas do sono NREM, de ondas lentas, e durante os últimos noventa minutos do sono REM matutino.[76] Por essa razão, álcool e drogas (inclusive soníferos) podem interferir na memória: o primeiro ciclo crucial do sono é prejudicado pela intoxicação. E é por isso que a privação de sono leva à perda de memória — porque os noventa minutos cruciais no final são interrompidos ou jamais ocorrem. E não se pode compensar o sono perdido. A privação de sono após um dia de aprendizado impede o aperfeiçoamento relacionado ao sono, mesmo três dias depois de duas boas noites de sono.[77] Isso porque o sono de recuperação é caracterizado por ondas cerebrais anormais, à medida que o ciclo onírico procura se ressincronizar com o ritmo circadiano do corpo.

O sono também pode ser uma propriedade fundamental do metabolismo neuronal.[78] Além das funções de consolidação de informação, uma descoberta de 2013 mostrou que o sono também é necessário para a limpeza celular. Tal como os caminhões de lixo que perambulam pela cidade às cinco da manhã, processos metabólicos específicos no sistema glinfático limpam as vias neurais de produtos potencialmente tóxicos que se acumulam durante o pensamento de vigília.[79] Tal como discutido no Capítulo 2, sabemos que não se trata de um fenômeno de tudo ou nada. Partes do cérebro dormem enquanto outras permanecem acordadas, levando não apenas à sensação, mas à realidade de que estamos meio adormecidos ou dormindo apenas de leve. Se você alguma vez já teve um apagão cerebral — a incapacidade momentânea de lembrar algo óbvio —, ou se viu fazendo alguma tolice, como botar suco de laranja no cereal, é bem possível que parte de seu cérebro esteja dando um cochilo. Ou pode ser que você esteja pensando em muitas coisas ao mesmo tempo, tendo sobrecarregado seu sistema de atenção.

Vários fatores contribuem para a sensação de ter sono. Primeiro, o ciclo de 24 horas de luz e escuridão influencia a produção de substâncias neuroquímicas criadas especificamente para induzir o sono ou o estado de vigília. A luz do sol recaindo sobre os fotorreceptores da retina deflagra uma reação em cadeia de processos que resultam na estimulação do núcleo supraquiasmático e da glândula pineal, pequena glândula perto da base do cérebro, mais ou menos do tamanho de um grão de arroz. Cerca de uma hora após o início da escuridão, a glândula pineal produz melatonina, um neuro-hormônio parcialmente responsável pela vontade de dormir (fazendo com que o cérebro entre no estado adormecido).

O ciclo sono-vigília pode ser comparado ao termostato na sua casa. Quando a temperatura cai até certo ponto, o termostato liga um circuito elétrico, fazendo com que seu aquecedor funcione. Depois, quando a temperatura desejada e preestabelecida for alcançada, o termostato interrompe o circuito e o aquecedor desliga de novo. O sono é igualmente governado por computadores neurais, que seguem um processo homeostático e são influenciados por diversos fatores, inclusive seu ritmo circadiano, ingestão de alimentos, nível de açúcar no sangue, condição de seu sistema imunológico, luz do sol e escuridão. Ao ultrapassar determinado ponto, seu homeostato deflagra a liberação de substâncias neuroquímicas que induzem ao sono. Ao diminuir abaixo de certo ponto, um conjunto diferente de neuro-hormônios é liberado para induzir a vigília.[80]

Você já deve ter pensado uma vez ou outra que, se pudesse dormir menos, poderia fazer muito mais coisas. Ou que seria ótimo se pudesse pegar tempo emprestado, dormindo uma hora a menos esta noite para dormir uma hora a mais no dia seguinte. Embora sedutoras, essas ideias não encontram respaldo nas pesquisas. O sono está entre os fatores mais *críticos* para ótimos desempenho, memória, produtividade, sistema imunológico e regulação de humor. Até mesmo uma leve redução ou um leve abandono da rotina do sono (por exemplo, ir para a cama tarde e dormir até tarde na manhã seguinte) é capaz de produzir efeitos negativos no desempenho cognitivo por vários dias posteriores.[81] Quando jogadores de basquete profissional dormiam dez horas por noite, seu desempenho melhorava dramaticamente. Lances livres e arremessos de três pontos melhoravam 9%.[82]

A maioria de nós segue o padrão de seis a oito horas de sono, seguidas de aproximadamente dezesseis a dezoito horas de vigília. Esta é uma invenção relativamente recente. Durante a maior parte da história da humanidade, nossos ancestrais dormiam em duas etapas, o chamado sono segmentado ou bimodal, além de tirar um cochilo vespertino. A primeira etapa do sono ocorria quatro ou cinco horas depois do jantar, seguida de um período de vigília de uma ou mais horas no meio da noite, quando então vinha um segundo período de quatro ou cinco horas de sono.[83] Esse intervalo acordado no meio da noite pode ter se desenvolvido para ajudar a espantar predadores noturnos. O sono bimodal parece ser uma norma biológica que foi alterada pela invenção da luz artificial, e está provado cientificamente que o regime de sono bimodal, acrescido da sesta, é mais saudável e resulta numa vida mais satisfatória, eficiente e de melhor desempenho.[84]

Para muitos de nós, criados no regime de seis a oito horas de sono, sem sesta, isso soa como uma tolice naturista, sem consistência, beirando a charlatanice. Mas trata-se de uma descoberta (ou redescoberta, pode-se dizer) de Thomas Wehr, um respeitado cientista do Instituto Nacional de Doenças Mentais. Numa pesquisa clássica, ele recrutou participantes dispostos a viver num cômodo que ficava na escuridão durante quatorze horas por dia, reproduzindo as condições anteriores à invenção da luz elétrica. Deixados por sua própria conta, eles acabaram dormindo oito horas por noite, porém em dois segmentos distintos. Tendiam a cair no sono uma ou duas horas depois que o cômodo ficava escuro, dormiam cerca de quatro horas, ficavam acordados durante uma ou duas horas, e depois dormiam mais quatro horas.

Milhões de pessoas relatam dificuldades para dormir a noite toda sem interrupção. Uma vez que o sono ininterrupto é aparentemente nossa norma cultural, elas demonstram sofrer com isso, e pedem remédios aos médicos para ajudá-las a permanecer adormecidas. Muitos remédios para dormir são viciantes, possuem efeitos colaterais e deixam a pessoa sonolenta na manhã seguinte. Também interferem na consolidação da memória. Talvez uma simples mudança das nossas expectativas, e da nossa rotina, seja suficiente para obter um alívio considerável desse problema.

Existem grandes diferenças individuais nos ciclos do sono. Algumas pessoas dormem em poucos minutos, enquanto outras levam uma hora ou mais. Em ambos os casos, isso é considerado normal dentro do quadro do comportamento humano — o importante é aquilo que é normal para você, e reparar se houve alguma mudança súbita no seu padrão, indicando uma doença ou disfunção. A despeito do tipo de sono adotado, o ininterrupto ou o antigo bimodal, quantas horas de sono você deveria ter? Pesquisas indicam aproximadamente o seguinte, que não passam de médias — alguns indivíduos realmente precisam de mais ou menos do que é indicado, o que parece ser hereditário.[85,86] Ao contrário da crença geral, os idosos não precisam dormir menos; eles são apenas menos capazes de dormir oito horas ininterruptas.[87]

## MÉDIA DE SONO NECESSÁRIA

| Idade | Sono necessário |
| --- | --- |
| Recém-nascidos (0-2 meses) | 12-18 horas |
| Infantes (3-11 meses) | 14-15 horas |
| Crianças pequenas (1-3 anos) | 12-14 horas |
| Crianças em idade pré-escolar (3-5 anos) | 11-13 horas |
| Crianças (5-10 anos) | 10-11 horas |
| Pré-adolescentes e adolescentes (10-17 anos) | 8,5-9,25 horas |
| Adultos | 6-10 horas |

Um entre três americanos que trabalham dormem menos de seis horas por noite, bem abaixo da recomendação da tabela anterior. Os Centros de Controle e Prevenção de Doenças dos EUA declararam, em 2013, que a privação do sono é uma epidemia de saúde pública.[88]

O ponto de vista preponderante nos anos 1990 era o de que as pessoas conseguiam se adaptar à privação crônica de sono sem efeitos cognitivos adversos, mas pesquisas mais recentes afirmam claramente o contrário.[89] A sonolência foi responsável por 250 mil acidentes de trânsito em 2009, e é uma das principais causas do fogo amigo — soldados que atiram por engano em homens do seu próprio lado.[90] A privação de sono foi tida como um fator que contribuiu para algumas das mais célebres calamidades globais:[91] os desastres em usinas nucleares em Chernobyl (Ucrânia), Three Mile Island (Pensilvânia), Davis-Besse (Ohio) e Rancho Seco (Califórnia); o vazamento de petróleo do *Exxon Valdez*;[92] o encalhamento do navio de cruzeiro *Star Princess*;[93] e a decisão fatal de lançar o ônibus espacial *Challenger*.[94] Lembram o desastre do avião da Air France que caiu no oceano Atlântico em junho de 2009, matando todas as 288 pessoas a bordo? O capitão vinha trabalhando depois de dormir apenas uma hora por noite, e os copilotos também sofriam de privação de sono.

Além da perda de vidas, existe o impacto econômico. Estima-se que a privação do sono custe às empresas americanas 150 bilhões de dólares por ano em forma de ausências, acidentes e perda de produtividade — em termos de comparação, isso equivale mais ou menos à receita anual da Apple Corporation.[95] Se as perdas econômicas relativas à privação de sono fossem uma empresa, seriam a sexta maior do país. A privação do sono também é associada a maiores riscos de doença cardíaca, obesidade, derrame e câncer.[96] O excesso de sono também é prejudicial, mas talvez o fator mais importante para se conseguir o estado máximo de atenção é a estabilidade, de modo que os ritmos circadianos do corpo fechem num ciclo estável. Ir para a cama apenas uma hora depois da hora normal numa noite, ou dormir apenas uma ou duas horas pela manhã, pode afetar significativamente a produtividade, o sistema imunológico e o humor durante vários dias após a irregularidade.

Uma parte do problema é cultural — nossa sociedade não dá valor ao sono. O especialista em sono David K. Randall formula a questão da seguinte maneira:

Ao mesmo tempo que gastamos milhares de dólares em férias suntuosas para relaxar, nos esforçamos em horas de exercícios e pagamos quantias exorbitantes por alimentos orgânicos, o sono permanece enraizado no nosso ethos cultural como algo que pode ser adiado, dosado ou ignorado. Não consideramos o sono um investimento na nossa saúde — afinal de contas, é apenas sono. É difícil sentir que estamos dando um passo ativo para melhorar nossas vidas com a cabeça pousada num travesseiro.[97]

Muitos substituem um bom sono por drogas — mais uma xícara de café para compensar aquelas uma ou duas horas de sono perdido, e um comprimido para dormir se toda aquela cafeína durante o dia tirou seu sono à noite. É verdade que a cafeína estimula a função cognitiva, mas funciona melhor depois que você mantém um padrão estável de sono durante muitos dias e semanas; como substituto do sono perdido, ela pode mantê-lo acordado, mas não alerta, ou no máximo de sua capacidade. Está demonstrado que os soníferos são contraproducentes em relação tanto ao sono quanto à produtividade. Em um estudo, descobriu-se que a terapia de comportamento cognitivo — uma série de práticas para mudar padrões de pensamento e comportamento — mostrou-se significativamente mais eficaz do que o Zolpidem no combate à insônia.[98] Outro estudo revelou que os comprimidos para dormir faziam com que as pessoas dormissem apenas onze minutos a mais, em média. E o mais importante: a qualidade do sono induzido pelos remédios para dormir é pobre; eles afetam a consolidação da memória, de modo que sofremos uma perda de memória a curto prazo — não lembramos que nosso sono foi ruim, nem quão sonolentos estávamos ao acordar.[99]

Um dos estímulos mais importantes que o corpo utiliza para regular o ciclo de sono e vigília é a luz. A luz forte da manhã manda um sinal ao hipotálamo para liberar as substâncias químicas que nos ajudam a acordar, como a orexina, o cortisol e a adrenalina.[100] Por esse motivo, se você tem problemas para dormir, é importante evitar luzes fortes antes de ir para a cama, tais como as luzes da TV e do computador.

Eis algumas dicas para um bom sono noturno: vá para a cama sempre à mesma hora da noite. Acorde sempre à mesma hora de manhã. Ponha um despertador, se necessário. Se for obrigado a ficar acordado até mais tarde certa noite, ainda assim acorde no seu horário de sempre — a estabilidade do seu ciclo é mais importante, a curto prazo, do que a quantidade de sono. Durma num quarto fresco e escuro. Se necessário, cubra as janelas para não deixar entrar luz.

E aqueles deliciosos cochilos de tarde no sofá? Há um motivo pelo qual parecem tão bons; eles são uma parte importante na recuperação de circuitos neuronais cansados. As pessoas diferem muito em sua capacidade de cochilar e no reconhecimento da utilidade do cochilo. Para aqueles que o valorizam, ele pode desempenhar um papel importante na criatividade, memória e eficiência. Mas os cochilos de mais de quarenta minutos podem ser contraproducentes, provocando preguiça. Para a maioria das pessoas, bastam cinco ou dez minutos.

Mas você não pode cochilar a qualquer momento — nem todos os cochilos são iguais. Aqueles minúsculos cochilos que tiramos depois de apertar a função "soneca" do despertador, por exemplo, são contraproducentes, fornecendo um sono anormal que não consegue se encaixar num padrão normal de onda cerebral.[101] Tirar um cochilo perto demais da hora de dormir pode dificultar o sono ou torná-lo impossível.

Nos Estados Unidos, na Grã-Bretanha e no Canadá, o cochilo tende a ser desaprovado. Sabemos que as culturas latinas tiram seus cochilos — *siestas* —, e consideramos isso uma esquisitice cultural. Tendemos a combater a sonolência que ameaça nos dominar com mais uma xícara de café. Os ingleses institucionalizaram isso com o intervalo do chá das quatro. Porém, os benefícios do cochilo já foram comprovados.[102] Até mesmo cochilos de cinco ou dez minutos redundam em uma clara intensificação cognitiva, melhoria da memória e aumento de produtividade. E quanto mais intelectual for o trabalho, maior o benefício.[103] Os cochilos também permitem a recalibragem do equilíbrio emocional — depois da exposição a estímulos de ira e medo, o cochilo pode contornar emoções negativas e aumentar a felicidade.[104] Como faz tudo isso? Ativando o sistema límbico, o centro emocional do cérebro, e reduzindo os níveis de monoaminas, que são neurotransmissores naturais, usados em forma de comprimidos para tratar de ansiedade, depressão e esquizofrenia. Está demonstrado também que o cochilo reduz a incidência de doenças cardiovasculares, diabetes, derrames e infartos.[105] Certas empresas agora encorajam os funcionários a tirar cochilos breves — via de regra, de quinze minutos —, e muitas disponibilizam cômodos com camas para cochilos.[106]

O consenso emergente é que o sono não é um estado de tudo ou nada. Quando estamos cansados, partes de nosso cérebro podem estar acordadas, enquanto outras dormem, criando um estado mental paradoxal em que achamos que estamos acordados, mas os circuitos neuronais centrais se encontram desligados, cochilando. Um dos primeiros conjuntos neurais a ser desligado nesses casos é o sistema da memória; por isso, mesmo que você ache que está acordado, seu sistema de memória não está. Isso gera falhas na recuperação e no armazenamento.

Normalmente, o corpo estabelece um ritmo circadiano sincronizado com o nascer e o pôr do sol no nosso fuso horário, na maior parte baseado em estímulos da luz do sol, e em menor parte no horário das refeições. Esse ritmo faz parte de um relógio biológico no hipotálamo, que também ajuda a regular a temperatura de base do corpo, o apetite, a atenção e os hormônios do crescimento. O jet lag ocorre quando esse ciclo circadiano fica dessincronizado com o fuso horário em que se está — em parte, pela ocorrência do nascer e do pôr do sol em momentos diferentes do que o relógio do corpo espera, dando assim sinais inesperados para a glândula pineal. O jet lag também se deve à ruptura do ritmo circadiano por se despertar, exercitar, comer e dormir de acordo com o novo fuso horário, em vez de segundo o fuso horário doméstico, ao qual nosso relógio corporal está ajustado. De modo geral, o relógio corporal não é facilmente alterado por fatores externos, e é essa resistência que provoca muitos problemas associados ao jet lag. Esses problemas incluem atos desajeitados, pensamento obnubilado, problemas gastrointestinais, piora na tomada de decisões e, o mais óbvio, ficar acordado ou sonolento em momentos inadequados.

Foi só nos últimos 150 anos que fomos capazes de transpor fusos horários, e ainda não desenvolvemos uma maneira de nos adaptar. As viagens para leste são mais difíceis do que para oeste, porque nosso relógio corporal prefere o dia de 24 horas. Portanto, é mais fácil nos mantermos despertos por mais uma hora do que adormecer com uma hora de antecedência. As viagens para oeste nos fazem adiar a hora de dormir, o que não é tão difícil assim. As viagens para leste nos fazem chegar a uma cidade em que, na hora de dormir, não estamos cansados. Viajar para leste é difícil até mesmo para pessoas que fazem isso o tempo todo. Uma pesquisa com dezenove times de beisebol da primeira divisão encontrou um efeito importante: os times que haviam acabado de viajar para leste perderam em média mais de um *run* em cada jogo.[107] Os participantes de Olimpíadas revelaram déficits significativos depois de transpor fusos horários em qualquer direção, inclusive redução da força muscular e da coordenação.[108]

Ao envelhecermos, ressincronizar o relógio se torna mais difícil, em parte pelas perdas da neuroplasticidade. Indivíduos com mais de sessenta anos têm uma dificuldade muito maior com o jet lag, especialmente em voos para leste.[109]

Alinhar o relógio corporal ao novo ambiente requer uma mudança de fase. Leva um dia por fuso horário para ela mudar. Adiante ou retarde o relógio corporal tantos dias antes da viagem quantos forem os fusos horários que será preciso atravessar. Antes de viajar para leste, exponha-se cedo à luz do sol. Antes de viajar para oeste, evite a luz do sol cedo, mantendo as cortinas fechadas, e se exponha à luz forte à noite, para simular o sol do fim da tarde do seu destino.[110]

Depois que estiver no avião, se estiver indo para oeste, mantenha acesa a lâmpada de leitura acima do assento, mesmo se em casa já for hora de ir para a cama. Ao chegar à cidade a oeste, faça um exercício leve caminhando ao sol. A luz solar irá retardar a produção de melatonina no corpo. Se estiver num avião rumo a leste, use tapa-olhos para cobrir a visão mais ou menos duas horas antes do pôr do sol na sua cidade de destino, a fim de se aclimatar ao novo tempo de "escuridão".

Algumas pesquisas recomendam tomar de três a cinco miligramas de melatonina duas a três horas antes de ir para a cama, mas isso é um tanto controverso, já que outras pesquisas não encontraram benefício algum no procedimento.[111] Não há pesquisas sobre o efeito a longo prazo da melatonina, e se aconselha a jovens e grávidas que simplesmente não a tomem.[112] Embora muitas vezes seja anunciada como auxiliar do sono, a melatonina não o ajudará a dormir no caso de insônia, porque, ao chegar a hora de deitar, seu corpo já terá produzido a quantidade de melatonina que poderá utilizar.[113]

## Quando procrastinamos[114]

Muitas pessoas altamente bem-sucedidas alegam ter transtorno do déficit de atenção, e muitas se encaixam na definição clínica. Uma delas foi Jake Eberts, produtor de cinema cujos trabalhos incluem *Carruagens de fogo*, *Gandhi*, *Dança com lobos*, *Conduzindo Miss Daisy*, *Nada é para sempre*, *Os gritos do silêncio* e *A fuga das galinhas*, e cujos filmes receberam 66 indicações e ganharam 17 estatuetas do Oscar (ele morreu em 2012). Segundo o próprio Eberts, ele só conseguia manter a atenção durante períodos curtos, e tinha muito pouca paciência, além de ficar facilmente entediado.[115] Porém, seu potente intelecto permitiu que se formasse na Universidade McGill com vinte anos de idade e obtivesse seu diploma de MBA na Harvard Business School aos 25 anos. Desde cedo, Jake identificou seu principal ponto fraco: a tendência a procrastinar. É evidente que não apenas ele tem esse problema, que não é exclusivo das pessoas que sofrem do transtorno do déficit de atenção. Para combatê-lo, Jake adotou uma rígida política de "fazer agora".[116] Se tivesse uma quantidade de telefonemas para dar, ou providências a tomar, ele mergulhava de cabeça, mesmo que precisasse cortar o tempo de lazer ou de socialização. E a tarefa mais desagradável — demitir alguém, barganhar com um investidor, pagar contas — era a primeira coisa que ele fazia de manhã, para se livrar logo daquilo. Seguindo Mark Twain, Jake chamava isso de engolir sapo: faça logo pela manhã a tarefa mais desagradável, quando a energia está no pique, porque a força de vontade declina à medida que o dia passa.[117] (Outra coisa que mantinha Jake nos trilhos era que, como a maioria dos executivos, ele tinha assistentes. Não precisava lembrar as datas e os pequenos detalhes; podia simplesmente colocar determinada tarefa no "balde da Irene", e sua assistente, Irene, cuidaria daquilo.)

A procrastinação é algo que afeta todos nós em diversos graus. Raramente temos a sensação de estar em dia com tudo. Há tarefas a fazer pela casa, bilhetes de agradecimentos a escrever, sincronizar e fazer o backup dos computadores e smartphones. Alguns de nós são apenas ligeiramente afetados pela procrastinação, enquanto para outras pessoas este é um problema grave. Na variedade de suas manifestações, toda procrastinação pode ser considerada uma falha de auto-organização, planejamento, controle dos impulsos, ou uma combinação dos três. Ela é, por definição, o adiamento de uma atividade, tarefa ou decisão que nos ajudariam a atingir nossos objetivos.[118] Em sua forma mais branda, simplesmente começamos a fazer as coisas depois que deveríamos, sofremos um estresse desnecessário quando o prazo final se aproxima e temos cada vez menos tempo para terminá-las. Mas ela pode levar a desfechos mais problemáticos. Muitas pessoas, por exemplo, adiam a ida ao médico, e a doença progride tanto que a opção de tratamento deixa de ser possível[119] — ou adia a escritura de testamentos, o cumprimento de diretrizes médicas, a instalação de detectores de fumaça, o seguro de vida ou a contratação de um plano de previdência privada até que seja tarde demais.[120]

Descobriu-se que a tendência a procrastinar está relacionada com certos traços, estilo de vida e outros fatores. A despeito de os efeitos serem estatisticamente significativos, nenhum deles é muito grande. As pessoas mais jovens e solteiras (inclusive divorciadas ou separadas) têm uma pequena tendência adicional a procrastinar. E também aqueles que possuem o cromossomo Y — talvez seja por isso que as mulheres têm uma propensão muito maior a terminar a faculdade do que os homens;[121] tendem a procrastinar menos.[122] Como foi dito antes, a vida ao ar livre na natureza — em parques, florestas, praia, montanhas e deserto — restaura os mecanismos autorreguladores do cérebro, por isso viver ou passar momentos junto à natureza, em contraposição à exposição aos ambientes urbanos, reduz a tendência à procrastinação.[123]

Um fator relacionado a isso é o que o psicólogo Jason Rentfrow, da Universidade de Cambridge, chama de migração seletiva — as pessoas se sentem inclinadas a mudar para locais sintonizados com suas personalidades. Os grandes centros urbanos tendem a aumentar o pensamento crítico e a criatividade, mas também a procrastinação, talvez por haver tantas coisas para se fazer num grande centro urbano, ou porque o maior bombardeio de informação sensorial reduz nossa capacidade de entrar no modo devaneio, que restaura o sistema executivo da atenção.[124] Existe alguma região cerebral ligada à procrastinação? Como se trata de uma falha de autorregulação, planejamento e controle dos impulsos, não está errado quem pensou no córtex pré-frontal: a procrastinação lembra alguns dos déficits de planejamento temporal que vimos como sequelas de danos no córtex pré-frontal, no início deste capítulo. A literatura médica relata muitos casos de pacientes que passaram a ser procrastinadores depois de danos nessa região do cérebro.[125]

A procrastinação pode ser de dois tipos. Alguns procrastinam em favor de atividades de lazer — ficar na cama, assistir à TV —, enquanto outras deixam certas tarefas difíceis e desagradáveis para depois em favor das que são mais divertidas e oferecem uma recompensa imediata. Quanto a isso, os dois tipos diferem no nível de atividade: os procrastinadores que buscam o descanso geralmente preferem não fazer nada, enquanto aqueles que buscam tarefas divertidas gostam de ser ativos e ocupados o tempo todo, tendo apenas dificuldade em começar coisas que não sejam tão divertidas.

A demora na gratificação é um fator adicional, bem como as diferenças individuais na maneira como as pessoas a toleram. Muitas pessoas trabalham em projetos que têm um longo horizonte de eventos — por exemplo, acadêmicos, homens de negócio, engenheiros, escritores, construtores e artistas. Ou seja, aquilo em que estão trabalhando pode levar semanas, meses (ou até anos) para ser concluído, e depois disso pode-se passar um longo período até que chegue alguma recompensa, louvor ou gratificação. Muitos com essas profissões gostam de hobbies como jardinagem, tocar um instrumento musical e cozinhar, porque são atividades que oferecem um resultado tangível, imediato — é possível ver o pedaço do canteiro de flores do qual você tirou mato, você pode *escutar* o Chopin que acabou de tocar e pode *provar* a torta de ruibarbo que acabou de assar. De modo geral, as atividades que levam muito tempo para serem concluídas — e, portanto, muito tempo para serem recompensadas — são as que têm maior probabilidade de serem adiadas, e as que acarretam uma recompensa imediata, as menos prováveis de serem adiadas.

Piers Steel é psicólogo organizacional, uma das mais importantes autoridades do mundo em procrastinação, e professor da Haskayne School of Business, da Universidade de Calgary. Steel diz que há dois fatores subjacentes que nos levam a procrastinar:[126]

> Os seres humanos têm uma baixa tolerância à frustração. A cada momento, ao escolher a tarefa a ser feita ou as atividades a serem adotadas, não tendemos a escolher a mais gratificante, e sim

a mais fácil. Isso significa que as coisas difíceis ou desagradáveis são adiadas.

Tendemos a avaliar nosso próprio valor em termos de nossas conquistas. Sempre que nossa autoestima está baixa — ou não confiamos em que determinado projeto dará certo —, procrastinamos, porque isso nos permite adiar o risco que nossa reputação correrá. (É o que os psicólogos chamam de manobra de defesa do ego.)

A baixa tolerância à frustração tem fundamentos neuronais. Nosso sistema límbico e as partes do cérebro que buscam a recompensa imediata entram em conflito com o córtex pré-frontal, que compreende muito bem as consequências do adiamento. Ambas as regiões funcionam à base de dopamina, mas a dopamina age de modo diferente em cada uma delas. A dopamina no córtex pré-frontal faz com que nos concentremos e nos dediquemos à tarefa; a dopamina no sistema límbico, junto dos opioides endógenos do próprio cérebro, nos faz sentir prazer. Adiamos as coisas sempre que o desejo de prazer imediato supera nossa capacidade de adiar a gratificação, dependendo de qual sistema dopamínico esteja no controle.

Steel identifica o que ele chama de duas crenças errôneas: primeiro, que a vida deva ser fácil; segundo, que nossa autoestima seja dependente de nosso êxito. Ele vai além, criando uma equação que quantifica a probabilidade de procrastinarmos. Se nossa autoconfiança *e* o valor de completar a tarefa são altos, a chance de procrastinarmos é menor. Esses dois fatores se tornam o denominador da equação da procrastinação. (Isso porque mantêm uma relação inversa com a procrastinação — quando aumentam, a procrastinação diminui, e vice-versa.) São contrapostos a dois outros fatores: a demora da recompensa e até que ponto podemos nos desconcentrar. (A distração é vista como uma combinação de nossa necessidade de gratificação imediata, nosso nível de impulsividade e nossa capacidade de manter o autocontrole.) Se houver grande demora para completar a tarefa, *ou* uma grande distração de nossa parte, isso leva a um aumento da procrastinação.[127]

$$\text{Procrastinação} = \frac{\text{tempo para completar a tarefa} \times \text{possibilidade de distração}}{\text{autoconfiança} \times \text{valor da tarefa}}$$

Para refinar a equação de Steel, acrescentei a demora, o tempo que é preciso esperar para que se obtenha um feedback positivo pelo término da tarefa.[128] Quanto maior a demora, maior a probabilidade da procrastinação:

$$\text{Procrastinação} = \frac{\text{tempo para completar a tarefa} \times \text{possibilidade de distração} \times \text{demora}}{\text{autoconfiança} \times \text{valor da tarefa}}$$

Certos comportamentos podem parecer procrastinação, mas surgem por fatores diversos. Alguns indivíduos sofrem de déficit de iniciação, uma inabilidade de começar.[129] Esse problema é distinto daqueles que envolvem planejamento, nos quais os indivíduos não conseguem iniciar tarefas com bastante antecedência para conseguir completá-las em virtude de ideias ingênuas ou não realistas de quanto tempo seria preciso para concluir objetivos secundários. Outros podem não conseguir terminar as tarefas a tempo porque lhes faltam os objetos ou materiais necessários quando finalmente se sentam para trabalhar. Esses problemas surgem da falta de planejamento, não da procrastinação em si.[130] Por outro lado, alguns indivíduos podem estar querendo empreender uma tarefa desafiadora com a qual não tiveram nenhuma experiência prévia; eles simplesmente podem não saber como ou por onde começar. Nesse caso, a presença de supervisores ou professores, para ajudá-los a dividir o problema em partes, é bastante útil e muitas vezes essencial. Adotar uma abordagem sistemática, por etapas, diante das tarefas é eficaz para reduzir essa forma de procrastinação.[131]

Por fim, alguns indivíduos sofrem de uma incapacidade crônica de concluir projetos que iniciaram. Não se trata de procrastinação, porque eles não adiam o *dar início* aos projetos, mas o seu término. Isso pode acontecer porque o indivíduo não tem as habilidades necessárias para completar o trabalho com um nível de qualidade aceitável — muitas pessoas que cultivam hobbies caseiros ou são carpinteiros de fim de semana atestam esse fato. Pode acontecer também por um perfeccionismo insidioso, que implica uma crença profunda, quase obsessiva, em que o trabalho nunca está bom o suficiente (espécie de fracasso em aceitar o "dá para o gasto"). Alunos de mestrado tendem a sofrer desse tipo de perfeccionismo, sem dúvida porque se comparam a seus orientadores, e seus rascunhos de teses, à obra acabada deles. É uma comparação injusta, claro. Seus orientadores têm mais experiência, e seus fracassos, seus originais recusados e rascunhos, ficam escondidos do olhar do mestrando — tudo que o mestrando vê é o produto acabado, e a lacuna entre este e o próprio trabalho. Este é um exemplo clássico do poder da subvalorização da *situação* em favor de uma atribuição de traços estáveis, e aparece muito no local de trabalho. O papel da supervisora praticamente garante que ela parecerá ser mais inteligente e competente do que os supervisionados. O supervisor pode resolver mostrar o próprio trabalho quando ele estiver terminado e burilado. O funcionário não tem oportunidade de tais exibições em proveito próprio, e é obrigado muitas vezes a mostrar o trabalho em fases intermediárias de rascunho, o que garante que seu produto não seja comparável, deixando assim muitos subalternos com a sensação de que não são bons o bastante. Mas esses constrangimentos situacionais não são os arautos de capacidade que os estudantes e supervisionados creem que sejam. Compreender essa ilusão cognitiva pode ajudar os indivíduos a ser menos autocríticos e a se emancipar da força repressora do perfeccionismo.

Também é importante desconectar a sensação de valor próprio do desfecho da tarefa. A confiança em si mesmo implica a aceitação de que é possível fracassar no início, e isso não faz mal, é parte do processo. O escritor e polímata George Plimpton notou que as pessoas de sucesso tiveram paradoxalmente muito mais fracassos do que pessoas que a maioria haveria de considerar *fracassadas*.[132] Se isso parece besteira ou enrolação, o paradoxo se resolve ao se constatar que pessoas bem-sucedidas (ou que acabaram alcançando o sucesso) lidam com fracassos e contratempos de maneira muito diferente do que a maioria. A pessoa malsucedida interpreta o fracasso ou contratempo como uma interrupção da carreira, e conclui: "Não sou bom nisso". A pessoa bem-sucedida encara cada contratempo como oportunidade de adquirir algum conhecimento adicional necessário para conquistar seus objetivos. O diálogo interno de uma pessoa bem-sucedida (ou que acabou alcançando o sucesso) é mais parecido com "Eu achava que sabia tudo que precisava saber para conquistar meus objetivos, mas isso me ensinou que não sei. Depois de aprender com essa experiência, posso voltar à raia". O tipo de pessoa que se torna bem-sucedida geralmente sabe que tem um caminho pedregoso pela frente, e não desanima quando os sacolejos a desequilibram — tudo faz parte do processo. Como diria Piers Steel, elas não adotam a falsa crença de que a vida deveria ser fácil.

Os lobos frontais desempenham um papel na resistência aos contratempos. Há duas regiões envolvidas na avaliação que fazemos de nós mesmos e de nosso desempenho, o córtex pré-frontal dorsolateral e o córtex orbital.[133] Quando elas se mostram ativas demais, tendemos a nos julgar com rigor. Na verdade, os músicos de jazz precisam *desligar* essas regiões quando improvisam, de modo a criar com liberdade ideias novas, sem a autoavaliação desagradável de que suas ideias não são boas o bastante.[134] Quando há lesão nessas regiões, pode haver uma hiper-resistência. Antes da lesão, um paciente não conseguia passar por uma bateria corriqueira de testes sem chorar, mesmo depois de completá-los corretamente. Depois da lesão no córtex pré-frontal, ele se tornou totalmente incapaz de completar esses mesmos testes, mas sua atitude mudou de forma marcante: ele continuava tentando resolver os problemas incessantemente, esgotando a paciência do examinador, cometendo um erro atrás de outro, sem o menor indício de constrangimento ou frustração.[135]

Quando lemos a biografia de grandes líderes — CEOS, generais, presidentes —, a simples quantidade e a magnitude dos fracassos pelos quais muitos passaram é espantosa. Poucos imaginaram que Richard Nixon se recuperaria da derrota constrangedora na eleição de 1962 para governador da Califórnia. Thomas Edison teve mais de mil invenções que não fizeram sucesso, comparadas a apenas um punhado de invenções bem-sucedidas. Mas as de sucesso foram extremamente influentes: a lâmpada elétrica, o fonógrafo e a câmera de cinema. O bilionário Donald Trump teve tantos fracassos quantos sucessos espetaculares:[136] empreendimentos fracassados como a Vodca Trump, a revista *Trump*, as Linhas Aéreas Trump e a Financeira Trump, quatro falências e uma pré-candidatura fracassada à Presidência.[137] Ele é uma figura controversa, mas demonstrou ser resiliente, e nunca deixou que seus fracassos nos negócios prejudicassem sua autoestima. O excesso de autoestima, claro, não é bom, e é possível haver um cabo de guerra interno entre autoestima e arrogância que, em certos casos, pode levar a verdadeiras perturbações psicológicas.[138]

A autoconfiança parece ter uma base genética, e é um traço relativamente estável no decorrer da vida, muito embora, como qualquer traço, possa deflagrar reações diferentes no indivíduo de acordo com situações diferentes, e ser podada ou incrementada por fatores ambientais. Uma estratégia eficaz é *agir como se.* Em outras palavras, mesmo aqueles a quem falta a sensação interna de autoconfiança podem agir como se tivessem autoestima alta ao não desistir, trabalhar duro em tarefas aparentemente difíceis e tentar reverter contratempos passageiros. Isso pode criar um laço positivo de feedback, no qual o esforço adicional é de fato capaz de resultar em êxito e ajudar gradualmente a incrementar a sensação de competência e iniciativa da pessoa.

## Tempo criativo

Eis um desafio: que palavra pode ser acrescentada a cada uma das palavras seguintes para criar três novas palavras compostas?[139]

*crab* [caranguejo] *sauce* [molho] *pine* [pinheiro]

A maioria das pessoas tenta se concentrar profundamente nas palavras e encontrar uma solução. A maioria fracassa. Mas se pensam em outra coisa e deixam a mente vagar, a solução surge num lampejo. (A resposta está no capítulo de notas.)[140] Como isso acontece?

Uma parte da resposta tem a ver com até que ponto nos sentimos à vontade nos permitindo devanear sob a pressão do tempo. A maioria das pessoas diz que o tempo parece parar quando estão nesse modo, ou que tem a impressão de ter saído do tempo. A criatividade implica a hábil integração desse modo de devanear e parar o tempo com o modo executivo central, que monitora o tempo. Quando pensamos na vida de modo geral, há sempre um tema que se repete, a saber, se contribuímos ou não para algo, e geralmente é das contribuições criativas, no sentido mais amplo, que mais nos orgulhamos. Na série *House*, Wilson está morrendo de câncer e têm apenas cinco meses de vida. Sabendo que vai morrer, ele implora ao dr. House: "Preciso que você me diga que minha vida valeu a pena".[141] Ficamos sabendo que o valor que ele dá à sua vida vem de ter pensado soluções novas e criativas para dezenas de pacientes, que de outro modo não estariam vivos.

Chegar a um discernimento intuitivo de uma ampla gama de problemas — não apenas problemas com palavras, mas conflitos interpessoais, tratamentos médicos, jogos de xadrez e composição musical, por exemplo — envolve tipicamente um certo padrão. Concentramos toda nossa atenção nos aspectos do problema quando ele nos é apresentado, ou em como o compreendemos, passando por diferentes soluções e cenários possíveis em nosso córtex pré-frontal esquerdo e cingulado anterior. Mas essa é apenas uma fase preparatória, de alinhamento do que sabemos sobre o problema. Se o problema for muito complexo e intrincado, o que sabemos não bastará. Numa segunda fase, precisamos relaxar, deixar o problema de lado e permitir que o hemisfério direito assuma. Os neurônios no hemisfério direito têm uma afinação mais abrangente, com ramificações maiores e mais espinhas dendríticas — são capazes de coletar informação de uma área maior do espaço cortical em comparação com os neurônios do hemisfério esquerdo, e, apesar de serem menos precisos, são mais bem conectados.[142] Quando o cérebro busca uma intuição-relâmpago, são essas as células com mais probabilidade de produzi-la. O segundo que precede a intuição é acompanhado por uma descarga de raios gama, que unem redes díspares de neurônios, conectando de fato pensamentos que pareciam não ter relação com um todo coerente.[143] Para que tudo isso funcione, a fase do relaxamento é crucial. É por isso que tantas intuições surgem durante banhos quentes de chuveiro.[144] Os professores e treinadores estão sempre nos dizendo para relaxar. E o motivo é esse.

Se você estiver envolvido em algum tipo de atividade criativa, uma de suas metas na organização do tempo será provavelmente no sentido de maximizar sua criatividade. Todos já tivemos a experiência de nos perdermos maravilhosa e encantadoramente em alguma atividade, perdendo toda noção de tempo, de nós mesmos, de nossos problemas. Esquecemos que precisamos comer, esquecemos que existe um mundo de celulares, prazos a cumprir e demais obrigações. Abraham Maslow, nos anos 1950, chamava essas situações de experiências de pico; mais recentemente, o psicólogo Mihaly Csikszentmihalyi cunhou o célebre termo estado de fluxo. Ele parece um estado completamente diferente, um estado de consciência aprimorado, acompanhado de sensações de bem-estar e satisfação. É também um estado neuroquímico e neuroanatômico distinto. Em todos os indivíduos, os estados de fluxo parecem ativar regiões idênticas do cérebro, inclusive o córtex pré-frontal esquerdo (especificamente as áreas 44, 45 e 47) e os gânglios basais. Durante o fluxo, duas regiões-chave do cérebro são *desativadas*: a porção do córtex pré-frontal responsável pela autocrítica e a amígdala, o centro do cérebro responsável pelo medo.[145] É por isso que os artistas criativos muitas vezes relatam a sensação de destemor, como se estivessem correndo riscos criativos que não haviam corrido antes — isso porque as duas partes do cérebro que de outro modo os impediriam de fazê-lo reduziram significativamente sua atividade.

As pessoas experimentam o fluxo em muitos tipos de trabalho, desde quando observam uma minúscula célula a quando exploram o universo em escalas mais vastas.[146] O biólogo celular Joseph Gall descreveu o fluxo enquanto fazia observações ao microscópio; os astrônomos o descrevem ao olhar pelos telescópios. Estados de fluxo semelhantes são descritos por pintores, programadores de computador, azulejadores, escritores, cientistas, oradores públicos, cirurgiões e atletas olímpicos. As pessoas o experimentam jogando xadrez, compondo poesia, praticando alpinismo e dançando em discotecas. E, quase sem exceção, o estado de fluxo é alcançado quando se atinge o auge do trabalho em execução, trabalho que está acima ou além do que normalmente as pessoas implicadas julgam ser o que de melhor podem realizar.

Durante o estado de fluxo, a atenção é concentrada num campo perceptivo limitado, e este campo recebe sua concentração e seu empenho máximos. Há uma fusão entre agir e estar atento. A pessoa para de pensar em si mesma como algo separado de sua atividade e do mundo, e não distingue entre suas ações e suas percepções — aquilo que você *pensa* se torna aquilo que você *faz*. Há também aspectos psicológicos. Durante o fluxo, a pessoa se sente livre da preocupação de fracassar; percebe o que precisa ser feito, mas não sente que o esteja fazendo — o ego não está envolvido e sai de cena completamente. Rosanne Cash afirma ter composto algumas de suas melhores canções neste estado. "Eu tinha a sensação de que não era *eu* compondo. Era como se a canção já estivesse lá e bastasse pegá-la no ar com minha luva de beisebol."[147] Parthenon Huxley, um dos vocalistas do The Orchestra (a atual encarnação da banda britânica Electric Light Orchestra), lembra um show do grupo na Cidade do México. "Abri a boca para cantar e foi pura fluidez — eu não conseguia acreditar nas notas que estavam saindo, não conseguia acreditar que fosse eu."[148]

O *fluxo* pode ocorrer durante a fase de planejamento ou execução de alguma atividade, mas está ligado com mais frequência à execução de alguma tarefa complexa, como tocar trombone, escrever um ensaio ou ficar arremessando bolas numa cesta de basquete. Sendo um estado tão concentrado, era de imaginar que o fluxo se encerrasse exclusivamente nas fases de planejamento ou execução, mas, na verdade, ele permite a integração perfeita entre as duas — tarefas normalmente distintas, de patrão e funcionário, tornam-se permeáveis, inter-relacionadas, integrantes de um mesmo gesto. Algo que caracteriza o fluxo é a falta de distração — as mesmas velhas distrações estão lá, mas não existe a tentação de buscá-las. A segunda característica do fluxo é que monitoramos nosso desempenho, mas sem o tipo de julgamento negativo e derrotismo que muitas vezes acompanham o trabalho criativo. Fora do estado de fluxo, muitas vezes uma voz chata dentro de nossas cabeças fica dizendo: "Não está bom o bastante". No fluxo, uma voz animadora diz: "Consigo dar um jeito nisso".

Os estados de fluxo não ocorrem durante qualquer tarefa ou atividade. Podem ocorrer apenas quando se está profundamente concentrado na tarefa, quando ela exige uma profunda concentração e entrega, quando contém metas claras, fornece feedback imediato e se ajusta perfeitamente a nosso grau de habilidade. Aqui, é preciso que capacidade e técnica se ajustem de maneira especial ao grau de dificuldade encontrado. Se a tarefa na qual você está empenhado for simples demais, sem nenhum desafio, você ficará entediado. Esse tédio interromperá a atenção na tarefa, e sua mente vai vagar no modo devaneio. Se a tarefa for difícil demais e oferecer muitos desafios, você ficará frustrado e sentirá ansiedade. A frustração e a ansiedade também interromperão sua atenção. Então, é só quando o desafio é feito sob medida — em relação a sua técnica e sua capacidade — que você terá uma chance de alcançar o fluxo. Não há garantia de que isso irá acontecer, mas, se essa condição não for cumprida, se o desafio não for certo para você, certamente não acontecerá.

No gráfico a seguir, o desafio é mostrado no eixo Y, e pode-se ver que o desafio alto leva à ansiedade, e o desafio baixo, ao tédio. Bem no meio fica a região em que o fluxo é possível. O formato afunilado da região do fluxo está ligado à capacidade adquirida da pessoa, que corre pelo eixo X. O que isso demonstra é que quanto maior a sua habilidade, maior a sua chance de alcançar o fluxo. Se você tiver pouca habilidade, a abertura da janela do desafio é pequena; se tiver alta aptidão, as possibilidades de atingir o fluxo são muito mais vastas. Isso porque o estado de fluxo se caracteriza pela completa ausência de atenção consciente, pela fusão de você mesmo com o próprio projeto, uma fusão perfeita de pensamento, ação, movimento e resultado. Quanto mais alto é seu grau de aptidão, mais fácil é praticar essas habilidades de maneira automática, subconsciente, e assim desligar a mente consciente, o ego e outros inimigos do fluxo. Estados de fluxo ocorrem com mais regularidade a especialistas, ou pessoas que investiram muito tempo em estudar algo em determinada área.

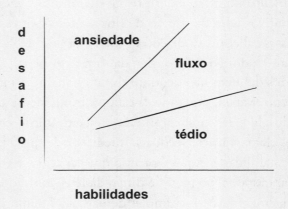

Empenho é o que define o fluxo — altos níveis de empenho. O acesso e o processamento de informações parecem ocorrer sem esforço — os fatos de que precisamos estão na ponta dos dedos, mesmo aqueles há muito perdidos que não sabíamos que sabíamos; habilidades que não sabíamos ter começam a surgir. Sem a necessidade de exercer o autocontrole para permanecermos focados, liberamos recursos neurais para a tarefa à mão. E é quando então acontece algo paradoxal no cérebro. Durante o estado de fluxo, não precisamos mais nos esforçar para nos atermos às tarefas — quando entramos nesse estado de atenção especial, isso acontece automaticamente. É preciso menos energia para se manter em fluxo — num pique de empenho criativo — do que para ceder à distração. É por isso que estados de fluxo são períodos de grande produtividade e eficiência.

O fluxo também é um estado químico diferente, que envolve uma sopa neuroquímica especial ainda não identificada. Parece que é preciso haver um equilíbrio de dopamina e noradrenalina — especialmente quando são moduladas numa região cerebral chamada corpo estriado (da chave da atenção)[149] —, serotonina (para dar liberdade às associações de fluxo da consciência)[150] e adrenalina (para se manter concentrado e energizado). Os neurônios GABA (sensíveis ao ácido gama-aminobutírico), que normalmente funcionam para inibir ações e nos ajudar a exercer o autocontrole, precisam reduzir sua atividade para que não fiquemos demasiadamente autocríticos nesses estados, para podermos ficar menos inibidos na produção de ideias. Por fim, alguns dos processos envolvidos na homeostase, especialmente o impulso sexual, a fome e a sede, precisam ser reduzidos para que não sejamos distraídos pelas funções corporais. Nos estados muito agudos do fluxo perdemos toda consciência do ambiente. Csikszentmihalyi cita o caso de um cirurgião que só notou que o teto da sala de cirurgia havia desabado depois de terminada a operação.

O fluxo ocorre quando você não está pensando explicitamente naquilo que faz. Contudo, seu cérebro está num modo de atividade especial em que os procedimentos e as operações são executados automaticamente sem que você precise exercer um controle consciente. É por isso que a prática e a perícia são pré-requisitos para o fluxo. Músicos que aprenderam escalas são capazes de tocá-las sem se concentrar nelas de modo explícito, recorrendo apenas à memória motora. Na verdade, eles relatam que seus dedos "sabem aonde ir" sem que eles precisem pensar nisso. Os jogadores de basquete, pilotos de avião, programadores de computador, ginastas e outras pessoas altamente capacitadas e treinadas relatam fenômenos semelhantes, dizendo ter atingido um nível de habilidade tão alto que o pensamento nem sequer parece estar envolvido.

Quando você aprendeu a andar de bicicleta, precisou se concentrar em manter o equilíbrio, pedalar e manejar o guidão. Provavelmente caiu algumas vezes, porque manter o controle dessas coisas era difícil. Mas, depois de alguma prática, você conseguia montar na bicicleta e sair pedalando, dirigindo sua atenção para coisas mais agradáveis, tal como a vista e seu ambiente imediato. Então, se você tenta ensinar *outra* pessoa a andar de bicicleta, percebe que muito do que sabe não está disponível à introspecção ou à descrição consciente. Certos circuitos do cérebro se tornaram um tanto autônomos nesse caso, sem precisar de ordens do sistema executivo central no seu córtex pré-frontal. Simplesmente teclamos COMEÇAR no cérebro, e a sequência de andar de bicicleta assume o controle. As pessoas relatam um grau semelhante de automatismo ao amarrar os sapatos, dirigir e até solucionar equações diferenciais.

Todos nós temos programas cerebrais como esses. Mas se você pensa no que está fazendo, isso provoca uma rápida interferência, acabando com o automatismo e o alto nível de desempenho de que desfrutava. A maneira mais fácil de fazer alguém cair de uma bicicleta é pedir que se concentre em como fica equilibrado sobre ela ou descreva o que está fazendo. O grande tenista John McEnroe usava isso como vantagem nas quadras. Quando um adversário estava jogando especialmente bem, por exemplo, acertando backhands excepcionais, McEnroe o elogiava. Ele sabia que isso faria o adversário pensar sobre o golpe, e esse pensamento interrompia sua execução automática.[151]

O fluxo nem sempre é bom; pode se tornar prejudicial quando vira um vício, e é socialmente prejudicial quando seus praticantes se retiram da companhia dos outros e se isolam em seu casulo. Jeannette Walls, em *O castelo de vidro*, diz que sua mãe ficava tão absorta quando pintava que ignorava os pedidos de comida dos filhos, famintos. Aos três anos de idade, Jeanette pôs fogo em si mesma acidentalmente ao ficar em pé em cima de uma cadeira, diante do fogão, tentando cozinhar cachorros-quentes numa panela fervente, enquanto a mãe artista estava absorta na pintura. Mesmo depois que Jeanette voltou de uma temporada de seis semanas no hospital, sua mãe não conseguia sair do fluxo quando estava pintando para cozinhar para a filha.

Pessoas criativas muitas vezes organizam suas vidas para maximizar a possibilidade de ocorrência de períodos de fluxo, e poder permanecer no fluxo quando o alcançam. O cantor e compositor Neil Young descreve isso muito bem. Onde quer que esteja, não importa o que esteja fazendo, se tiver uma ideia para uma música, ele para o que está fazendo e cria imediatamente espaço e tempo para trabalhar nela. Encosta de repente na beira da estrada, abandona jantares subitamente, e faz o que for preciso para se manter conectado à musa, para se ater à tarefa. Se acaba adquirindo a reputação de imprevisível, e nem sempre pontual, esse é o preço a pagar por ser criativo.[152]

Parece então que, em determinados aspectos, a criatividade é incompatível com a escrupulosidade. Se você quiser desfrutar de seu lado criativo, isso significa que não pode ser muito exigente quanto a compromissos. É evidente que se pode contra-argumentar que Neil está sendo excepcionalmente dedicado à sua arte, entregando-se a *ela* por inteiro. Não se trata de falta de cuidado, e sim de um cuidado a serviço de uma prioridade diversa.

Stevie Wonder pratica o mesmo tipo de isolamento autoimposto do mundo para alimentar sua criatividade.[153] Ele a descreveu em termos de emoção. Quando ele sente uma onda de emoção dentro de si ao tomar conhecimento de notícias trágicas, ou ao passar momentos com alguém que ama, por exemplo, ele segue esse fio, se atém à experiência emocional e não se deixa distrair, mesmo que isso signifique perder um compromisso. Se conseguir compor uma canção sobre a emoção naquele momento, ele a compõe; se não, tenta mergulhar naquele mesmo estado emocional mais tarde, de modo que ele inspire a música. (Ele também tem a má reputação de chegar atrasado.)

Sting organiza e divide seu tempo para maximizar a entrega ao ato criador. Durante as turnês, seu tempo é bem organizado por outras pessoas para que ele desfrute do máximo de liberdade.[154] Ele não precisa pensar em nada além da música. Onde vai precisar estar, o que vai comer, todas essas partes do dia são totalmente agendadas para ele. O importante é que todo dia ele tenha algumas horas para desfrute pessoal, e isso é sagrado. Todo mundo sabe que não pode interrompê-lo nesses momentos, e ele sabe que não existe nada mais premente ou importante do que usar esse tempo para atividades criativas, restauradoras da criatividade. Ele usa esse tempo para fazer ioga, compor, ler e praticar. Ao combinar suas extraordinárias autodisciplina e concentração com um ambiente em que as distrações foram dramaticamente reduzidas, é mais fácil se entregar a atividades criativas. Sting também fez algo interessante para ajudá-lo a lidar com os efeitos desorientadores (e criativamente prejudiciais) de viajar. Trabalhando intimamente com um designer de interiores, ele descobriu cortinas, travesseiros, tapetes e outros objetos decorativos cujo estilo, a cor e a textura se parecem com aqueles que gosta de ter em casa. Sempre que está na estrada, sua equipe cria um cômodo virtual com esses acessórios, um espaço privado dentro do local do show que é sempre o mesmo, qualquer que seja a cidade, o que cria bastante conforto e continuidade em meio a toda aquela mudança. Isso fomenta um estado de espírito tranquilo, livre de distrações. Existe um princípio fundamental da neurociência por trás disso. Como frisamos antes, o cérebro é um grande detector de mudanças. A maioria de nós se distrai com novidades, pelo forte apelo que elas exercem junto ao córtex pré-frontal. Podemos nos ajudar moldando o ambiente e nossa agenda de modo a facilitar e incrementar a inspiração criativa. Uma vez que seus sentidos não estão sendo bombardeados diariamente por novos ambientes, cores e arranjos espaciais — pelo menos durante as quatro horas de seu tempo pessoal —, Sting pode relaxar a mente e o cérebro, alcançando o estado de fluxo com mais facilidade.

Há um velho ditado que diz: se você realmente quer que uma coisa seja feita, delegue-a a alguém muito ocupado. Parece um paradoxo, mas pessoas ocupadas tendem a ter um sistema para fazer as coisas de maneira eficaz, e o objetivo dessa seção é descobrir quais são esses sistemas. Até mesmo procrastinadores inveterados se beneficiam por ter de fazer mais coisas — eles mergulharão em alguma tarefa mais atraente do que aquela que estão tentando evitar, e avançarão em um grande número de projetos. É raro que os procrastinadores não façam absolutamente nada.[155] Robert Benchley, colaborador da *Vanity Fair* e da *New Yorker*, disse ter conseguido construir uma estante e folhear uma pilha de artigos científicos quando se aproximou o prazo de entrega de um artigo.[156]

Grande parte da eficiência na administração do tempo gira em torno de evitar distrações. Um dos aspectos irônicos da vida é a facilidade com que podemos ser prejudicados pelo que desejamos. Os peixes são fascinados pela isca do pescador, o camundongo, por queijo.[157] Mas pelo menos esses objetos de desejo parecem ter a ver com o sustento. Raramente é o nosso caso. As tentações capazes de prejudicar nossas vidas muitas vezes são puras fraquezas. Nenhum de nós precisa jogar, beber álcool, ler e-mails ou ficar verificando compulsivamente as últimas novidades nas redes sociais para sobreviver. Perceber quando uma diversão foge do controle é um dos grandes desafios da vida.

Qualquer coisa que interrompe a extensa concentração exigida para um bom desempenho em tarefas difíceis é uma potencial barreira para o sucesso. Os centros de mudança e novidade do cérebro também nos alimentam com recompensas químicas quando completamos tarefas, por mais triviais que sejam. O círculo do vício em redes sociais — seja Facebook, Twitter, Vine, Instagram, Snapchat, Tumblr, Pinterest, e-mail, SMS, ou o que quer que seja inventado e adotado nos próximos anos — envia substâncias químicas através do centro de prazer do cérebro que são autêntica e fisiologicamente viciantes. A maior satisfação da vida advém de completar projetos que exigem concentração prolongada e energia. Parece improvável que alguém, ao rememorar sua vida, sinta orgulho por ter mandado milhares de mensagens de texto extras ou verificado algumas centenas de vezes a mais as redes sociais enquanto trabalhava.

Para ter êxito em ignorar as distrações, precisamos nos enganar, ou criar sistemas que nos encorajem a nos dedicar ao trabalho diante de nós. Os dois tipos de distração com que precisamos lidar são externas — provocadas pelas coisas no mundo — e internas — provocadas pela nossa mente quando divaga, de volta ao modo padrão do devaneio.

Para as distrações externas, as táticas já mencionadas funcionam. Separe uma parte do dia para trabalhar, desligue o telefone, desconecte o e-mail e a internet. Defina um local específico onde possa trabalhar e se concentrar. Adquira o hábito de não responder a mensagens que cheguem durante seu tempo produtivo. Adote a atitude mental de achar o que você está fazendo a coisa mais importante do mundo. Lembre-se da história do candidato presidencial Jimmy Carter no Capítulo 1 — seus assistentes lhe garantiam tempo e espaço. Avaliavam, em tempo real, se valeria mais a pena ele continuar a conversar com a pessoa diante dele ou com outra à espera, se deveria estar ali ou em outro lugar. Isso permitia que Carter se esquecesse completamente de seus problemas com o tempo, que vivesse o momento e se dedicasse 100% à pessoa à sua frente. Da mesma maneira, os assistentes executivos muitas vezes agendam o tempo de seus chefes para que o chefe saiba que quem está diante dele é *a* coisa mais importante que ele poderia estar fazendo naquele momento. Ele não precisa se preocupar com projetos ou tarefas que abandonou, porque tem um assistente para isso. É uma situação semelhante à que descrevemos antes, sobre operários de construção. Consegue-se um grande aumento de qualidade e produção quando a pessoa que supervisiona e organiza não é a mesma que faz o trabalho.

Aqueles de nós que não têm assistentes executivos precisam depender da própria sagacidade e do executivo central do córtex pré-frontal.[158]

Para combater as distrações internas, mais eficaz a se fazer é o exercício de limpeza mental sobre o qual falei no Capítulo 3. As tarefas difíceis se beneficiam de um período de concentração prolongado de cinquenta minutos ou mais, em razão do tempo que o cérebro leva para se acostumar e se manter em estado de concentração. A melhor técnica de gestão de tempo é assegurar que você tenha captado todas as coisas que merecem a sua atenção, ou deveriam merecê-la, e anotá-las. O objetivo é tirar da sua mente projetos e situações, sem perder ideias potencialmente úteis — exteriorizando seus lobos pré-frontais. Então você pode dar um passo atrás e observar sua lista do ponto de vista de um observador, e não se deixar levar por aquilo que é mais recente e gritante dentro da sua cabeça.[159]

Fazer intervalos também é importante. Os especialistas recomendam sair da cadeira e dar uma volta pelo menos a cada noventa minutos. A essa altura, até mesmo os mais sedentários, os maiores viciados em TV já ouviram falar sobre a importância do exercício diário. Tentamos dizer a nós mesmos que ainda estamos bem, nossas calças ainda servem (mais ou menos), e que todo esse negócio de exercício físico é meio superestimado. Porém, estudos estatísticos e epidemiológicos demonstram sem sombra de dúvida que a atividade física está fortemente ligada à prevenção de várias doenças crônicas e da morte prematura,[160] incrementando o sistema imunológico para detectar e afastar certos tipos de câncer.[161] E apesar de há vinte anos recomendar-se o tipo de atividade física vigorosa que poucas pessoas com mais de 45 anos se sentem motivadas a fazer, os conhecimentos atuais sugerem que mesmo uma atividade moderada, como uma enérgica caminhada de trinta minutos, cinco vezes por semana, trará benefícios significativos.[162] Adultos mais velhos (55 a oitenta) que caminharam quarenta minutos três vezes por semana revelaram um aumento significativo do hipocampo, incrementando a memória. Demonstrou-se também que o exercício previne o declínio cognitivo relacionado à idade, ao aumentar o fluxo sanguíneo para o cérebro,[163] causando um aumento no tamanho do córtex pré-frontal[164] e melhoria no controle executivo, na memória e no pensamento crítico.[165]

Existe um erro que muitos cometem ao se aproximar o prazo de entrega de parte de um grande projeto, algo que é muito importante e levará muitas horas, dias ou semanas para ser concluído. A tendência é parar todo o resto e dedicar todo nosso tempo a esse grande projeto — parece que cada minuto conta. Mas agir desse modo significa deixar de fazer uma porção de pequenas tarefas, que só vão se acumular e causar problemas depois. Você sabe que devia estar dando atenção a elas, uma pequena voz dentro da sua cabeça ou itens na sua lista de coisas a fazer o perturbam: é preciso um grande esforço consciente para *não* fazê-las. Isso acarreta um esforço psicológico tangível à medida que seu cérebro procura recalcá-las na sua consciência, e você acaba usando mais energia para *não* fazê-las do que teria usado para fazê-las.

A solução é seguir a *regra dos cinco minutos*. Se existe algo que você possa fazer em cinco minutos, ou menos, faça-o agora. Se tiver vinte coisas desse tipo para fazer mas só dispuser de trinta minutos no momento, priorize as mais importantes e faça o resto mais tarde ou amanhã, ou delegue-as. A ideia é que, se há coisas que você pode resolver agora, o melhor é resolvê-las logo, em vez de deixar que se acumulem. Uma boa dica é separar um tempo todo dia para lidar com coisas assim — seja apanhar as roupas do chão, dar telefonemas desagradáveis ou responder rapidamente a um e-mail. Se isso parece uma contradição com a argumentação que fiz sobre não se deixar distrair por tarefas menores, repare na distinção crítica: proponho aqui que você separe um determinado período de tempo para resolver essas pequenas coisas, não que dê atenção a elas durante o tempo que separou para se concentrar num único e grande projeto.

Uma das coisas que muitas pessoas de sucesso fazem para administrar seu tempo é calcular o valor subjetivo que o tempo tem para elas. Isso não é necessariamente o que ele vale no mercado, ou quanto vale em termos de trabalho/hora, embora isso tenha certa influência — mas sim o que elas sentem que seu tempo vale para elas. Ao decidir, por exemplo, se você mesmo vai limpar os tapetes ou contratar alguém para fazê-lo, talvez você leve em consideração outra coisa que poderia estar fazendo com seu tempo. Se é raro ter um dia livre no fim de semana e você está realmente na expectativa de andar de bicicleta com amigos ou ir a uma festa, talvez decida que vale a pena pagar alguém para limpá-los. Ou se você é um consultor ou um advogado que ganha até trezentos dólares por hora, gastar cem dólares com um desses serviços prioritários para evitar a longa fila do aeroporto parece valer bastante a pena.

Calcular o valor que seu tempo tem para você simplifica muito a tomada de decisão, porque você não precisa reavaliar cada situação individualmente. Apenas siga a regra: "Se eu puder gastar $x$ para economizar uma hora de meu tempo, vale a pena". É claro que, nesse caso, estamos presumindo que a atividade é algo que você não considera agradável. Se você gosta de limpar tapetes e de ficar em filas de aeroporto, então esse cálculo não funciona. Mas, para tarefas ou obrigações que lhe são indiferentes, ter uma tabela do valor do tempo é muito útil.

A regra a seguir tem relação com quanto vale seu tempo: não gaste mais do que vale a pena para tomar uma decisão. Imagine que você está comprando roupa e encontra uma camisa que o agrada especialmente, e está no exato limite do que você havia decidido gastar. O vendedor aparece e lhe mostra outra camisa que igualmente o agrada. Nesse caso, você está disposto a investir algum tempo tentando decidir entre as duas, porque tem uma quantia limitada de dinheiro. Se o vendedor oferece incluir a segunda camisa no pacote por apenas cinco dólares a mais, você provavelmente aceita a oferta sem pensar muito, diante da oportunidade de comprar as duas, porque, a essa altura — estando em jogo apenas uma pequena soma de dinheiro —, ficar sofrendo para decidir não vale o tempo gasto.

David Lavin, ex-campeão de xadrez e agora presidente da agência internacional de oradores que traz seu nome, pensa a coisa desta maneira: "Um colega certa vez reclamou: 'Você tomou uma decisão sem conhecer todos os fatos!'. Ora, conhecer todos os fatos levaria uma hora, e a quantia em jogo nessa decisão só valia dez minutos do meu tempo".[166]

A gestão do tempo também exige a organização do futuro por meio de lembretes. Ou seja, um dos segredos de administrar o tempo no presente é antecipar as necessidades futuras, de modo que você não fique atrapalhado o tempo todo tentando se atualizar. Linda (que conhecemos no Capítulo 3), a assistente executiva do presidente de uma empresa de 20 bilhões de dólares que figura entre as cem mais da *Fortune*,[167] descreve como organiza o escritório de executivos, e especialmente a rotina de seu chefe, seus compromissos, sua agenda.[168] Ela é uma das pessoas mais organizadas e eficientes que já conheci.

"Uso muitas fichas suspensas ou lembretes", diz Linda, coisas que a fazem recordar algum compromisso futuro com bastante antecedência.

A ficha lembrete é uma ficha física em sua mesa ou, cada vez mais, um alerta em seu calendário. "Uso o calendário como principal recurso para organizar a agenda do meu chefe. Também o utilizo para minha própria agenda. Quando chego de manhã, o calendário me diz o que é preciso fazer hoje, além das coisas futuras sobre as quais devemos pensar hoje. Se um novo projeto surge na mesa dele, descubro de quanto tempo ele acha que vai precisar para terminá-lo, e quando precisa devolvê-lo. Digamos que ele ache que precisa de duas semanas. Eu crio um lembrete no calendário três semanas antes do prazo — ou seja, uma semana antes das duas semanas de que ele precisa para terminá-lo —, assim, ele começa a pensar sobre o assunto e sabe que o prazo está começando a correr. Em seguida, outro lembrete no dia em que ele deve começar a trabalhar, e lembretes diários para assegurar que esteja fazendo isso. É claro que muitos de seus projetos precisam de informações de outras pessoas, ou possuem componentes que precisam ser fornecidos por outras pessoas. Eu me sento com ele, e ele me diz quem mais irá contribuir para o projeto, e quando vai precisar usar a informação dessas pessoas, de modo a poder cumprir seu prazo de entrega. Ponho lembretes no calendário para fazer contato com todas essas pessoas."

Para que tudo isso funcione, é importante botar *tudo* no calendário, não apenas algumas coisas. A razão é simples: se você vê um ponto vazio no calendário, é razoável presumir que você ou qualquer um que olhe para ele imagine que aquele tempo está disponível. Não se pode usar o calendário *parcialmente*, mantendo alguns compromissos na cabeça — essa é a receita para compromissos duplos e perdidos. A melhor estratégia é incluir eventos, notas e lembretes no calendário assim que eles surgem, ou, como alternativa, juntar todas as entradas no calendário em fichas ou pedaços de papel, e separar um ou dois momentos por dia para atualizá-lo.

Linda diz que também imprime cada entrada no calendário, para o caso de o computador por algum motivo dar problema. Ela mantém múltiplos calendários: um para ser visto por seu chefe e um só para ela — o dela inclui lembretes para si mesma, com os quais não precisa aborrecê-lo —, além de um calendário separado para seus negócios particulares (nada a ver com o trabalho) e para pessoas importantes com quem seu chefe interage.

Linda também usa o calendário para organizar o que precisa ser feito antes de um compromisso. "Se for uma consulta médica e houver coisas que precisam ser feitas antes do compromisso, como exames, por exemplo, descubro quanto tempo leva para os resultados chegarem e, em seguida, ponho um lembrete para fazer os exames bem antes da consulta. Ou, se for o caso de uma reunião, e determinados documentos precisarem ser examinados com antecedência, avalio o tempo necessário para que sejam lidos e reservo espaço para isso no calendário." Hoje em dia, a maioria dos calendários de computador pode ser sincronizada com o calendário de um Android, iPhone, BlackBerry ou outro smartphone, de modo que todo lembrete ou subconjunto de lembretes também é mostrado no telefone.

Datas especiais são incluídas no calendário, junto das fichas lembrete para lembrar essas datas. "Os aniversários entram no calendário", diz Linda, "com um lembrete, com uma ou duas semanas de antecedência, para comprar um presente ou mandar um cartão. Na verdade, qualquer acontecimento social ou reunião de negócios que exige um presente recebe duas entradas no calendário — uma para o próprio evento e uma adiantada para que haja tempo de escolher o presente."

É claro que há coisas a que você quer dedicar tempo, mas não exatamente no momento. Lembrar-se de completar tarefas que dependem de tempo e fazê-las na hora mais conveniente está se tornando mais fácil, porque exteriorizá-las está ficando mais fácil. Alguns programas permitem que você escreva um e-mail ou mensagem de texto para mandá-los numa data posterior — isso funciona muito bem como um lembrete: você cria um e-mail ou texto no dia em que está pensando nisso, para lembrá-lo no futuro de que você precisa fazer alguma coisa ou começar a trabalhar num projeto. Aplicativos como o Asana permitem fazer a mesma coisa, com a opção de marcar colegas de trabalho e amigos, se você estiver empenhado num projeto coletivo que exija a participação de outras pessoas. O Asana, então, envia e-mails automáticos para lembrar às pessoas quando e o quê precisa ser feito.

Para economizar tempo, o psicólogo cognitivo Stephen Kosslyn recomenda que, se você não for do tipo que gasta mais do que pode — isto é, se você sabe que consegue viver com seus recursos —, pare de fazer balanços no seu talão de cheque. Os bancos raramente cometem erros hoje em dia, frisa ele, e o tamanho do erro tende a ser minúsculo comparado com as horas que você vai passar analisando cada compra. Ele aconselha passar os olhos no extrato para identificar qualquer débito não autorizado e, em seguida, arquivar e deixar para lá. Se você tiver uma proteção automática contra saques fora do limite, não precisa se preocupar com a devolução de cheques. E ponha em débito automático todas as suas contas regulares: cartão de crédito, celular, luz, aluguel. As horas que você gastava por mês pagando contas serão tempo livre conquistado.

## Tempo de vida

À medida que envelhecem, as pessoas costumam dizer que o tempo parece passar mais depressa do que quando eram jovens.[169] Há várias hipóteses sobre isso. Uma delas é que nossa percepção do tempo é não linear e baseada na quantidade de tempo que já vivemos. Um ano na vida de uma criança de quatro anos representa uma proporção maior do tempo que ela já viveu do que para quem tem quarenta anos. As experiências sugerem que a fórmula de calcular o tempo subjetivo é uma função de poder, e a equação afirma que a passagem de um ano deveria parecer duas vezes mais longa para quem tem dez anos do que para quem tem quarenta.[170] Lembre-se de tentar ficar sentado quieto durante um minuto inteiro quando criança e de como um minuto agora passa depressa.

Outro fator é que, depois dos trinta, nosso tempo de reação, a velocidade de processamento cognitivo e a taxa de metabolismo diminuem — a própria velocidade da transmissão neuronal diminui.[171] Isso deixa a impressão de que o mundo passa disparado em relação aos nossos processos mentais tornados mais lentos.

Naturalmente, a maneira como optamos por preencher o tempo também muda de acordo com a idade. Quando jovens, somos impelidos pela novidade e motivados a aprender e viver coisas novas. A adolescência e os vinte anos são um período durante o qual queremos aprender o máximo possível sobre nós mesmos e o mundo, de modo a perceber, dentre infinitas possibilidades, o que apreciamos e como gostaríamos de passar o tempo. Será que gosto de paraquedismo? Artes marciais? Jazz moderno? À medida que envelhecemos e nos aproximamos dos cinquenta e dos sessenta, a maioria de nós dá prioridade a *fazer* o que já sabemos que gostamos, em vez de tentar descobrir coisas novas para gostar. (Os indivíduos variam muito entre si, é claro; há pessoas mais velhas com um interesse maior por novas experiências do que outras.)

Essas diferenças de pontos de vista sobre como queremos passar o tempo são alimentadas, em parte, pela quantidade de tempo que achamos que ainda nos resta. Quando se percebe o tempo como aberto, os objetivos que recebem maior prioridade são preparatórios, concentrados em coletar informação, em experimentar novidades e em expandir o alcance de nossos conhecimentos. Quando se percebe o tempo como limitado, os objetivos de maior prioridade serão aqueles que podem ser realizados a curto prazo e que possuem um significado emocional, tal como estar com a família e os amigos.[172] E a despeito de estar documentado que pessoas mais velhas possuem redes sociais menores e interesses reduzidos, e são menos atraídas pela novidade do que as mais jovens, os mais velhos são tão felizes quanto os mais novos — descobriram do que gostam e passam seu tempo fazendo isso. A pesquisa mostra que isso *não* se deve ao envelhecimento em si, mas a uma sensação de que o tempo está acabando. Diga a uma pessoa com 25 anos que ela só terá mais cinco anos de vida, e ela tenderá a ficar mais parecida com alguém de 75 — sem interesse especial por novas experiências, dando preferência a passar seu tempo com a família e os amigos, e reservando-o para gozar prazeres conhecidos. Pessoas jovens com doenças terminais tendem a encarar o mundo de maneira mais parecida com os velhos.[173] Há certa lógica nisso, baseada na avaliação de risco: se as refeições que você terá são limitadas, por exemplo, por que pedir um prato que você nunca comeu, correndo o risco de detestá-lo, quando pode pedir algo de que sabe que gosta? Na verdade, os prisioneiros no corredor da morte tendem a pedir pratos bastante familiares como última refeição: pizza, frango frito, hambúrguer, e não crepe suzette ou cassoulet de canard.[174] (Pelo menos os prisioneiros americanos. Não há dados sobre os pedidos de prisioneiros franceses. A pena de morte foi abolida na França em 1981.)

Há uma diferença parecida na percepção temporal ocasionada por diferenças na atenção e na memória emocional. Os adultos mais velhos demonstram uma preferência especial por memórias emocionalmente positivas em contraste com as negativas, enquanto os adultos jovens demonstram o oposto.[175] Isso faz sentido, pois há muito se sabe que os jovens acham a informação negativa mais atraente e memorável do que a positiva. Os cientistas cognitivos sugerem que nos inclinamos a aprender mais com a informação negativa do que com a positiva — um caso óbvio é que a informação positiva muitas vezes apenas confirma o que já sabemos, enquanto a informação negativa nos revela áreas de ignorância. Nesse sentido, o impulso pela informação negativa na juventude é paralelo à sede de saber que declina com a idade. Essa preferência pela positividade relacionada à idade se reflete em escaneamentos cerebrais: os adultos mais velhos só ativam a amígdala diante de informação positiva, enquanto os jovens adultos a ativam nos dois casos.[176]

Uma das maneiras de adiar os efeitos do envelhecimento é permanecer mentalmente ativo, desempenhar tarefas que você nunca desempenhou antes. Isso impulsiona o sangue para partes do seu cérebro que de outro modo não seriam irrigadas — o segredo é conseguir que o sangue flua. Pessoas que sofrem de Alzheimer têm depósitos de amiloides no cérebro, proteínas que interagem de modo errado, criando pequenos microfilamentos fibrosos no cérebro. Pessoas cognitivamente mais ativas durante a vida têm menos amiloides no cérebro, sugerindo que atividade mental protege contra o Alzheimer.[177] E não é apenas ser ativo e aprender coisas novas com setenta ou oitenta anos que conta — é preciso um padrão de aprender e exercitar o cérebro ao longo de toda a vida. "Em termos de demência, tendemos a nos focar no que as pessoas fazem aos 75 anos", diz William Jagust, neurocientista da UC Berkeley. "Mas há mais provas de que o que você faz aos quarenta ou cinquenta é muito mais importante."[178]

"Manter bastante interação pessoal é realmente importante", acrescenta Arthur Toga, neurocientista da Universidade do Sul da Califórnia. "Envolve uma boa parte do cérebro. Você tem que interpretar as expressões faciais e compreender novos conceitos." Além do mais, há pressão para que você reaja em tempo real e para assimilar informação nova. Tal como a atividade cognitiva, ter um comportamento de interação social ao longo de toda a vida protege contra o Alzheimer.[179]

Para pessoas de todas as idades, o mundo se torna crescentemente linear — palavra que uso no sentido figurado, em vez de matemático. Os pensadores não lineares, inclusive muitos artistas, estão se sentindo mais marginalizados por causa disso. Como sociedade, parece que dedicamos menos tempo à arte. Ao agir assim, talvez estejamos perdendo algo profundamente valioso e importante do ponto de vista neurobiológico. Os artistas recontextualizam a realidade e nos oferecem visões que antes não eram visíveis. A criatividade envolve diretamente o modo devaneio do cérebro e estimula o livre fluxo e a associação de ideias, criando laços entre conceitos e modos neurais que de outro modo talvez não acontecessem. Assim, o envolvimento com a arte, seja como criador ou consumidor, nos ajuda, pois aperta as teclas de reset de nossos cérebros. O tempo para. Contemplamos. Reimaginamos nossa relação com o mundo.

Ser criativo significa permitir que o não linear intervenha no linear, exercendo algum controle sobre o resultado. As maiores conquistas na ciência e na arte no decorrer dos últimos milhares de anos exigiram indução em vez de dedução — exigiram que se extrapolasse do conhecido para o desconhecido, em grande parte adivinhando no escuro o que viria em seguida, e acertando algumas vezes. Em suma, exigiram grande criatividade e uma dose de sorte.[180] Há certo mistério em como foram dados esses passos adiante, mas podemos posicionar as peças a nosso favor. Podemos organizar nosso tempo e nossa mente para reservar parte dele à criatividade, ao devaneio, para que cada um de nós faça sua contribuição singular no tempo que passamos aqui.

Em contraste com o pensamento criativo temos a tomada de decisão racional. Infelizmente, o cérebro humano não se desenvolveu a ponto de ser bom nessa atividade, e os biólogos evolucionistas e psicólogos só podem especular sobre o motivo. Temos uma capacidade de atenção limitada para lidar com uma grande quantidade de informações, e, como consequência, a evolução desenvolveu táticas de poupar tempo e atenção que muitas vezes funcionam, mas nem sempre. Quanto mais êxito temos na vida, e mais nos tornamos parecidos com as PABS (aquelas pessoas altamente bem-sucedidas) que sonhamos ser, mais difíceis se tornam algumas decisões. Todos nós poderíamos nos beneficiar de melhores estratégias para tomar decisão. O próximo capítulo examina como podemos organizar melhor nossas informações científicas e médicas de modo a ensinar a nós mesmos como ser nossos melhores advogados na hora da doença, e a tomar mais decisões com base em fatos quando é isso o que mais importa.

# 6

# ORGANIZANDO INFORMAÇÃO PARA AS DECISÕES MAIS DIFÍCEIS

## Quando a vida está em jogo

"Nada que seja perfeitamente solucionável chega à minha mesa", observou o presidente Obama.[1] "Caso contrário, alguém já teria solucionado."

Qualquer decisão cuja solução é óbvia — que não precise de muito esforço mental — vai ser resolvida por alguém abaixo do presidente. Ninguém deseja desperdiçar o precioso tempo dele. As únicas decisões que chegam a ele são as que desnortearam todo mundo abaixo dele.

A maioria das decisões que o presidente dos Estados Unidos precisa tomar possui sérias implicações — perda de vidas em potencial, escalada de tensão entre países, mudanças na economia que podem levar ao desemprego. E os problemas costumam vir acompanhados de informação precária e pobre. Seus conselheiros não precisam dele para debater novas possibilidades — embora ele às vezes também faça isso. Os conselheiros não passam o problema para o andar de cima por serem incapazes de solucioná-lo, mas porque ele invariavelmente envolve uma escolha entre duas perdas, dois desfechos negativos, e o presidente precisa decidir qual o mais palatável. A esta altura, diz o presidente Obama, "você acaba lidando com probabilidades. Para qualquer decisão que toma, acaba com 30% ou 40% de chance de não dar certo".

Falei de Steve Wynn, CEO da Wynn Resorts, no Capítulo 3. Eis o que ele diz sobre a tomada de decisão: "Em qualquer organização suficientemente grande, com um sistema de gestão efetivo, vai haver uma estrutura piramidal, com tomadores de decisão em cada nível. A única situação em que me envolvo é quando as soluções conhecidas têm um contra, como a perda do emprego de alguém ou a perda de grandes somas pela companhia. E geralmente a decisão já vem enquadrada para mim sob a forma de duas negativas. Cabe a mim decidir com qual dessas negativas poderemos conviver".[2]

A tomada de decisão médica muitas vezes é bastante parecida — escolher entre duas negativas. Temos um desafio diante de nós: a possibilidade da deterioração da saúde se não fizermos nada ou um grande potencial de dor, desconforto e despesa se escolhermos um dos procedimentos médicos. Tentar avaliar os resultados de modo racional pode ser muito desgastante.

A maior parte de nós está mal equipada para calcular sozinha tais probabilidades. Não apenas somos mal equipados para calcular as probabilidades, mas não fomos treinados para avaliá-las racionalmente. Todos os dias precisamos enfrentar decisões que causam impacto sobre nossas vidas, nosso bem-estar e nossa saúde, e a maioria dessas decisões — ainda que não percebamos de imediato — se reduzem a probabilidades. Se o médico começa a explicar as escolhas médicas em termos de probabilidade, é provável que o paciente não compreenda a informação de maneira útil. As informações nos são dadas durante um período de extrema vulnerabilidade emocional e sobrecarga cognitiva. (Como você se sente quando recebe um diagnóstico?) Enquanto o médico discute a chance de 35% disso e a chance de 5% daquilo, nossas mentes estão distraídas, pensando nas contas de hospital e do seguro, e em como pediremos dispensa do trabalho. A voz do médico recua para o segundo plano enquanto imaginamos a dor, o desconforto, se nosso testamento está atualizado, e quem cuidará do cachorro enquanto estivermos no hospital.

Este capítulo fornece algumas singelas ferramentas para organizar informação sobre saúde, e elas se aplicam a todas as decisões mais difíceis que precisamos tomar. Mas a complexidade da informação médica provoca inevitavelmente emoções fortes, enquanto lutamos com fatores desconhecidos e até mesmo com o significado de nossas vidas. A tomada de decisão médica apresenta um profundo desafio à mente organizada, a despeito da quantidade de assistentes que você tenha, ou da sua competência nas coisas que faz.

## Pensando com clareza sobre as probabilidades

A tomada de decisão é difícil porque, por sua própria natureza, envolve a incerteza. Se não houvesse incertezas, as decisões seriam fáceis! A incerteza existe porque não conhecemos o futuro, não sabemos se a decisão que tomamos levará ao desfecho mais feliz possível. A ciência cognitiva nos ensinou que ficar na dependência da intuição pode levar a decisões ruins, sobretudo nos casos em que existe informação estatística disponível. Nosso cérebro não evoluiu para lidar com o pensamento probabilístico.

Pense numa mulher de quarenta anos que deseja ter filhos. Ela lê que, comparada a uma mulher mais jovem, terá cinco vezes mais chances de ter uma criança com um defeito congênito. À primeira vista, isso parece um risco inaceitável. Pedem-lhe que aposte seu forte desejo emocional de ter filhos contra um conhecimento estatístico intelectual. Será que o conhecimento estatístico pode preencher essa lacuna e levá-la à conclusão certa, que lhe proporcionará uma vida mais feliz?

Em parte, manter uma mente e uma vida organizadas exige que tomemos as *melhores decisões possíveis*. As más decisões nos roubam força e energia, sem falar no tempo que talvez tenhamos que dedicar a rever a decisão se as coisas derem errado. Pessoas ocupadas, que tomam muitas decisões de alto risco, tende a dividir suas tomadas de decisão em categorias, fazendo uma triagem semelhante às listas de que falei no Capítulo 3:

1. Decisões que você pode tomar de imediato porque a solução é evidente.
2. Decisões que você pode delegar a alguém com mais tempo e perícia do que você.
3. Decisões para as quais você possui todas as informações relevantes, mas que precisam de tempo para ser digeridas ou processadas. É geralmente o caso dos juízes em processos complicados. Não é que eles não tenham a informação — e sim que desejam ponderar os vários ângulos e considerar a causa sob uma perspectiva mais ampla. É bom se atribuir um prazo final nesses casos.

4. Decisões que exigem mais informação. Nessa altura, ou você manda um assistente obter essa informação ou faz um lembrete a você mesmo para obtê-la. É bom atribuir um prazo final para as duas opções, mesmo que ele seja arbitrário, de modo que você possa riscar esse item de sua lista.

As decisões médicas às vezes recaem na categoria 1 (*faça já*), como quando seu dentista diz que você está com uma nova cárie e que é preciso obturá-la. As obturações são corriqueiras, as alternativas não implicam nenhum debate sério. É provável que você já tenha feito obturações antes, ou conheça pessoas que já fizeram. Há riscos, mas eles, sem dúvida, são preferíveis às sérias complicações que poderiam resultar de não obturar a cárie. A expressão *sem dúvida* é importante aqui; seu dentista não precisa perder tempo explicando as alternativas ou consequências de não tratar o dente. A maioria dos médicos que lida com doenças sérias, porém, não goza dessa facilidade em virtude da incerteza quanto ao melhor tratamento.[3]

Algumas decisões médicas recaem na categoria 2 (*delegue*), especialmente quando a literatura parece contraditória ou opressiva. Levantamos as mãos e perguntamos "O que o *senhor* faria, doutor?", na verdade, delegando a decisão a ele.

A categoria 3 (*pondere*) pode parecer a opção correta assim que o problema lhe é apresentado, ou depois que as categorias 2 e 4 (*obtenha mais informação*) foram implementadas. Afinal de contas, no caso de decisões que afetam o modo como passaremos nossos dias neste planeta, trata-se de uma prudência intuitiva não apressar a decisão.

Grande parte da decisão médica recai na categoria 4 — é simplesmente necessário obter mais informação. Os médicos podem fornecer alguma, mas o mais provável é que você precise adquirir informação suplementar que depois vai analisar para chegar a uma decisão certa para o seu caso. A intuição entranhada pode não ter evoluído no sentido de lidar instintivamente com o pensamento probabilístico, mas podemos treinar nosso cérebro numa tarde para se tornar uma máquina lógica e eficiente de tomar decisões. Se você quiser tomar decisões médicas melhores — sobretudo num período crítico, quando a exaustão emocional pode confundir o processo de tomada de decisão —, precisa conhecer um pouco a probabilidade.

ORGANIZANDO INFORMAÇÃO PARA AS DECISÕES MAIS DIFÍCEIS   273

Usamos o termo *probabilidade* na conversa corriqueira para nos referirmos a dois conceitos diferentes, e é importante diferenciá-los. Em determinado caso, falamos de cálculos matemáticos que nos informam sobre a chance de acontecer algum desfecho entre outros possíveis — um cálculo objetivo. Em outro caso, estamos nos referindo a algo subjetivo — a uma questão de opinião.

As probabilidades do primeiro tipo descrevem eventos calculáveis ou contáveis, e — o que é importante — teoricamente passíveis de repetição. Trata-se de eventos como jogar cara ou coroa e tirar três coroas seguidas, ou tirar o rei de paus do baralho, ou ganhar na mega-sena. *Calculável* significa que podemos atribuir valores exatos numa fórmula que vai gerar uma resposta. *Contável* significa que podemos determinar as probabilidades empiricamente, realizando uma experiência ou fazendo uma pesquisa e contabilizando os resultados. Dizer que são passíveis de repetição significa que podemos refazer a experiência incontáveis vezes e esperar descrições semelhantes das probabilidades dos eventos no caso.

Para muitos problemas o cálculo é fácil. Consideramos todos os resultados possíveis, o resultado que nos interessa e armamos uma equação. A probabilidade de tirar o rei de paus (ou qualquer carta) de um baralho completo é de 1 em 52, porque é possível tirar qualquer uma das 52 cartas num baralho, e estamos interessados apenas em uma. A probabilidade de pegar *qualquer* rei de um baralho completo é de 4 em 52, porque o baralho tem 52 cartas e estamos interessados em quatro delas. Se há 10 milhões de bilhetes vendidos de uma loteria e você compra um, a probabilidade de você vencer é de 1 em 10 milhões. É importante que se reconheça, tanto nas loterias quanto na medicina, que podemos mudar bastante uma probabilidade, mas sem nenhuma consequência no mundo real. Você pode aumentar cem vezes sua chance de ganhar na loteria comprando cem bilhetes. Mas a chance de ganhar permanece tão incrivelmente baixa, 1 em 100 mil, que o investimento não parece razoável. Você pode ler que a probabilidade de pegar uma doença pode ser reduzida em 50% se você fizer determinado tratamento. Mas se sua chance de pegar essa doença é de 1 em 10 mil, talvez não valha a pena a despesa ou os possíveis efeitos colaterais para diminuir esse risco.

Algumas probabilidades do tipo objetivo são difíceis de serem calculadas, mas, ao menos em tese, são contabilizáveis. Por exemplo, se um amigo lhe perguntasse qual a probabilidade de tirar um straight flush num jogo de pôquer — qualquer sequência de cinco cartas do mesmo naipe —, talvez você não soubesse a solução sem consultar um livro didático sobre probabilidade. Mas, em tese, você poderia achar a resposta contando. Poderia passar o dia inteiro distribuindo cartas, durante muitos dias, e simplesmente anotar o número de vezes que recebia um straight flush; a resposta seria muito próxima da probabilidade teórica de 0,0015% (15 chances em 1 milhão). E quanto mais perseverar com a experiência — quanto mais tentativas fizer —, mais as suas contas se aproximarão da verdadeira probabilidade, computada matematicamente. Esta é a chamada lei dos grandes números: as probabilidades extraídas da observação tendem a se aproximar cada vez mais das teóricas na medida em que os exemplos vão se estendendo. A ideia importante aqui é que a probabilidade de receber um straight flush é tanto contável quanto repetível: se seus amigos fizerem a mesma experiência, obterão resultados semelhantes, desde que a repitam muitas vezes, para coletar uma grande quantidade de dados.

Outros tipos de resultados não são sequer teoricamente calculáveis, mas ainda assim permanecem contáveis. A probabilidade de um bebê nascer menino, de um casamento terminar em divórcio, de uma casa em Elm Street pegar fogo se encaixam nessa categoria.[4] Com problemas assim, recorremos à observação — nós contamos porque não existe fórmula para calcular a probabilidade. Verificamos o registro de nascimentos nos hospitais da região, vasculhamos os registros de incêndios na vizinhança durante um período de dez anos. Um fabricante de automóveis pode obter informação sobre defeitos em centenas de milhares de bombas de injeção para descobrir a probabilidade de falha depois de um determinado tempo de uso.

Enquanto as probabilidades objetivas envolvem cálculo teórico ou contagem por experiência, o segundo tipo de probabilidade — subjetiva — não é nem calculável nem contável. Nesse caso, estamos usando a palavra *probabilidade* para exprimir nossa certeza subjetiva sobre um evento futuro. Por exemplo, se digo que há 90% de chance de eu ir à festa de Susan na próxima sexta-feira, isso não se baseia em nenhum cálculo que fiz ou que, na verdade, alguém *pudesse* fazer — não há nada que possa ser medido ou calculado.[5] Antes, é a expressão da fé que tenho na ocorrência deste resultado. Atribuir uma percentagem assim dá a impressão de que a estimativa é precisa, mas não é.

Então, apesar de um desses tipos de probabilidade ser objetivo e o outro, subjetivo, quase ninguém nota a diferença — usamos a palavra *probabilidade* na linguagem corrente, aceitando cegamente este uso, tratando os dois tipos de probabilidade como a *mesma coisa*.

Quando ouvimos coisas como "há 60% de chance de que o conflito entre os dois países sofra uma escalada até acabar em guerra", ou "há 10% de chance de que uma nação pérfida detone um artefato nuclear dentro de dez anos", não se trata de probabilidades do primeiro tipo, e sim de expressões *subjetivas* do segundo tipo, que exprimem a medida de confiança de quem fala na futura ocorrência de tal evento.[6] Os eventos desse segundo tipo não são replicáveis como os eventos do primeiro tipo. E não são calculáveis ou contáveis como as cartas do baralho ou os incêndios em Elm Street. Não temos um conjunto de nações pérfidas idênticas, com dispositivos atômicos idênticos, que possam ser observadas de modo que nos seja possível fazer uma contagem. Nesses casos, o entendido ou observador bem informado está adivinhando ao falar numa "probabilidade", porque não se trata de probabilidade no sentido matemático. É possível que observadores competentes discordem sobre esse tipo de probabilidade, que mexe com sua subjetividade.

Tirar o rei de paus duas vezes seguidas é improvável. Improvável a que ponto? Podemos calcular a probabilidade de dois eventos multiplicando a probabilidade de um evento pela probabilidade do outro. A probabilidade de tirar o rei de paus de um baralho completo é de 1/52, tanto para a primeira vez quanto para a segunda (se você devolver o primeiro rei depois de recebê-lo, para completar o baralho de novo). Assim, $1/52 \times 1/52 = 1/2704$. Do mesmo modo, a probabilidade de tirar três coroas em seguida ao tirar cara ou coroa é calculada pegando-se a probabilidade de cada evento, 1/2, e multiplicando-a três vezes: $1/2 \times 1/2 \times 1/2 = 1/8$. Você também pode fazer uma pequena experiência e jogar uma moeda três vezes seguidas muitas vezes. No final, obterá três coroas seguidas mais ou menos em um oitavo das tentativas.

Para que essa regra de multiplicação funcione, os eventos precisam ser independentes. Em outras palavras, presumimos que a carta que tirei da primeira vez não tem nada a ver com a carta que tirei da segunda vez. Se o baralho for corretamente embaralhado, isso deve ser verdade. É claro que há casos em que os eventos não são independentes. Se eu perceber que você botou o rei de paus na parte de baixo do baralho depois da minha primeira retirada e escolho a parte de baixo do baralho ao retirar minha segunda carta, os eventos não são independentes. Se um meteorologista prevê chuva para hoje e amanhã, e você quer saber a probabilidade de haver chuva em dois dias seguidos, esses eventos não são independentes, porque as frentes climáticas levam algum tempo para passar por uma região. Se os eventos não forem independentes, a matemática fica um pouco mais complicada — embora não terrivelmente.

É preciso que se considere a independência com cuidado. Ser atingido por um raio é bastante incomum — segundo o Serviço Nacional de Meteorologia dos Estados Unidos, a chance é de 1 em 10 mil.[7] Então, a chance de ser atingido *duas vezes* é de $1/10.000 \times 1/10.000$ (1 chance em 100 milhões)? Isso só se sustenta se os eventos forem independentes, e eles provavelmente não são. Se você vive numa região de muitas tempestades elétricas e normalmente fica ao ar livre durante a sua ocorrência, é mais provável que seja atingido por um raio do que alguém que vive num local diferente e toma mais precauções. Um homem foi atingido por raios duas vezes em dois minutos, e um guarda florestal da Virgínia, sete vezes durante a vida.[8]

Seria tolice dizer: "Já fui atingido por um raio uma vez, então posso andar impunemente no meio de tempestades". No entanto, esse tipo de pseudológica é exibido por pessoas sem noção de probabilidade. Alguns anos atrás, ouvi a conversa de um jovem casal numa agência de viagens tentando decidir a companhia aérea na qual viajariam. Foi mais ou menos assim (segundo minha memória, sem dúvida imperfeita):

**Alice:** Não me sinto bem viajando pela Blank Airways — eles sofreram aquele desastre ano passado.[9]

**Bob:** Mas a chance de um desastre aéreo é de 1 em 1 milhão. A Blank Airways acabou de sofrer um desastre. Então não vai acontecer com ela de novo.

Sem dispor de outras informações sobre as circunstâncias do desastre da Blank Airways, Alice manifesta um temor perfeitamente razoável. Os

ORGANIZANDO INFORMAÇÃO PARA AS DECISÕES MAIS DIFÍCEIS 277

desastres de avião não costumam ser acontecimentos aleatórios; indicam potencialmente algum problema subjacente no modo de operação da companhia — pilotos mal treinados, mecânica descuidada, frota envelhecida. Dois desastres da Blank Airways em sequência não podem ser considerados dois eventos independentes. Bob está usando o "raciocínio intuitivo", não o raciocínio lógico; é como dizer que se você já foi atingido por um raio, não poderá ser atingido de novo. Seguindo essa pseudológica ao extremo, podemos imaginar Bob argumentando: "A chance de haver uma bomba neste avião é de 1 em 1 milhão. Então, levarei uma bomba comigo, porque a chance de haver *duas* bombas no avião é astronomicamente improvável".

Mesmo que os desastres de avião fossem independentes, achar que não vai acontecer agora "porque acabou de acontecer" é cair na falácia do jogador, e imaginar que um voo seguro está agora "na ordem do dia". Os deuses da sorte não estão contando os voos para assegurar que haja 1 milhão deles antes do próximo desastre, e tampouco vão assegurar a distribuição igualitária dos próximos desastres entre as companhias aéreas que restarem. Assim sendo, a probabilidade de qualquer companhia área sofrer dois desastres em sequência não pode ser considerada algo independente.

Uma probabilidade obtida de forma objetiva não é uma garantia. Apesar de esperarmos que dê coroa na metade das vezes que jogamos uma moeda, a probabilidade não é um processo autocorretivo. A moeda não tem memória, conhecimento, força de vontade, desejo. Não existe nenhum superintendente que assegure que tudo irá funcionar como você espera. Se você tira "coroa" dez vezes em sequência, a probabilidade de a moeda dar cara na próxima jogada ainda é de 50%. Cara não é mais provável, nem "esperada". A ideia de que os processos da sorte se corrigem faz parte da falácia do jogador, e enriqueceu muitos donos de cassinos, inclusive Steve Wynn. Milhões de pessoas continuam a enfiar moedas nos caça-níqueis na ilusão de que seu prêmio está a ponto de chegar. É verdade que as probabilidades tendem a se igualar, mas somente a longo prazo. E esse longo prazo pode ser maior e exigir mais dinheiro do que qualquer um possui.

O estranho nisso tudo é que nossa intuição diz que tirar onze caras consecutivas é muito improvável. Isso está certo — mas apenas em parte.

A falha no raciocínio vem de confundir a raridade de dez caras consecutivas com a raridade de onze caras consecutivas — na verdade, não há tanta diferença assim. Toda sequência de dez caras sucessivas só pode ser seguida de outra cara ou de uma coroa, as duas igualmente prováveis.[10]

Os seres humanos têm pouca noção do que constitui uma sequência aleatória. Quando nos pedem que escrevamos uma sequência aleatória, tendemos a escrever muito mais alternâncias (cara-coroa-cara-coroa) e muito menos resultados consecutivos (coroa-coroa-coroa) do que surgem nas sequências aleatórias de fato. Em uma experiência, pediu-se que as pessoas reproduzissem o que achavam que seria uma sequência aleatória de cem jogadas de cara ou coroas. Quase ninguém registrou sequências consecutivas de sete caras ou de sete coroas, mesmo havendo mais de 50% de chance de elas ocorrerem em cem jogadas.[11] Nossa intuição nos leva a equilibrar a proporção cara/coroa até em sequências menores, apesar de às vezes serem necessárias sequências muito longas — de milhões de jogadas — para que se revele a proporção estável de 50/50.

Combata essa intuição! Se você jogar uma moeda três vezes consecutivamente, é verdade que só haverá uma chance de 1/8 de tirar três coroas consecutivas. Mas isso é prejudicado pelo fato de você estar observando uma sequência breve. Na média, bastam catorze jogadas para que se tire três coroas consecutivas,[12] e, em cem jogadas, há uma chance maior do que 99,9% de isso acontecer pelo menos uma vez.[13]

O motivo de sermos enganados por esse raciocínio ilógico — segundo o qual as probabilidades mudam durante uma sequência — é que, em alguns casos, elas realmente mudam. Verdade! Se você está jogando cartas e esperando que surja um ás, a probabilidade de esta carta sair aumenta quanto maior for a sua espera. Depois que já se jogaram 48 cartas, a probabilidade de a carta seguinte ser um ás é de 100% (só restam ases).[14] Se você for um caçador-coletor em busca daquele grupo de árvores frutíferas que viu no verão anterior, cada setor do terreno que você esquadrinha sem achar nada aumentará sua chance de encontrá-la no próximo setor. Se você não parar para pensar com cuidado, é fácil confundir esses dois modelos probabilísticos.

Muito do que nos interessa já aconteceu antes, de modo que podemos contar ou observar com que frequência tendem a acontecer. A proporção básica de algo é a proporção de sua ocorrência no passado. A maioria de nós tem uma noção intuitiva disso. Quando você leva o carro ao mecâ-

ORGANIZANDO INFORMAÇÃO PARA AS DECISÕES MAIS DIFÍCEIS 279

nico porque o motor está com um barulho esquisito, mesmo antes de olhar, o mecânico talvez diga algo como "Provavelmente é a correia — em 90% dos carros é isso. Pode ser também defeito na injeção, mas a injeção raramente dá defeito". O mecânico está usando estimativas, com conhecimento de causa, da proporção básica de algo ocorrer no mundo.

Se você foi convidado para uma festa na casa de Susan com várias pessoas que você não conhece, qual a chance de você acabar conversando com um médico em vez de um ministro de Estado? Existem mais médicos do que ministros. A proporção básica de médicos é mais alta, então, se você não sabe nada sobre a festa, sua previsão mais acertada parece ser a de que encontrará mais médicos do que ministros. Do mesmo modo, se de repente você tem uma dor de cabeça e é um sujeito preocupado, talvez tenha medo de estar com um tumor no cérebro. Dores de cabeça inexplicáveis são muito comuns; tumores no cérebro, não. O clichê no diagnóstico médico é "se tem cara de porco, pé de porco, rabo de porco, não pense em cavalo, pense em porco". Em outras palavras, não ignore o padrão básico do que é provável, dados os sintomas.[15]

As experiências da psicologia cognitiva demonstraram amplamente que costumamos ignorar padrões básicos ao fazer juízos e tomar decisões. Em vez disso, favorecemos informação que pensamos ser um diagnóstico, para usar um termo médico. Na festa de Susan, se a pessoa com que você está conversando usa um broche com a bandeira americana na lapela, sabe muito sobre política e está sendo vigiada por um agente do serviço secreto, você pode concluir que se trata de um ministro, já que possui seus atributos. Mas você está ignorando a proporcionalidade básica. Existem 850 mil médicos nos Estados Unidos[16] e apenas quinze ministros.[17] Dos 850 mil médicos, deve haver alguns que usam broche com a bandeira americana, entendem de política e até protegidos por agentes secretos, por um motivo qualquer. Por exemplo, dezesseis congressistas do 111º Congresso eram médicos — quantidade maior que a de ministros.[18] E depois há todos os médicos que trabalham para as Forças Armadas, o FBI e a CIA, e médicos cujos cônjuges, pais ou filhos são funcionários públicos com muita exposição na mídia — alguns dos quais teriam direito à proteção do serviço secreto. Alguns desses 850 mil médicos podem estar sendo investigados por motivos de segurança ou qualquer outra questão, o que justificaria o agente secreto. Essa falha de raciocínio é tão convincente que tem um nome — heurística da representatividade. Quer dizer que pessoas ou situações que parecem ser representativas de algo acabam dominando a capacidade de raciocínio do cérebro, nos fazendo ignorar a informação estatística ou de proporcionalidade básica.

Numa experiência típica na literatura científica, pedem que você leia um cenário. Diz-se que, em determinada universidade, 10% dos estudantes são engenheiros e 90% não. Você vai a uma festa e vê alguém usando um protetor de bolso de plástico (o que não é dito na descrição é que muitos consideram isso um estereótipo do engenheiro). Em seguida, pedem que você avalie a probabilidade de essa pessoa ser engenheiro. Muitos dizem ter certeza. O protetor de bolso parece ser um diagnóstico tão bom, uma prova tão conclusiva, que é difícil imaginar que a pessoa possa ser qualquer outra coisa. Mas os engenheiros são bastante raros nessa universidade, de modo que precisamos levar isso em conta. A probabilidade de essa pessoa ser engenheiro talvez não seja tão baixa quanto a proporcionalidade básica, 10%, mas também não tão alta quanto 100% — outras pessoas também podem usar protetores de bolso.

É aqui que a coisa fica interessante. Os pesquisadores então armaram o mesmo cenário — uma festa na universidade em que 10% dos estudantes são engenheiros e 90% não são — e em seguida explicaram: "Você encontra um sujeito que pode estar usando um protetor de bolso de plástico, mas não dá para ver porque ele está usando paletó". Ao serem solicitadas a avaliar a probabilidade de que esse sujeito seja engenheiro, as pessoas geralmente respondem: "Meio a meio". Quando lhes perguntam por quê, elas dizem: "Bem, ele poderia estar usando um protetor de bolso ou não — não dá para saber". Aqui, vê-se novamente que não foi levada em conta a proporcionalidade básica. Se você não sabe nada sobre a pessoa, então há uma chance de 10% de que ela seja engenheiro, e não de 50%. Só porque existem apenas duas opções não quer dizer que sejam igualmente prováveis.

Para dar um exemplo intuitivamente mais claro, imagine que você entre no seu mercado local e esbarre em alguém sem querer. Qual a probabilidade de essa pessoa ser a rainha Elizabeth? A maioria das pessoas não acha que seja de 50%. Qual a probabilidade de a rainha estar em *qualquer*

ORGANIZANDO INFORMAÇÃO PARA AS DECISÕES MAIS DIFÍCEIS    281

mercado, que dirá naquele onde faço minhas compras? Isso é muito improvável. Então isso mostra que somos capazes de usar informação de proporcionalidade básica quando os acontecimentos são extremamente improváveis. É só quando são ligeiramente improváveis que nosso cérebro congela. Organizar nossas decisões exige que combinemos informação de proporcionalidade básica com outras informações relevantes de diagnóstico. Este tipo de raciocínio foi descoberto no século XVIII pelo matemático e ministro presbiteriano Thomas Bayes, e leva seu nome: regra de Bayes.

A regra de Bayes nos permite refinar as estimativas. Por exemplo, lemos que metade dos casamentos termina em divórcio. Mas podemos refinar essa estimativa se tivermos informação complementar, como idade, religião ou localidade das pessoas envolvidas, porque a soma de 50% só se sustenta para a soma agregada de todas as pessoas. Algumas subpopulações têm taxas de divórcio mais altas do que outras.

Lembram-se da festa na universidade que tinha 10% de engenheiros e 90% de não engenheiros? Alguma informação complementar ajudaria a avaliar a probabilidade de que alguém com um protetor de bolso fosse engenheiro. Talvez você saiba que a anfitriã da festa rompeu feio com um engenheiro e não os convida mais para suas festas. Talvez você fique sabendo que 50% dos estudantes de medicina dessa universidade usam protetores de bolso. Informação desse tipo nos permite atualizar nossas avaliações originais básicas. Quantificar essa probabilidade atualizada é uma aplicação das inferências de Bayes.

Não estamos mais fazendo a pergunta simples, unilateral, "Qual a probabilidade de que a pessoa com o protetor de bolso de plástico seja engenheiro?". Em vez disso, estamos fazendo a pergunta composta, "Qual a probabilidade de que a pessoa com o protetor de bolso seja engenheiro, *considerando* que 50% dos estudantes de medicina da universidade usam protetores de bolso?". A raridade dos engenheiros está sendo contraposta à maior distribuição de protetores de bolso.

Também podemos fazer indagações médicas como "Qual a probabilidade de que esta dor de garganta seja um sinal de gripe, *já que* há três dias visitei uma pessoa gripada?", ou "Qual a probabilidade de que esta dor de garganta seja sinal de febre do feno, *já que* andei fazendo jardinagem no auge da estação do pólen?". Fazemos esse tipo de atualização informalmente na

282  A MENTE ORGANIZADA

cabeça, mas existem ferramentas que podem nos ajudar a quantificar o efeito da nova informação. O problema de fazer isso informalmente é que nossos cérebros não são configurados para gerar intuitivamente respostas precisas a essas perguntas. Nossos cérebros evoluíram para solucionar uma série de problemas, mas os problemas bayesianos ainda não estão incluídos.

## Ah, não! Meu exame acabou de dar positivo!

Qual a seriedade de uma notícia assim? Questões complexas como essa são facilmente resolvidas por meio de um truque que aprendi na faculdade — tabelas quádruplas (também conhecidas como tabelas de contingência).[19] Elas não são facilmente resolvidas por meio da intuição ou dos palpites. Digamos que numa manhã você acorde com a visão embaçada. Suponhamos, além disso, que exista uma doença rara chamada "visão embaçada". Em todos os Estados Unidos só existem 38 mil pessoas com esse problema, o que lhe dá uma incidência, ou proporcionalidade básica, de 1 em 10 mil (38 mil em 380 milhões). Você acabou de ler a respeito disso e agora teme estar com a doença. Por que outro motivo, você pensa, eu estaria com a visão embaçada?

Você faz exames de sangue para visão embaçada e eles dão positivo. Você e seus médicos estão tentando decidir o que fazer em seguida. O problema é que a cura da visão embaçada, um remédio chamado clorohidroxelene,[20] possui a probabilidade de 20% de apresentar sérios efeitos colaterais, inclusive uma coceira terrível e irreversível, exatamente na parte das costas que não conseguimos alcançar. (Há um remédio para a coceira, mas ele tem a probabilidade de 80% de mandar a sua pressão sanguínea lá para cima.) A probabilidade de 20% lhe parece aceitável, e talvez você esteja propenso a tomar o remédio para se livrar da visão embaçada. (Esses 20% são uma probabilidade objetiva do primeiro tipo — não uma estimativa subjetiva, mas um algarismo obtido após o acompanhamento de dezenas de milhares de usuários da droga.) É natural que você queira compreender exatamente quais as probabilidades de você ter a doença antes de tomar o remédio e correr o risco de enlouquecer de coceira.

A tabela quádrupla ajuda a dispor toda a informação de modo a se ter uma visualização fácil, e não exige nada mais complicado do que um nível

ORGANIZANDO INFORMAÇÃO PARA AS DECISÕES MAIS DIFÍCEIS    283

simples de divisão. Se os algarismos e frações o fazem ter vontade de sair correndo da sala aos berros, não se preocupe — o apêndice traz os detalhes, e este capítulo só apresenta uma visão por alto (talvez embaçada, já que, afinal de contas, você está sofrendo de visão embaçada por enquanto).

Vamos ver a informação que temos:

- A incidência de visão embaçada é de 1 em 10 mil, ou 0,0001.
- O uso de clorohidroxelene provoca efeitos colaterais em 20% dos casos, ou 0,2.

Você talvez presuma que se o exame deu positivo, isso quer dizer que você tem a doença, mas os exames não funcionam assim — a maioria é imperfeita. E agora que você conhece algo sobre o pensamento bayesiano, talvez queira fazer uma pergunta mais refinada: "Qual a probabilidade *real* de eu ter a doença, *considerando* que o exame deu positivo?". Lembre-se de que a incidência nos diz que a probabilidade de alguém escolhido a esmo ter a doença é de 0,0001. Mas você não é alguém escolhido a esmo. Sua visão estava embaçada, e seu médico o mandou fazer o exame.

Precisamos de mais informação para continuar. Precisamos saber qual a margem de erro que o exame apresenta, e que ele pode errar de duas maneiras. Pode indicar que você tem a doença quando não tem — um *falso positivo* — ou pode indicar que você não tem a doença quando tem — um *falso negativo.* Suponhamos que em ambos os casos seja de 2%. Na vida real, podem diferir um do outro, mas suponhamos que seja de 2% para cada caso.

Começamos por desenhar quatro células e designá-las da seguinte maneira:

## RESULTADO DO EXAME

|  | Pos. | Neg. |
|---|---|---|
| **Sim** |  |  |
| **Não** |  |  |
| **Total** |  |  |

Doença

Os cabeçalhos das colunas representam o fato de que o resultado do exame pode ser tanto positivo quanto negativo. Por enquanto, deixamos de lado a dúvida se esses resultados são precisos ou não — é para tirar essa conclusão que usaremos a tabela. Os cabeçalhos horizontais indicam a presença ou a ausência da doença em determinado paciente. Cada célula representa a conjunção dos cabeçalhos horizontais e verticais. Numa leitura horizontal vemos que, das pessoas que têm a doença (linha "Sim"), algumas têm resultado positivo no exame (célula superior esquerda), e outras, resultado negativo (célula superior direita). O mesmo acontece com a linha "Não"; algumas pessoas terão resultado positivo no exame, outras não. Você espera que, mesmo tendo um resultado positivo (coluna da esquerda), não tenha a doença (célula inferior esquerda).

Depois de preencher a informação que obtivemos (passo por ela com mais calma no Apêndice), podemos responder à pergunta "Qual a probabilidade de eu ter a doença, *considerando* que meu exame deu positivo?".

## RESULTADO DO EXAME

| | | Pos. | Neg. | |
|---|---|---|---|---|
| | Sim | 1 | 0 | 1 |
| Doença | Não | 200 | 9.799 | 9.999 |
| | Total | 201 | 9.799 | 10.000 |

Examine a coluna que mostra as pessoas que tiveram resultado positivo no exame:

## RESULTADO DO EXAME

| | | Pos. | Neg. | |
|---|---|---|---|---|
| | Sim | 1 | 0 | 1 |
| Doença | Não | 200 | 9.799 | 9.999 |
| | Total | 201 | 9.799 | 10.000 |

# ORGANIZANDO INFORMAÇÃO PARA AS DECISÕES MAIS DIFÍCEIS 285

Pode-se ver que, de 10 mil pessoas, 201 (o total abaixo da coluna da esquerda) tiveram resultado positivo no exame, como você. Mas, dessas 201 pessoas, só uma tem a doença — só há uma probabilidade em 201 de que você de fato tenha a doença. Podemos pegar 1/201 × 100 para transformá-la numa percentagem e obtemos 0,49% — que não é uma alta possibilidade, como quer que a encaremos... Sua probabilidade era de 1 em 10 mil antes de fazer o exame. Agora é de 1 em 201. Ainda há a probabilidade de aproximadamente 99,51% de você não ter a doença. Se isso o faz lembrar do bilhete de loteria de que falamos antes, deveria mesmo. Sua probabilidade mudou dramaticamente, mas isso não afetou, de modo apreciável, o resultado no mundo real. A lição que se deve levar para casa é que o resultado do exame não lhe diz tudo que você devia saber — é preciso utilizar a informação da incidência e da margem de erro para ter um quadro completo. É isso que a tabela quádrupla lhe permite fazer. Não importa se a doença provoca sintomas brandos, como visão embaçada, ou sintomas muito sérios, como uma paralisia; a tabela ainda lhe permite organizar a informação em um formato facilmente digerível. Idealmente, seria bom trabalhar em contato íntimo com seu médico para considerar condições de comorbidez, sintomas que ocorrem juntos, histórico familiar e assim por diante, para tornar mais precisa a sua estimativa.

Vamos examinar a outra peça de informação, a droga milagrosa que pode curar a visão embaçada, o clorohidroxelene, que tem 1 probabilidade em 5 de provocar efeitos colaterais (20% de efeitos colaterais não é atípico para um remédio de verdade). Se você tomar o remédio, precisa comparar a probabilidade de 1 em 5 de ter uma coceira terrível nas costas com a probabilidade de 1 em 201 de que ele lhe trará a cura. Vamos colocar isso de outro modo: se 201 pessoas tomarem a droga, somente uma será curada (porque 200 não tinham de fato a doença — puxa!). Agora, dessas mesmas 201 pessoas que tomam a droga, 1 em 5 sentirá o efeito colateral. Assim, para 1 pessoa curada, 40 pessoas acabam com aquela coceira nas costas onde não conseguem coçar. Portanto, se tomar a droga, você tem 40 vezes mais chance de sentir o efeito colateral do que de ficar curado. Infelizmente, esses resultados são típicos do moderno tratamento de saúde nos Estados Unidos.[21] É de admirar que os custos estejam subindo como foguete, e fora de controle?

Um dos meus exemplos prediletos da utilidade das tabelas quádruplas eu ouvi de meu professor, Amos Tversky. Chama-se o problema dos dois venenos. Quando Amos passou uma versão desse problema para médicos de

## A MENTE ORGANIZADA

hospitais importantes e de faculdades de medicina, e também para formandos de estatística e faculdades de administração, foram tantos os que erraram a resposta, que os pacientes hipotéticos teriam morrido! Seu enfoque é que o raciocínio estatístico não nos vem de maneira natural; precisamos combater nossos tiques e aprender a elaborar os números metodicamente.

Imagine, diz Amos, que você vai a um restaurante e depois acorda se sentindo péssimo. Você olha no espelho e vê que seu rosto ficou azul. O médico do pronto-socorro lhe diz que existem dois tipos de intoxicação alimentar, uma que deixa seu rosto azul e outra que deixa seu rosto verde (nós presumimos quanto a este problema que não existam outras possibilidades de deixar seu rosto azul ou verde). Felizmente, você pode tomar um remédio para se curar. Não faz efeito se você estiver saudável, mas, se você tiver uma dessas duas doenças e tomar o comprimido errado, morre. Imagine que em 75% dos casos a cor do seu rosto é consistente com a doença, e que a doença verde é cinco vezes mais comum que a doença azul. Qual a cor do comprimido que você toma?

O palpite da maior parte das pessoas (e compartilhado pelos médicos que Amos consultou) é que deviam tomar o comprimido azul, porque (a) o rosto delas estava azul e (b) a cor do rosto delas é consistente na maior parte do tempo, 75%. Mas isso ignora as taxas básicas de incidência da doença.

Preenchemos nossa tabela quádrupla. Não nos dizem o tamanho da população com que estamos lidando, assim, para facilitar a construção da tabela, vamos supor uma população de 120 (é esse o número que vai no canto inferior direito fora da tabela).[22] O problema nos fornece bastante informação para preencher o resto da tabela.

Se a doença verde é cinco vezes mais comum que a doença azul, isso significa que, de 120 pessoas que têm a doença, 100 devem ter a doença verde, e 20, a doença azul.[23]

### SEU ROSTO

|  |  | Azul | Verde |  |
|---|---|---|---|---|
|  | **Azul** |  |  | 20 |
| **Doença** | **Verde** |  |  | 100 |
|  | **Total** |  |  | 120 |

Como a cor do seu rosto é consistente com a doença em 75% dos casos, 75% das pessoas com a doença azul estão com o rosto azul; 75% de 20 = 15. O resto da tabela é preenchido do mesmo modo.

### SEU ROSTO

| Doença | | Azul | Verde | |
|---|---|---|---|---|
| | Azul | 15 | 5 | 20 |
| | Verde | 25 | 75 | 100 |
| | Total | 40 | 80 | 120 |

Agora, antes que você tome o comprimido azul — que tanto pode curá-lo quanto matá-lo —, a pergunta bayesiana que você precisa fazer a si mesmo é: "Qual a probabilidade de eu ter a doença azul, *considerando* que estou com o rosto azul?". A resposta é que, das 40 pessoas que estão com o rosto azul, 15 têm a doença: 15/40 = 38%. A probabilidade de que você tenha a doença *verde*, mesmo que você esteja com o rosto azul, é de 25/40, ou 62%. É muito melhor tomar o comprimido verde *a despeito da cor do seu rosto*. Isto porque a doença do rosto verde é muito mais comum do que a doença do rosto azul. Novamente, estamos contrapondo taxas básicas de incidência aos sintomas, e aprendemos que as taxas de incidência não devem ser ignoradas. É difícil fazer isso nas nossas cabeças — a tabela quádrupla nos oferece uma maneira de organizar a informação visualmente, de modo que seja fácil compreendê-la. Cálculos assim são o motivo de os médicos muitas vezes começarem a prescrever antibióticos aos pacientes antes de receber os resultados de exames e descobrir exatamente o que está errado — determinados antibióticos funcionam contra tantas doenças comuns, que isso basta para justificá-los.

No exemplo da visão embaçada do início, 201 pessoas têm um exame com resultado positivo para uma doença que só uma pessoa tem. Em muitos cenários de tratamento de saúde de hoje, todas as 201 pessoas receberiam a medicação. Isso ilustra outro conceito importante da prática médica: *o número de pessoas a tratar*, ou seja, a quantidade de pessoas que precisam se submeter a um tratamento, como um remédio ou uma cirurgia, antes que alguém possa ser curado. Um número de pessoas a tratar da ordem de 201 não é incomum na medicina de hoje. Existem algumas cirurgias de rotina em que o número de pessoas a tratar é 48, e, quanto a alguns remédios, esse número pode exceder 300.

Rostos azuis e testes para doenças imaginárias à parte, o que dizer das decisões que nos confrontam diretamente com nossa mortalidade? Seu médico lhe diz que esses remédios lhe darão 40% de chance de *viver* cinco anos a mais. Como você avalia *isso*?

Existe uma maneira de pensar sobre essa decisão com a mesma clara racionalidade que aplicamos ao problema dos dois venenos, usando o conceito de "valor esperado". O valor esperado de um evento é sua probabilidade multiplicada pelo valor do resultado. Empresários usam este método rotineiramente para avaliar decisões financeiras. Imagine que alguém venha até você numa festa e se ofereça para jogar um jogo com você. Ela joga uma moeda normal e você ganha 1 dólar toda vez que der cara. Quanto você pagaria para participar desse jogo? (Imagine por um momento que você não gosta tanto do jogo, embora não se incomode especialmente com ele — seu interesse é ganhar dinheiro.) O valor esperado do jogo é 50 centavos, isto é, a probabilidade de a moeda dar cara (0,5) vezes o lucro (1 dólar). Repare que o valor esperado muitas vezes não é uma quantia que você possa ganhar num lance qualquer. Aqui, você ganha 1 dólar ou não ganha nada. Mas, no decorrer de muitas centenas de repetições do jogo, você deverá ter ganhado cerca de 50 centavos por jogo. Se você pagar menos de 50 centavos por jogo, a longo prazo acabará lucrando.

Valores esperados também podem ser aplicados a perdas. Digamos que você esteja tentando decidir se paga para estacionar no Centro ou corre o risco de ser multado estacionando numa área de carga e descarga. Imagine que o estacionamento cobre 20 dólares, e que a multa seja de 50 dólares, mas você sabe por experiência que só há 25% de probabilidade de receber uma multa. Então o valor esperado de ir ao estacionamento é de −20 dólares: você tem a probabilidade de 100% de ser obrigado a pagar 20 dólares ao atendente (usei sinal de subtração para indicar que é uma perda).

A decisão é algo assim:

# ORGANIZANDO INFORMAÇÃO PARA AS DECISÕES MAIS DIFÍCEIS 289

a. Pagar para estacionar: 100% de chance de perder 20 dólares

b. Não pagar para estacionar: chance de 25% de perder 50 dólares

O valor esperado da multa é 25% × −50 dólares, isto é, −12,50 dólares. Ora, mas você detesta multa por estacionamento em local proibido e deseja evitá-las. Talvez esteja se sentindo azarado esta noite e queira evitar riscos. Por isso, *hoje*, talvez pague 20 dólares para evitar a possibilidade de acabar com uma multa de 50 dólares. Mas a maneira racional de avaliar a situação é considerá-la a longo prazo. No decorrer de nossas vidas, nos defrontamos com centenas de decisões como esta. O que realmente importa é o que vamos apurar *em média*. O valor esperado dessa decisão em particular é que você lucrará a longo prazo pagando multas: uma perda média de 12,50 dólares contra uma perda de 20 dólares.[24] Depois de estacionar um dia por semana durante um ano nessa rua em particular, você pagará 650 dólares de multas contra 1.040 dólares de estacionamento — uma grande diferença.[25] É claro que em determinados dias você poderá usar uma atualização bayesiana. Se você vir um leitor de parquímetros subindo a rua em direção à sua vaga na zona de carga e descarga, é um bom dia para usar o estacionamento.

O valor esperado também pode ser aplicado a desfechos não monetários. Se dois procedimentos médicos têm eficácia e benefícios iguais a longo prazo, você pode escolher entre eles com base no tempo que exigirão de sua rotina diária.

**Procedimento 1:** Chance de 50% de exigir 6 semanas de recuperação e 50% de chance de exigir apenas 2 semanas

**Procedimento 2:** Chance de 10% de exigir 12 semanas e 90% de chance de exigir apenas 0,5 semana

Volto a usar o sinal de subtração para indicar *perda* de tempo. O valor esperado (em tempo) do procedimento 1 é, portanto:

$$(0,5 \times -6 \text{ semanas}) + (0,5 \times -2 \text{ semanas}) = -3 + -1 = \mathbf{-4 \text{ semanas}}.$$

O valor esperado do procedimento 2 é:

$$(0,1 \times -12) + (0,9 \times -0,5) = -1,2 + -0,45 = \mathbf{-1,65 \text{ semana}}.$$

Ignorando todos os outros fatores, você sai lucrando com o procedimento 2, que o afasta do trabalho aproximadamente por apenas uma semana e meia (em média), em comparação ao procedimento 1, que o afastará por 4 semanas (em média).

É claro que você talvez não consiga ignorar todos os demais fatores; minimizar o tempo de recuperação pode não ser sua única preocupação. Se você acabou de comprar passagens não reembolsáveis para um safári na África que sai em onze semanas, não pode correr o risco de uma recuperação de doze semanas. O procedimento 1 é melhor, porque, no pior dos casos, você fica preso na cama durante 6 semanas. Assim, o valor esperado é bom para avaliar médias, mas muitas vezes é necessário pesar os piores e os melhores cenários. A suprema e extenuante circunstância é quando um dos procedimentos acarreta o risco de morte ou incapacidade. O valor esperado pode ajudar a organizar essa informação também.

## Riscos de um modo ou de outro

Em algum momento de sua vida, é provável que lhe caiba tomar decisões cruciais sobre sua saúde ou a de alguém que você preza. O que torna tudo mais difícil é que a situação provavelmente provocará estresse físico e psicológico, o que reduzirá a precisão de sua capacidade decisória. Se você perguntar ao médico sobre a exatidão dos exames, ele talvez não saiba. Se procurar pesquisar as chances de diversos tratamentos, talvez descubra que seu médico está mal preparado para percorrer as estatísticas.[26] Os médicos são evidentemente essenciais para o diagnóstico da doença, para apresentar as várias opções de tratamento, tratar o paciente e acompanhar o tratamento a fim de verificar se está sendo eficaz. Mesmo assim, como afirmou um médico, "os médicos conseguem transmitir melhor o que conhecem sobre a eficácia do que sobre o risco, e isso distorce a tomada de decisão".[27] Além disso, as pesquisas focam no sucesso ou insucesso da intervenção, e a questão dos efeitos colaterais se revela menos interessante para quem criou a pesquisa. Os médicos se instruem sobre o sucesso dos procedimentos, mas nem tanto sobre os insucessos — isso cabe a você, como mais uma forma de trabalho paralelo.

# ORGANIZANDO INFORMAÇÃO PARA AS DECISÕES MAIS DIFÍCEIS

Veja as cirurgias de ponte de safena — são 500 mil realizadas todo ano nos Estados Unidos.[28] Qual a evidência da sua utilidade? Pesquisas clínicas aleatórias não revelam nenhum benefício à sobrevivência da maioria dos pacientes que se submeteu ao procedimento.[29] Mas os cirurgiões não se convenceram porque a lógica do procedimento já lhes bastava como justificativa. "Você tem um vaso entupido, você contorna o entupimento, conserta o problema, fim de papo." Se os médicos acham que um tratamento *deve* funcionar, eles acabam acreditando que *de fato* funciona, mesmo quando a evidência clínica é inexistente.[30]

A angioplastia foi de zero a 100 mil procedimentos por ano sem testes clínicos[31] — como a cirurgia de ponte de safena, sua popularidade baseou-se apenas na lógica do procedimento, mas os testes clínicos não demonstram benefício em termos de sobrevivência.[32] Alguns médicos dizem a seus pacientes que a angioplastia irá aumentar sua expectativa de vida em dez anos, mas, para aqueles que têm uma doença coronariana estabilizada, ela não demonstrou aumentar sua expectativa de vida em um dia sequer.[33]

Esses pacientes eram todos tolos? De modo algum. Mas estavam vulneráveis. Quando um médico nos diz "Você está com uma enfermidade que pode matar, mas eu tenho um tratamento que funciona", é natural que nos entreguemos a essa chance. Fazemos perguntas — mas não em demasia —, queremos que nos devolvam nossa vida, e estamos dispostos a seguir as ordens do médico. Há uma tendência a suprimirmos nossos próprios processos de tomada de decisão quando nos sentimos arrasados, algo que já se demonstrou experimentalmente. As pessoas que recebem uma opção junto com a opinião de um especialista param de usar as partes do cérebro que controlam a tomada de decisão independente e entregam essa decisão ao especialista.[34,35]

Por outro lado, a expectativa de vida não é toda a história, mesmo sendo dessa maneira que muitos cardiologistas vendam as pontes e a angioplastia a seus pacientes. Muitos pacientes relatam uma melhoria dramática na qualidade de vida depois desses procedimentos, na capacidade de fazer aquilo que amam. Podem não viver mais, mas vivem melhor. Esse é um fator crucial em qualquer opção médica, que não pode ser varrido para debaixo do tapete. Pergunte a seu médico não apenas sobre a eficácia e a mortalidade, mas sobre a qualidade de vida e efeitos colaterais que possam incidir fortemente sobre ela. Na verdade, muitos pacientes dão mais valor à qualidade de vida do que à longevidade, e estão dispostos a trocar esta última pela primeira.

Um forte exemplo das ciladas implicadas no processo decisório médico nos vem do estado atual do tratamento do câncer de próstata.[36] Estima-se que 2,5 milhões de homens nos Estados Unidos tenham câncer de próstata,[37] e que 3% morrerão disso.[38] A doença não figura entre as dez maiores causas de morte, mas é a segunda causa de morte entre os homens, depois do câncer de pulmão. Quase todo urologista que dá a notícia recomenda a remoção cirúrgica radical da próstata.[39] E, à primeira vista, parece algo razoável — descobrimos o câncer, nos livramos dele.

Várias coisas tornam complicado pensar sobre o câncer de próstata. Primeiro, é um câncer de evolução especialmente lenta — a maioria dos homens morre *com* ele, e não *por causa* dele.[40] Ainda assim, a palavra terrível que começa com *c* provoca tanto medo e intimidação que muitos homens querem apenas "se livrar dele e resolver o problema". Estão dispostos a suportar os efeitos colaterais para ter certeza de que o câncer sumiu. Mas, veja só, há um alto grau de *reincidência* após a cirurgia. E os efeitos colaterais?[41] A taxa de incidência — a frequência com que se manifestam os efeitos colaterais depois da cirurgia — está entre parênteses:

- incapacidade de manter uma ereção suficiente para a relação sexual (80%)
- encurtamento do pênis em até 2,5 centímetros (50%)
- incontinência urinária (35%)
- incontinência fecal (25%)
- hérnia (17%)
- corte da uretra (6%)

Os efeitos colaterais são terríveis. A maioria das pessoas diria que são melhores que a morte, que elas creem ser a alternativa à cirurgia. Mas os números nos contam uma história diferente. Primeiro, uma vez que o câncer de próstata é de lenta evolução e assintomático na maioria das pessoas que sofre dele, ele pode seguramente passar sem tratamento em alguns homens. Quantos? Um total de 47 em 48.[42] Em outras palavras, para cada

ORGANIZANDO INFORMAÇÃO PARA AS DECISÕES MAIS DIFÍCEIS    293

48 cirurgias da próstata realizadas, apenas uma vida é prolongada — os outros 47 pacientes teriam vivido a mesma quantidade de tempo, de qualquer maneira, sem sofrer os efeitos colaterais. Assim, o número de pessoas a tratar para se conseguir uma cura é 48. Agora, quanto aos efeitos colaterais, há a chance de mais de 97% de o paciente sofrer de pelo menos um dos que acabei de listar. Se ignorarmos os efeitos colaterais sexuais — os dois primeiros — e olharmos apenas os outros, ainda assim há a chance de 50% de que o paciente sofra pelo menos um deles, e bastante chance de sofrer dois. Então, das 47 pessoas que não se beneficiaram da cirurgia, mais ou menos 24 irão sofrer pelo menos um efeito colateral. Recapitulando: para cada 48 cirurgias de próstata realizadas, 24 pessoas que estariam bem sem a cirurgia sofrem um grande efeito colateral, enquanto 1 pessoa é curada. Você está 24 vezes mais propenso a ser lesado pelos efeitos colaterais do que ajudado por uma cura.[43] Dos homens que passam pela cirurgia, 20% se arrependem da decisão.[44] Evidentemente, é preciso computar o fator qualidade de vida na decisão.

Então por que quase todo urologista recomenda a cirurgia? Para começo de conversa, o procedimento cirúrgico é um dos mais complicados e difíceis que se conhece. É de pensar que esse seria um motivo para *não* ser recomendado, mas é preciso considerar que os médicos investiram muito para aprender a técnica. O treino para realizar a operação é enorme, e aqueles que dominaram a técnica são valorizados por essa rara capacidade. Além disso, os pacientes e suas famílias esperam que o médico *faça* alguma coisa. Os pacientes tendem a ficar insatisfeitos com médicos que dizem "Vamos continuar observando". As pessoas que procuram um médico por causa de uma gripe ficam evidentemente aborrecidas quando saem do consultório de mãos vazias, sem uma receita. Várias pesquisas demonstram que esses pacientes acham que o médico não os levou a sério, não foi cuidadoso ou ambos.

Outro motivo de a cirurgia ser imposta é que o objetivo do cirurgião é erradicar o câncer com a menor incidência possível de uma recidiva. Os pacientes são cúmplices neste aspecto: "É muito difícil dizer a um cirurgião para deixar o câncer intocado", explica o dr. Jonathan Simons, presidente da Prostate Cancer Foundation.[45] As faculdades de medicina ensinam que a cirurgia é a regra de ouro para a maioria dos cânceres, com índices de sobrevivência superiores a outros métodos, e muito mais altos do que quando se ignora o problema. Elas usam uma estatística sumária de quantas pessoas morreram de câncer tratado cinco a dez anos depois da cirurgia. Mas esse sumário ignora outros dados importantes, como a suscetibilidade a outras doenças, a qualidade de vida após a cirurgia e o tempo de recuperação.

O dr. Barney Kenet, um dermatologista de Manhattan, acha tudo isso fascinante. "Ensinam aos cirurgiões que 'uma chance de cortar é uma chance de curar'", diz ele. "Faz parte do DNA. Nos exemplos que você me deu sobre o câncer, com as probabilidades e estatísticas cuidadosamente analisadas, a ciência de tratar colide com a arte da prática médica — e trata-se de uma arte."[46]

As faculdades de medicina e os cirurgiões talvez não se preocupem tanto com a qualidade de vida, mas você deveria se preocupar. Grande parte da tomada de decisão médica gira em torno de sua própria disposição de correr riscos e o seu limite de tolerância com inconvenientes, dor e efeitos colaterais. Quanto do seu tempo você está disposto a passar no consultório médico, preocupando-se com resultados? Não existem respostas fáceis, mas as estatísticas podem ajudar bastante a clarear essas questões. Voltando às cirurgias da próstata, o período de recuperação aconselhável é de seis semanas — não parece ser um período absurdo de tempo, considerando que a cirurgia pode salvar sua vida.

Mas a pergunta a fazer não é "Estou disposto a investir seis semanas para salvar a minha vida?", mas "Minha vida está sendo realmente salva? Serei uma das 47 pessoas que não precisam da cirurgia ou uma das que precisam?". Embora não dê para saber a resposta, faz sentido se apoiar nas probabilidades para guiar sua decisão; é estatisticamente improvável que você seja beneficiado pela cirurgia, a não ser que tenha uma informação específica sobre a agressividade de seu câncer. Eis uma informação adicional capaz de jogar um foco preciso sobre a decisão: a cirurgia aumenta a vida do homem, em média, em seis semanas. Esse número é derivado da média das 47 pessoas cujas vidas não foram em nada aumentadas (algumas foram abreviadas por complicações cirúrgicas), e a única pessoa cuja vida foi salva pela cirurgia ganhou cinco anos e meio. O aumento de seis semanas da vida é exatamente igual ao período de seis semanas de recuperação! A decisão pode ser então enquadrada assim: você quer passar essas seis se-

ORGANIZANDO INFORMAÇÃO PARA AS DECISÕES MAIS DIFÍCEIS    295

manas *agora*, enquanto é jovem e saudável, deitado na cama se recuperando de uma cirurgia de que você provavelmente não precisava? Ou prefere tirar essas seis semanas do final de sua vida, quando será mais velho e menos ativo?

Muitos procedimentos cirúrgicos e regimes de tratamento apresentam exatamente esta troca: o período do tempo de recuperação pode igualar ou exceder o período de vida que você está ganhando. A evidência sobre os benefícios do ganho de vida provocado pelo exercício é semelhante. Não me interprete mal — o exercício gera muitos benefícios, inclusive melhora do ânimo, fortalecimento do sistema imunológico e melhora do tônus muscular (e, portanto, da aparência geral). Algumas pesquisas demonstram que ele chega a melhorar a clareza do raciocínio através da oxigenação do sangue. Mas examinemos uma afirmação que atraiu muita atenção no noticiário: a de que se você fizer uma hora diária de exercícios aeróbicos e alcançar a meta de seu ritmo cardíaco, prolongará sua expectativa de vida. Parece bom, mas até que ponto? Algumas pesquisas revelam que você aumenta a extensão da sua vida em uma hora por cada hora de exercício.[47] Se você adora se exercitar, isso é um grande negócio — você está fazendo algo de que gosta e ainda por cima ganhando tempo de vida na mesma proporção. Seria como dizer que cada hora que você passa em meio a atividades sexuais, ou tomando sorvete, prolonga sua vida em uma hora. A escolha é fácil — a hora que você passa se exercitando é essencialmente "livre", e não conta entre as horas com que você foi contemplado nesta vida. Mas se você *detesta* fazer exercícios e os acha desagradáveis, a hora que passa realizando-os conta como uma hora perdida. Há enormes benefícios no exercício diário, mas aumentar seus dias de vida não é um deles. Isto não é motivo para não se exercitar — mas é importante que se tenha expectativas razoáveis quanto aos resultados.

Há duas objeções frequentes a essa linha de pensamento. A primeira é que falar sobre estatísticas em uma decisão de vida ou morte como essa não faz sentido porque nenhum paciente real de cirurgia de próstata tem sua vida aumentada pela média citada de seis semanas. Uma pessoa tem sua vida prolongada em cinco anos e meio, e 47 em nem um dia sequer. Esse aumento "médio" de seis semanas é simplesmente uma ficção estatística, como o exemplo sobre o estacionamento.

É verdade que ninguém ganha esse período; a média muitas vezes não é uma quantidade que se aplica a uma única pessoa.[48] Mas isso não invalida o raciocínio por trás dela, o que leva à segunda objeção: "Não se pode avaliar essa decisão do mesmo modo que se calculam caras e coroas e jogos de cartas, com base em probabilidades. As probabilidades e valores esperados só são significativos num universo de muitas tentativas e resultados". Mas a maneira racional de encarar essas decisões não é encará-las como "algo singular", completamente separado do tempo e da experiência de vida, e sim como parte de uma série de decisões que você precisará tomar no decorrer de sua vida. Embora cada decisão individual seja singular, somos confrontados por problemas durante toda a vida, cada um acarretando uma probabilidade e um valor esperado. Você não está tomando uma decisão sobre esse procedimento cirúrgico isolada de outras decisões na sua vida. Você a está tomando no contexto de milhares de decisões, como ingerir vitaminas, se exercitar, usar fio dental após cada refeição, tomar vacina contra gripe, fazer uma biópsia. A tomada de decisão estritamente racional nos diz para prestar atenção ao valor esperado de cada decisão.

Cada decisão acarreta incerteza e riscos, muitas vezes se barganha tempo e conveniência agora por algum resultado desconhecido no futuro. É claro que você usaria o fio dental depois de toda refeição se estivesse 100% convencido de que com isso gozaria de perfeita saúde bucal. Você espera isso ao usar o fio dental com tanta frequência? A maioria de nós não está convencida, e usar o fio dental três vezes por dia (e também depois de lanches) parece ser mais um problema que não vale a pena.

Obter estatísticas precisas pode parecer fácil, mas muitas vezes não é. Veja as biópsias, que são corriqueiras e feitas como rotina, acarretando riscos mal compreendidos até por muitos cirurgiões que as fazem. Na biópsia, uma pequena agulha é enfiada no tecido, e uma amostra desse tecido é retirada para análise posterior por um patologista, que procura observar se as células são cancerosas ou não. O procedimento em si não é uma ciência exata — não é como num episódio de CSI, quando um técnico põe uma amostra num computador e obtém a resposta em outra tela.

A análise da biópsia envolve a avaliação humana e o equivalente a um exame do tipo "parece esquisito?". O patologista ou histologista examina a

ORGANIZANDO INFORMAÇÃO PARA AS DECISÕES MAIS DIFÍCEIS   297

amostra ao microscópio e repara em quaisquer regiões que, a seu ver, não sejam normais. Ele então conta o número de regiões e as considera uma proporção de toda a amostra. O relatório do patologista pode conter algo como "5% da amostra têm células anormais" ou "nota-se carcinoma em 50% da amostra". Dois patologistas muitas vezes discordam sobre a análise, e chegam a assinalar dois graus de câncer para a mesma amostra. É por isso que é importante obter uma segunda opinião sobre a sua biópsia — você não deve começar a planejar uma cirurgia, quimioterapia ou tratamento radioativo até ter certeza absoluta de que precisará deles. Nem deve ser muito displicente sobre o laudo negativo de uma biópsia.

Para nos atermos ao exemplo do câncer de próstata, falei com seis cirurgiões de seis grandes hospitais universitários e perguntei a eles sobre os riscos dos efeitos colaterais da biópsia da próstata. Cinco disseram que o risco de efeitos colaterais da biópsia era por volta de 5%, o mesmo que podemos ler nas revistas de medicina. O sexto disse que não havia risco — isso mesmo, nenhum absolutamente. O efeito colateral mais comum mencionado na literatura é a infecção; o segundo mais comum é o rompimento do reto; e o terceiro, incontinência. Septicemia é perigosa e pode ser fatal. A agulha da biópsia precisa passar pelo reto, e o risco da septicemia vem da contaminação das cavidades da próstata e do abdome com matéria fecal. O risco é normalmente reduzido através da administração de antibióticos ao paciente antes do procedimento, mas, mesmo com essa precaução, ainda resta o risco de 5% de efeitos colaterais indesejáveis.

Nenhum dos médicos que consultei quis falar sobre o período de recuperação da biópsia, ou daquilo que chamaram eufemisticamente de efeitos colaterais "inconvenientes". Não ameaçam a saúde, são apenas desagradáveis. Foi só quando mencionei uma pesquisa de 2008 na revista *Urology* que eles admitiram que, um mês depois da biópsia, 41% dos homens tiveram disfunção erétil e, seis meses depois, 15%.[49] Outros efeitos colaterais "inconvenientes" incluem diarreia, hemorroidas, mal-estar gastrointestinal e sangue no esperma, que pode durar vários meses. Dois médicos admitiram a contragosto que haviam retido essa informação. Como afirmou um deles, "não mencionamos essas complicações aos pacientes para não desencorajá-los a fazer a biópsia, um procedimento muito importante". É esse tipo de paternalismo da parte dos médicos que desagrada muita gente, e que também viola o princípio fundamental de consentimento após informação.

Ora, um risco de 5% de efeitos colaterais pode não parecer tão grave, mas pense nisto: muitos homens que receberam um diagnóstico de câncer de próstata em estágio inicial ou grau pouco agressivo optaram por conviver com ele e monitorá-lo, um plano conhecido como espera monitorada ou vigilância ativa. Na vigilância ativa, o urologista pode pedir biópsias a intervalos regulares, talvez a cada doze ou 24 meses. Para uma doença lenta que pode levar mais de uma década para revelar sintomas, isso significa que alguns pacientes passarão por cinco ou mais biópsias. Qual é o risco de septicemia ou algum outro efeito colateral sério durante uma ou mais biópsias se você faz cinco biópsias, cada qual acarretando o risco de 5%?

Esse cálculo não segue a regra de multiplicação mostrada antes; só poderíamos usá-la se quiséssemos saber a probabilidade de um efeito colateral em todas as cinco biópsias — como tirar cara cinco vezes consecutivas. E não exige uma tabela quádrupla porque não estamos fazendo uma pergunta bayesiana, como "Qual a probabilidade de eu ter câncer, *considerando* que a biópsia foi positiva?" (os patologistas às vezes erram — é o equivalente aos exames de sangue que vimos antes). Para perguntar sobre o risco de um efeito colateral em pelo menos uma de cinco biópsias — ou perguntar sobre a probabilidade de tirar cara pelo menos uma vez em cinco jogadas de moeda — precisamos usar algo chamado binômio de Newton. O binômio de Newton pode dizer a probabilidade de o mau evento acontecer pelo menos uma vez, todas as cinco vezes ou quantas você quiser. Se pararmos para pensar nisso, a estatística mais útil num caso assim não é a probabilidade de você ter um efeito colateral adverso *exatamente uma vez* nas cinco biópsias (de qualquer forma, nós já sabemos como calcular isso, usando a regra de multiplicação). O que você deseja saber é a probabilidade de sofrer um efeito adverso *ao menos uma vez*, isto é, em uma ou mais biópsias. As probabilidades são diferentes.

Aqui o mais fácil é usar as muitas calculadoras disponíveis on-line, como esta: <http://www.stat.tamu.edu/~west/applets/normaldemo.html>.

Para usá-la, preencha a seguinte informação nos campos na tela:

*n* se refere ao número de vezes que você vai passar pelo procedimento (na linguagem estatística, são as "tentativas").

*p* se refere à probabilidade de um efeito colateral (na linguagem da estatística, são os "eventos").

*x* se refere a quantas vezes ocorre o evento.

Usando o exemplo, estamos interessados em saber a probabilidade de acontecer ao menos um resultado ruim (o evento) se você fizer a biópsia cinco vezes. Logo,

$n = 5$ (5 biópsias)

$p = 5\%$, ou 0,05

$x = 1$ (1 mau resultado)

Alimentando a calculadora binomial com esses números, vemos que se você faz cinco biópsias, a probabilidade de ter um efeito colateral é de 23%.

Dos cinco cirurgiões que admitiram a probabilidade de 5% de haver um efeito colateral da biópsia prostática, só um compreendeu que o risco aumentava a cada biópsia. Três deles disseram que o risco de 5% se aplicava a uma vida inteira de biópsias — você pode fazer quantas quiser, que o risco não aumenta nunca.

Expliquei que cada biópsia representava um evento independente, e que duas biópsias representavam um risco maior do que uma. Nenhum deles aceitou isso. A primeira das minhas conversas foi assim:

"Li que o risco de complicações sérias da biópsia é de 5%."

"Está certo."

"Então, se um paciente faz cinco biópsias, isso aumenta o risco para quase 25%."

"Você não pode simplesmente somar as probabilidades."

"Concordo que não. É preciso usar o binômio de Newton, e aí se chega ao resultado de 23% — bastante próximo de 25%."

"Nunca ouvi falar de binômio de Newton, e tenho certeza de que não se aplica aqui. Não espero que você entenda isto. É necessária uma formação estatística."

"Bem, eu tive formação estatística. Acho que consigo compreender."

"O que é mesmo que você faz?"

"Sou pesquisador — neurocientista. Dou aula nos nossos cursos de graduação em estatística, e já publiquei alguns estudos sobre métodos estatísticos."

"Mas você não é médico formado, como eu. Seu problema é que não entende de medicina. Sabe, as estatísticas médicas são diferentes de outras estatísticas."[50]

"O quê?"

"Tenho vinte anos de experiência médica. Quantos você tem? Estou lidando com o mundo real. Você pode adotar as *teorias* que quiser, mas não sabe nada. Eu vejo pacientes o dia inteiro. Sei o que estou vendo."

Outro cirurgião, um perito mundial em cirurgia guiada pelo "robô" Vinci, me disse: "Essas estatísticas não me parecem estar certas. Já devo ter feito umas quinhentas biópsias e acho que nunca vi mais de umas duas dezenas de casos de septicemia em toda a minha carreira".

"Bem, 24 de quinhentas é mais ou menos 5%."

"Bem, tenho certeza de que não foram tantas assim. Eu teria notado se fossem 5%."

Guiado pelo masoquismo, ou otimismo, fui ver o chefe do departamento de oncologia de outro importante hospital. Se alguém tiver câncer de próstata, frisei, é melhor não fazer cirurgia por causa do número de pessoas a tratar: somente 2% dos pacientes irão se beneficiar do tratamento.

"Imagine se fosse você o diagnosticado", disse ele. "Você não iria querer deixar de fazer a cirurgia! E se você estivesse dentro desses 2%?"

"Bem, eu provavelmente não estaria."

"Mas você não sabe."

"Tem razão, eu não *sei*, mas, por definição, é improvável — só há uma chance de 2% de que eu estivesse dentro dos 2%."

"Mas você não *sabe* que não está. E se estivesse? Então iria querer a cirurgia. Qual o seu problema?"

Discuti tudo isso com o chefe da oncologia urológica de outro hospital universitário, um pesquisador clínico que publica artigos sobre câncer de próstata em revistas científicas, e cujos estudos são dotados de um do-

ORGANIZANDO INFORMAÇÃO PARA AS DECISÕES MAIS DIFÍCEIS · 301

mínio profissional de estatística. Ele pareceu decepcionado, ainda que não surpreso, com as histórias de seus colegas. Explicou que parte do problema do câncer de próstata é que o exame geralmente usado para detectá-lo, o PSA [Prova do Antígeno Prostático], é mal compreendido, e que os dados não batem com sua eficácia em prever resultados. As biópsias também são problemáticas porque dependem de amostras da próstata, e é mais fácil extrair amostras de certas regiões que de outras. Finalmente, explicou, os exames de imagem são promissores — a ressonância magnética e a ultras-sonografia, por exemplo —, mas há ainda poucos estudos de longo prazo para concluir algo sobre sua eficácia na previsão dos resultados. Em alguns casos, nem mesmo a ressonância magnética de alta resolução é capaz de detectar dois terços dos cânceres que aparecem nas biópsias. De qualquer forma, as biópsias para o diagnóstico e a cirurgia e radiação como trata-mento ainda são tidas como o padrão de ouro para resolver o câncer de próstata. Os médicos são treinados para tratar os pacientes e para usar técnicas eficazes, mas geralmente carecem de instrução em raciocínio cien-tífico ou probabilístico — você mesmo precisa aplicar esse raciocínio, ide-almente em conjunto com seu médico.

## O que os médicos têm a oferecer

Mas espere um momento — se os médicos raciocinam tão mal, como a medicina alivia tantas dores e prolonga tantas vidas? Eu me concentrei em alguns casos de destaque — câncer de próstata, procedimentos cardíacos — nos quais a medicina está num estado de fluxo. E foquei o tipo de pro-blema notoriamente difícil, que implica deficiências cognitivas. Mas exis-tem muitos sucessos: a imunização, o tratamento da infecção, transplantes de órgãos, cuidados preventivos e a neurocirurgia (como a de Salvatore Iaconesi, no Capítulo 4), para citar apenas alguns.

O fato é que se há algo errado com você, você não corre para os livros de estatística, vai a um médico. A prática da medicina é tanto uma arte quanto uma ciência.[51] Alguns médicos aplicam inferências bayesianas sem saber o que estão realmente fazendo. Usam seu treinamento e seus poderes de observação para identificar padrões — sabendo quando um paciente se encaixa num padrão específico de sintomas e fatores de risco para poder fazer um diagnóstico e um prognóstico.

Como diz Scott Grafton, um importante neurologista na UC Santa Barbara, "a experiência e o conhecimento implícito realmente importam. Recentemente fiz uma ronda clínica com dois médicos da emergência que tinham, somados, cinquenta anos de experiência clínica. Havia zero em matéria de ginástica verbal e lógica formal do tipo que Kahneman e Tversky ostentam. Eles simplesmente *reconhecem* um problema. Adquiriram perícia através de um extremo aprendizado de reforço, tornaram-se sistemas excepcionais de reconhecimento de padrões. Essa aplicação de reconhecimento de padrão é fácil de compreender num radiologista que examina radiografias. Mas também vale para qualquer grande clínico. Eles podem gerar probabilidades bayesianas extremamente precisas com base na experiência de anos, combinadas com o bom uso de exames, um exame físico e o histórico do próprio paciente". Um bom médico terá tido contato com milhares de casos que formam uma rica história estatística (os bayesianos chamam isso de distribuição a priori) sobre a qual podem erigir uma crença em torno do paciente. Um grande médico empregará tudo isso sem esforço, e chegará a uma conclusão que resultará no melhor tratamento para o paciente.

"O problema com argumentos heurísticos e bayesianos", continuou Grafton, "é que eles não conseguem reconhecer que muita coisa que o médico aprende a fazer é extrair a informação diretamente do paciente, e individualizar a tomada de decisão a partir disso. É de uma extrema eficácia. Um bom médico pode entrar no quarto de um hospital e *cheirar* a morte iminente." Quando muitos médicos entram numa UTI, por exemplo, eles olham para os sinais vitais e para o relatório. Quando Grafton entra na UTI, ele olha para o paciente, utilizando sua capacidade essencialmente humana para compreender o estado físico e mental de outra pessoa.

Os bons médicos falam com seus pacientes para compreender a história e os sintomas. Usam com elegância a identificação de padrões. A ciência informa seus julgamentos, mas eles não dependem de nenhum exame em especial. Nos casos dos dois venenos e da visão embaçada, passei por cima de um fato importante sobre como as verdadeiras decisões médicas são tomadas. Seu médico não teria pedido o exame se não achasse, com base no exame pessoal que fez em você e no seu histórico, que você poderia

ORGANIZANDO INFORMAÇÃO PARA AS DECISÕES MAIS DIFÍCEIS 303

ter a doença. Para minha visão embaçada inventada, apesar da incidência básica na população em geral ser de 1 em 38 mil, não é essa a incidência básica da doença para as pessoas que têm visão embaçada, acabam no consultório médico e, no final, fazem um exame. Se essa incidência de base é, digamos, 1 em 9500, você pode refazer a tabela e descobrir que a chance de contrair visão embaçada aumenta de 1 em 201 para cerca de 1 em 20. É disso que se trata a atualização bayesiana — encontrar estatísticas relevantes para sua circunstância particular e usá-las. Você melhora suas estimativas de probabilidade restringindo o problema a um conjunto de pessoas que se parece mais com você no âmbito de dimensões pertinentes. A pergunta não é "Qual a probabilidade de eu ter um derrame?", por exemplo, e sim "Qual a probabilidade de alguém de idade, gênero, pressão sanguínea e nível de colesterol iguais aos meus ter um derrame?". Isso envolve a combinação da ciência da medicina com a arte da medicina.

E apesar de haver coisas em que não é tão boa, é difícil contestar os êxitos esmagadores da medicina no decorrer dos últimos cem anos. Os Centros de Controle e Prevenção a Doenças em Atlanta relatam a erradicação quase completa — um declínio de 99% em morbidez —, entre 1900 e 1998, de nove doenças que antes matavam centenas de milhares de americanos: varíola, difteria, tétano, sarampo, caxumba, rubéola, *Haemophilus influenzae*, coqueluche e pólio. A difteria caiu de 175 mil casos para 1;[52] o sarampo, de 500 mil para cerca de 90. Durante a maior parte da história humana, desde aproximadamente 10 mil a.C. até 1820, nossa expectativa de vida era de cerca de 25 anos. A expectativa mundial cresceu para mais de sessenta anos,[53] e, desde 1979, a expectativa de vida nos Estados Unidos aumentou de 71 para 79 anos.[54]

Que dizer dos casos em que os médicos estão mais diretamente envolvidos com os pacientes? Afinal, a longevidade pode ser atribuída a outros fatores, como melhorias de higiene. No campo de batalha, mesmo que as armas façam maiores estragos, a chance de o soldado ferido ser tratado com êxito aumentou dramaticamente: no decorrer da Guerra Civil Americana e das duas guerras mundiais, a chance de morrer por ferimento era de 1 em 2,5; durante a guerra no Iraque, havia diminuído para 1 em 8,2. As taxas de mortalidade infantis, neonatais e pós-neonatais também diminuíram.[55] Em 1915, para cada mil nascimentos, cem crianças morriam antes de seu primeiro ano; em 2011, esse número havia diminuído para quinze. E apesar de o câncer de próstata, do seio e do pâncreas continuarem sendo desafios especialmente difíceis, as taxas de sobrevivência aumentaram de quase 0% em 1950 para 80% hoje.[56]

É evidente que a medicina está fazendo muita coisa certa, e também a ciência por trás dela. Mas resta uma região sombria e cinzenta de pseudomedicina, que é problemática porque tolda o juízo de pessoas que necessitam de um verdadeiro tratamento médico, e também porque é desorganizada.

## Medicina alternativa: uma violação do consentimento informado

Um dos princípios fundamentais da medicina moderna é o consentimento informado — o fato de você ter sido completamente esclarecido sobre todos os prós e contras de qualquer tratamento a que vai se submeter, de que recebeu toda a informação disponível de modo a poder tomar uma decisão esclarecida.

Infelizmente, o consentimento informado não é praticado de fato na moderna prática de saúde. Somos bombardeados por informações, a maioria incompletas, distorcidas ou equivocadas, e no momento em que estamos menos emocionalmente preparados para lidar com isso. Isso é especialmente verdade com a medicina alternativa e as terapias alternativas.

Um número crescente de indivíduos busca alternativas aos sistemas médico-hospitalares profissionais para tratar das enfermidades. Como a indústria não é regulamentada, é difícil chegar aos números, mas a *Economist* calcula que seja um negócio de 60 bilhões de dólares no mundo todo.[57] Cerca de 40% dos americanos relatam o uso de medicamentos e terapias alternativas, que incluem preparações homeopáticas e herbais, práticas de cura espiritual e psíquica, e diversas manipulações não médicas do corpo e da mente com intuitos curativos.[58] Considerando sua proeminência em nossas vidas, existem informações básicas que todo mundo que consente nestes tratamentos de saúde deveria ter.

A medicina alternativa é simplesmente uma medicina que não tem provas de sua eficácia. Depois que se demonstrou cientificamente a eficácia

ORGANIZANDO INFORMAÇÃO PARA AS DECISÕES MAIS DIFÍCEIS 305

de um tratamento, ele não é mais chamado de *alternativo* — é simplesmente chamado de *medicina*.[59] Antes que um tratamento faça parte da medicina convencional, ele passa por uma série de experiências controladas para se obterem provas de que é seguro e eficaz. Para que seja considerado medicina alternativa, não se exige nada disso. Se alguém acredita na eficácia de determinada intervenção, ela se torna "alternativa". O consentimento esclarecido significa que devemos receber informação sobre a eficácia do tratamento e quaisquer riscos potenciais, e é isso que falta à medicina alternativa.

Justiça seja feita, dizer que não há provas não quer dizer que o tratamento seja ineficaz; simplesmente que sua eficácia ainda não foi demonstrada — estamos numa condição agnóstica. Mas o próprio nome "medicina alternativa" é enganoso. É alternativa, mas não é medicina (alternativa a quê, então?).

Em que a ciência difere da pseudociência? A pseudociência muitas vezes usa a terminologia e a observação da ciência, mas não todo o rigor das experiências controladas e das hipóteses falseáveis. Um bom exemplo é a medicina homeopática, uma prática do século XIX que acarreta a administração de doses minúsculas (ou, de fato, uma dose inexistente) de substâncias inofensivas que pretensamente promovem a cura. Baseia-se em duas crenças. Primeiro, quando a pessoa demonstra sintomas como insônia, problemas estomacais, febre, tosse ou tremores, a administração de alguma substância que em dose normal causaria esses problemas é capaz de curá-los. Não existe nenhum fundamento científico para essa alegação. Se você está intoxicado por hera venenosa e eu lhe der mais hera venenosa, a única coisa que fiz foi lhe dar mais hera venenosa. Não é a cura — é o problema! A segunda crença é a de que a diluição repetida de uma substância pode deixar resíduos da substância original que são ativos e possuem propriedades curativas, e que quanto mais diluída for a substância, mais potente e eficaz será.[60] De acordo com os homeopatas, as "vibrações" da substância original deixam impressões nas moléculas da água.[61]

E a diluição precisa ser feita segundo um procedimento muito específico.[62] Um homeopata pega uma parte da substância química e a dilui em dez partes de água; em seguida, agita-a dez vezes para cima e para baixo e dez vezes de um lado para outro. Então, ele pega uma parte desta solução e a dilui em dez partes de água, e sacode tudo de novo. Ele faz isso pelo menos vinte vezes, o que resulta numa solução em que há uma parte da substância original para 100 quintilhões de partes de água. Para os produtos homeopáticos no varejo, as diluições são rotineiramente de 1 seguido de 30 zeros, e muitas vezes 1 seguido de — vejam só — 1500 zeros. Isso equivale a pegar um grão de arroz, amassá-lo até virar pó, e dissolvê-lo numa esfera de água do tamanho de nosso sistema solar.[63] Ah, esqueci: e então repetir *esse* processo 26 vezes. A homeopatia foi inventada antes que o cientista Amedeo Avogadro descobrisse uma constante matemática que hoje leva seu nome, e que exprime a quantidade de átomos ou moléculas que são retidos numa diluição ($6,02 \times 10^{23}$). A questão é que nas diluições padronizadas da homeopatia de varejo não resta *nada* da substância original. Mas isso é supostamente bom, porque, é preciso lembrar, quanto mais diluído o remédio homeopático, mais potente ele é. Tudo isso levou o cético profissional James Randi a observar que a maneira de tomar uma overdose de um remédio homeopático é simplesmente não tomá-lo. (Randi ofereceu 1 milhão de dólares durante mais de uma década para qualquer um que conseguisse comprovar que a homeopatia funcionava.)[64]

A homeopatia é uma pseudociência porque (a) não se sustenta diante de experiências controladas, (b) usa linguagem científica, como diluição e molécula, e (c) não faz sentido dentro de uma compreensão científica de causa e efeito.

Pondo de lado a homeopatia, quando se trata de uma doença séria como câncer, infecção, doença de Parkinson, pneumonia, ou mesmo doenças mais leves como resfriados comuns e gripes, não há evidência de que a medicina alternativa seja eficaz. Edzard Ernst, um pesquisador britânico, analisou centenas de pesquisas e descobriu que 95% dos tratamentos eram indistinguíveis de nenhum tratamento — ou seja, eram equivalentes a um placebo.[65] (Os outros 5% que funcionam podem representar um erro da experiência, de acordo com a margem tradicional de acerto na pesquisa científica.) As vitaminas e os suplementos não se saem melhor. Depois de extensas pesquisas clínicas conduzidas no decorrer de décadas por muitos laboratórios de pesquisa diferentes, segundo diversos protocolos, descobriu-se que os polivitamínicos não servem para nada.[66] Na verdade, as vitaminas podem fazer mal. Nas doses contidas nos comprimidos de vitamina, a vitamina E e o ácido fólico foram associados a um risco *aumentado* de

# ORGANIZANDO INFORMAÇÃO PARA AS DECISÕES MAIS DIFÍCEIS   307

câncer. O excesso de vitamina D foi associado a um maior risco de inflamação cardíaca,[67] e o excesso de vitamina B6, associado a danos nos nervos.[68] Nas quantidades de uma dieta normal, essas vitaminas não representam um problema, mas as quantidades tipicamente encontradas nos suplementos e comprimidos de vitaminas vendidos no balcão podem fazer mal. E apesar de milhões de americanos tomarem vitamina C[69] ou echinacea[70] quando acham que estão ficando gripados, há pouca evidência de que elas funcionem. Por que *acreditamos* no contrário?

A parte frontal de nossos cérebros se desenvolveu para notar a ocorrência simultânea dos eventos, mas não a falta de ocorrência. Isto tem a ver com as tabelas quádruplas que examinamos antes: nossos cérebros tendem automaticamente para o que existe na célula superior esquerda — o que os psicólogos chamam de *correlação ilusória.*

A correlação é ilusória porque a célula superior esquerda não nos revela tudo de que precisamos para chegar à melhor conclusão. Imagine que você sinta a chegada de um resfriado e comece a tomar echinacea. Você nota que o resfriado não evolui. Isso lhe acontece cinco vezes, então você conclui que a echinacea ajudou. Sua tabela quádrupla parece algo assim:

## SENTINDO-SE SAUDÁVEL NO DIA SEGUINTE

|  |  | Sim | Não |  |
|---|---|---|---|---|
| **Tomou echinacea** | **Sim** | 5 |  |  |
|  | **Não** |  |  |  |
|  | **Total** |  |  |  |

Muito impressionante! Eis alguns problemas. Certos resfriados desaparecem mesmo que você não faça nada. E pode ter havido vezes em que você sentiu a chegada de um resfriado, não fez nada e prontamente se esqueceu disso. Se você participasse de uma pesquisa científica, haveria uma coleta mais meticulosa de dados do que aquela que nós mesmos fazemos. Eis como o resto da tabela poderia parecer se você a preenchesse como parte de uma pesquisa:

## SENTINDO-SE SAUDÁVEL NO DIA SEGUINTE

|  | | Sim | Não |
|---|---|---|---|
| | **Sim** | 5 | 10 |
| **Tomou echinacea** | **Não** | 180 | 5 |
| | **Total** | | |

Repare que, para ter um quadro completo, você precisa saber por quantos dias não tomou a echinacea e *não* pegou um resfriado — isso foi durante a maior parte do tempo! A necessidade de saber isso parece contraintuitiva — mas é exatamente esta a questão: a parte frontal do nosso cérebro tem dificuldade em extrair sentido desse tipo de informação. Basta olhar para a tabela para ver que um resfriado tem o dobro de chance de se desenvolver, quer você tome a echinacea ou não (coluna direita da tabela). Pondo a questão na forma bayesiana, a probabilidade de pegar um resfriado, *considerando* que você tomou a echinacea, ainda é de 67%.

Aliás, o efeito placebo — através do qual nos sentimos melhor e muitas vezes *ficamos* melhor apenas tomando qualquer coisa, mesmo que não contenha ingredientes medicinais — é muito forte e muito real. Comprimidos maiores têm um efeito placebo maior do que comprimidos pequenos. Injeções falsas têm efeito maior do que comprimidos. Grande parte do efeito de produtos com valores medicinais desconhecidos pode ser simplesmente efeito placebo. É por isso que testes duplo-cego, randomizados, de controle clínico são necessários: todo mundo que participa recebe uma pílula, e ninguém sabe quem recebeu o quê. Muitas pessoas que tomam a pílula "vazia" vão melhorar em comparação com pessoas que não receberam nada, mas se o remédio realmente funciona, ele deveria funcionar ainda melhor do que o placebo. É assim que os novos tratamentos são aprovados.

Não são apenas a vitamina C e a echinacea que devastam nosso raciocínio causal. Caímos vítimas de correlações ilusórias o tempo todo. Você já passou pela experiência de estar pensando em alguém, alguém que não vê há muito tempo, e então o telefone toca de repente e... uau! Lá está a pessoa! Antes de concluir apressadamente que se trata de poderes paranormais, você precisa ter conhecimento de três outras peças de informação:

ORGANIZANDO INFORMAÇÃO PARA AS DECISÕES MAIS DIFÍCEIS   309

quantas vezes você pensa em pessoas que *não* ligam para você, quantas vezes *não* pensa em alguém que *liga* e, finalmente, quantas vezes *não* pensa em alguém que *não* liga! Processando tudo isso numa tabela quádrupla, é provável que você descubra que as coincidências ocasionais vívidas são inundadas por eventos dos outros três tipos, donde se conclui que essas correlações são ilusórias.

Nossos cérebros evidentemente evoluíram para focar a célula esquerda superior, os acertos, e não se lembrar de mais nada. Um de meus ex--professores, Paul Slovic, chamou isso de *negligência com o denominador*. Slovic diz que imaginamos o numerador — o caso trágico sobre o desastre de carro que você viu no noticiário — e não pensamos no denominador — a quantidade esmagadora de viagens de carro que terminam em segurança. A negligência com o denominador se mostra de maneiras muito estranhas. Em uma pesquisa, foi dito às pessoas que uma doença matava 1286 indivíduos em cada 10 mil. Elas acharam isso mais perigoso do que as pessoas a quem se falou sobre uma doença que matava 24,14% da população. Reparem que 1286/10 000 é um pouco menos que 13%. Assim, na verdade, representa mais ou menos metade do perigo. Mas no primeiro caso nos concentramos no numerador, os 1286 indivíduos que serão atingidos pela doença. Talvez imaginemos essa quantidade de gente em leitos de hospitais. No segundo caso, ouvimos 24,14%, e o cérebro tende a tratar isso como uma estatística abstrata que não diz respeito a seres humanos.

A negligência com o denominador leva à tendência ao catastrofismo, a imaginar os piores cenários possíveis sem colocá-los nas suas devidas perspectivas estatísticas. Como escreve Daniel Kahneman, "todo pai que já ficou acordado esperando uma filha adolescente que demora a voltar de uma festa reconhecerá essa sensação. Você pode saber que não há realmente (quase) nada com que se preocupar, mas não consegue deixar de ficar imaginando cenários sinistros".[71]

A nitidez com que conseguimos recordar as catástrofes, junto da negligência com o denominador, pode levar a decisões verdadeiramente terríveis. Nos dois meses que se seguiram aos ataques terroristas de 11 de setembro de 2001, havia tantas pessoas com medo de voar nos Estados Unidos que elas começaram a viajar de carro, quando normalmente teriam ido de avião. Não houve desastre de avião em outubro ou novembro, mas as mortes em desastres de automóvel durante este período subiram em relação à média em 2170 indivíduos[72]. Essas pessoas se concentraram no numerador (quatro horríveis desastres de avião, com 246 pessoas a bordo), mas não no denominador (10 milhões de voos comerciais seguros por ano nos Estados Unidos).[73] Como disse um pesquisador, "os terroristas podem atacar duas vezes — primeiro, matando diretamente as pessoas, e, segundo, pelo comportamento perigoso que o medo induz na cabeça das pessoas".[74]

Um exemplo disso é que tendemos a exagerar a importância de eventos raros. Kahneman descreve o cenário: imagine que funcionários da inteligência alardeiam que bombardeiros suicidas entraram em duas cidades diferentes e estão prontos para atacar. Uma cidade tem um bombardeiro suicida, a outra tem dois. É lógico que os cidadãos da primeira cidade devem se sentir duas vezes mais seguros. Mas, provavelmente, não se sentem.[75] A imagem é tão nítida que o medo é aproximadamente idêntico. Agora, se houvesse cem bombardeiros suicidas, seria outra história, mas a questão é que não somos sensíveis à matemática porque nossos cérebros não foram feitos dessa maneira. Felizmente, nós os treinamos.

Isso nos leva de volta à medicina alternativa e ao fato de que muitas de suas pretensões repousam sobre correlações ilusórias, baseadas na negligência do denominador. A atração da medicina alternativa se deve, pelo menos em parte, ao número crescente de pessoas que desconfiam da "medicina ocidental" e buscam alternativas. Oprimidas pelas imperfeições com que é gerido o moderno sistema de saúde, elas sentem necessidade de se rebelar contra aqueles que nos fornecem drogas caras e nem sempre eficazes. Desconfiam dos grandes lucros das companhias farmacêuticas (e de alguns hospitais) e temem os tratamentos recomendados dentro de uma forte cultura de maximização de lucros — sua preocupação é o medo de que alguns tratamentos sejam prescritos não porque sejam melhores para o paciente, mas porque são melhores para aqueles em posição de obter ganhos financeiros. Infelizmente, notícias recentes têm revelado que isso às vezes é verdade.

Os entusiastas da medicina alternativa também reclamam da atitude arrogante e paternalista de certos médicos ("Eu sei o que é bom para você, não é necessário que você compreenda"), exemplificada pelo oncologista urológico com quem falei, que ficou zangado quando lhe pedi que discu-

ORGANIZANDO INFORMAÇÃO PARA AS DECISÕES MAIS DIFÍCEIS    311

tíssemos seu raciocínio estatístico sobre a biópsia. Em um dos hospitais mais importantes dos Estados Unidos, as pacientes com câncer de mama que passam por radioterapia não são informadas sobre a grande probabilidade de sofrerem dolorosas queimaduras pela radiação, evidentemente porque os oncologistas decidiram no lugar da paciente que os benefícios do tratamento compensam a dor e o desconforto que possam provocar. Porém, isso é uma violação do princípio do consentimento informado. Todos os pacientes deveriam receber toda a informação disponível, de modo a decidir por si próprios o que estão dispostos ou não a aceitar.

Outra coisa preocupante é a falta de exatidão entre alguns médicos. Em uma pesquisa, os prognósticos feitos por médicos só tiveram precisão de 20%.[76] Em outra pesquisa, os estudiosos coletaram o resultado de autópsias de pacientes que haviam morrido no hospital e, em seguida, os compararam aos diagnósticos feitos por seus médicos enquanto estavam vivos. A parte elegante dessa experiência é que os médicos também relataram a confiança que tinham nos próprios diagnósticos. Examinando apenas os casos em que os médicos tinham "certeza absoluta" dos diagnósticos, eles erraram com cerca de 40% dos pacientes.[77] Errar sobre tantos diagnósticos é compreensível e talvez perdoável, já que os casos clínicos podem ser muito complicados, e também pelo que já vimos sobre a imperfeição dos exames. Mas ser tão autoconfiante é menos compreensível, porque significa que os médicos não estão prestando atenção aos resultados.

A sedução da medicina alternativa é que ela apela à genuína desconfiança que muitas pessoas sentem pela comunidade médica. Ela oferece a esperança, talvez romantizada, de que os produtos naturais ofereçam curas não invasivas, naturais. O uso da medicina alternativa muitas vezes alimenta uma crença naturalista de que se algo é baseado nas plantas, ou natural, deve ser bom. (Mas é claro que isso é falso: pense nos cogumelos venenosos, na trombeta, nas sementes de mamona, na cicuta.) Um problema adicional é que os medicamentos herbais e fitoterápicos não são regulamentados nos Estados Unidos e em muitos outros países. A U.S. Food and Drug Administration (FDA), órgão governamental responsável pelo controle de alimentos e medicamentos nos Estados Unidos, avalia que 70% das empresas não obedecem ao controle básico de qualidade.[78] E embora o controle de qualidade seja um sério problema, com a presença de contaminadores e enchimentos numa grande quantidade de amostras, os próprios suplementos podem e causam danos, mesmo quando não são comprometidos pela baixa qualidade da manufatura. Um jovem de dezessete anos do Texas, Christopher Herrera, apareceu na emergência de um hospital em Houston, em 2012, com peito, rosto e olhos exibindo uma forte coloração amarela, "um amarelo quase como o de um marca-texto", de acordo com o dr. Shreena Patel, o médico que o tratou.[79] Ele sofrera danos no fígado depois de tomar uma xícara de um extrato de chá verde que havia comprado numa loja de produtos nutricionais, como suplemento para queima de gordura, e os danos foram de tal ordem que ele precisou fazer um transplante.[80] Os suplementos dietéticos respondem hoje por 20% dos danos hepáticos relacionados aos remédios, triplicando a taxa de dez anos atrás.

No entanto, a maioria de nós conhece alguém que afirma ter sido curado por alguma forma de medicina alternativa, seja de uma gripe, uma dor lombar ou até um câncer. Um amigo querido recebeu um diagnóstico de câncer de próstata e ouviu dos médicos que tinha apenas seis meses de vida. "Dê um jeito em seus negócios e faça alguma coisa que sempre teve vontade de fazer", disseram eles. "Férias no Havaí, quem sabe." "O que eu sempre quis foi ter uma vida longa", respondeu meu amigo, e foi embora.

Meu amigo ouviu falar de um médico especialista em medicina alternativa. O médico fez vários exames de sangue "alternativos" e, como resultado, receitou uma dieta e exercícios bem específicos. A lista de alimentos permitidos e proibidos era tão restritiva que ele levava de três a quatro horas só para preparar as refeições. Ele seguiu a dieta e o programa de exercícios com o mesmo empenho e a concentração que havia dedicado a cada aspecto de sua vida, o tipo de disciplina que o levara a ser presidente de uma renomada multinacional com apenas 38 anos de idade.

A sentença de morte de seis meses foi dada há doze anos. Meu amigo está em excelente forma, melhor do que nunca. Voltou a seus renomados oncologistas dois anos depois que estes lhe disseram que ele estaria morto, e eles lhe aplicaram uma bateria de exames. Seu PSA estava quase a zero, e todos os seus outros marcadores biológicos eram normais e estáveis. Eles se recusaram a acreditar que ele se curara apenas com uma dieta e exercícios. "Devia haver algo errado com os exames que fizemos na última vez que o vimos" foi a única coisa que conseguiram dizer.

ORGANIZANDO INFORMAÇÃO PARA AS DECISÕES MAIS DIFÍCEIS 313

Conheço meia dúzia de pessoas com as mesmas histórias. Elas são convincentes. Sou grato por meus amigos terem sobrevivido. O importante aqui é que não estamos falando de pesquisas científicas, apenas de casos — são inspiradores, misteriosos, desafiadores, mas apenas casos. O plural de *história* não é *dados*.[81] Não houve controles experimentais, os pacientes não foram colocados aleatoriamente em uma condição ou em outra, não havia cientistas mantendo cuidadosos registros da progressão da doença ou da cura. Não tivemos a oportunidade de saber o que teria acontecido se meu amigo não tivesse *mudado* sua dieta e começado a praticar exercícios — ele poderia ter vivido tanto quanto viveu sem ter de passar oitenta horas por mês cortando verduras na cozinha. Ou poderia estar morto. Não faz muito tempo eu lhe perguntei se ele havia voltado para fazer uma biópsia ou ressonância magnética para ter certeza do desaparecimento do câncer. "Por que faria isso?", perguntou ele. "Estou mais saudável do que nunca, me sinto ótimo, e não faria nada diferente do que fiz, se eles descobrissem algo."

A derrota que meu amigo infligiu ao câncer através da dieta e do exercício não é consistente ou inconsistente com a ciência; está fora do escrutínio científico porque os dados não foram coletados de maneira científica.

Assim como os médicos ávidos em acreditar nas pontes de safena e angioplastias porque elas possuem um mecanismo plausível, estamos dispostos a acreditar, mesmo sem nenhum embasamento científico, que dieta e exercícios podem derrotar o câncer. É bastante plausível e intuitivamente compreensível. Nenhum de nós tem uma compreensão completa da relação entre dieta, exercício, doença e morte. Ouvimos o caso e pensamos "Sim, pode haver algo aí". Para provar que baseamos esta crença na plausibilidade do mecanismo e não nos dados, imagine se em vez de dieta e exercício meu amigo dormisse de cabeça para baixo numa tenda em forma de pirâmide. Diríamos que ele é apenas maluco.

Uma das coisas boas da ciência é que ela está aberta a histórias como a do meu amigo, de modo a não perder a oportunidade de investigar novas e importantes curas. A maioria das descobertas científicas começa com uma simples observação, muitas vezes inesperada, e com a sorte, seguida de estudo cuidadoso; pense na maçã de Newton ou em Arquimedes deslocando a água na banheira.

314 **A MENTE ORGANIZADA**

Talvez, em estado latente, a cura do câncer ou de outras enfermidades esteja na "medicina alternativa". Em centenas de laboratórios no mundo todo há pesquisas sendo feitas com preparações herbais, remédios e terapias alternativas. Mas, até que se mostrem eficazes, eles acarretam o perigo de levar os pacientes à demora em procurar tratamentos que já se mostraram funcionais, e assim de retardar a cura talvez até um ponto irreversível. Foi o que aconteceu com Steve Jobs — ele rejeitou a cirurgia para fazer um regime alternativo de acupuntura, suplementos dietéticos e sucos que veio a descobrir que não funcionava, retardando o tratamento convencional que, segundo os entendidos, poderia ter prolongado sua vida.[82]

Há milhares de pessoas nos Estados Unidos que morrem todo ano de doenças que poderiam ser prevenidas ou curadas pela "medicina ocidental". O método científico promoveu um avanço maior da civilização nos últimos duzentos anos do que quaisquer outros métodos no decorrer dos 10 mil anos anteriores. Os pesquisadores médicos compreendem que nas suas experiências há vidas humanas em jogo — muitas vezes, mesmo antes de completado o teste clínico, os cientistas enxergam a existência de um claro benefício, e interrompem o teste mais cedo para logo liberar os medicamentos, em vez de fazer os pacientes esperarem, pois alguns estão tão doentes que esperar está fora de cogitação.

Na verdade, justamente porque terapias alternativas como a dieta e o exercício *fazem* tanto sentido, e porque existem tantas histórias como a do meu amigo, é que o Instituto Nacional de Saúde criou uma divisão de medicina complementar e alternativa para explorar tais tratamentos, usando todas as ferramentas da ciência moderna.[83] Até agora, o instituto tem relatado muitos casos de nenhum ou pequeno efeito, chegando apenas a um reduzido número de pessoas que se beneficiam de terapias alternativas, e a um enorme número de outras que não se beneficiam.[84] Em uma pesquisa típica, por exemplo, realizada num universo de 100 mil pessoas, uma parte recebeu aleatoriamente vitamina D, uma parte não recebeu nada, e a outra parte foi dado um placebo, de modo a testar a hipótese de a vitamina D ter um papel na prevenção do câncer e de doenças cardiovasculares.[85] O resultado mostrou que é preciso que 150 pessoas sejam tratadas com vitamina D por cinco anos para que uma vida seja salva, mas as 149 que não tiveram benefício sofreram vários efeitos colaterais, inclusive pedras nos rins, fadiga, pancreatite e dor nos ossos. Não sabemos o efeito a longo prazo da terapia com vitamina D, e há nova evidência ligando o excesso de vitamina D à mortalidade.[86] Mas ainda há muito trabalho a ser feito.

## Como você pensa, o que você faz

Quando chega a hora de escolher qual a melhor opção de tratamento, você se encontra na maior parte das vezes sozinho. Terá de colher informações e aplicar a tabela quádrupla. Para alternativas que acarretam riscos semelhantes, a decisão pode ser difícil. Em parte, isso acontece porque as pessoas diferem muito quanto ao tamanho do risco que estão dispostas a aceitar, e ao tamanho do desconforto (tanto psicológico quanto físico) que estão dispostas a suportar. Esse lado do processo de tomada de decisão pelo paciente é muito bem descrito no livro de Jerome Groopman e Pamela Hartzband, *Your Medical Mind* [A mente médica dentro de nós].

Quais são seus preconceitos contra a medicina? Todos nós os temos. Groopman e Hartzband descrevem quatro tipos de pacientes:[87] minimalista, maximalista, naturalista e tecnologista. O minimalista médico tenta interagir o menos possível com a medicina e os médicos. O maximalista acha que todo problema, dor ou desconforto tem uma solução médica. O naturalista acha que o corpo consegue se curar, talvez com a ajuda de medicamentos fitoterápicos ou espirituais. O tecnologista acredita que há sempre novas drogas e procedimentos melhores do que tudo que veio antes, e que são o melhor caminho a tomar.

Eles representam tipos extremos; a maioria de nós tem um pouco de cada um. Você pode ser um minimalista em relação à saúde dos dentes, mas um maximalista em relação ao botox e outros procedimentos "rejuvenescedores". Você pode ser um naturalista quanto a gripes e resfriados, mas um tecnologista se precisar de uma cirurgia de apêndice. E essas orientações interagem. Há maximalistas naturalistas que têm prateleiras de remédios herbais, e minimalistas tecnologistas que fazem o mínimo possível, mas, se precisarem de uma cirurgia, exigirão a última palavra em cirurgia a laser guiada por robô. Compreender seus próprios preconceitos pode levar à tomada de decisões mais eficaz, e a um diálogo médico-paciente muito mais produtivo. Talvez seja especialmente útil contar logo a seu médico a qual desses estilos você tende.

Mas o valor de simplesmente compreender as probabilidades, o que dizem os números numa tabela quádrupla, sempre é útil e sempre será, a despeito de sua personalidade.

Você ouve dizer que se tomar certo remédio ou seguir certa dieta, isso reduzirá em 50% sua chance de pegar a doença X. Parece besteira. Mas guarde essas proporções básicas na cabeça. Pense na mulher de quarenta anos que estava pensando em ter filhos e foi informada de que, considerando sua idade (uma maneira bayesiana de enquadrar o problema), tinha cinco vezes mais chance de dar à luz um bebê com determinado defeito congênito. Imagine que a probabilidade de uma mulher mais jovem ter um filho com esse mesmo defeito fosse de apenas 1 em 50 mil, e que no caso da mulher de quarenta anos esse risco aumentasse para 1 em 10 mil. Ainda assim é uma ocorrência muito improvável. A incidência básica do defeito ainda é suficientemente baixa para que até mesmo um aumento de cinco vezes do risco, embora impressionante em termos percentuais, não tenha implicações práticas. Se isso lembra os embustes estatísticos no Capítulo 4 em relação às taxas mais baixas de divórcio para as pessoas que se conheceram na internet, você está absolutamente certo. Uma redução de 25% na taxa de divórcio, de 7,7% para 6%, não tem nenhuma importância no mundo de verdade. Um aumento ou uma diminuição de risco dessa ordem pode passar em testes de significância estatística (de importância principalmente para pesquisadores), mas ainda assim não fazer uma diferença significativa.

Por outro lado, se você está diante da probabilidade de 80% de um resultado catastrófico e pode reduzi-la em 25%, chegando a 60%, isso parece valer a pena — a redução de 25% é mais significativa na escala mais alta. Praticamente todos nós temos essa personalidade. Sabemos disso por causa de ideias elaboradas na psicologia e na economia comportamental, conhecidas como teoria da previsibilidade e utilidade esperada.[88] Para a maioria de nós, tomadores de decisão humanos e não racionais, as perdas avultam mais do que os ganhos. Em outras palavras, a dor de perder cem dólares é maior do que o prazer de ganhar cem dólares. Colocando de outra maneira, a maioria de nós faria mais para evitar perder um ano de vida do que para ganhá-lo.

ORGANIZANDO INFORMAÇÃO PARA AS DECISÕES MAIS DIFÍCEIS    317

Uma das grandes intuições de Kahneman e Tversky foi que as perdas e os ganhos não são lineares, o que significa que o mesmo valor de ganho (ou perda) não causa a mesma satisfação (ou insatisfação) — eles são relativos ao seu estado atual. Se você está duro, ganhar um dólar é muito importante. Se for milionário, não é. Existem outras não linearidades: imagine que diagnosticaram determinada doença em você, e seu médico recomenda um tratamento que aumentará em 10% sua chance de recuperação. O aumento de 10% tem uma *sensação* diferente dependendo da sua chance inicial de recuperação. Imagine os seguintes cenários:

a. Aumentar sua chance de recuperação de 0% para 10%.
b. Aumentar sua chance de recuperação de 10% para 20%.
c. Aumentar sua chance de recuperação de 45% para 55%.
d. Aumentar sua chance de recuperação de 90% para 100%.

Se você for como a maioria das pessoas, os cenários A e D parecem mais atraentes do que B e C. O cenário A transforma a certeza da morte em possibilidade de vida. É uma possibilidade pequena, mas somos programados para nos agarrar à vida e olhar para o lado mais favorável quando obrigados a enfrentar alternativas assim. O cenário D muda a possibilidade de morte para a certeza de vida.[89] Agarramos as chances A ou D; queremos mais informação sobre B e C para decidir se valem a pena.

Nosso sistema intuitivo não é bem configurado para compreender as estatísticas ou tomar decisões racionais em cada caso — essa é a principal questão por trás de *Rápido e devagar: duas formas de pensar*, de Daniel Kahneman.[90] Como exemplo, a maioria de nós é tão sensível à maneira como um problema é apresentado — à forma como é enquadrado — que manipulações simples e até ridículas podem influir dramaticamente em escolhas e preferências.[91] Por exemplo, considere os dados hipotéticos sobre os resultados da cirurgia de câncer contrapostos aos da radiação. Qual você escolheria?

1a. De cem pessoas que se submetem à cirurgia, noventa sobrevivem ao procedimento, e 34 ainda estão vivas cinco anos depois.
1b. De cem pessoas submetidas à radioterapia, todas sobrevivem ao tratamento, e 22 ainda estão vivas cinco anos depois.

Se você escolhe a cirurgia, é como a maioria das pessoas — o resultado após cinco anos parece mais atraente, mesmo quando contraposto ao fato de que o resultado imediato é melhor com a radiação.

Agora que os dados são reformulados em termos de mortalidade, em vez de sobrevivência, qual você preferiria?

2a. De cem pessoas submetidas à cirurgia, dez morrem durante o procedimento, e 66 morrem até cinco anos depois.

2b. De cem pessoas submetidas à radioterapia, nenhuma morre durante o tratamento, e 78 morrem até cinco anos depois.[92]

Essas duas formulações do problema, ou enquadramentos, são claramente idênticas do ponto de vista matemático — dez de cem morrendo é o mesmo que noventa de cem vivendo —, mas não são psicologicamente *idênticas*. As pessoas tendem mais a escolher a cirurgia no primeiro caso, e a radiação, no segundo. Na primeira dupla de cenários, nossa atenção é aparentemente atraída pela diferença nos resultados cinco anos depois, quando 34% dos pacientes submetidos à cirurgia estão vivos, contra 22% dos que se submeteram à radiação. O enquadramento da segunda dupla de cenários aparentemente chama nossa atenção para o risco do próprio procedimento: a radiação reduz o risco da morte imediata de 10% para 0%. O efeito de enquadramento foi notado não apenas nos pacientes, mas em médicos experientes e executivos estatisticamente sofisticados.

Outro aspecto do enquadramento é que a maioria de nós é melhor com figuras do que com puros números, uma das motivações para introduzir no currículo de cálculo nas universidades apresentações de base gráfica para o material difícil.[93] Uma das maneiras que médicos tentaram para ajudar os pacientes a compreender melhor os riscos foi mostrar visualmente os vários resultados para um grupo de cem pacientes. Aqui, neste exemplo, estão os riscos e benefícios do tratamento com antibióticos para otite média. O número de pessoas a tratar é vinte (de cem pessoas que receberam antibióticos, cinco serão beneficiadas). Além disso, nove pessoas não serão curadas e precisarão de acompanhamento posterior. Do grupo, 86 não são auxiliadas nem prejudicadas — ao menos não fisicamente (talvez financeiramente). Trata-se de muito antibiótico sendo tomado com um benefício muito pequeno. Mas gráficos como o que apresento a seguir podem ajudar esses pacientes a compreender o risco e a tomar decisões melhores, porque eles conseguem *ver* a proporção de pessoas em cada categoria.[94]

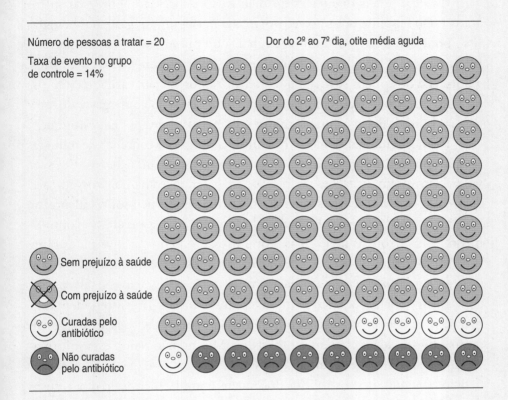

Outro aspecto da psicologia da tomada de decisão de todo mundo é o arrependimento. Amos Tversky ensinou que a aversão ao risco é motivada pelo arrependimento, uma poderosa força psicológica. Tendemos a tomar decisões para evitar o arrependimento que pode surgir por termos tomado decisões erradas, mesmo que as escolhas fossem marcadamente contrastantes em termos do valor esperado. Embora o tratamento X tenha apenas a chance de 10% de ser útil e um alto risco de efeitos colaterais, talvez você o escolha para não ter de viver com o arrependimento de saber mais tarde que *você* era um dos 10% que se beneficiariam dele. O custo emocional do arrependimento pode ser enorme. Como disse uma sobrevivente de câncer de mama, "eles me disseram que não sabiam se a quimioterapia depois da cirurgia seria útil ou não. Mas eu não parava de pensar: e se o câncer de mama voltar e eu não tiver feito o tratamento? Eu me sentiria uma idiota".

Os dois pneus dianteiros do meu carro têm cinco anos, e os sulcos ainda estão bastante bons no centro, mas notei algum desgaste nas beiradas (isso pode acontecer por calibragem baixa ou por andar muito em terreno montanhoso). Consultei um borracheiro e ele frisou que, após cinco anos, a borracha dos pneus se torna quebradiça e pode rachar, fazendo com que os frisos e feixes se separem da carcaça.[95] Isso, somado ao desgaste dos sulcos nas bordas, deixa os pneus muito vulneráveis e eles podem estourar.

Bem, sou motorista há muitos anos, já dirigi por centenas de milhares de quilômetros, e só fui vítima de estouro de pneu duas ou três vezes na vida. Não foram situações de perigo, mas deram trabalho. Você precisa encostar, pegar o macaco, suspender o carro e pôr o pneu sobressalente. Se tudo der certo, você simplesmente chega meia hora atrasado ao compromisso, com as roupas meio sujas. Por outro lado, se isso acontecer durante uma tempestade, ou numa estrada montanhosa, ou numa rodovia sem acostamento, pode ser uma situação muito mais desagradável e talvez perigosa. Nem o meu mecânico nem o Departamento de Trânsito podem estimar se meus pneus vão estourar antes que os sulcos centrais se desgastem tanto a ponto de precisarem ser trocados. Mesmo não tendo essa informação, meu palpite — e o palpite do meu mecânico — é que o valor ou benefício esperado de substituir os dois pneus é muito menor do que o custo de substituí-los.

Meu amigo Allan adora poupar dinheiro. Quero dizer, ele *adora* fazer economia, e sempre nos conta de pratos que comprou em lojas de artigos baratos e de roupas que adquiriu no brechó do Exército de Salvação. Não que ele não possa gastar mais — ele tem bastante dinheiro —, apenas se sente um campeão em desafiar a cultura do consumo do mundo moderno. Allan teria grande orgulho de poder se vangloriar de ter poupado duzentos dólares conservando seus velhos pneus, e está disposto a correr o risco de alguma probabilidade desconhecida ou incômodo no futuro. Quanto a mim, prefiro trocar dinheiro por conforto e segurança. Outras pessoas gostam dessa segurança adicional e estão dispostas a pagar por ela. O seguro, no fundo, é isso — se o seguro contra incêndio fosse um negócio tão bom para os proprietários de casas, as companhias de seguro não seriam as ricas multinacionais que são; não tenham dúvida, é um bom negócio para *elas*. Mas gostamos da paz de espírito que o seguro garante. Eu comprei pneus novos. (Allan leu este trecho e gostaria que eu lhe dissesse que acha que tomei essa decisão movido por temores irracionais, e que vivo me preocupando por qualquer coisa.)

O arrependimento desempenha um enorme papel em decisões como essa. Se eu estragar um belo piquenique, ou um belo conjunto de roupas, ou acabar sofrendo um desastre porque não gastei aqueles duzentos dólares, vou me sentir um idiota. Se Allan conseguir usar os pneus gastos por mais dois anos, vai brandir os duzentos dólares na minha cara, todo contente, e me dizer como fui tolo por ser tão preocupado.

É evidente que a tomada de decisão médica também é movida pelo medo do arrependimento. Alguns estão dispostos a enfrentar aborrecimento e desconforto agora para evitar até a pequena chance de 5% de algo dar errado e de um arrependimento como: "Se eu ao menos tivesse seguido a recomendação do médico! O que foi que me deu? A minha *vida* estava em jogo!". Allan, por outro lado, quer maximizar seus prazeres momentâneos, e dá valor à liberdade de fazer o que quer, livre de regimes de saúde ou procedimentos médicos que não sejam absolutamente necessários *hoje*.

A melhor estratégia para organizar a informação médica em casos assim é se armar das estatísticas mais precisas que se possa obter, além de compreender seus próprios preconceitos e sua disposição de correr riscos e suportar o arrependimento. Se você se sentir perdido e confuso, amigos e familiares muitas vezes podem ajudá-lo a lembrar os valores fundamentais que norteiam a sua vida.

## Medicina, matemática e a tomada de decisões significativas

Os demais capítulos deste livro se preocuparam especialmente com a atenção e a memória, mas o grande trunfo para tomar decisões sobre coisas importantes é a matemática, a chamada rainha das ciências. Às vezes pode parecer que se trata de aritmética chata e insossa, mas, para organizarmos nosso raciocínio sobre a vida, acabaremos tendo de abrir mão, em última instância, da nossa eterna antipatia pela aparente desumanidade da análise probabilística e dos cálculos matemáticos.

Nesses momentos, quando você enfrenta uma decisão difícil com as mais sérias consequências, quando está com medo, perplexo e frustrado, quando a vida está de fato em jogo, deposite sua fé nos números. Tente colher o máximo de informação possível e processe-a junto a quem entende do assunto. Se precisar fazer uma cirurgia, escolha um médico que já realizou muitos procedimentos. Como CEO de seu próprio plano de saúde, você precisa compreender como pegar a informação dada pelos médicos para analisá-la em tabelas quádruplas, aplicando o raciocínio bayesiano, porque isso acabará com muita adivinhação na tomada de decisão médica, transformando-a em números que você poderá facilmente avaliar, já que a maioria de nós não possui a intuição refinada de um dr. Gregory House.

Leve algum tempo para tomar a decisão, e pense nela de uma perspectiva matemática. Converse com seu médico, e, se seu médico não se sentir à vontade discutindo estatística, procure outro. É importante superar sua relutância em fazer perguntas ou discutir com o médico. Leve algum ente querido para apoiá-lo. Assegure-se de que a consulta dure bastante — pergunte ao médico: "Quanto tempo poderá me conceder?".

Quando estamos doentes ou machucados, nossa vida parece controlada por especialistas, mas não precisa ser assim. Podemos assumir o controle de nossas próprias doenças, aprender o máximo possível sobre elas, e pedir conselho a mais de um médico. Os médicos também são pessoas, é claro, e demonstram muitos tipos de personalidade, estilo e pontos fortes. Vale a pena encontrar alguém cujo estilo combine com o seu, alguém que compreenda suas necessidades e possa ajudá-lo a enfrentá-las. Sua relação com o médico não deve ser de filho com pai, mas de parceiros capazes de atuar juntos na tarefa de atingir uma meta comum.

# 7

# ORGANIZANDO O MUNDO DOS NEGÓCIOS

## Como criamos valores

Ao meio-dia de 30 de setembro de 2006, o viaduto de la Concorde, em Laval, perto de Montreal, caiu sobre a Autoroute 19 de Quebec, uma grande artéria no sentido norte-sul. Cinco pessoas morreram e outras seis ficaram gravemente feridas quando seus carros despencaram. Durante a construção do viaduto, os empreiteiros haviam instalado incorretamente as barras de aço para reforçar o concreto e, para poupar dinheiro, resolveram usar por conta própria concreto de má qualidade, que não preenchia as especificações do projeto. O inquérito subsequente do governo determinou ter sido esta a causa do desmoronamento do viaduto.[1] Vários outros casos de concreto de má qualidade sendo utilizado em pontes, viadutos e autoestradas foram detectados em Quebec durante uma investigação do governo sobre corrupção na indústria da construção. A história das práticas de construção de má qualidade é longa[2] — o anfiteatro de madeira em Fidenae, perto da Roma antiga, foi erigido sobre alicerces frágeis, além de ter sido mal construído, o que provocou seu desmoronamento em 27 d.C., com 20 mil vítimas. Desastres semelhantes têm ocorrido em todo o mundo, entre eles o colapso da represa de Teton Dam em Idaho, em 1976, das escolas em Sichuan, na China, no terremoto de 2008, e da ponte Myllysilta, em Turku, na Finlândia, em 2010.

Quando funcionam de forma adequada, grandes projetos civis como esses envolvem muitos especialistas e níveis de controle e testes. O projeto, as decisões e as implementações são estruturados de forma organizada, de modo a aumentar a chance de êxito e seu valor. Idealmente, todo mundo busca um estado em que os recursos humanos e materiais sejam alocados no sentido de se obter o máximo valor. (Quando todos os componentes de um sistema complexo atingem o valor máximo, e quando é impossível melhorar qualquer componente do sistema sem com isso piorar outro, pode-se dizer que o sistema atingiu o estado ótimo de Pareto.) O operário que pavimenta uma rua da cidade normalmente não deveria decidir sobre os materiais de pavimentação e a espessura da camada — essas decisões são tomadas pelos superiores que precisam otimizar o processo, levando em conta orçamentos, o fluxo do tráfego, condições climáticas, projeção dos anos de uso, os costumes e as práticas normais e possíveis processos de indenização no caso de surgimento de buracos. Esses diferentes aspectos da coleta de informação e da tomada de decisão são tipicamente distribuídos pela organização e podem ser alocados a diferentes gerentes, que então se comunicam com seus superiores, que por sua vez equilibram os diversos fatores para atingir as metas urbanas a longo prazo e satisfazer aquela determinada decisão. Como escreveu Adam Smith em *A riqueza das nações*, em 1776, um dos grandes progressos na produtividade foi a divisão do trabalho. Dividir tarefas em qualquer grande empreendimento humano demonstrou ser extremamente útil e influente.

Até mais ou menos meados dos anos 1800, os negócios eram primariamente pequenos e tocados por famílias, servindo apenas a um mercado local.[3] A ampliação do telégrafo e das ferrovias em meados da década de 1800 possibilitou que mais companhias atingissem mercados nacionais e internacionais, apostando no progresso do comércio marítimo que havia séculos vinha evoluindo. Junto com esse florescente comércio a longa distância, cresceu dramaticamente a necessidade de documentação e especialização funcional ou treinamento diversificado.[4] O acúmulo de cartas, contratos, contabilidade, inventários e relatórios de situação apresentava um novo desafio organizacional: como achar a informação de que você precisava para aquela tarde em meio a essa nova montanha de papel? A revolução industrial introduziu a era da burocracia.

Uma série de colisões ferroviárias no começo dos anos 1840 forneceu um empurrão urgente na direção de melhorias na documentação e especialização funcional. Os investigadores concluíram que os acidentes haviam sido causados pela má comunicação entre os engenheiros e operadores de várias linhas. Ninguém estava certo de quem detinha a autoridade sobre as operações, e o comprovante do recebimento de importantes mensagens não era prática comum.[5] Os investigadores da ferrovia recomendaram a padronização e a documentação dos procedimentos e regras de operação.[6] O objetivo era transcender a dependência da capacidade, memória ou perícia de um único indivíduo.[7] Isto envolvia a redação de uma definição precisa dos deveres e responsabilidades de cada serviço, acoplada a maneiras padronizadas de praticar esses deveres.[8]

A especialização funcional dentro da força de trabalho tornou-se crescentemente lucrativa, e necessária para que as coisas não parassem de repente se um trabalhador solitário, que sabia realizar determinada atividade, tivesse que se ausentar por doença. Isso levou a empresas funcionalmente compartimentalizadas, e a uma necessidade maior ainda de burocracia, para que os funcionários pudessem se comunicar com seus chefes (que poderiam estar a um continente de distância), e para que uma divisão da companhia pudesse se comunicar com outras divisões. Os métodos de arquivar registros e o estilo de gerência que funcionava em pequenas empresas familiares simplesmente não se adaptavam à escala dessas novas firmas maiores.

Em virtude dessa evolução, os gerentes de repente passaram a ter maior controle sobre os operários, sobretudo aqueles que faziam o serviço. Processos e procedimentos que haviam sido guardados dentro da cabeça dos trabalhadores eram agora registrados em livros de consulta e compartilhados no interior da empresa, dando a cada trabalhador a oportunidade de aprender de trabalhadores anteriores e somar aperfeiçoamentos. Esse movimento segue o princípio fundamental da mente organizada: a exteriorização da memória. Isso envolve extrair o conhecimento da cabeça de alguns indivíduos e botá-lo (por exemplo, sob a forma de descrições escritas dos serviços) no mundo, onde outros possam vê-lo e usá-lo.

Depois que a administração obteve descrições detalhadas das tarefas e dos serviços, tornou-se possível demitir o empregado preguiçoso ou descuidado e substituí-lo por outro sem grande perda de produtividade — a administração simplesmente comunicava os detalhes do serviço e onde ele havia sido interrompido. Isso era essencial na construção e nos reparos das ferrovias, onde havia uma grande distância entre a sede da companhia e os trabalhadores em campo. No entanto, o impulso de sistematizar os serviços se estendeu aos gerentes; assim, os gerentes se tornaram tão substituíveis quanto os operários — um avanço implementado pelo engenheiro de eficiência inglês Alexander Hamilton Church.[9]

A tendência à sistematização dos serviços e à crescente eficiência organizacional levou o engenheiro escocês Daniel McCallum a criar os primeiros organogramas, em 1854, como uma maneira de visualizar facilmente as relações entre os funcionários. Um típico organograma mostra quem deve prestar contas a quem; a seta apontando para baixo indica uma relação de supervisor com supervisionado.

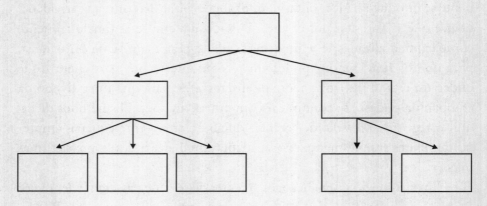

Os organogramas representam muito bem as hierarquias de prestação de contas, mas não mostram como os colegas de trabalho interagem entre si; e, apesar de mostrarem relacionamentos profissionais, não mostram relações pessoais.[10] Diagramas de rede foram introduzidos pela primeira vez pelo sociólogo romeno Jacob Moreno, na década de 1930.[11] São mais úteis para compreender quais funcionários trabalham juntos e se conhecem, e muitas vezes são usados por consultores de gestão para diagnosticar problemas de organização estrutural, produtividade ou eficiência.

A seguir, vemos o diagrama de rede de uma startup da internet produzido durante uma avaliação de um mês da empresa (que acabou sendo vendida à Sony). O diagrama mostra quem interagiu com quem durante o mês pesquisado; as interações mostradas são dicotômicas, sem atenção à quantidade ou qualidade das interações. O diagrama revela que o fundador (o nódulo no topo) interagiu apenas com uma pessoa, seu diretor de operações; o fundador se encontrava numa viagem para levantar fundos naquele determinado mês. O diretor de operações interagiu com três pessoas. Uma delas era a encarregada de desenvolvimento de produto, e ela interagiu com um empregado que supervisionava uma rede de sete consultores. Os consultores interagiam bastante entre si.

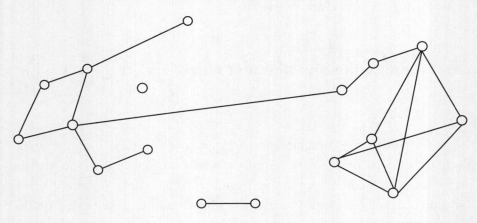

Criar um mapa de rede permitiu que a administração percebesse que havia uma pessoa com quem ninguém jamais falava, e duas pessoas que interagiam amplamente entre si, mas com ninguém mais. Há várias formas possíveis de diagramas de rede, inclusive com o uso de "mapas de temperatura", nos quais as cores indicam o grau de interação (cores mais quentes indicam mais interação ao longo de um nódulo, cores mais frias significam menos interação). Mapas de rede podem ser usados, em conjunto com organogramas hierárquicos, para identificar quais membros de uma organização já se conhecem, o que por sua vez pode facilitar a criação de equipes de projeto ou a reorganização de determinadas funções e estruturas relatoriais. A prática normal de comportamento organizacional é dividir equipes que não estão funcionando eficazmente e tentar replicar equipes que estão. No entanto, uma vez que a eficiência de equipe não é simplesmente uma questão de quem possui tais ou quais capacidades, e mais de familiaridade interpessoal e de quem trabalha bem em conjunto, o diagrama de rede é especialmente útil; ele pode rastrear não só quais membros trabalham juntos, mas quais (se houver) mantêm relações sociais fora do trabalho (e isso pode ser destacado através da cor ou de linhas picotadas, ou de qualquer outro tipo de técnica gráfica conhecida).

As organizações podem ter hierarquias planas (horizontais) ou profundas (verticais), que podem ter grande impacto na eficiência dos empregados e da gerência. Compare dois organogramas diferentes — o de uma companhia plana (esquerda) com apenas três níveis e o de uma companhia vertical (direita) com cinco níveis:[12]

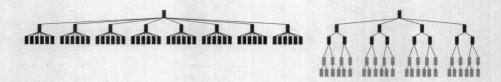

A estrutura de comando das organizações militares e empresariais pode ter duas formas, e cada sistema possui vantagens e desvantagens (a estrutura militar convencional é vertical, mas os terroristas e outros grupos baseados em células usam uma estrutura plana com controle e comunicação descentralizados).[13]

Uma estrutura plana encoraja as pessoas a trabalharem juntas e permite uma conjunção do esforço, muitas vezes dando poder aos funcionários para fazer o que é preciso e investir seus talentos fora da estrutura formal de tarefas e de comando. Uma deficiência da estrutura plana é que talvez só haja uma pessoa que possui a autoridade efetiva de decidir, e essa pessoa terá de tomar muitas decisões. Pela ausência de hierarquia, é necessário um esforço adicional para estabelecer a quem pertence a responsabilidade por determinadas tarefas. Na verdade, alguma forma de estrutura vertical é essencial para obter uma coordenação entre os funcionários e seus projetos, para evitar uma duplicação do esforço e para assegurar a coerência entre diferentes componentes de um projeto.[14] A vantagem adicional da estrutura vertical é que é mais fácil responsabilizá-los por suas decisões e pelo produto de seu trabalho.[15]

Os sistemas verticais altos geralmente encorajam a especialização e as eficiências dela derivadas. Mas estruturas altas também podem resultar no isolamento mútuo dos funcionários e no trabalho em silos, no desconhecimento daquilo que os demais estão fazendo e que pode estar intimamente

ORGANIZANDO O MUNDO DOS NEGÓCIOS    329

relacionado com o próprio trabalho. Quando um sistema vertical se torna alto demais (demasiados níveis), as informações podem levar muito tempo para filtrar desde cima até o solo, ou vice-versa. As ferrovias abriram caminho para uma organização mais complexa no mundo dos negócios, e nos últimos cinquenta anos o nível de complexidade cresceu tanto que, em muitos casos, é impossível acompanhar o que todo mundo está fazendo. Cinquenta companhias no mundo têm mais de 250 mil empregados, e sete delas têm mais de 1 milhão.[16]

Podemos pensar as companhias como sistemas de memória transativa.[17] Parte da arte de se adaptar a uma empresa na qualidade de novo funcionário, na verdade, parte de se tornar um empregado efetivo (especialmente na gerência superior), é saber quem detém determinado conhecimento. Se você quer os números de vendas de 2014 da região Sudeste, você liga para Rachel, mas ela só tem os números de $x$; se você quer incluir os negócios da sua empresa com a venda de $y$, precisa ligar para Scotty; se quer saber se pagaram a United Frabezoids, tem que falar com Robin em contas a pagar. A companhia como um todo é um grande repositório de informação, com seres humanos desempenhando individualmente o papel efetivo de redes neurais rodando programas especializados. Ninguém possui sozinho toda a informação, e, na verdade, ninguém numa grande empresa sabe sequer a quem perguntar por cada peça de informação que é preciso saber para manter a companhia funcionando.

Um caso típico: a Booz Allen Hamilton recebeu um grande contrato da enorme companhia onde Linda trabalhava como assistente executiva do CEO. A missão deles era estudar a organização e fazer sugestões de melhorias estruturais. Enquanto entrevistavam os funcionários, os consultores da Booz descobriram três analistas de dados altamente treinados, com capacidade semelhante, trabalhando em três colunas inteiramente separadas do organograma da companhia. Cada analista de dados prestava contas a um auxiliar de gerência, que prestava contas a um gerente distrital, que prestava contas a um vice-presidente. Cada analista de dados acabava tendo responsabilidade perante um vice-presidente inteiramente diferente, tornando praticamente impossível que eles, seus superiores, ou até mesmo os superiores de seus superiores soubessem da existência dos demais. (Chegavam até a trabalhar em prédios diferentes.) Os consultores da Booz conseguiram juntar os analistas em reuniões semanais, quando dividiam sua informação e certos truques que haviam aprendido, e eles se ajudaram a resolver problemas técnicos comuns que enfrentavam. Isso levou a uma grande eficiência e uma grande economia para a companhia.

As estruturas verticais são necessárias quando é preciso um alto grau de controle e supervisão direta dos empregados. As usinas atômicas, por exemplo, tendem a ter estruturas verticais muito altas porque a supervisão é extremamente importante — um pequeno erro pode redundar num desastre. A estrutura vertical permite que os gerentes verifiquem e contraverifiquem constantemente o trabalho dos gerentes de nível inferior, para assegurar que as regras e os procedimentos estão sendo seguidos de modo preciso e consistente.[18]

O Royal Bank of Canada é uma companhia de 30 bilhões de dólares que serve 18 milhões de clientes. Sua cultura corporativa confere alto valor à mentoria, a gerentes que ajudam a formar subordinados, melhorando suas chances de serem promovidos e assegurando paridade de gêneros.[19] Sua estrutura vertical permite a íntima supervisão dos empregados pelos gerentes. A Liz Claiborne, Inc. foi a primeira empresa do ranking das quinhentas mais da *Fortune* a ser fundada por uma mulher. Quando estava projetando a estrutura de sua empresa, Liz Claiborne optou pela versão plana — quatro níveis para 4 mil empregados —, de modo a manter a companhia ágil e capaz de reagir com rapidez às mudanças de tendências.[20] Não há nenhuma evidência de que a própria estrutura em si afete a lucratividade de uma companhia; estruturas diferentes funcionam melhor em companhias diferentes.[21]

O tamanho de uma organização tende a prever quantos níveis ela terá, mas a relação é logarítmica. Ou seja, enquanto uma organização com mil empregados tem em média quatro níveis hierárquicos, aumentar os empregados por um fator de dez não aumenta dez vezes a quantidade de níveis; na verdade, aumenta a quantidade de níveis duas vezes.[22] E depois que uma organização alcança 10 mil funcionários, atinge-se um assíntota: organizações com 12 mil, 100 mil ou 200 mil funcionários raramente têm mais de nove ou dez níveis em sua hierarquia.[23] O princípio da cadeia mínima de comando afirma que uma organização deveria optar pelo menor número de níveis hierárquicos.[24]

ORGANIZANDO O MUNDO DOS NEGÓCIOS    331

Essas mesmas descrições de estruturas — plana e vertical — podem ser aplicadas a um site corporativo, ou ao sistema de arquivos de seu próprio computador. Imagine que os desenhos de uma estrutura plana e outra vertical, na página 328, fossem mapas de sites para duas versões diferentes do site de uma companhia. Ambos poderiam apresentar os mesmos dados aos visitantes, mas as experiências deles serão muito diferentes. Com uma organização plana bem projetada, o visitante pode obter informações sumárias com um clique, e informação mais detalhada com dois cliques. Com a organização vertical, o mesmo visitante pode também encontrar a informação sumária desejada com um ou dois cliques, mas a informação detalhada exigirá quatro cliques. É claro que os sites nem sempre são bem projetados, ou concebidos de maneira que permita ao visitante achar o que ele está procurando — os web designers não são usuários típicos, e os menus, categorias e hierarquias que usam podem não ser evidentes para outros. Então o usuário talvez tenha que pesquisar muito, fazer buscas e voltar atrás. A organização plana torna mais fácil voltar atrás; a vertical facilita a localização de um arquivo difícil de achar se o visitante tiver certeza de que está no lugar correto. Ainda assim, há limites para a facilidade de utilização nas organizações planas: se a quantidade de subcategorias se torna grande demais, leva-se muito tempo para esquadrinhá-las, e, como elas mesmas não são hierarquicamente organizadas, pode haver redundâncias e sobreposições. Os visitantes podem ser facilmente soterrados por opções em demasia — a hierarquia mais profunda oferece menos escolhas simultâneas. A mesma análise se aplica às pastas dentro de pastas no seu disco rígido.

Mas a organização de pessoas é radicalmente diferente da organização de um site na internet. Mesmo numa estrutura vertical alta, as pessoas podem e precisam fazer intervenções de vez em quando. O trabalhador mais humilde do metrô às vezes tem que pular entre os trilhos para salvar uma mulher que caiu; a secretária de um banco de investimento precisa denunciar fatos suspeitos; um funcionário da sala de correspondência precisa notar o colega frustrado que apareceu com um rifle. Todas essas ações preenchem os objetivos da companhia — segurança e ética nos procedimentos.

Em qualquer firma ou agência organizada hierarquicamente, a tarefa de implementar os objetivos da empresa geralmente cabe às pessoas nos níveis mais baixos da hierarquia. Os celulares não são construídos pelo engenheiro que os projetou, ou pelo executivo encarregado de fazer o marketing para vendê-los, e sim por técnicos numa linha de montagem. O incêndio não é apagado pelo chefe dos bombeiros, mas pelo esforço coordenado de uma equipe de bombeiros.[25] Embora os gerentes e administradores geralmente não *façam* o trabalho principal da companhia, eles desempenham um papel essencial em atingir os objetivos dela. Mesmo que seja o soldado com a metralhadora quem combate nas batalhas, é mais provável que a influência do major seja mais importante para o resultado final do que a de qualquer soldado individualmente.

## Tomada de decisão em toda a hierarquia

Todo mundo que já teve algo de valor que precisou ser consertado — uma casa ou um carro, por exemplo — precisou lidar com conciliações, e percebeu como é necessária uma perspectiva administrativa para o processo de tomada de decisão. Você deve comprar o telhado com garantia de trinta anos ou o de vinte? A lavadora de primeira linha ou a da promoção? Imagine que seu mecânico diz que é preciso comprar uma nova bomba d'água para o seu carro e que ele pode instalar, em ordem de preço descendente, uma original comprada num representante autorizado, uma peça com a mesma função fabricada por uma companhia estrangeira ou uma peça usada, com garantia, do ferro-velho. Ele não pode tomar a decisão por você porque não sabe quanto você tem disponível, nem quais são seus planos para o carro. (Você está prestes a vendê-lo? Restaurando-o para participar de uma exposição de automóveis? Planejando viajar com ele pelas Montanhas Rochosas em julho, quando o sistema de refrigeração será exigido ao máximo?) Em suma, o mecânico não tem uma perspectiva elevada dos seus planos a longo prazo para o carro ou do seu dinheiro. Qualquer decisão que não seja a peça original instalada por uma oficina autorizada é uma concessão, mas uma concessão que muitos estão dispostos a fazer, considerando que dá para o gasto.

Os modelos padrão de tomada de decisão presumem que um tomador de decisão — sobretudo no âmbito da economia e dos negócios — não será influenciado por considerações emocionais. Mas a pesquisa neuroeconômica demonstrou que isso não é verdade: as decisões econômicas produzem atividade em regiões emocionais do cérebro, inclusive a ínsula e a amígdala.[26] A velha imagem de desenho animado do sujeito com um anjo em um ombro e um demônio no outro, dando conselhos contraditórios a uma cabeça confusa no meio, é válida aqui. Os benefícios são avaliados profundamente no cérebro, numa parte do corpo estriado mais próxima da coluna (que inclui o centro de recompensa do cérebro, o núcleo accumbens), enquanto os custos são simultaneamente avaliados na amígdala, considerada o centro cerebral do medo (região responsável pela reação lutar-ou-fugir diante de ameaças à sobrevivência e outros perigos).[27] Absorvendo essa informação competitiva sobre custos e benefícios, o córtex pré-frontal age como quem decide. Não é como na experiência em que temos de tentar decidir conscientemente entre duas alternativas; a tomada de decisão costuma ser muito rápida, fora de nosso controle consciente, envolvendo impulsos heurísticos e cognitivos que evoluíram para nos prestar serviço numa ampla gama de situações. A racionalidade que pensamos transmitir à tomada de decisão é em parte ilusória.[28]

As grandes decisões geralmente não são tomadas por um único indivíduo, nem por qualquer grupo de indivíduos fácil de definir. Elas surgem através de um processo de debate amplamente distribuído, consultas, compartilhamento de informação. Essa é tanto uma característica positiva quanto negativa de uma grande organização. Quando funciona bem, é possível realizar grandes coisas, que um número menor de pessoas seria incapaz de realizar: projetar e construir a represa Hoover, a TV de plasma ou a ONG Habitat para a Humanidade. Como foi sugerido no início deste capítulo, quando a comunicação ou o exercício da autoridade competente e ética não funcionam bem, ou as verificações e os controles não estão em dia, o resultado é o desmoronamento de pontes ou escândalos como os da Enron e da AIG.

Em geral, numa organização vertical de muitos níveis, a cadeia de comando e direção desce com uma especificidade crescente. O CEO pode articular um plano para um de seus vice-presidentes; esse vice acrescenta algo específico que acha que pode melhorar o plano e o entrega a um gerente de divisão, com perícia e experiência nesse tipo de operação. A ação continua descendo até atingir os indivíduos que farão de fato o trabalho.

Vemos isso na organização da autoridade militar. O general ou comandante define um objetivo. O coronel atribui tarefas a cada batalhão sob o seu comando; o major, a cada companhia do seu batalhão; o capitão, a cada pelotão em sua companhia. Cada oficial afunila o escopo e aumenta a especificidade das instruções que transmite. Mesmo assim, o exército moderno permite certo grau de controle da situação e prerrogativa de ação ao soldado em campo. Surpreendentemente, talvez, o Exército americano tem sido uma das organizações mais adaptáveis à mudança, pensando profundamente como aplicar os achados da ciência psicológica ao comportamento organizacional. Sua atual diretiva busca dar poder às pessoas através da cadeia de comando, "permitindo que unidades subordinadas e adjacentes usem sua compreensão comum do ambiente operacional e da intenção do comandante, em conjunto com a própria iniciativa, para sincronizar ações com outras unidades sem o controle direto das autoridades superiores".[29]

O valor da autonomia limitada e o exercício de prerrogativas de iniciativa pelos subordinados não são um desenvolvimento recente da estratégia organizacional, no caso de empresas ou dos militares. Quase cem anos atrás, o manual de campo do Exército americano de 1923 esperava que os subordinados tivessem certo grau de autonomia em questões de julgamento, afirmando que "uma ordem não deve transgredir a alçada de um subordinado".[30]

A operação eficiente dentro do campo militar ou da empresa exige confiança entre subordinados e superiores e a expectativa de que os subordinados farão a coisa certa. A edição atual do manual de treinamento do Exército americano afirma:

> Nossa doutrina fundamental de comando requer que haja confiança por toda a cadeia de comando. Os superiores confiam nos subordinados e lhes dão poder de efetuar missões dentro de suas intenções. Os subordinados confiam em que os superiores lhes deem a liberdade de executar a intenção do comandante e apoiem suas decisões. A confiança entre todos os níveis depende da franqueza. [...][31]

> A doutrina do Exército frisa bem o comando das missões, a conduta nas operações militares que permite que a liderança dos

subordinados goze da máxima iniciativa. Reconhece que as operações terrestres são complexas e muitas vezes caóticas, e que a microgerência não funciona. O comando da missão frisa que os líderes competentes utilizem sua perícia na situação tal como ela se apresenta no terreno, completando a missão segundo a intenção de seu comandante. O comando da missão estimula uma cultura de confiança, compreensão mútua e vontade de aprender com os erros.[32] [...] Os comandantes [...] dão aos subordinados tanto espaço quanto possível para a iniciativa, e ao mesmo tempo mantêm as operações sincronizadas.[33]

Os superiores muitas vezes resistem em delegar autoridade ou decisões. Eles racionalizam isso dizendo que sabem mais, são mais treinados ou têm mais experiência que o subordinado.[34] Mas existem bons motivos para delegar a tomada de decisão. Primeiro, o superior ganha mais, e por isso o preço da decisão precisa ser contrabalançado ao benefício de se precisar de alguém tão bem pago para tomá-la. (Lembre-se da máxima no Capítulo 5: quanto vale o seu tempo?) Por esse mesmo raciocínio, o superior precisa conservar seu tempo para poder usá-lo em decisões mais importantes.[35] Segundo, os subordinados se encontram muitas vezes mais bem posicionados para tomar decisões porque têm acesso direto aos fatos da situação, o que não acontece com o superior.[36] O general Stanley McChrystal articulou isso em relação à sua liderança durante o conflito Estados Unidos-Iraque:

> No meu comando eu atribuía aos escalões inferiores a capacidade e a autoridade para agir. Isso não significa que o líder fuja da responsabilidade, e sim que os membros da equipe são sócios, não serviçais. Eles me acordavam no meio da noite e perguntavam "Podemos jogar essa bomba?", e eu também perguntava "Devemos?". E então eles diziam "É por isso que estamos te ligando!". Mas eu não sei nada além do que eles me dizem, e provavelmente não sou tão inteligente para acrescentar algo de valor ao conhecimento que eles já adquiriram em campo.[37]

A filosofia de gestão de Steve Wynn endossa a mesma ideia:

Como a maioria dos gestores, estou no topo de uma grande estrutura piramidal, e as pessoas abaixo de mim tomam a maior parte das decisões. E na maior parte do tempo as decisões que elas tomam são do tipo "A" ou "B": devemos fazer A ou devemos fazer B? E, para a maioria, a decisão é óbvia — um resultado é evidentemente melhor do que o outro. Em alguns casos, as pessoas abaixo de mim precisam pensar muito sobre o que escolher, e isso pode ser um desafio. Talvez precisem se aconselhar com mais alguém, aprofundar a questão, obter mais informação.

De vez em quando surge uma decisão cujos dois resultados parecem ruins. Existe uma escolha entre A e B, mas nenhuma vai ser boa, então elas não conseguem decidir. É aí que entram na minha agenda. Assim, quando olho minha agenda e vejo que o Diretor de Serviços Alimentícios está lá, sei que é algo ruim. Ou ele vai se demitir ou tem que tomar uma decisão entre dois resultados muito ruins. O meu trabalho, quando isso acontece, não é, como vocês pensam, tomar a decisão por elas. Por definição, as pessoas que vêm me procurar são verdadeiras especialistas no problema. Sabem muito mais, e estão mais próximas do problema do que eu. A única coisa que posso fazer é tentar fazer com que vejam o problema sob um ângulo diferente. Para usar uma metáfora da aviação, procuro fazê-las ver as coisas acima dos 5 mil pés. Peço que recuem e descubram *uma verdade que consideram irrefutável.* Não importa quantos passos precisem recuar, fico conversando até que achem a verdade profunda subjacente a tudo aquilo. A verdade pode ser algo como "a coisa mais importante em nosso hotel é a experiência dos hóspedes", ou "aconteça o que acontecer, só podemos servir comida 100% fresca". Depois que elas admitem a verdade fundamental, avançamos lentamente pelo problema, e, muitas vezes, surge uma solução. Mas eu não tomo a decisão por elas. São elas que precisam levar a decisão para o pessoal subordinado a elas, e são elas que precisam conviver com ela, por isso elas mesmas precisam tomar a decisão e se sentir satisfeitas com ela.[38]

Isso é tão importante quanto reconhecer o valor de tomar decisões difíceis quando necessário. Como comenta o ex-prefeito de Nova York, Michael Bloomberg:

Um líder é alguém disposto a tomar decisões. Os políticos podem ser eleitos se os eleitores acharem que farão alguma coisa, mesmo que não apoiem tudo. O presidente George W. Bush não foi eleito porque todo mundo concordava com ele, mas porque sabiam que ele era sincero e faria o que achava que precisava ser feito.[39]

A ética desempenha necessariamente uma função na tomada de decisão militar e empresarial. Aquilo que é bom para si próprio, ou para os interesses da companhia, nem sempre se coaduna com aquilo que é bom para a comunidade, a população ou o mundo. Os seres humanos são criaturas sociais, e a maioria de nós modifica inconscientemente o próprio comportamento para minimizar o conflito com quem está à nossa volta. A teoria social da comparação faz um bom modelo desse fenômeno. Se vemos outros carros estacionando numa zona de estacionamento proibido, é mais provável que também estacionemos ali. Se vemos donos de cachorro ignorando a lei de limpar os dejetos de seus bichos, é mais provável que também a ignoremos. Parte disso vem de um sentido de equidade e justiça que já se demonstrou estar gravado inatamente no nosso cérebro, como produto da evolução.[40] (Até mesmo crianças de três anos de idade reagem à desigualdade.)[41] Na verdade, pensamos: "Por que seria *eu* o babaca a pegar o cocô de cachorro quando todo mundo deixa a sujeira deles por todo o parque?". É claro que o argumento é falacioso, porque o bom comportamento é tão contagioso quanto o mau, e, se seguirmos o modelo do bom comportamento, os outros provavelmente nos seguirão.

As organizações que debatem abertamente a ética, e que implantam um modelo ético em toda a organização, criam uma cultura de aderência às normas éticas porque "é o que todo mundo faz aqui". As organizações que permitem que os funcionários ignorem a ética criam um caldo de cultura para o mau comportamento que tenta até mesmo a pessoa mais ética e resoluta, um caso clássico da situação dominando os traços individuais da própria índole. A pessoa ética pode acabar pensando: "Estou me empenhando num combate perdido; não faz sentido me esforçar para fazer as coisas direito porque ninguém nota e ninguém liga". Fazer a coisa certa quando não se é observado por ninguém é a marca da integridade pessoal, mas algo que muitas pessoas acham muito difícil fazer.

O Exército é uma das mais influentes organizações a ter abordado o assunto, e com uma eloquência surpreendente:

> Toda guerra é um desafio à moral e à ética do soldado. É possível que o inimigo não respeite as convenções internacionais e cometa atrocidades com o objetivo de provocar retaliações na mesma moeda. [...] Todos os líderes carregam a responsabilidade de que seus subordinados voltem de uma campanha não só como bons soldados, mas como bons cidadãos.[42] [...] Integrar os quadros militares acarreta uma responsabilidade significativa — a aplicação ética e efetiva do poder de combate.[43]

A tomada de decisão ética envolve regiões do cérebro diferentes das envolvidas na tomada de decisão econômica, e, mais uma vez, por causa dos custos metabólicos, alternar entre esses dois modos de pensamento pode ser difícil para muita gente. Assim, é difícil avaliar simultaneamente vários resultados que possuem tanto implicações econômicas quanto éticas. Tomar decisões éticas ou morais envolve estruturas diferentes dentro dos lobos frontais: o córtex orbitofrontal (localizado logo atrás dos olhos) e o córtex pré-frontal dorsolateral, logo acima.[44] Essas duas regiões são também necessárias para que compreendamos nós mesmos em relação aos outros (percepção social), e para a obediência às normas sociais.[45] Quando lesionadas, podem levar a um comportamento socialmente inadequado, como falar palavrões, andar nu e proferir insultos bem na cara das pessoas.[46] Tomar e avaliar decisões éticas também envolvem diferentes sub-regiões da amígdala, o hipocampo (o índice de memória do cérebro) e a parte de trás do sulco temporal superior, uma fenda profunda no cérebro que corre da parte da frente até atrás das orelhas. Tal como no caso de decisões econômicas que envolvem custos e benefícios, o córtex pré-frontal age como juiz entre as ações morais pretendidas.

Estudos neuroimagéticos mostraram que o comportamento ético é processado da mesma maneira, quer se trate de ajudar alguém necessitado ou de frustrar um ato não ético. Em uma experiência, os participantes assistiram vídeos de pessoas que demonstravam compaixão diante de um indivíduo ferido ou agressividade contra um atacante violento. Enquanto os personagens do vídeo se comportavam de maneira eticamente aprovável e socialmente sancionável, as correspondentes regiões cerebrais dos participantes se comportavam de maneira ativa.[47] Além do mais, essas ativações cerebrais são universais e atravessam todas as pessoas — várias pessoas contemplando as mesmas ações éticas demonstram um alto grau de sincronização de sua atividade cerebral; isto é, seus neurônios disparam em padrões semelhantes e sincronizados. A população neuronal afetada por isso inclui os neurônios da ínsula (que mencionamos ao discutir sobre a tomada de decisão econômica), de nosso amigo córtex pré-frontal e do precuneus, região na parte superior e traseira da cabeça associada à autorreflexão e à adoção de uma visão em perspectiva, presente não apenas nos seres humanos, mas também nos macacos.[48]

Isso significa que até os macacos têm um senso moral? Um estudo recente de um dos principais pesquisadores do comportamento animal, Frans de Waal, levantou exatamente esta questão. De Waal descobriu que os macacos têm um senso muito evoluído do que é ou não é igualitário. Em um estudo, macacos capuchinhos marrons que participavam de uma experiência com outro macaco podiam escolher entre recompensar apenas a si mesmo (opção egoísta) ou aos dois (opção igualitária, pró-social). Os macacos consistentemente escolheram recompensar o parceiro. E isso era mais do que uma reação reflexa. De Waal encontrou evidência convincente de que os capuchinhos estavam fazendo uma espécie de cálculo moral. Quando o responsável pela experiência "acidentalmente" pagou o macaco parceiro com uma guloseima melhor, o macaco que decidia não deu a recompensa ao colega, zerando as recompensas.[49] Se o pesquisador desse uma recompensa maior a um macaco do que a outro, pela mesma tarefa, o macaco com a recompensa menor de repente parava de executar a tarefa e ficava desanimado. Pense nisto: esses macacos estavam inteiramente dispostos a *abrir mão* de uma recompensa (uma guloseima tentadora) simplesmente porque achavam que a organização da estrutura de recompensa era injusta.

## Os que estão no comando

Os conceitos de liderança variam de uma cultura a outra e no decorrer do tempo, o que inclui figuras como Júlio César e Thomas Jefferson, Jack

Welch da GE e Herb Kelleher da Southwest Airlines.[50] Os líderes podem ser reverenciados ou injuriados, e obtêm seguidores através de mandatos, ameaças de castigo (econômico, psicológico ou físico) ou uma combinação de magnetismo pessoal, motivação e inspiração. Nas empresas modernas, no governo ou na esfera militar, talvez a melhor maneira de definir um bom líder é como alguém que inspira e influencia as pessoas a atingir metas e executar ações para o bem maior da organização. Numa sociedade livre, um líder efetivo motiva as pessoas a concentrar seu pensamento e seus esforços de modo a permitir que elas deem o melhor de si e a produzir trabalho que as leve ao topo de suas capacidades.[51] Em alguns casos, as pessoas assim inspiradas se permitem descobrir talentos encobertos e obtêm grande satisfação de seu trabalho e de sua interação com os colegas.

Uma definição mais ampla de liderança promovida por Howard Gardner, psicólogo de Harvard, inclui pessoas que afetam de maneira significativa e indireta os pensamentos, sentimentos e comportamentos de uma quantidade importante de indivíduos através das obras que criam[52] — podem ser obras de arte, receitas, artefatos tecnológicos e produtos... praticamente qualquer coisa. Dentro desse conceito, líderes influentes incluem Amantine Dupin (George Sand), Picasso, Louis Armstrong, Marie Curie e Martha Graham. Esses líderes trabalham tipicamente fora da estrutura empresarial, apesar de terem, como todo mundo, de trabalhar com o mundo dos negócios em determinado nível contratual. Ainda assim, eles não se encaixam no perfil padrão de líder das escolas de administração, que valorizam o forte impacto econômico do indivíduo.

Ambos os tipos de líderes, os de dentro e os de fora do mundo empresarial, possuem certos traços psicológicos. Tendem a ser adaptáveis e compreensivos, com alto grau de empatia, capazes de ver os problemas de todos os lados. Essas qualidades exigem formas cognitivas distintas: inteligência social e uma profunda inteligência analítica. Um líder de fato é capaz de compreender rapidamente pontos de vista opostos, como as pessoas se agarram a eles, e como resolver conflitos de uma maneira que seja percebida como mutuamente satisfatória e benéfica. Os líderes são adeptos de agregar pessoas — fornecedores, adversários em potencial, competidores, personagens numa história — que parecem ter objetivos conflitantes. Um grande líder empresarial usa sua empatia para permitir que as pessoas ou

ORGANIZANDO O MUNDO DOS NEGÓCIOS    341

organizações não se sintam diminuídas durante negociações, de modo que cada lado, depois de completada a negociação, sinta que obteve o que quis (e um negociador talentoso pode fazer com que cada lado sinta que conseguiu obter um pouco mais do que o outro lado). No modelo de Gardner, não é coincidência que muitos grandes líderes sejam também grandes contadores de histórias — eles motivam outras pessoas à sua volta com uma narrativa empolgante, que eles próprios encarnam. Os líderes mostram uma maior integração da atividade elétrica do cérebro entre regiões diferentes, o que significa que usam uma parte maior do cérebro do que nós, e de maneira mais bem orquestrada.[53] Utilizando essas medidas de integração neural, podemos identificar líderes no atletismo e na música, e nos próximos anos essas técnicas prometem ser suficientemente refinadas para serem usadas como triagem na escolha das posições de liderança.

Os grandes líderes conseguem transformar competidores em aliados. Norbert Reithofer, CEO da BMW, e Akio Toyoda, CEO da Toyota — claramente rivais —, lançaram uma colaboração em 2011 para criar um veículo de luxo integrado ao meio ambiente e um carro esportivo de tamanho médio.[54] A aliança estratégica entre Steve Jobs, da Apple, e Bill Gates, da Microsoft, fortaleceram ambas as empresas, permitindo que servissem melhor seus clientes.

Como é óbvio a partir da epidemia de escândalos empresariais nos Estados Unidos no decorrer dos últimos vinte anos, a liderança negativa pode ser uma doença, resultando no colapso de companhias e na perda de recursos e reputação. Geralmente é resultado de atitudes egocêntricas, de falta de empatia em relação aos outros dentro da organização e de falta de cuidado com a saúde, a longo prazo, da organização. O Exército americano reconhece isso também em organizações cívicas e militares: "Os líderes nefastos usam o tempo todo comportamentos disfuncionais para enganar, intimidar, coagir ou punir injustamente os outros a fim de obter o que desejam para si mesmos".[55] O uso prolongado dessas táticas mina e corrói a motivação, a iniciativa e o moral dos subordinados.

Os líderes são encontrados em todos os níveis da empresa — não é preciso ser o CEO para exercer influência e afetar a cultura da empresa (ou ser um contador de histórias com a capacidade de motivar os outros). Mais uma vez, uma das melhores teorizações sobre o assunto vem do Exército americano. A última versão de seu manual *Mission Command* destaca cinco princípios compartilhados por comandantes e altos executivos de empresas multinacionais:[56]

- Criar equipes coesas através da confiança mútua.
- Criar entendimento compartilhado.
- Fornecer um conjunto claro e preciso de metas e expectativas.
- Permitir que os funcionários de qualquer categoria tenham iniciativa com disciplina.
- Aceitar riscos com prudência.

A confiança é conquistada ou perdida pelos atos cotidianos, não por gestos grandiosos e ocasionais.[57] É preciso tempo para forjar — a partir de experiências compartilhadas com êxito e treinamento — uma história de comunicação de mão dupla, de conclusão bem-sucedida de projetos e consecução de objetivos.

Criar entendimento compartilhado tem a ver com a comunicação pela gerência, aos subordinados de todos os níveis, da filosofia empresarial, das metas, do propósito e do significado de quaisquer iniciativas ou projetos específicos que devam ser empreendidos por eles. Isso ajuda os funcionários a usar de discrição, pelo fato de compartilharem uma compreensão contextual do objetivo predominante de suas ações. Os gerentes que ocultam esse objetivo dos subordinados, por um entendimento equivocado de assim preservarem o seu poder, acabam com funcionários infelizes que cumprem suas tarefas com uma visão limitada, carecendo de informação para ter iniciativa.

Na Universidade McGill, o diretor da área de ciência tomou uma iniciativa há vários anos chamada STARS (*Science Talks About Research for Staff*, ou Palestras sobre Pesquisa Científica para os Funcionários). Tratava-se de palestras na hora do almoço dadas por professores do departamento de ciência, que descreviam suas pesquisas para os funcionários em geral: secretárias, contadores, técnicos e funcionários da segurança. Essas funções tendem a ser muito afastadas da ciência. A iniciativa foi um sucesso sob todos os aspectos — os funcionários adquiriram uma compreensão mais ampla do contexto de suas atividades. Uma guarda-livros percebeu que não

ORGANIZANDO O MUNDO DOS NEGÓCIOS 343

estava apenas fazendo balanços de registros para um velho laboratório de pesquisa qualquer, mas para um laboratório que estava a ponto de encontrar a cura de uma doença importante. Uma secretária se deu conta de que estava colaborando num trabalho que descobrira a causa do tsunami de 2011 e que poderia ajudar a salvar vidas através de melhores previsões de tsunamis. O efeito de *Soup and Science* (sopa e ciência) foi que todo mundo passou a ter um senso de propósito renovado em seus trabalhos. Um segurança comentou depois que se sentia orgulhoso de fazer parte de uma equipe engajada num trabalho tão importante. Seu desempenho melhorou, e ele começou a tomar iniciativas próprias que melhoraram o ambiente de pesquisa de modo muito efetivo e tangível.

O terceiro dos cinco princípios de comando do Exército tem a ver com uma indicação clara e precisa das expectativas e dos objetivos, do sentido de determinadas tarefas e do que se pretende atingir ao final da missão. Isso dá foco à equipe e ajuda os subordinados e seus superiores a atingir os resultados desejados, sem maiores instruções adicionais. A intenção do administrador chefe fornece a base para a unidade do esforço em toda a equipe de trabalho ampliada.

Os gerentes bem-sucedidos compreendem que não podem proporcionar direcionamento ou orientação para todas as contingências concebíveis. Depois de comunicar uma expressão clara e concisa de sua intenção, eles podem então transmitir os limites dentro dos quais os subordinados estão livres para exercer uma iniciativa disciplinada, e ao mesmo tempo manter um esforço unificado.[58] *Iniciativa disciplinada* é definida como saber agir quando as instruções não se enquadram mais na situação, ou oportunidades imprevistas surgem.

*Risco prudente* é a exposição proposital a um resultado negativo quando o empregado julga que o resultado positivo em potencial faz valer o risco. Implica fazer avaliações cuidadosas, calculadas, do lado positivo e negativo de diferentes ações. Como nota o especialista em produtividade Marvin Weisbord, "não existem alternativas técnicas à responsabilidade pessoal e à cooperação no local de trabalho. O que é preciso é mais pessoas com coragem de dar a cara a tapa".[59]

Alguns funcionários são mais produtivos do que outros. Enquanto uma parte dessa variável é atribuída a diferenças de personalidade, ética de trabalho e outras particularidades individuais (que possuem uma base genética e neurocognitiva), a natureza do próprio trabalho pode desempenhar um papel importante. Há atitudes que os gerentes podem tomar para melhorar a produtividade, baseadas nas descobertas recentes da neurociência e da psicologia social. Algumas são óbvias e bem conhecidas, como propor metas claras e fornecer um feedback imediato, de alta qualidade. As expectativas precisam ser razoáveis ou os funcionários se sentem assoberbados e, caso fiquem para trás, sentem que jamais conseguirão recuperar o atraso. A produtividade do funcionário está diretamente relacionada à satisfação com o trabalho, e, por sua vez, a satisfação com o trabalho está relacionada ao sentimento dos funcionários quanto à qualidade e à quantidade de sua produção.

Há uma parte do cérebro chamada Área 47, no córtex pré-frontal lateral, que meu colega Vinod Menon e eu estudamos meticulosamente durante os últimos quinze anos. Embora não seja mais longa que o seu dedo mínimo, é uma área fascinante bem atrás das têmporas, que nos tem mantido ocupados. A Área 47 contém circuitos de previsão que usa em conjunto com a memória para criar projeções sobre estados de eventos futuros. Se podemos prever alguns (mas não todos) aspectos de como um trabalho resultará, ficamos satisfeitos. Se podemos prever *todos* os aspectos do trabalho, até as ínfimas minúcias, ele tende a ser tedioso porque não há nada de novo, nenhuma oportunidade de usar a discrição e o juízo que os consultores de gestão e o Exército americano identificaram corretamente como componentes fundamentais para que pensemos em nosso próprio trabalho como algo significativo e satisfatório. Se alguns, mas não muitos, aspectos do trabalho são surpreendentes, de maneira interessante, isso pode levar a uma sensação de descoberta e de autocrescimento.

Encontrar o equilíbrio certo para manter a Área 47 satisfeita é difícil, mas a maior satisfação no trabalho provém de uma combinação de duas coisas: funcionamos melhor quando diante de certas limitações e nos é permitido exercer nossa criatividade individual dentro dessas limitações. Na verdade, isso é postulado como sendo *a* força propulsora de muitas formas de criatividade, inclusive a literária e a musical. Os músicos trabalham sob as limitações estritas de um sistema tonal — a música ocidental usa apenas doze notas diferentes —, e, no entanto, dentro desse sistema, existe uma grande flexibilidade. Os compositores tidos amplamente como

ORGANIZANDO O MUNDO DOS NEGÓCIOS 345

os mais criativos da história da música se encaixam nessa descrição do equilíbrio da criatividade dentro de limites. Mozart não inventou a sinfonia (creditada a Torelli e Scarlatti),[60] e os Beatles não inventaram o rock and roll (creditado a Chuck Berry e Little Richard, embora suas raízes remontem claramente a Ike Turner e Jackie Brenston, em 1951, e a Louis Jordan e Lionel Hampton, nos anos 1940). Foi o que Mozart e os Beatles fizeram dentro dos estreitos limites dessas formas, a criatividade e a engenhosidade enormes que trouxeram a suas obras, que alargou os limites dessas próprias formas, levando a que fossem redefinidas.

Mas existe um ponto crucial sobre as diferenças entre indivíduos que exerce provavelmente maior influência sobre a produtividade do trabalho do que qualquer outro. O fator é o locus de controle, um nome complicado para a maneira como as pessoas encaram sua autonomia e sua atuação no mundo. Pessoas com um locus de controle interno acreditam que são responsáveis por (ou ao menos podem influenciar) seus próprios destinos e desfechos na vida. Elas podem ou não se sentir líderes, mas sentem que estão basicamente no controle de suas vidas. Aqueles com locus de controle externo se sentem como peões, relativamente sem poder, em algum jogo jogado pelos outros; acreditam que as outras pessoas, as forças ambientais, o clima, deuses malévolos, o alinhamento dos corpos celestiais — basicamente qualquer e todo evento externo — exercem maior influência em suas vidas.[61] (Esse ponto de vista é expresso artisticamente nos romances existenciais de Kafka e Camus, sem falar nas mitologias grega e romana). É claro que são extremos, e que a maioria das pessoas fica em algum ponto intermediário no contínuo entre eles. Mas o locus de controle acaba se revelando uma importante variável moderadora numa trinca de expectativa de vida, satisfação e produtividade do trabalho. Foi isso que fez o moderno Exército americano, ao permitir que os subordinados usassem sua iniciativa: transferiu grande parte do locus de controle, em certas situações, para as pessoas que de fato estão fazendo o trabalho.

Indivíduos com locus de controle interno irão atribuir o sucesso a seus próprios esforços ("Eu me esforcei muito mesmo") e agirão do mesmo modo com o fracasso ("Eu não me esforcei o bastante"). Indivíduos com locus de controle externo irão exaltar ou culpar o mundo externo ("Foi pura sorte", ou "Houve armação no concurso"). No ambiente escolar, alunos com um alto locus de controle interno acreditam que o trabalho duro e a concentração levarão a resultados positivos, e, na verdade, como grupo, seu desempenho acadêmico é melhor.[62] O locus de controle também afeta decisões de compra. Por exemplo, mulheres que acreditam poder controlar seu peso reagem de maneira mais favorável a modelos magras, enquanto mulheres que acham que não conseguem, reagem melhor a modelos mais encorpadas.[63]

O locus de controle também aparece nos comportamentos ligados aos jogos de azar: uma vez que as pessoas com um alto locus de controle externo acreditam que as coisas acontecem *a* elas de maneira errática (em vez de serem elas os agentes da própria sorte), estão mais dispostas a acreditar que os acontecimentos são governados por forças externas ocultas e invisíveis, como a sorte.[64] Assim, é mais provável que corram mais riscos, tentem apostas mais arriscadas e apostem em uma carta ou um número de roleta que há muito tempo não sai, sob a noção equivocada de que esse resultado agora deve sair; isso é a chamada falácia do jogador. E também é mais fácil acharem que, se precisam de dinheiro, o jogo pode fornecê-lo.

O locus de controle parece ser um traço interno estável que não é afetado pela experiência de modo significativo. Ou seja, seria de esperar que pessoas que passam por muita dificuldade abandonassem qualquer noção de sua própria capacidade de ação diante de esmagadoras evidências em contrário e se tornasse crente na exterioridade. E de esperar que aqueles que alcançam grande sucesso se tornassem adeptos autoconfiantes do controle interno, crentes de ser o tempo todo agentes desse sucesso. Mas a pesquisa não confirma isso. Por exemplo, os pesquisadores estudaram os pequenos comerciantes independentes cujas lojas foram destruídas em 1972 pelo furacão Agnes, até então o que mais prejuízo havia causado nos Estados Unidos.[65] Mais de uma centena de comerciantes foram avaliados para ver se tendiam para o locus de controle interno ou externo. Então, três anos e meio depois do furacão, voltaram a ser avaliados. Muitos haviam feito uma série de melhorias nos seus negócios durante os anos de recuperação, mas muitos não, e viram seus negócios, que haviam sido lucrativos, se deteriorar dramaticamente; muitos caíram em ruína.

O achado interessante é que, de modo geral, nenhum dos indivíduos mudou seu ponto de vista sobre o locus de controle interno, em contrapo-

ORGANIZANDO O MUNDO DOS NEGÓCIOS   347

sição ao externo, em função de como sua sorte havia mudado. Os que eram internos desde o início continuaram internos a despeito de terem melhorado ou não o desempenho de seus negócios durante o período intermediário. O mesmo se deu com os externos. É interessante notar, porém, que aqueles com locus de controle interno cujo desempenho melhorou revelaram uma interioridade *aumentada*, isto é, atribuíam sua melhoria ao trabalho árduo. Os que tinham locus de controle externo e sofreram perdas e reveses mostraram uma exterioridade maior, isto é, atribuíam seus fracassos a um aprofundamento dos fatores da situação e ao azar que sentiam tê-los perseguido a vida inteira.[66] Em outras palavras, a mudança de situação que se seguiu ao furacão que confirmou suas crenças só fez fortalecer ainda mais essas crenças; uma mudança de situação que contrariava essas crenças (um interno que perdia tudo, um externo cujo negócio se recuperou) nada fez para mudá-las.

O construto locus de controle é mensurável através de testes psicológicos padronizados, e se revela uma ferramenta de previsão do desempenho no trabalho.[67] Também influencia o estilo de gestão que será eficaz. Os empregados com locus de controle externo não acreditam que as próprias ações levarão a recompensas ou à proteção contra reprimendas e, portanto, não reagem a recompensas e reprimendas da maneira como fazem os outros.[68] Os gerentes mais qualificados tendem a ter um alto locus de controle interno.[69]

Os internos tendem a ser mais empreendedores, e os externos, mais propensos ao estresse e à depressão.[70] Os internos, como seria de esperar, fazem grande esforço para influenciar seu entorno (porque, ao contrário dos externos, acreditam que seus esforços darão resultado).[71] Os internos tendem a aprender melhor, buscar informação nova de maneira mais ativa e usar essa informação de modo mais eficaz, e são melhores em resolver problemas. Esses achados podem levar os gerentes a pensar que deveriam filtrar apenas pessoas com locus de controle interno, mas isso depende do tipo do trabalho. Os internos se inclinam a demonstrar menos conformismo que os externos,[72] e menos mudança de atitude depois de expostos a alguma mensagem persuasiva.[73] Pela probabilidade maior de os internos iniciarem mudanças no seu entorno, supervisioná-los pode ser mais trabalhoso. Além do mais, eles são sensíveis ao reforço;[74] por isso, se algum esforço em determinado trabalho não levar a uma recompensa, podem perder a motivação, mais do que os externos, que, de qualquer modo, não têm expectativas de que seu trabalho seja muito eficaz.

O cientista de organização industrial Paul Spector, da Universidade do Sul da Flórida, diz que os internos podem tentar controlar o fluxo de trabalho, a conclusão de tarefas, procedimentos operacionais, atribuições de tarefas, o relacionamento com supervisores e subordinados, o estabelecimento de metas, horários de trabalho e filosofia organizacional.[75] Spector resume: "Os externos fazem seguidores ou subordinados mais complacentes do que os internos, que tendem a ser independentes e a resistir ao controle de superiores e outros indivíduos [...] os externos, por sua maior complacência, seriam provavelmente supervisionados com maior facilidade e teriam mais facilidade de seguir instruções".[76] Assim, o tipo de empregado que funciona melhor depende do tipo de trabalho que precisa ser feito. Se o trabalho requer adaptabilidade e aprendizado complexo, independência e iniciativa, ou alta motivação, é de esperar que os internos funcionem melhor.

A combinação de grande autonomia e locus de controle interno é associada aos mais altos níveis de produtividade.[77] Os internos são do tipo que "fazem as coisas acontecer", e isso, combinado com a oportunidade (através de grande autonomia), dá resultados. Naturalmente, trabalhos que implicam tarefas repetitivas, com alto grau de limitação, como o trabalho em linhas de montagem, de cobradores de pedágio, de estoquistas, de caixa em lojas, são mais adequados a pessoas que não desejam autonomia. Muitos preferem trabalhos previsíveis, que não exigem responsabilidade na maneira de organizar o próprio tempo ou as tarefas. Esses trabalhadores funcionarão melhor se puderem simplesmente seguir ordens, sem precisar tomar decisões. Mesmo nesse tipo de trabalho, no entanto, a história dos negócios está cheia de casos em que um trabalhador tomou alguma iniciativa num serviço que normalmente não exigia nenhuma e descobriu uma maneira melhor de fazer as coisas, e algum gerente teve a visão de aceitá-la. (O vendedor de lixas Richard G. Drew, que inventou a fita-crepe e transformou a 3M numa das maiores empresas do ramo, é um caso célebre.)[78]

Por outro lado, funcionários motivados, ativos e criativos talvez achem tarefas que não exigem autonomia sufocantes, frustrantes e tediosas, o que pode reduzir drasticamente sua motivação de produzir um alto nível de trabalho. Isso significa que os gerentes devem ficar alertas para as

ORGANIZANDO O MUNDO DOS NEGÓCIOS    349

diferenças de estilos de motivação, e prestar atenção em fornecer tarefas com autonomia às pessoas com locus de controle interno, e tarefas mais limitadas a indivíduos com locus de controle externo.[79]

Em relação à autonomia, a maioria dos trabalhadores é motivada por recompensas intrínsecas, não através da folha de pagamento. Os gerentes tendem a achar que somente eles são motivados por coisas intrínsecas como orgulho, respeito próprio e a realização de algo valioso, acreditando que seus funcionários apenas se importam em serem pagos. Mas a pesquisa não comprova isso. Ao atribuir motivos rasos aos empregados, os patrões passam por cima da verdadeira profundidade de suas mentes, e deixam de oferecer aos funcionários aquilo que verdadeiramente os motiva.[80] Veja a fábrica de automóveis da GM em Fremont, Califórnia.[81] No final dos anos 1970, era a fábrica da GM de pior desempenho no mundo — os defeitos eram desenfreados, o absenteísmo alcançou 20% e os trabalhadores sabotavam os carros. Os administradores achavam que os operários eram idiotas descerebrados, e os operários se comportavam como tal. Os empregados não tinham controle sobre seu trabalho, e só recebiam a informação que precisavam receber para cumprir suas tarefas limitadas; não lhes diziam nada sobre como o trabalho deles se encaixava no quadro maior da fábrica ou da companhia.[82] Em 1982, a GM fechou a fábrica de Fremont. Poucos meses depois, a Toyota começou uma sociedade com a GM e reabriu a fábrica, empregando novamente 90% dos operários. O método de gestão da Toyota era construído em torno da ideia de que, se tivessem oportunidade, os operários gostariam de se orgulhar de seu trabalho, de saber como se encaixava num quadro mais amplo, e de ter poder para fazer melhorias e reduzir defeitos. Dentro de um ano, *com os mesmos operários*, a fábrica se tornou a melhor do sistema GM, e as faltas caíram para 2%. A única coisa que mudou foi a atitude da gerência em relação aos empregados, que passou a tratá-los com respeito, como os gerentes se tratavam entre si — como integrantes motivados e conscienciosos de uma equipe com objetivos compartilhados.

Quem foi a pessoa mais produtiva de todos os tempos? Essa é uma pergunta difícil de responder, em grande parte porque a própria produtividade não está bem definida, e as noções sobre ela mudaram no decorrer do tempo e em diferentes partes do mundo. Mas é possível argumentar que

William Shakespeare foi tremendamente produtivo. Antes de sua morte aos 52 anos, ele escreveu 38 peças, 154 sonetos e dois longos poemas narrativos. A maior parte de sua obra foi produzida num período de vinte anos de intensa produtividade. E essas não eram obras quaisquer — são algumas das obras mais respeitadas da literatura já produzidas na história do mundo.

Pode-se também argumentar em favor de Thomas Edison, que detinha quase 1100 patentes, inclusive muitas que transformaram a história: a lâmpada elétrica e as usinas elétricas, o gravador de som e o cinema. Ele também introduziu o pay-per-view em 1894. Uma das coisas que esses dois têm em comum — e que compartilham com outros gigantes como Mozart e Leonardo da Vinci — é que eram patrões de si mesmos, o que significa que em grande parte o locus de controle de suas atividades era interno. É verdade que Mozart recebia encomendas, mas, dentro de um sistema com limitações, era livre para fazer o que quisesse, da maneira que quisesse. Ser o próprio patrão exige muita disciplina, mas, para aqueles que conseguem, a recompensa parece ser uma maior produtividade.

Há outros fatores que contribuem para a produtividade, como levantar cedo: estudos demonstraram que quem acorda cedo tende a ser mais feliz, mais consciencioso e produtivo do que quem dorme tarde. Obedecer a uma rotina ajuda, como reservar tempo para fazer exercício.[83] Mark Cuban, dono dos Landmark Theatres e do time de basquete Dallas Mavericks, faz eco ao que muitos CEOs e seus funcionários dizem a respeito de reuniões; geralmente elas são uma perda de tempo.[84] A exceção é se você estiver negociando um contrato ou pedindo conselhos a um grande número de pessoas. No entanto, mesmo assim, as reuniões devem ser breves, amarradas a uma agenda rígida, e com um limite de tempo. A agenda de compromissos de Warren Buffett é quase vazia, como tem sido nos últimos 25 anos — ele raramente marca algo de qualquer tipo, achando que uma agenda aberta é a chave de sua produtividade.[85]

## A burocracia

Organizar as pessoas é um bom começo para aumentar o valor de qualquer negócio. Mas como podem as pessoas — isto é, cada um de nós — começar

# ORGANIZANDO O MUNDO DOS NEGÓCIOS    351

a organizar o fluxo constante de documentos que parece dominar cada aspecto de nosso trabalho e nossas vidas particulares? Dar conta do fluxo de papel e documentos eletrônicos é cada vez mais importante para a eficácia nos negócios. A esta altura, já não era época de termos escritórios livres de papel? Isso parece ter tomado o caminho dos propulsores a jato e da robô Rosie, dos *Jetsons*. O consumo de papel aumentou 50% desde 1980,[86] e hoje os Estados Unidos utilizam 70 milhões de toneladas de papel por ano.[87] Isso representa 211 quilos, ou 12 mil folhas de papel, por cada homem, mulher e criança. Seriam seis árvores de treze metros de altura para repor isso.[88] Como chegamos a esse ponto e o que podemos fazer a respeito?

Depois de meados da década de 1800, à medida que cresciam de tamanho e seus empregados se espalhavam geograficamente, as empresas começaram a ver utilidade em guardar cópias da correspondência enviada, copiando cada documento à mão ou através de uma copiadora primitiva chamada *letter press*.[89] A correspondência recebida geralmente era colocada em mesas e cômodas cheias de escaninhos, e às vezes era organizada, mas muitas vezes não. Informações importantes, como remetente, data e assunto, talvez fossem escritas na parte de trás da carta ou no escaninho para ajudar a localizá-la mais tarde. Com uma pequena quantidade de correspondência recebida, o sistema era administrável — talvez fosse preciso procurar entre várias cartas até achar a certa, mas isso não tomava tanto tempo e devia ser parecido com o jogo da memória, um jogo de cartas infantil.

No jogo da memória, os jogadores armam uma matriz de cartas viradas para baixo — talvez seis na horizontal e cinco na vertical para um total de trinta cartas. (Você começa com dois baralhos e escolhe pares que combinam, de modo que toda carta na sua matriz tem uma dupla idêntica.) O primeiro jogador vira duas cartas. Se elas combinam, o jogador as recolhe. Se não, volta a virá-las para baixo, e é a vez do jogador seguinte. Os jogadores que conseguem lembrar a localização das cartas que foram desviradas antes têm essa vantagem. A capacidade de fazer isso reside no hipocampo — que, como sabemos, é o sistema da memória espacial, que aumenta de tamanho nos motoristas de táxi de Londres.

Todos nós usamos essa memória espacial do hipocampo diariamente, tentando achar um documento ou algum item de casa. Muitas vezes temos uma clara ideia de onde o item está, em relação a outros. Todo o sistema de arquivos do psicólogo cognitivo Roger Shepard era composto de pilhas e mais pilhas de documentos por sua sala. Ele sabia em que pilha estaria determinado documento, e mais ou menos a que altura da pilha, de modo que podia minimizar o tempo de busca usando sua memória espacial. Do mesmo modo, o antigo sistema de encontrar cartas não organizadas, guardadas em escaninhos, dependia da memória espacial do funcionário quanto à localização daquela carta. A memória espacial pode ser boa, muito boa. Os esquilos conseguem localizar centenas de nozes que enterraram — e não usam apenas o olfato.[90] Experimentos mostram que eles buscam de preferência nozes que *eles próprios* enterraram, nos lugares onde as enterraram, e não nozes enterradas por outros esquilos. Mesmo assim, com uma grande quantidade de trabalho burocrático e correspondência, achar o item certo no século XIX deveria levar muito tempo e ser frustrante.

O sistema de arquivo por escaninhos foi uma das primeiras tentativas de exteriorizar a memória humana e estender a capacidade de processamento de nossos próprios cérebros. A informação importante era escrita e podia ser consultada mais tarde para verificação. A limitação era que a memória humana precisava ser utilizada para lembrar onde o documento estava arquivado.

A evolução seguinte no sistema de arquivamento por escaninho foi... mais escaninhos! A Wooton Desk (escrivaninha patenteada) vinha com mais de cem locais de armazenamento, e o anúncio prometia que o homem de negócios iria se tornar "senhor da situação". Se a pessoa fosse prevenida e etiquetasse os escaninhos de forma sistemática — pelo sobrenome do cliente, por data do pedido ou por algum outro esquema lógico —, o sistema podia funcionar muito bem.

Mas, ainda assim, o grande problema era que cada documento individual precisava ser dobrado para caber nos escaninhos, o que significava que ele precisava ser desdobrado para ser identificado e utilizado. A primeira grande melhoria nesse quesito foi a pasta plana, introduzida no final dos anos 1800.[91] As pastas planas podiam ser guardadas em gavetas, na forma de livros encadernados, ou em cômodas, e aumentaram a eficiência das buscas, além da capacidade. As pastas planas eram encadernadas ou não encadernadas. Quando encadernadas, os documentos tendiam a ser guardados em ordem cronológica, o que significa que era preciso saber aproximadamente

# ORGANIZANDO O MUNDO DOS NEGÓCIOS    353

quando o documento fora recebido para localizá-lo. As pastas planas eram de uso mais flexível quando guardadas soltas em caixas ou gavetas; isso permitia que fossem arrumadas, rearrumadas e retiradas conforme a necessidade, exatamente como as fichas 3 × 5 que vimos no Capítulo 2 e que eram preferidas por Fedro (e por muitas pessoas altamente bem-sucedidas).

O sistema mais avançado para se guardar as pastas planas no final do século XIX era um sistema de caixas de arquivos do tamanho de cartas, semelhante ao tipo ainda hoje disponível na maioria das papelarias. A correspondência podia ser costurada, colada ou inserida em ordem alfabética ou cronológica. Em 1869, os arquivos para pastas planas já haviam sido introduzidos — eram cômodas com dezenas de gavetas do tamanho de uma carta aberta. Essas gavetas podiam ser organizadas de qualquer das maneiras mencionadas; geralmente, por ordem cronológica, alfabética ou de assunto, e o conteúdo das gavetas podia ser ainda mais organizado. Muitas vezes o conteúdo das gavetas não era arrumado, exigindo do usuário que folheasse os papéis para encontrar o documento certo. JoAnne Yates, professora de administração no MIT e perita mundial em comunicação empresarial, articula os problemas:

> Para localizar correspondência numa caixa aberta ou num arquivo horizontal, toda a correspondência em cima do item procurado precisava ser levantada. Uma vez que as gavetas etiquetadas alfabética ou numericamente nos arquivos horizontais se enchiam em diferentes escalas, a correspondência era transferida de pastas ativas para gavetas de reserva, também em diferentes escalas. E não se podia deixar que as gavetas ficassem cheias demais, já que os papéis podiam ficar agarrados e se rasgar quando as gavetas fossem abertas. As caixas de documentos precisavam ser retiradas de alguma prateleira e abertas, uma operação que consumia muito tempo quando era preciso arquivar muita coisa.[92]

Como nota Yates, rastrear se determinado documento ou pilha de documentos eram considerados *ativos* ou *arquiváveis* nem sempre ficava explícito. Além do mais, se o usuário quisesse expandir, isso talvez exigisse transferir os conteúdos de uma caixa para outra, num processo iterativo que talvez exigisse que se mexesse em dezenas de caixas no arquivo, para criar espaço para a nova caixa.

Para evitar a perda de documentos e facilitar sua ordenação, eles eram arquivados, e um sistema de argolas foi introduzido por volta de 1881, semelhante aos fichários de três argolas que usamos hoje.[93] As vantagens dos fichários chatos com argolas eram substanciais, permitindo acesso aleatório (como o sistema de fichas 3 × 5 de Fedro) e minimizando o risco da perda de documentos. Com todas as suas vantagens, esse tipo de fichário não se tornou o meio prevalente de armazenamento. Durante os cinquenta anos seguintes, os arquivos horizontais e livros de arquivos (colados e encadernados) foram o padrão na organização do escritório. Os arquivos verticais, semelhantes aos que usamos hoje, foram introduzidos pela primeira vez em 1898.[94] Uma confluência de circunstâncias tornou-os úteis. A tecnologia da cópia melhorou, aumentando a quantidade de documentos a serem arquivados; o "movimento de administração sistemática" exigia cada vez mais documentação e correspondência; o sistema decimal de Dewey, introduzido em 1876 e usado nas bibliotecas para organizar livros, dependia de fichas guardadas em gavetas, e, por isso, o mobiliário para abrigar fichas verticais já era familiar. A invenção da máquina de escrever moderna aumentou a velocidade com que os documentos podiam ser preparados, e, portanto, a quantidade de documentos que precisavam ser arquivados. O Library Bureau, fundado por Melvil Dewey, criou um sistema para arquivar e organizar documentos que consistia em arquivos verticais, guias, etiquetas e mobiliário, e que ganhou uma medalha de ouro na Feira Mundial de Chicago, em 1893.

Os arquivos verticais funcionam melhor quando organizados por ordem alfabética. Um dos fatores que impediu que fosse inventado antes é que até o século XVIII o alfabeto não era conhecido universalmente. Como afirma o historiador James Gleick, "um inglês alfabetizado, comprador de livros, na virada do século XVII, podia viver a vida toda sem jamais encontrar um conjunto de dados ordenados alfabeticamente".[95] Assim, arquivos alfabéticos não foram o primeiro esquema de organização a surgir simplesmente porque não se esperava que o leitor médio soubesse que o *h* vinha depois do *c* no alfabeto. Hoje em dia achamos isso muito natural, porque todos na escola aprendem a memorizar o alfabeto. Além do mais, até os séculos XVIII e

XIX, a grafia correta das palavras não era algo a que se dedicasse muita atenção, de modo que alfabetizar não era prático. Os primeiros dicionários tiveram de enfrentar o estranho problema de como arrumar as palavras.

Quando os arquivos verticais se tornaram padrão por volta de 1900 — seguidos de seu fruto, as pastas suspensas inventadas por Frank D. Jonas em 1941 —, eles ofereciam uma quantidade de vantagens organizacionais que provavelmente agora nos parecem óbvias, mas foram uma inovação que levou centenas de anos para ser criada:

1. Os papéis podiam ficar abertos e não fechados, de modo que seu teor podia ser facilmente inspecionado.
2. Manuseio e acesso fáceis: ficava mais fácil manusear papéis arquivados na extremidade; os papéis anteriores a eles, na sequência, não precisavam ser removidos primeiro.
3. Papéis relacionados podiam ser guardados na mesma pasta, e depois subcategorizados dentro da pasta (por data ou ordem alfabética de assunto ou autor, por exemplo).
4. Pastas inteiras podiam ser retiradas do fichário para serem usadas com mais facilidade.
5. Ao contrário dos sistemas encadernados previamente em uso, os documentos podiam ser retirados do sistema um a um, e ser rearrumados ou rearquivados à vontade (o princípio de Fedro).
6. Quando as pastas ficavam cheias, seu conteúdo podia ser redistribuído com facilidade.
7. O sistema era facilmente expansível.
8. Transparência: se etiquetado e implementado de modo correto, o sistema podia ser usado por qualquer um que viesse a conhecê-lo pela primeira vez.

Os arquivos verticais não resolvem todo problema, claro. Há ainda a decisão sobre como organizar arquivos e pastas, sem falar em organizar as gavetas do arquivo, e, se você tem vários arquivos, como organizá-los. Adotar um sistema estritamente alfabético que abarque uma dezena de diferentes fichários é eficiente se cada pasta estiver separada por nome (como no consultório médico), mas imagine se você estiver arquivando todo tipo de coisa diferente. Você pode ter arquivos de clientes e fornecedores, e seria mais eficaz separá-los em dois arquivos diferentes.

As pessoas altamente bem-sucedidas costumam organizar seus arquivos através de um sistema hierárquico no qual assunto, pessoa, empresa ou cronologia ficam embutidos em outro esquema de organização. Por exemplo, algumas companhias organizam seus arquivos primeiro geograficamente, por região do mundo ou país, e depois por assunto, pessoa, empresa, cronologia.

Como seria hoje em dia um sistema de embutimento numa empresa de tamanho médio? Imagine que você administra uma empresa de peças automotivas e despache para os 48 estados da América continental. Por vários motivos você trata o Nordeste, o Sudeste, a Costa Oeste e o "Meio" do país de maneiras diferentes. Isso pode ter a ver com custos diferenciados de envio, ou linhas de produtos específicas para esses territórios. Você pode começar com um arquivo de quatro gavetas, cada uma delas trazendo uma etiqueta referente a um dos quatro territórios. Dentro de uma gaveta, você teria pastas para seus clientes arrumadas em ordem alfabética pelo sobrenome do cliente ou da companhia. À medida que amplia seu negócio, você pode acabar precisando de um arquivo inteiro para cada território, com a gaveta 1 para suas indicações alfabéticas A-F, gaveta 2 para G-K e assim por diante. A hierarquia embutida não precisa parar por aí. Como você irá arrumar os documentos dentro da pasta do cliente? Talvez por cronologia inversa, com os itens mais novos aparecendo primeiro.

Se tiver muitas encomendas pendentes que levem algum tempo para ser atendidas, você pode guardar uma pasta de encomendas pendentes na parte da frente da gaveta de cada território, arquivando essas ordens pendentes por data, de modo que possa visualizar rapidamente quais clientes estão esperando há mais tempo pelas encomendas. Existem, é claro, variações infinitas de sistemas de arquivos. Em vez de arquivar por território, com pastas de clientes dentro de cada um deles, você pode etiquetar suas gavetas de modo estritamente alfabético, e depois subdividir por regiões dentro da gaveta. Por exemplo, se você abrir a gaveta do arquivo A (para clientes cujos sobrenomes ou empresas comecem com A), teria divisórias dentro da gaveta para regiões territoriais do Nordeste, Sudeste, Costa Oeste e Meio. Não existe uma regra única para determinar qual o sistema mais eficiente para determinada empresa. Um sistema bem-sucedido é aquele que exige o mínimo de tempo de procura e é transparente para qualquer um que frequente a sala. Assim, poderá ser descrito com facilidade. Em outras palavras, um sistema eficiente é aquele em que você soube explorar as possibilidades, descarregando tanto quanto possível as funções de memória do seu cérebro para uma coleção de objetos externos bem etiquetados e logicamente organizados.

Isso pode tomar muitas formas, apenas limitadas por sua imaginação e sua engenhosidade. Se você acha que está confundindo uma pasta de arquivo com outra, use pastas com cores diferentes para distingui-las com facilidade. Um negócio que depende fortemente de ligações telefônicas ou via Skype e tem clientes, colegas ou fornecedores em diferentes fusos horários organiza todo o material relativo a essas ligações em ordem de fuso horário para que se saiba com facilidade para quem você pode ligar a que horas do dia. Os advogados arquivam os materiais dos processos em pastas numeradas que correspondem a números de leis. Às vezes a ordenação simples e por capricho é mais memorável — um atacadista de roupas guarda arquivos relativos a sapatos na gaveta de baixo, calças uma gaveta acima, camisas e casacos uma gaveta acima dessa, e chapéus na gaveta do topo.

Linda descreve o sistema especialmente robusto que ela e suas colegas usaram numa companhia de 8 bilhões de dólares com 250 mil empregados. Documentos de tipos diferentes eram separados em arquivos próprios nas salas dos executivos. Um ou mais arquivos eram dedicados a arquivos dos funcionários, outros a informações sobre os acionistas (inclusive os relatórios anuais), orçamentos e despesas das várias unidades, além da correspondência. O arquivamento da correspondência era uma parte essencial do sistema.

> No sistema de correspondência eu guardava cópias em papel, de tudo, em três vias. Uma cópia de uma carta entrava num arquivo cronológico, uma num arquivo de assuntos, e a outra em ordem alfabética pelo sobrenome do correspondente. Guardávamos essas cópias em fichários de três argolas, com separadores alfabéticos, ou, no caso de alguma seção especialmente grande ou muito usada, um separador próprio com o nome daquela seção. Na capa do fichário havia etiquetas indicando claramente seu conteúdo.[96]

358 **A MENTE ORGANIZADA**

Além das cópias em papel, Linda guardava uma lista de toda a correspondência, com palavras-chave, num banco de dados eletrônico (ela usava o FileMaker, mas o Excel funcionaria igualmente bem). Quando precisava localizar determinado documento, procurava no banco de dados de seu computador usando a palavra-chave. Isso lhe diria em qual dos três fichários estaria o documento (por exemplo, arquivo cronológico de fevereiro de 1987, fichário de assunto para o projeto Larch, volume 3, ou fichário alfa pelo sobrenome do correspondente). Se os computadores estivessem off-line ou ela não conseguisse achar o documento no banco de dados, ele era quase sempre achado passando os olhos pelos fichários.

O sistema é notavelmente eficaz, e o tempo dedicado a mantê-lo é mais do que compensado pela eficiência da recuperação dos dados. Ele explora de modo inteligente o princípio da memória associativa (o exemplo do carro de bombeiros na Introdução, as listas de contatos anotadas de Robert Shapiro e Craig Kallman no Capítulo 4), o fato de que a memória pode ser acessada por uma variedade de nódulos convergentes. Nem sempre lembramos tudo sobre um evento, mas, se pudermos lembrar uma coisa (tal como a data estimada, ou onde determinado documento ficou aproximadamente na sequência entre os outros documentos, ou qual pessoa estava envolvida nele), podemos encontrar o que procuramos usando as redes associativas de nossos cérebros.

A decisão de Linda de levar a correspondência para os fichários de três argolas reflete um princípio fundamental da administração de pastas de arquivo: não ponha numa pasta de arquivo mais coisas do que cabem nela, geralmente não mais de cinquenta páginas. Se sua pasta contém mais do que isso, os especialistas aconselham a dividir o conteúdo por subpastas. Se você realmente precisa guardar mais páginas do que isso em um lugar, considere mudar para o sistema de fichário com três argolas. A vantagem do sistema de fichário é que as páginas são conservadas em ordem — não caem ou se soltam — e, através do princípio de Fedro, permitem acesso randômico e podem ser reorganizadas se for preciso.

Além desses sistemas, as PABS criam sistemas para dividir, de modo automático, trabalho burocrático e projetos temporalmente, com base em sua urgência. Uma pequena categoria de itens "para agora", coisas que precisam ser resolvidas de imediato, fica perto. Uma segunda categoria de itens "a médio prazo" fica um pouco mais afastada, talvez do outro lado do escritório ou na entrada. A terceira categoria de referência, ou papéis para arquivo, pode ficar ainda mais afastada, talvez em outro andar ou lugar remoto.[97] Linda acrescenta que tudo o que precisa ser acessado recorrentemente deve ser posto numa pasta especial de RECORRÊNCIA, para que o acesso seja fácil. Isso pode incluir um livro com registros de entrega, uma planilha atualizada semanalmente dos valores de vendas, ou os telefones da equipe de funcionários.

Um fator essencial para instalar qualquer sistema organizacional em um ambiente de negócios é abrir espaço para coisas que escapam por fendas, coisas que não se encaixam bem em qualquer de suas categorias — o arquivo da miscelânea ou gaveta da bagunça, como o que você talvez tenha na cozinha de casa. Se você não consegue inventar um lugar lógico para algo, isso não representa um fracasso cognitivo ou de imaginação; reflete a estrutura complexa e inter-relacionada da abundância de objetos e artefatos em nossas vidas, os limites confusos e a utilização coincidente das coisas. Como diz Linda, "a pasta da miscelânea é o progresso, e não um passo atrás". Aquela lista de números frequentes de brochuras que você consulta? Ponha-a na pasta RECORRÊNCIA OU MISCELÂNEA, na frente da gaveta. Digamos que você ande pela cidade para ver escritórios vagos. Você não está realmente querendo se mudar, mas deseja guardar o folheto de informações só para o caso de precisar. Se seu sistema de arquivo não tiver uma seção de *mudança*, *aluguel de escritório* ou *infraestrutura física*, seria perda de tempo criar uma categoria desse tipo, e, se você criar uma única pasta para isso, contendo uma única folha de papel, onde vai arquivar a pasta?

Ed Littlefield (meu antigo chefe na Utah International) era um grande adepto da pasta de COISAS QUE NÃO SEI ONDE ARQUIVAR. Ele a verificava uma vez por mês para refrescar a memória em relação ao que continha, e vez por outra acumulava uma massa crítica de materiais em torno de um tema que acabava por merecer a criação de uma pasta nova, separada, para eles. Um cientista bem-sucedido (e membro da Royal Society) mantém uma série de arquivos do tipo gaveta da bagunça chamados COISAS QUE QUERO LER, PROJETOS QUE GOSTARIA DE INICIAR e MISCELÂNEA DE ARTIGOS IMPORTANTES. Em casa, o que fazer com aquele pequeno frasco de tinta automotiva que a loja lhe deu depois de consertar seu carro após uma batida? Se você reserva uma gaveta ou prateleira para artigos automotivos, esse será o lugar óbvio para guardá-lo, mas, se não possuir *nenhum* artigo automotivo exceto o pequeno frasco, não faz sentido criar um local categorizado só para um item; é melhor colocá-lo numa gaveta de lixo com outras coisas difíceis de categorizar.

É claro que os CEOs, juízes da Suprema Corte e outras PABS não precisam fazer isso tudo pessoalmente. Eles simplesmente pedem a seus assistentes executivos determinado arquivo ou, o que é mais frequente, recebem deles um arquivo com instruções sobre qual providência é preciso tomar a respeito e até quando. Mas esses assistentes precisam seguir sistemas lógicos, e muitas vezes estes têm espaço para melhorias. O importante é que o sistema seja transparente, de modo que, se um auxiliar adoecer, outra pessoa, sem nenhum treinamento específico, possa achar aquilo de que o CEO precisa.

Linda diz que, ao treinar novos assistentes executivos, o mais importante é "lembrar que você está organizando pessoas, não arquivos e documentos. Você precisa conhecer a rotina de seu chefe — ele talvez empilhe as coisas e você talvez precise rever as coisas dele, ou talvez tenha que guardar cópias se ele tende a perder as coisas. Se você estiver trabalhando para mais de uma pessoa — ou se seu chefe interage com outros regularmente —, uma boa ideia é manter pastas separadas na sua mesa para cada um deles, de modo que, se eles aparecerem inesperadamente, você tenha a informação certa bem à sua frente".

Vale a pena revisitar aqui o conselho que Linda oferece no Capítulo 5 para administrar o tempo. "Para prazos inadiáveis, você talvez precise manter uma ficha lembrete. Por exemplo, tão logo fique sabendo de qualquer tipo de prazo inadiável, é preciso falar com seu chefe para ver de quanto tempo ele precisa. Em seguida, você coloca um lembrete no calendário no dia em que ele deve começar a trabalhar naquilo." Outros auxiliares chegam a botar um lembrete alguns dias antes para que seu chefe possa começar a pensar com antecedência no projeto em que vai trabalhar.

"As coisas que tipicamente requerem organização num escritório são a correspondência, documentos de negócios, apresentações, coisas de que você precisa para as reuniões (inclusive informação antecipada que precise ser revista), listas de coisas a fazer, o calendário, contatos e livros e revistas", acrescenta Linda. Os quatro primeiros geralmente são mais bem organizados em arquivos, pastas, caixas ou fichários. Listas de coisas a fazer, o calendário e contatos são tão importantes que ela recomenda a redundância de guardá-los em papel e no computador. Isso só funciona se a lista de contatos for pequena o bastante para caber em papel — Craig Kallman, o CEO da Atlantic Records, que tem 14 mil contatos, depende do computador para ter a lista completa, mas guarda os contatos mais frequentemente usados no celular. Se guardasse outros além dos que utiliza com frequência, ficaria complicado, e ele gastaria muito tempo para procurá-los.

O arquivamento e a ordenação de e-mails consome cada vez mais tempo; muitas PABS relatam o recebimento de centenas de e-mails por dia, *depois* que o filtro de spam já limpou o lixo da correspondência. Craig Kallman recebe cerca de seiscentos e-mails todos os dias. Se gastasse apenas um minuto com cada um deles, levaria dez horas para lidar com todos. Ele usa os fins de semana para recuperar o atraso e, quando possível, encaminha os e-mails para outras pessoas resolverem. Mas, como muitas PABS, ele entrou nessa linha de trabalho porque, na verdade, ama o que faz. Delegar um projeto diminui seu envolvimento e a satisfação derivada dele, sem falar que sua perícia e sua experiência não são facilmente igualadas por outras pessoas — a produção do trabalho se beneficia de seu envolvimento, mas só o fluxo de e-mails, além dos telefonemas, correspondência convencional e reuniões, já são um compromisso e tanto.

Como a Casa Branca organiza as comunicações? Para começar, o presidente e o vice-presidente não têm pilhas de documentos em suas mesas e não usam e-mail, por motivos de segurança nacional. Todas as comunicações passam pelo secretário executivo, que decide o que tem prioridade e o que precisa ser resolvido já. O presidente e o vice-presidente recebem textos informativos sobre determinados assuntos. Por exemplo, se o presidente quer saber tudo sobre o projeto de um oleoduto em Minnesota, os funcionários reúnem informação obtida por meio de ligações telefônicas, reuniões, e-mails, faxes, cartas e assim por diante, e a colocam dentro de uma pasta.

Cada funcionário tem autonomia para decidir a arrumação ou o arquivamento dos papéis e das comunicações de que precisa para fazer seu trabalho — não existe nenhum "padrão Casa Branca", nada desse tipo.

362  A MENTE ORGANIZADA

Desde que consigam pôr as mãos numa comunicação necessária, eles podem organizá-la à vontade.[98] Esse sistema de organização distribuído é um poderoso lembrete de que a abordagem de cima para baixo (como a usada na fábrica da GM em Fremont) nem sempre é a mais eficaz.

Mike Kelleher, diretor do Escritório de Correspondência da Casa Branca durante a primeira administração Obama, diz que toda semana o escritório recebe 65 mil cartas em papel, 500 mil e-mails, 5 mil faxes e 15 mil ligações telefônicas.[99] Gastando apenas um minuto com cada uma dessas coisas, seriam necessários 9750 homens-horas, ou o equivalente a 244 funcionários trabalhando em tempo integral. Números tão altos exigem o sistema de arrumação rápida e priorização usado por Ed Littlefield em sua correspondência quando trabalhava nas diretorias da Wells Fargo, da Chrysler e da Utah International. O escritório de Kelleher emprega 49 funcionários em tempo integral, 25 estagiários e um pequeno exército de voluntários. As cartas de papel são arrumadas em mais de uma centena de escaninhos ou compartimentos, como nos fundos dos correios, dependendo do destinatário (primeira-dama, primeiro-cão, filhos, vice-presidente, secretários de Estado). Considerando a quantidade de informação, delegar é essencial. A Casa Branca não pode declarar a falência do e-mail, como sugeriu Lawrence Lessig no Capítulo 3. Como se pode imaginar, apesar de centenas de milhares de cartas e e-mails serem endereçados ao presidente, muitas questões recaem sobre políticas sob a jurisdição de departamentos específicos da administração. Perguntas sobre o sistema de saúde, política econômica ou benefícios a veteranos são encaminhadas a seus respectivos departamentos. Grande parte da correspondência inclui pedidos para que o presidente escreva cartas de congratulação para vários eventos da vida cotidiana, tais como a criação do programa de escoteiros Eagle Scout, o aniversário de cem anos de alguém, as bodas de ouro de um casal e assim por diante, o que a Casa Branca tenta satisfazer. Essas mensagens acabam no Escritório de Correspondência da Casa Branca. E, mais uma vez, não existem orientações centralizadas sobre como organizar e arquivar e-mails; os funcionários usam quaisquer métodos que julguem adequados — desde que possam recuperar um e-mail quando solicitados.[100]

Cada vez mais os usuários de e-mail têm contas separadas. As PABS podem ter duas contas de negócios, uma para as pessoas com quem lidam regularmente e outra monitorada e classificada por seus assistentes executivos, além de uma ou duas contas pessoais. Ter contas separadas ajuda a organizar e compartimentalizar as coisas, restringindo as interrupções: você pode querer interromper todas as suas contas de e-mail durante uma hora de produtividade, exceto uma que seu chefe e seu assistente usam para ter acesso imediato a você. Uma maneira eficiente de lidar com várias contas é usar um único programa de computador em que você pode juntar todas elas. A maioria dos programas de e-mail, inclusive Outlook, Apple Mail, Gmail e Yahoo!, permitem que você baixe na interface deles qualquer e-mail de qualquer outro provedor. A vantagem é que se todas as suas contas diferentes aparecem em uma interface, é mais fácil localizar o que você quer se não tiver que entrar em várias contas para achar determinado e--mail ou documento. As categorias também têm limites difusos. Aquele convite de uma colega de trabalho poderia ter aparecido na sua conta de negócios, mas você precisa coordenar tudo com o marido dela, que mandou a agenda dele para sua conta pessoal.

Para reiterar uma questão do Capítulo 3, algumas pessoas, especialmente aquelas com transtorno do déficit de atenção, entram em pânico quando não conseguem acessar prontamente todos os seus arquivos. Como para essas pessoas a ideia de arquivar e-mails no computador é estressante, adotar o sistema de Linda de imprimi-los é muitas vezes necessário. Existem móveis e prateleiras para esse fim, de modo que os arquivos físicos não precisam ficar escondidos dentro de uma gaveta. Outras pessoas simplesmente não conseguem montar ou manter um sistema de arquivamento. A ideia de botar as coisas em pequenos compartimentos é incompatível com seu estilo cognitivo, ou desliga o seu modo criativo. Isso tem a ver com os dois sistemas de atenção introduzidos no Capítulo 2. Pessoas criativas são mais inovadoras quando engajadas no modo devaneio. Botar coisas em pequenos compartimentos exige não só entrar como permanecer no modo executivo central. Lembre que esses modos se alternam — se você está num modo, não está no outro. Por isso muitas pessoas criativas resistem aos tipos de sistema meio lentos, compartimentalizados, esboçados aqui. Pessoas resistentes à compartimentalização podem ser encontradas em todas as esferas da vida, numa variedade de profissões, do direito à medicina, da ciência à arte. Nesse caso, ou elas contratam assistentes para arquivar tudo ou assumem seu fracasso nessa questão e simplesmente deixam que as pilhas se acumulem.

Jeff Mogil é um geneticista muito criativo e produtivo. Sua mesa é sobrenaturalmente vazia, e as únicas coisas em cima dela são aquelas nas quais está trabalhando no momento, em pilhas bem-arrumadas. Seu sistema de arquivamento é impecável. No outro extremo está Roger Shepard, cujo escritório sempre dava a impressão de ter sido atingido por um furacão. Pilhas de papel cobriam sua mesa havia tanto tempo que ele nem sequer se lembrava de que cor era a superfície. As pilhas se estendiam por todo o espaço disponível do escritório, inclusive a mesa de centro, o chão e os peitoris das janelas. Ele mal tinha espaço para percorrer uma trilha da porta até sua mesa. Mas sabia a localização de tudo, graças a uma estupenda memória temporal e espacial. "Essas pilhas ali são de cinco anos atrás", disse, "e estas são deste mês."[101] Quando eu era estudante, caminhar pelo corredor do escritório de Roger Shepard até o de Amos Tversky era um sério estudo sobre o contraste. Amos tinha o tipo de escritório arrumado e limpo que as visitas achavam incrivelmente intimidante; jamais havia *qualquer coisa* sobre sua mesa. Anos mais tarde, um colega confessou: "Sim, a mesa estava vazia. Mas se você olhasse as gavetas e os armários!".[102] Arrumado e organizado não são necessariamente a mesma coisa.[103]

Lew Goldberg, um psicólogo da personalidade conhecido como pai das Cinco Grandes dimensões da personalidade, inventou um sistema para arquivar correspondência e reimpressões de artigos de outros cientistas. A coleção de cópias tinha 72 categorias por assunto, e cada artigo era representado — você adivinhou — numa ficha 3 × 5. As fichas moravam num arquivo de madeira como os das bibliotecas, e tinham referências cruzadas por autor, título e assunto. Ele consultava um item em seu catálogo e este o levava a um dentre várias centenas de fichários de três argolas que ocupavam uma parede de seu escritório, de cima a baixo. Embora o sistema tivesse funcionado para ele durante cinquenta anos, ele reconhecia que não era para qualquer pessoa. Seu colega na Universidade do Oregon, Steve Keele, pioneiro no estudo de mecanismos de temporização no cérebro, era como Roger Shepard, um empilhador e amontoador. "Steve era conhecido por ter o escritório mais bagunçado do mundo, e no entanto sempre conseguia achar tudo. Pilhas, pilhas e mais pilhas em todo canto. Você entrava e dizia 'Steve, eu sei que essa não é sua área, mas descobri que estou interessado em como os seres humanos se fixam num alvo visual movediço'. E ele dizia 'Ah, acontece que tive um aluno que escreveu um estudo sobre isso em 1975, que ainda não classifiquei, mas que está bem... aqui'."

Mas existem pilhas e *pilhas*. Muitas vezes, os empilhadores e amontoadores estão procrastinando sobre a decisão de guardar ou jogar algo fora, seja relevante ou não. É importante esquadrinhar as pilhas regularmente para desbastá-las, tosá-las ou rearrumá-las — nem tudo nelas permanece importante para sempre.

Lembra-se do sistema que o pesquisador sênior da Microsoft, Malcolm Slaney, defendia no Capítulo 3, de guardar tudo no computador? Jason Rentfrow, cientista da Universidade de Cambridge, concorda, acrescentando que "apesar de o Gmail não organizar seus arquivos, ele permite o acesso e a busca com muita facilidade. De alguma forma, isso — e o recurso de 'buscar' no seu computador — é como aplicar a estratégia de busca do Google na internet a seu próprio computador. Talvez não valha mais a pena ter pastas — você pode ter apenas uma pasta e usar a função de busca para encontrar o que queira, restringindo a busca a parâmetros como data, conteúdo, nome etc.".

## Da multitarefa ao planejamento do fracasso

No Capítulo 5, escrevi sobre algumas evidências contra a multitarefa como estratégia para conseguir produzir mais. O mais realista, porém, é abrir mão de certas tarefas — não é isso que somos obrigados a fazer no mundo dos negócios? Clifford Nass, professor de Stanford, achava, como a maioria, que os multitarefistas fossem seres sobre-humanos, capazes de fazer muita coisa ao mesmo tempo com grande êxito; malabarismos com ligações telefônicas, e-mails, conversas ao vivo, trocas de texto. Ele presumia ainda que tivessem uma grande capacidade de alternar a atenção de uma tarefa para outra, e que suas memórias fossem capazes de diferenciar as tarefas múltiplas de maneira ordenada.

Todos nós apostamos em que os grandes multitarefistas seriam estrelas de alguma coisa. Ficamos completamente chocados. Perdemos todas as nossas apostas. O que acontece é que os multitarefistas são terríveis em todos os aspectos de suas multitarefas. São terríveis em ignorar informação irrelevante; em guardar e organizar bem a informação na cabeça; e em alternar de uma tarefa para outra.[104]

Todos nós queremos acreditar que podemos fazer muitas coisas ao mesmo tempo e que nossa atenção é infinita, mas isto é um mito que persiste.[105] O que realmente fazemos é mudar rapidamente a atenção de uma tarefa para outra. Como resultado, duas coisas ruins acontecem: não dedicamos tempo suficiente a uma única coisa e diminuímos a qualidade de atenção dada a qualquer tarefa. Quando fazemos uma coisa — uma única tarefa — há mudanças benéficas na rede de devaneio do cérebro e uma conectividade melhorada. Isso, entre outras coisas, é considerado uma proteção contra a doença de Alzheimer. Adultos mais velhos que participaram de cinco sessões de uma hora de treinamento de controle de atenção começaram a demonstrar padrões de atividade cerebral mais semelhantes aos de jovens adultos.

Seria de imaginar que as pessoas percebessem que são ruins nas multitarefas e parassem com elas. Mas a ilusão cognitiva se instala, alimentada em parte por um laço de dopamina-adrenalina, que faz os multitarefistas *pensarem* que estão fazendo um belo trabalho. Nass destaca uma variedade de forças sociais que encorajam a multitarefa. Muitos gestores impõem regras do tipo "você precisa responder ao e-mail dentro de quinze minutos", ou "você precisa manter aberta uma janela de chat", mas isso significa que você está deixando de fazer o que estava fazendo, fragmentando sua concentração, balcanizando os vastos recursos de seu córtex pré-frontal, que foi afinado no decorrer de dezenas de milhares de anos de evolução para *ater-se à tarefa*.[106] Este modo de dedicação à tarefa foi o que produziu as pirâmides, a matemática, as grandes cidades, a literatura, a arte, a música, a penicilina e os foguetes espaciais (e esperamos — dentro em breve — *jatos propulsores para uso individual*). Esse tipo de descoberta não pode ser feito através de esforços fragmentados de dois minutos.

É sinal de nossa flexibilidade cognitiva e nossa plasticidade neural nossa capacidade de ir contra toda essa evolução, mas, ao menos até o próximo salto evolucionário em nosso córtex pré-frontal, a multitarefa só nos leva a fazer menos — não mais — trabalho, e não a trabalhar melhor, mas apenas de modo mais desleixado. Além disso, todo dia nos defrontamos com atualizações do Facebook e do Instagram, novos vídeos no YouTube, novos posts no Twitter e seja qual for a nova tecnologia que os substituirá daqui a um ou dois anos. Enquanto escrevo este texto, 1300 novos aplicativos para aparelhos móveis são lançados *a cada dia*.[107] "As forças culturais e a expectativa da reação imediata das pessoas, de que vão agir no chat, falar e fazer todas essas coisas ao mesmo tempo, significam que a pressão se encaminha nessa direção", diz Nass.

As empresas na dianteira da batalha pela produtividade são as que permitem aos funcionários horas para a produtividade, cochilos, oportunidades de se exercitar e um ambiente calmo, tranquilo, *arrumado*, em que possam trabalhar. Se você estiver num ambiente estressante em que lhe pedem que produza, produza, produza, é improvável que você consiga ter ideias profundas. Há um motivo para o Google ter mesas de pingue-pongue na sua sede.[108] A Safeway, uma cadeia de supermercados de 4 bilhões de dólares nos Estados Unidos e no Canadá, dobrou as vendas nos últimos quinze anos sob a liderança de Steven Burd, que, entre outras coisas, encorajou os empregados a praticar exercícios no trabalho, ofereceu incentivos salariais e instalou uma academia completa na sede da empresa.[109] Os estudos provaram que a produtividade aumenta quando as horas de trabalho por semana diminuem, sugerindo que lazer adequado e tempo para recuperar as forças valem a pena para patrões e funcionários.[110] Já se descobriu que trabalho de mais — e seu companheiro, sono de menos — leva a equívocos e erros que consomem mais tempo para serem consertados do que as horas extras trabalhadas. Uma semana de trabalho de sessenta horas, apesar de 50% mais longa que uma semana de quarenta horas, reduz a produtividade em 25%, de modo que são necessárias duas horas extras para produzir o equivalente a uma hora de trabalho.[111] Um cochilo de dez minutos pode equivaler a uma hora e meia de sono adicional a cada noite.[112] E férias? A Ernst & Young descobriu que para cada dez horas adicionais de férias que seus empregados gozavam, sua avaliação anual de desempenho, feita por seus supervisores, melhorava 8%.[113]

É hoje notório que algumas das empresas mais produtivas — Google, Twitter, Lucasfilm, *Huffington Post* — fornecem comodidades como academias nas sedes, refeições gourmet, cômodos para cochilos e horários flexíveis.[114] O Google pagou por 100 mil massagens gratuitas para seus empregados, e seu campus dispõe de centros de bem-estar e um complexo esportivo de 28 mil metros quadrados com quadras de basquete, boliche, bocha e hóquei sobre patins. A gigante dos softwares de estatística SAS e a rede de concessionárias Toyota JM Family Enterprises oferecem assistência de saúde interna; a Atlantic Health Systems oferece massagem de acupressão no local; o campus da Microsoft tem um spa; a SalesForce.com oferece aulas de ioga gratuitas; a Intuit deixa que seus empregados consumam 10% de seu tempo em qualquer projeto pelo qual se apaixonem; a Deloitte estimula os empregados a doar seu tempo para atividades não lucrativas por um período de até seis meses, oferecendo todos os benefícios e 40% do salário.[115] Proporcionar ambientes desse tipo aos funcionários parece valer a pena, e tudo faz sentido do ponto de vista neurobiológico. A concentração e os esforços sustentados são mais eficazes quando não são fragmentados em pequenos pedaços pela multitarefa, e sim quando repartidos em grandes segmentos, separados pelo lazer, o exercício ou outras atividades mentalmente restauradoras.

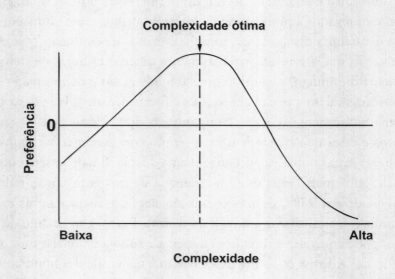

A multitarefa resulta da sobrecarga de informação, da tentativa de lidar com muitas coisas ao mesmo tempo. Quando as muitas coisas com que lidamos exigem uma decisão, quanta informação é necessária para tomarmos as melhores decisões possíveis? A teoria da complexidade ótima afirma que há uma função de U invertido para estabelecer níveis ótimos de complexidade ou informação.

Pouca informação não adianta, mas muita também não. Em um estudo, os pesquisadores simularam um exercício militar.[116] Os participantes do jogo simulado eram alunos da universidade que formaram times, ora invadindo, ora defendendo um pequeno país numa ilha. Os jogadores podiam controlar a quantidade de informação para tomar suas decisões — receberam um documento que dizia:

> A informação que vocês estão recebendo foi preparada da mesma maneira que teria sido preparada para um comandante de verdade, por uma equipe de oficiais de inteligência. Essas pessoas foram instruídas a informá-los somente de ocorrências importantes. Vocês podem achar que esses sujeitos não estão lhes dando informação ou detalhes suficientes. Por outro lado, podem achar que a informação que estão recebendo é detalhada demais, e estão lhes dando informação que não é importante. Vocês podem instruir esses oficiais de inteligência a aumentar ou diminuir a quantidade de informação que lhes dão. Gostaríamos que decidissem isso sozinhos. Por favor, não consultem os outros comandantes sobre essa questão em nenhum momento. Nós ajustaremos o fluxo de informação de acordo com a opinião da maioria em seu grupo. Por favor, verifiquem sua preferência em comparação com o período imediatamente anterior do jogo:
>
> Eu prefiro:
> receber muito mais informação
> receber um pouco mais de informação
> receber mais ou menos a mesma quantidade de informação
> receber um pouco menos informação
> receber bem menos informação

Na verdade, os jogadores não tinham controle sobre a informação, mas sua reação foi usada para estudar níveis ótimos de informação. Eles receberam dois, cinco, oito, dez, quinze, ou 25 itens de informação no decorrer do período de trinta minutos do jogo.

De acordo com a teoria da informação ótima, os jogadores teriam um melhor desempenho com algo entre dez a doze itens de informação no decorrer do jogo, e o experimento confirmou isso.[117] O volume de informação adicional que os jogadores pediam era menor para os que já estavam recebendo quinze ou vinte itens de informação. Isto leva à curva com forma de U invertido [p. 368].

Mas embora o *desempenho* ótimo tenha vindo com os dez ou doze itens de informação, os jogadores de todos os níveis *pediram* mais informação, mesmo que isso excedesse o nível ótimo de informação e implicasse uma situação de sobrecarga de informação — e, quando a informação adicional os fez ultrapassar os dez ou doze itens de informação ótima, isso provocou uma piora no seu desempenho. O que os motivou a pedir mais informação talvez tenha sido a crença em que uma informação importante estava logo ali depois da esquina, no boletim seguinte. Mas, como hoje sabemos, a informação adicional tem um preço.

Essas descobertas sugerem que os consumidores terão limites finitos para o volume de informação que são capazes de absorver e processar durante determinado período de tempo. Vamos chamar isso de *efeito de peso*. Na verdade, isso já foi demonstrado empiricamente — os consumidores fazem opções piores com mais informação.[118] Esse mecanismo é semelhante ao efeito de peso que vimos no Capítulo 4, que leva a juízos sociais incorretos. Um estudo separado examinou os efeitos da informação adicional sobre a decisão de comprar uma casa, e descobriu que a quantidade máxima de parâmetros que podem ser processados é por volta de dez.[119] O interessante é que os parâmetros podem ser atributos de escolha ou alternativas. Em outras palavras, se você está tentando decidir entre duas casas, não deve seguir mais de dez itens de informação sobre elas em conjunto. Ou, se puder podar sua lista para dois itens de informação que lhe interessam — talvez a área em metros quadrados e a qualidade das escolas do bairro —, então poderá comparar dez casas. Nos estudos sobre aquisição de casas, deram aos consumidores até 25 atributos para acompanhar, referentes a até 25 diferentes casas. Sua capacidade de tomar decisões começou a sofrer quando do *qualquer* conjunto de parâmetros era maior que dez. Acima de dez, entretanto, não importava se fossem quinze, vinte ou 25 parâmetros — depois que o consumidor atinge a sobrecarga de informação, mais informação não afeta de modo significativo o sistema já saturado. O limite de dez é o *máximo*. A quantidade ótima está mais próxima de cinco, e é compatível com os limites de processamento do executivo central do cérebro. Isto talvez nos lembre do problema dos sites de namoro on-line no Capítulo 4 — que mais informação nem sempre é melhor, e, naquele contexto, levava a uma capacidade de seleção pior, e a piores escolhas, à medida que os candidatos a namoro ficavam esmagados por informação irrelevante, e sofriam tanto uma sobrecarga cognitiva quanto fadiga decisória.

Outro fator importante, mostrado pelo economista da Duke e escritor Dan Ariely, é que os consumidores têm melhor desempenho quando possuem um tipo especial de locus de controle interno, isto é, quando podem controlar de fato a informação que recebem. Numa série de experimentos, Ariely demonstrou que se o consumidor é capaz de escolher os parâmetros sobre os quais recebe informação, além do volume de informação, acaba tomando decisões melhores.[120] Isso principalmente porque o consumidor pode escolher a informação que é relevante para ele ou que ele é capaz de compreender melhor. Por exemplo, ao sair para comprar uma câmera, o consumidor X pode se preocupar principalmente com o tamanho e o preço, enquanto o consumidor Y pode se preocupar principalmente com a resolução (número de pixels) e o tipo de lente. Uma informação que desconcentraria ou seria impossível de ser interpretada para um tipo de consumidor provoca sobrecarga de informação e interfere em seu processamento decisório ótimo. Uma pesquisa diferente realizada por Kahneman e Tversky revela que as pessoas não conseguem ignorar informação que não é relevante para elas, de modo que existe um verdadeiro preço neuronal por ser exposto a informação a que você não dá importância nem pode usar.[121]

Então a questão não é mais quantas coisas você pode fazer ao mesmo tempo, mas a ordem que é possível criar no ambiente da informação. Há muitas pesquisas sobre a diferença na utilidade de informação simples e complexa. Claude Shannon, um engenheiro elétrico que trabalhava no Bell Laboratories, desenvolveu a teoria da informação na década de 1940.[122] A teoria da informação de Shannon é uma das ideias matemáticas mais importantes do século xx; afetou profundamente a computação e as telecomunicações, e é a base da compressão do som, da imagem e dos arquivos de vídeo (isto é, MP3, JPEG e MP4, respectivamente).

Um problema fundamental em telecomunicações, sinalização e segurança é como transmitir uma mensagem do modo mais sucinto possível, comprimindo o máximo de dados no mínimo de tempo ou espaço; isso é chamado compressão de dados. No passado, quando o serviço de telefonia passava por um único par de fios de cobre (o que os nerds da telecomunicação chamam POTS, ou "plain old telefone service" [o velho e simples serviço de telefonia]), havia um volume limitado de chamadas que podiam ser transmitidas pelos fios principais (troncos), e o preço de estender novas linhas era proibitivo. Isso levou a experimentos perceptuais e à descoberta de que o serviço de telefonia não precisava transmitir a frequência completa da voz humana para a fala continuar sendo compreensível. A chamada banda telefônica transmitia apenas 300-3300 hertz, um subconjunto do amplo espectro da audição humana, de 20-20 000 hertz, dando às transmissões telefônicas seu som metálico característico.[123] Não era alta fidelidade, mas bastante inteligível em todo caso — bastava para o objetivo final. Mas se você já tentou explicar no velho telefone que está falando da letra $f$ e não da letra $s$, pode-se dizer que foi prejudicado pela limitação da banda, porque a diferença acústica entre essas duas letras está inteiramente dentro do espectro delimitado por Bell. Mas, ao reduzir a banda, a companhia telefônica poderia comprimir várias conversas no espaço de uma só, maximizando a eficiência da rede e minimizando os custos em equipamento. Os celulares continuam a ter uma limitação de banda pelos mesmos motivos, para maximizar a capacidade das torres de celulares de transmitir múltiplas conversas. A limitação de banda é mais do que aparente se você tentar ouvir música pelo telefone — as baixas frequências do baixo e as altas frequências dos címbalos estão quase ausentes.

Falamos da teoria da informação no Capítulo 1, ao discutir quantas conversas simultâneas uma pessoa pode acompanhar, tendo sido avaliado em cerca de 120 bits por segundo o limite da capacidade humana de processamento de informação. Esta é uma maneira de *quantificar* o volume de informação contido em qualquer transmissão, instrução ou estímulo sensorial. Pode ser aplicada à música, à fala, à pintura e a ordens militares. A aplicação da teoria da informação cria um número que nos permite comparar o volume de informação contido em uma transmissão com o volume contido em outra.

Imagine que você queira transmitir a alguém as instruções de como construir um tabuleiro de xadrez. Você poderia dizer:

> Faça um quadrado e pinte-o de branco. Em seguida, faça outro quadrado ao lado e pinte-o de preto. Faça um quadrado ao lado deste e pinte-o de branco. Faça um quadrado ao lado deste e pinte-o de preto. Faça um quadrado ao lado deste e...

Você poderia continuar com este tipo de instrução até chegar a oito quadrados (completando uma fileira), depois teria de instruir seu amigo a voltar ao primeiro quadrado e fazer um quadrado preto bem em cima do quadrado branco, depois avançar quadrado por quadrado até completar a segunda fileira, e assim por diante. Esta é uma maneira desajeitada de transmitir as instruções, e não muito elegante. Compare isso com:

> Faça uma matriz de 8 × 8 quadrados, colorindo-os alternadamente de branco e preto.

A primeira instrução se refere a cada um dos 64 quadrados individualmente. Na aritmética binária, 64 peças de informação requerem 6 bits de informação (o número de bits é o expoente da equação $2^n = 64$. Nesse exemplo, $n = 6$ porque $2^6 = 64$). Mas uma regra como "colorir os quadrados alternadamente" requer apenas 1 bit: determinado quadrado é branco ou preto, assim temos duas opções. Porque $2^1 = 2$, precisamos apenas de 1 bit (1 é o expoente, que determina o volume da informação). Os dois fatos adicionais, de que a grade é de oito quadrados de largura e oito quadrados de comprimento, perfazem um total de três itens de informação, que correspondem a 2 bits.[124] Se você quiser especificar quais peças ficam em quais quadrados, você volta a 6 bits, porque cada bit precisa ser especificado individualmente. Assim, um tabuleiro de xadrez vazio pode ser inteiramente especificado em 2 bits, e um tabuleiro com suas 32 peças colocadas requer 6 bits. Há mais informação num tabuleiro de xadrez cheio de peças do que num vazio, e agora temos uma maneira de quantificar em que medida. Embora Shannon e seus colegas no Bell Labs estivessem trabalhando num mundo analógico, anterior aos computadores, eles estavam pensando no futuro, em quando os computadores seriam usados nas telecomunicações. Como os computadores são baseados na aritmética binária, Shannon optou por usar a unidade de medida dos computadores digitais, o bit. Mas não precisa ser assim — nós poderíamos falar disso tudo em números comuns e deixar os bits de fora, se quiséssemos: as instruções para fazer um tabuleiro vazio de xadrez requerem um mínimo de 3 itens de informação, e as instruções para recriar um tabuleiro cheio de peças necessitam de um mínimo de 64 itens de informação.[125]

A mesma lógica se aplica à recriação de fotos e imagens no seu computador. Quando você olha um JPEG ou outro arquivo de imagem na tela, está vendo uma *recriação* desse arquivo — a imagem foi criada bem ali, no local, assim que você deu dois cliques no nome do arquivo. Se você olhasse para o arquivo de fato, o arquivo do computador que seu sistema operacional utiliza para construir a imagem, veria uma fileira de zeros e uns. Nenhuma imagem, apenas zeros e uns, o vocabulário da aritmética binária. Numa imagem em preto e branco, cada pequeno ponto na tela — os pixels — pode ser branco ou preto, e os zeros e uns estão mandando seu computador fazer o pixel branco ou preto. As fotos coloridas exigem mais instruções porque são representadas por cinco possibilidades: preto, branco, vermelho, amarelo e ciano. É por isso que os arquivos de fotos coloridas são maiores que os de fotos em preto e branco — eles contêm mais informação.

A teoria da informação não nos diz quanta informação *poderíamos* usar para descrever as coisas, mas a quantidade *mínima* de informação de que precisamos — como você se lembra, Shannon estava tentando descobrir como abarrotar aqueles dois fios de cobre com o máximo possível de conversa telefônica, a fim de maximizar a capacidade de Bell e minimizar o investimento em nova infraestrutura (postes telefônicos, fios, comutadores de rede).

Os cientistas da computação passam muito tempo procurando condensar a informação dessa maneira, de modo que seus programas possam rodar com mais eficiência. Outra maneira de olhar para a teoria da informação de Shannon é prestar atenção a duas fileiras de 64 letras de comprimento:

1. abababababababababababababababababababababababababababababababab
   abababab
2. qicnlnwmpzoimbpimiqznvposmsoetycqvnzrxnobseicndhrigaldjguu
   wknhid

A fileira número 1 pode ser representada com uma instrução de 2 bits:

    64 itens, ab, alternadamente

A fileira número 2, por ser uma sequência aleatória, requer 64 instruções individuais (6 bits), porque a própria instrução precisa ser exatamente igual à fileira:

    qicnlnwmpzoimbpimiqznvposmsoetycqvnzrxnobseicndhri-
galdjguuwknhid

Como determinamos se uma sequência de letras ou números é aleatória? O matemático russo Andrei Kolmogorov apresentou uma ideia sobre isso que se tornou influente. Ele disse que uma fileira é aleatória se não existe nenhuma maneira de representá-la de forma abreviada. Na sua definição, a fileira número 1 acima não é aleatória porque podemos traduzi-la por um esquema (os cientistas da computação chamam isso de algoritmo) para representá-la de modo abreviado. A número 2 é aleatória porque não existe esquema possível, além de simplesmente listar cada elemento, um de cada vez, como está na sequência de fato.

A teoria da complexidade de Kolmogorov sintetiza a questão da seguinte maneira: uma coisa é aleatória quando não se pode explicar como derivar uma sequência utilizando menos do que a quantidade de elementos da própria sequência. Essa definição de complexidade se mistura com o nosso uso cotidiano, leigo, do termo. Dizemos que um carro é mais complexo do que uma bicicleta, e certamente é preciso um conjunto muito maior de instruções para construir um carro do que uma bicicleta.

A teoria da informação pode ser aplicada a sistemas organizacionais como a hierarquia de pastas e arquivos no computador, ou organogramas de uma empresa.[126] E, de acordo com a teoria da complexidade de Kolmogorov, se o organograma puder ser descrito por uma pequena quantidade de regras, a empresa pode então ser considerada altamente estruturada. Comparem essas duas descrições. Na companhia 1, a começar pelo topo com o CEO, todo mundo supervisiona três pessoas, e isso se estende para baixo através de quatro níveis, depois do que todo mundo supervisiona de cinquenta a cem pessoas. Esse modelo pode se aplicar a uma companhia telefônica, de água, energia ou gás com quatro níveis administrativos e depois uma grande quantidade de funcionários em campo consertando ou instalando linhas, ou lendo medidores. Pode se aplicar também a uma empresa de tecnologia com serviços ao cliente e assistência técnica na base. Este organograma poderia ser especificado de modo preciso e completo em 2 bits.[127]

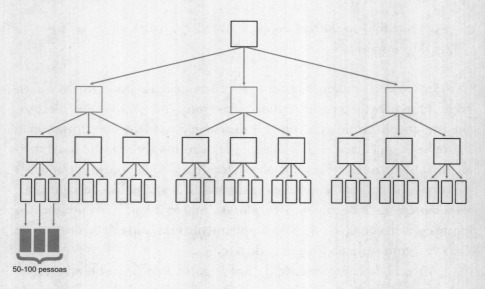

Uma companhia com estrutura menos sistemática e regular exige tantos bits quantos forem os elementos porque não existe padrão discernível, tal como nas letras aleatórias no exemplo número 2 que vimos antes:

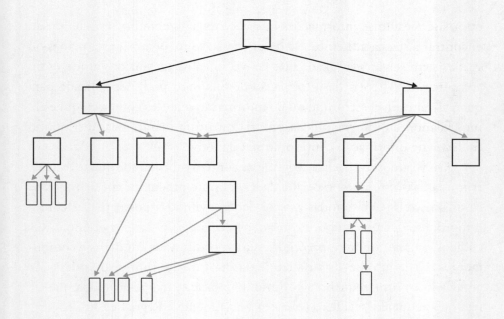

Quanto mais estruturado o sistema, menor é a informação exigida para descrevê-lo. Inversamente, é preciso mais informação para descrever um sistema desorganizado ou desestruturado. Ao extremo, o sistema mais desorganizado possível é um arranjo aleatório de tudo — porque não existe padrão algum num sistema aleatório, cada elemento precisa ser descrito individualmente.[128] Isso exige uma quantidade enorme de comunicação, ou informação, para usar o termo de Shannon. É uma formulação contraintuitiva de coisas que podem ser difíceis de compreender. Somos ensinados que mais informação é melhor. Quando precisamos tomar uma decisão médica difícil, quanto mais informação obtivermos do médico e de pesquisas, melhores serão nossas condições de tomar uma decisão bem ajuizada. Isso tudo é coerente. Se uma doença é bem compreendida e a literatura sobre ela é bem organizada, não é necessária tanta informação para transmitir o tratamento. "Se você tiver pneumococo, tome um antibiótico." Isso é fácil. Mas o câncer, a esclerose múltipla e o lúpus são muito menos compreendidos; há vários senões, várias exceções e fatores diversos a serem equilibrados; portanto, há mais informações a serem transmitidas.

O poder da teoria da informação é que ela pode ser aplicada a qualquer coisa — a estrutura de um site da web, os campos do direito e da ética, até mesmo as informações que você dá a alguém que está tentando encontrar a sua casa. Lembre-se da discussão sobre organizações planas ou verticais em sua aplicação aos sites da web ou à hierarquia dos arquivos no computador. A teoria da informação de Shannon pode ser aplicada para quantificar o nível estrutural ou de informação que eles contêm (aqui estamos falando da informação na própria estrutura hierárquica, distinta do *conteúdo* de informação contido no site da web).

Ou vejamos os sistemas legais. Eles contêm uma grande quantidade de redundâncias, exceções, especificidades, porque procuram cobrir todos os casos possíveis. Quase todas as sociedades civilizadas possuem leis contra estupro, assassinato, roubo, extorsão, agressão e calúnia, por exemplo. Os códigos ocupam muito espaço por estarem codificados em livros e computadores. Do ponto de vista da teoria da informação, tudo isso poderia ser abreviado em um pequeno algoritmo: não faça a uma pessoa nada que ela não queira que lhe seja feito (essa é essencialmente a Regra de Ouro).

Do mesmo modo, compare duas maneiras que seu amigo pode usar para dar informação sobre como chegar à sua casa:

1. Pegue a Highway 40 East até a Highway 158 East, em seguida dobre à esquerda na Main Street, à direita na Basil Avenue, à esquerda na South Lake Road, continue direto pela North Lake Road, faça uma curva suave à direita na Main Street (não a mesma Main Street pela qual passou antes), depois uma esquerda abrupta na Big Falls Road, então vire à direita na 8th Trail até chegar ao número 66, à direita, logo antes do parque.
2. Pegue a Highway 40 East e siga as placas do Big Falls Regional Park — minha casa fica logo antes da entrada.

O algoritmo 2 tem menos complexidade de Kolmogorov. Reparem que isso se deve, em parte, ao fato de seguir uma máxima que vimos no Capítulo 2: descarregue o máximo de informação possível no mundo externo — neste caso, as placas de sinalização já existentes.

Assim, ao analisar um organograma, podemos computar a quantidade de informação que existe nele e usá-la como medida da complexidade da organização, ou, inversamente, podemos calcular o *grau de estrutura* (ou

ORGANIZANDO O MUNDO DOS NEGÓCIOS   379

organização) dentro de uma unidade empresarial, militar, ou qualquer outra unidade social ou de trabalho.[129] Nesse caso, a estrutura é alta quando a complexidade é baixa — isso equivale a dizer que o conteúdo de informação de Shannon é baixo. Mais uma vez, isso parece contrariar a intuição, mas, quanto maior o grau de organização estrutural de um negócio, mais seu organograma pode ser descrito por um simples esquema em poucas palavras, e não há exceção a essa regra.

De qualquer forma, prever pelo *grau de estrutura* se a empresa é eficiente, lucrativa e se é satisfatório trabalhar nela continua a ser uma questão empírica, que não foi investigada. Por um lado, os indivíduos diferem obviamente na sua capacidade de supervisionar os demais, e assim, naturalmente, alguns patrões terão mais empregados simplesmente por serem aptos a lidar com um maior número deles. Os indivíduos também diferem amplamente nas suas capacidades, e uma organização ágil e eficiente deveria permitir que os empregados utilizassem seu potencial para o bem da empresa. Isso pode levar a estruturas avaliativas improvisadas e a arranjos especiais. Até as hierarquias mais bem planejadas são contornadas para o bem maior da empresa.

Aconteceu um caso assim na empresa de Linda. Um analista de dados possuía um conjunto de habilidades que não estavam disponíveis em nenhum outro local da empresa, e seu supervisor arranjou para que ele assumisse um projeto especial, do qual prestava contas a um gerente dois escalões acima dele, e de uma coluna vertical diferente no organograma da companhia. Esse arranjo improvisado exigiria 2 bits adicionais a serem representados na estrutura da companhia, mas o arranjo foi lucrativo para a corporação, permitindo em última instância que ela apresentasse um novo produto que aumentou enormemente sua receita. Os incentivos desempenham um papel nesses ajustes. O aumento da receita foi registrado na conta do gerente de divisão em que o trabalho foi completado, não na conta do gerente de divisão que emprestou o talentoso analista de dados. Como em muitas grandes corporações, a estrutura da organização e os esquemas de incentivos exageram a ênfase nos lucros creditados a um distrito ou divisão, e não dão ênfase suficiente às metas compartilhadas de toda a companhia. Como afirmei antes, a Booz Allen Hamilton passou vários meses entrevistando empregados da companhia de Linda para entender melhor suas capacidades, o tipo de problemas sobre os quais estavam trabalhando e a descrição de suas tarefas. Depois que fizeram suas recomendações, a estrutura de incentivo e a visão corporativa declarada foram reelaboradas para incluir o trabalho de equipe entre divisões diferentes. Para nós isso parece óbvio, mas numa companhia com 250 mil empregados as grandes ideias podem acabar perdidas.

A criação de relatórios específicos pode facilitar a colaboração, mas há aspectos negativos. Exceções demasiadas ao organograma normal passam a ser difíceis de seguir; a supervisão de empregados que têm muitos chefes pode se tornar difícil, bem como acompanhar suas horas de serviço. Em geral, um negócio altamente estruturado é mais resistente ao estresse. Se uma gerente abandona seu posto, assegura-se o funcionamento suave e bem azeitado da companhia se o substituto é capaz de ocupar um cargo com tarefas bem definidas, com uma estrutura clara de prestação de contas e menos ajustes improvisados. Os papéis claramente definidos promovem a continuidade e a eficiência, e dão mais flexibilidade à gerência superior para realocar gerentes e funcionários. Também é mais fácil acompanhar e lembrar quem é quem numa organização altamente sistemática e bem organizada, porque, por definição, isso pode ser comunicado em poucas palavras, como "cada gerente de divisão tem quatro distritos".

Ao se estabelecer qualquer tipo de sistema estruturado — o modo como se arrumam as pastas de arquivos numa gaveta, ou arquivos num computador, ou empregados numa companhia —, um sistema bem-sucedido é aquele que exige o menor tempo possível de busca e é transparente a qualquer um que entre na sala. Ele poderá ser descrito com facilidade. Isso reduz o conteúdo de informação de Shannon e a complexidade de Kolmogorov. Os gráficos de fluxo de trabalho podem ser analisados dessa maneira, usando a mesma abordagem:[130]

**Organizados**   **Estruturados**   **Aleatórios**

## ORGANIZANDO O MUNDO DOS NEGÓCIOS 381

Podemos tornar nosso mundo empresarial mais organizado prestando bastante atenção aos fluxos de informação e fugindo da ilusão da multitarefa. Mas isso basta? No Capítulo 3, apresentei a ideia de planejamento para o fracasso, uma sessão de estratégia em que você procura descobrir algo que possa dar errado, e de que maneira, e em seguida estabelece sistemas para prevenir o fracasso ou se recuperar dele. Em casa, o tipo de coisa que dá errado geralmente atrapalha a nós e nossas famílias. No trabalho, as coisas que dão errado podem afetar milhares de pessoas e causar um sério prejuízo. O processo de planejamento para o fracasso é pensar em tudo que poderia dar errado. Em seguida, descobrir uma maneira de minimizar a possibilidade de essas coisas acontecerem e definir um plano de segurança, ou alternativo, caso elas aconteçam. Deixar suas chaves perto da porta da frente minimiza a probabilidade de se esquecer de levá-las. Esconder uma chave no jardim permite que você contorne a situação elegantemente (sem ter de quebrar a janela ou chamar o chaveiro) caso tenha esquecido a chave. O que significa planejar para o fracasso no mundo dos negócios?

Uma das coisas simples que podem dar errado no escritório, como em casa, é perder um prazo ou compromisso importante. Os lembretes dos calendários eletrônicos programados para emitir alertas no computador *e* no celular são eficazes, e um telefonema ou uma interrupção pessoal de um colega ou assistente executivo é um eficaz reforço de segurança quanto aos compromissos mais importantes.

Para assegurar a localização de documentos importantes, o ex-vice-presidente do Google e diretor de informática Douglas Merrill recomenda que a busca seja uma preocupação prévia em vez de posterior.[131] Isto é, arquive as coisas, eletrônicas ou físicas, de maneira que seja possível recuperá-las depressa. Pergunte a si mesmo: "Onde vou procurar isso quando precisar?", ou "Como posso etiquetar ou rotular este item de modo a poder encontrá-lo no futuro?". É preciso também estar preparado para a possibilidade de aparecer numa reunião sem ter a menor ideia do que ela trata ou do motivo da sua presença. "Eu me asseguro de que todos os lembretes do meu calendário contenham algum contexto", diz Merrill. "Quando minha assistente acrescenta uma nova reunião à minha agenda, faz anotações junto do lembrete, informando-me sobre o assunto e metas da reunião, e quem serão os demais participantes. Se eu não conhecer algum dos presentes, ela pode acrescentar algumas anotações sobre essa pessoa, como cargo ou em que ele ou ela contribui para o projeto em questão, e assim por diante."[132]

Por que os psiquiatras trabalham com a hora de cinquenta minutos? Eles usam esses dez minutos adicionais para anotar o que aconteceu. Em vez de programar reuniões coladas umas nas outras, os especialistas aconselham que você se permita dez minutos, ao final de cada uma, para anotar o que ocorreu, o que precisa ser feito e outros comentários que o orientarão nesse projeto quando você começar a trabalhar nele. E que se permita dez minutos *antes* para repassar o que será discutido na reunião. Uma vez que alternar a atenção tem um alto custo metabólico, é bom dar ao cérebro tempo de se adaptar gradativamente, e de maneira relaxada, ao ambiente intelectual da próxima reunião. Quando se é interrompido durante um projeto, os especialistas recomendam fazer anotações sobre o ponto em que ocorreu a interrupção, de modo que você possa retomar o projeto com mais rapidez depois.

Esse é bom conselho, mas há uma questão subjacente. Antecipar o que poderia dar errado, olhar para o futuro prevendo ameaças — é isso que, no âmbito dos negócios, uma mente organizada pode, deve e precisa fazer.

Algumas ameaças são maiores que outras. O bom funcionamento dos negócios é ameaçado por uma pane nos computadores em um grau que muitas pessoas nunca levaram a sério. Os HDs enguiçam e os provedores de internet caem (os seus ou aqueles de terceiros dos quais você depende). Muitos clientes em restaurantes, táxis e lojas de roupa já passaram pela experiência inesperada de "sem conexão" na máquina do cartão. Os taxistas das grandes cidades, que não podem se dar ao luxo de perder o valor da corrida por causa de uma conexão ruim, muitas vezes levam consigo uma antiquada prensa plástica de cartão, uma máquina que imprime os números do cartão de crédito num formulário especial da companhia de crédito. Isto é uma ilustração por excelência de planejamento para o fracasso, o resultado de um eficaz planejamento para o fracasso. Os otimistas que acham que nada vai dar errado passam pela experiência de perda de vendas e prejuízos financeiros, enquanto os realistas preparados para o erro preservam seus lucros a despeito dos soluços da tecnologia.

ORGANIZANDO O MUNDO DOS NEGÓCIOS    383

Mais séria é a perda de registros e dados importantes, ou, igualmente ruim, a incapacidade de abrir arquivos que foram corrompidos ou se tornaram obsoletos. Há aqui dois perigos com que se preocupar — avaria do disco e obsolescência de formato. Um rigoroso planejamento para o fracasso em relação a seus dados requer que você pense nas maneiras como pode perder o acesso a eles e institua sistemas para evitar ou pelo menos minimizar essa perda.

Na época em que este texto foi escrito, 90% dos dados mundiais estavam armazenados em discos magnéticos.[133] Eles são tão vulneráveis às variações do campo magnético quanto a fita de gravação — a exposição prolongada a ímãs (como os que se encontram em alto-falantes) ou radiação pode corromper os dados, e mudanças de temperatura tão pequenas quanto de 15 graus centígrados podem duplicar os padrões de erros[134] — para muitos tipos de arquivos, um bit errado no cabeçalho pode tornar o arquivo completamente ilegível. Além disso, os discos rígidos, pen drives, CDs e outros meios de armazenamento acabam todos falhando. (Um velho HD que esteve guardado numa prateleira, mesmo dentro de um recipiente à prova de poeira e magneticamente blindado, pode parar de funcionar depois de alguns anos se seus rolamentos travarem.) E dispor de múltiplas cópias de seus arquivos no mesmo disco rígido tampouco o protege se o disco der problema. A probabilidade de um disco rígido falhar depois de cinco anos chega a 50% ou mais.[135] Um estudo feito pelos engenheiros da Microsoft descobriu que 25% de todos os servidores sofrem falhas de disco num espaço de dois anos.[136] É por isso que você deve fazer o backup de seus dados — muitos especialistas em tecnologia da informação têm um ditado para isso: "Não se trata de saber *se* o seu disco rígido vai falhar, e sim *quando*". Em qualquer negócio, é importante ter acesso desimpedido a todos os seus arquivos, atuais ou mais antigos. Para uma companhia com ações no mercado ou uma instituição governamental, isso é essencial por motivos legais e regulatórios. Dispositivos USB de memória flash e unidades de estado sólido (SSD) são mais caros que drives magnéticos, porém mais resistentes e menos sensíveis às mudanças no ambiente.

A solução recomendada é fazer backup dos seus arquivos em pelo menos *dois* discos rígidos diferentes, verificando-os com regularidade — de três em três meses é uma boa regra geral — para ter certeza de que ainda funcionam. Muitas empresas utilizam backups em tempo real e mantêm pastas de arquivos de um dia, uma semana, um mês ou dois meses atrás, e os guardam em duplicata, triplicata ou mais. Se um deles falha, você tem o backup do backup. É improvável que todos falhem ao mesmo tempo. *Isso* provavelmente só aconteceria no caso de um incêndio, inundação, explosão nuclear ou qualquer outra ocorrência que destrua tudo em determinado local. Por esse motivo, as organizações governamentais e grandes companhias diminuem o risco espalhando seus backups por discos rígidos em diferentes locais. Mesmo para um pequeno negócio sem grandes recursos, isso é factível. Se você tem um freguês ou amigo íntimo (ou mesmo um parente) em outra cidade, pode instalar um disco de backup com acesso remoto na casa ou empresa dele e agendar backups automáticos ou restaurações a partir da sua base.

Fazer backup na nuvem, isto é, em servidores remotos acessíveis via internet, é outro modo de guardar cópias de arquivos. Também é eficiente como acesso primário quando você usa vários dispositivos diferentes e quer mantê-los sincronizados. Imagine que você tenha um laptop, um computador doméstico, um computador no escritório, um smartphone e um tablet. Como acompanhar onde estão determinados arquivos, qual computador possui a versão mais recente do arquivo Pensky? O comentarista de assuntos tecnológicos Paul Boutin resume a dispersão típica da vida digital moderna: "Algumas fotos estão no smartphone. Outras estão no seu computador de casa. Seus documentos de trabalho digitais, postagens prediletas da web e anotações de reuniões? Espalhados como confete depois do réveillon".[137] A solução é sincronizar todos os seus dispositivos, mas poucos tiram tempo para fazer isso. Depois de um longo dia de trabalho, é difícil alguém ter motivação para plugar um fone no computador, que dirá para instalar o programa de sincronização automática. O armazenamento na nuvem diminui bastante esse problema — você simplesmente ajusta todos os seus dispositivos para descarregar e sincronizar seus arquivos automaticamente numa pasta de armazenamento digital mantida por uma companhia terceirizada, e quando procurar aquela foto de seu cachorro de óculos escuros, ou a lista de compras que fez no metrô a caminho de casa, terá apenas que buscar num só lugar, e a informação chega instantaneamente (desde que você tenha uma conexão de internet).

ORGANIZANDO O MUNDO DOS NEGÓCIOS   385

Perry R. Cook, professor de ciência da computação na Universidade de Princeton, frisa que existem vantagens e desvantagens em fazer backup dos arquivos na nuvem. A vantagem é que *outra* pessoa fica com a responsabilidade de manter o hardware, fazendo backup para aqueles grandes servidores (eles não estão guardando simplesmente *uma* cópia de seus documentos do imposto de renda e fotos de família, e sim muitas cópias) e mantendo tudo funcionando em ordem. Por outro lado, repara Perry, "uma das questões do armazenamento na nuvem é a acessibilidade. O Mega-Upload, além de permitir que as pessoas armazenem backups de arquivos, tornou-se um enorme site de pirataria. Ao ser fechado em 2012 pelo Departamento de Justiça dos Estados Unidos, ninguém conseguia acessar seus arquivos. Todos os clientes, inclusive fotógrafos e cineastas profissionais, perderam tudo. É como fazer um trato com o vizinho para guardar seu cortador de grama e ele receber uma batida da polícia federal por cultivar maconha e tudo ser apreendido. Você perde seu cortador de grama. No caso do MegaUpload, os tribunais não conseguiam abri-lo por tempo suficiente para que os usuários legítimos pegassem seu material. Por causa da nuvem, as companhias podem estar sujeitas a restrições legais ou regulatórias, e o azar é todo seu. Moral da história: guarde seus próprios dados".

Voltando ao planejamento para o fracasso: você fez o backup de seus arquivos; e se você atualizar o sistema e eles não abrirem? Cook aconselha ter um plano para a migração de arquivos.

A migração de arquivos se refere ao processo de restituir a legibilidade de arquivos que deixaram de ser legíveis por causa de atualizações de sistema, software e hardware — no fundo, muitos formatos de arquivo de computador tornam-se obsoletos. Isso se deve ao rápido avanço do setor tecnológico. Tanto os fabricantes de hardware quanto de software são incentivados a criar produtos mais rápidos e potentes. Estes ocasionam incompatibilidades com os sistemas antigos. É provável que você, ou alguém como você, já tenha passado por isso. Seu velho computador enguiça e quando você manda consertá-lo o técnico diz que não pode fazer isso porque não há mais peças disponíveis — placas-mães, placas lógicas, o que quer que seja. Ele sugere que você compre um novo computador. Você compra, e quando o leva para casa percebe que ele vem com um sistema operacional totalmente novo e desconhecido. O novo sistema operacional não abre arquivos do seu velho computador, e você simplesmente não pode reinstalar o velho sistema operacional porque ele não roda no hardware do computador. Agora você está com um disco rígido cheio de arquivos que não pode abrir — seus recibos do imposto de renda, fotos de família, correspondência, projetos de trabalho —, todos agora ilegíveis.

De modo a ser proativo na questão da migração de arquivos, você deve ter o controle de todos os diferentes tipos de sistemas de arquivo no seu computador. Quando aparece um novo sistema operacional, ou uma nova versão de um software que você usa, simplesmente não aperte sem pensar a tecla de atualização na tela de seu monitor. É preciso testar seus velhos arquivos para ver se eles abrem antes de optar pelo novo sistema. Não é preciso testar todos eles, basta tentar abrir uma amostra de cada tipo. (Faça isso numa máquina ou num HD externo diferente do que você usa atualmente.) Há três probabilidades típicas do que pode acontecer.

1. Os arquivos abrem sem problema e o novo software usa o mesmo formato de arquivo que o velho.
2. Os arquivos abrem devagar porque precisam ser convertidos para o novo software. O novo software tem agora um formato diferente (como quando a Microsoft mudou do formato .doc para .docx). Se isso acontecer, você precisa começar a migrar, isto é, a converter seus arquivos para o novo formato.
3. Os arquivos não abrem. Você precisa esperar até que um programa de conversão se torne disponível (isso acontece algumas vezes) ou descobrir uma maneira de salvar seus velhos arquivos num formato diferente porém legível no novo computador (como quando você salva um documento do Word em .rtf, um tipo de arquivo mais facilmente legível, embora possa acarretar perdas na formatação das páginas).

Quem precisa se preocupar com a migração? É potencialmente um caso jurídico para corporações, companhias de capital aberto, laboratórios de pesquisa e jornalistas garantir que seja possível acessar material arquivado. Para o resto de nós, que usamos os computadores como arquivos digitais de nossas vidas, a migração não passa de uma preocupação corriqueira do planejamento para o fracasso.

## ORGANIZANDO O MUNDO DOS NEGÓCIOS    387

Perry Cook aconselha os homens de negócio e indivíduos precavidos a guardar as velhas máquinas ou se assegurar de poder ter acesso a elas, bem como às impressoras que funcionavam junto na época (as velhas impressoras não costumam funcionar com os computadores modernos). Se não houver maneira de converter um velho arquivo num formato atualmente legível, é sempre possível imprimir. "É uma abordagem muito retrô, muito homem das cavernas, à tecnologia moderna", diz Perry. "Mas funciona. Por isso, se você quiser guardar aquele e-mail da tia Bertha, imprima-o." Perry é contra jogar fora o velho computador quando se faz um upgrade. Em vez disso, recomenda fazer uma imagem inicializável do disco e verificar a antiga máquina a cada três ou seis meses. Ainda existem empresas que guardavam informação vital em fitas de 9 mm na época dos novíssimos computadores, ou em disquetes de 5-1/2 polegadas na primeira era dos PCs, que nunca migraram. Existem serviços de migração de arquivos em muitas grandes cidades, mas eles são caros. Os dados estão tão velhos agora que somente poucas máquinas são capazes de lê-los, e o processo exige vários passos para converter o arquivo através de vários formatos diferentes. Os bibliotecários e departamentos de tecnologia de informação das grandes corporações recomendam manter uma ou mais pessoas em tempo integral apenas para a migração de arquivos (independentemente de quem cuide dos backups, que são uma questão diferente).

Por fim, Perry diz: "Ajuda se seus formatos de arquivo forem de código de fonte aberto. Por quê? Os arquivos da Microsoft e da Adobe são altamente frágeis — se faltar um bit, o computador não será capaz de abrir o arquivo. Se for de texto simples (arquivos .txt), quase todo programa será capaz de abri-lo e examiná-lo, e, se houver erro, será apenas de uma letra. Se for de fonte aberta, haverá sempre um especialista em computação que poderá descobrir como abrir o arquivo para você".

Outro aspecto de planejar para o fracasso, especialmente para os que viajam a negócios, é que muitas vezes as pessoas se acham presas num avião, ou num aeroporto, ou num quarto de hotel, por mais tempo do que imaginavam. Não há muita coisa a fazer para evitar essas ocorrências não antecipadas, mas, como parte de um planejamento para o fracasso, podemos controlar a maneira de lidar com isso. As pessoas altamente bem-sucedidas podem arrumar uma pequena bolsa com tudo que é necessário para montar um escritório móvel:

388 **A MENTE ORGANIZADA**

- carregadores adicionais de telefone e computador
- pen drives
- lápis, borracha
- minigrampeador
- bloco de anotações
- post-its
- cabos de conexão adicionais de computador que você costuma usar

A chave para que isso funcione é manter a bolsa guardada. Não pegue nada dentro dela se estiver em casa — ela deve ser inviolável! Nesse mesmo âmbito, quem viaja muito a negócios costuma ter consigo um lanche de emergência: nozes, frutas secas, barra de proteína. E também um kit de banheiro com duplicatas, de modo que não precisem guardar coisas do banheiro na hora da pressa e da confusão antes da viagem — é assim que as coisas são esquecidas.

Planejar para o fracasso é um modo de pensar necessário na era da sobrecarga de informação. É o que fazem CEOs, diretores de operações e seus representantes, bem como oficiais e estrategistas militares e funcionários públicos. Os artistas do palco também se planejam. Os músicos levam cordas de guitarra, palhetas e conectores eletrônicos adicionais — tudo que possa quebrar no meio da performance e parar o espetáculo com uma freada brusca. Todas essas pessoas passam grande parte do tempo pensando em todas as maneiras como as coisas podem dar errado, como prevenir isso e o que fazer se isso acontecer. Os seres humanos são a única espécie a possuir essa capacidade. Conforme vimos no Capítulo 5, nenhum outro animal planeja o futuro e cria estratégias para situações que ainda não aconteceram. Esse tipo de planejamento é importante não apenas para o indivíduo se organizar pessoalmente, mas para ter êxito nos negócios. Ele se reduz ao locus de controle: uma organização eficaz é aquela que toma iniciativas para administrar seu próprio futuro em vez de permitir que forças externas — humanas, ambientais ou outras — o ditem.

# PARTE TRÊS

# 8

# O QUE ENSINAR AOS NOSSOS FILHOS

## O futuro da mente organizada

Cinco anos atrás, em 2009, dois adolescentes do Meio-Oeste decidiram que queriam construir um avião do zero. Não apenas um planador, mas um jato de duas turbinas capaz de carregar cinquenta passageiros e voar acima dos 5 mil pés. O fato de nenhum deles ter qualquer conhecimento dos princípios da aeronáutica, ou de motores, ou de jamais ter construído *qualquer coisa*, não os desanimou — eles raciocinavam que, se outras pessoas eram capazes de construir jatos, eles também seriam. Buscaram livros sobre o assunto, mas decidiram bem no começo que não se deixariam limitar por aquilo que outras pessoas haviam feito antes — que suas próprias intuições teriam tanto peso quanto um livro-texto. Afinal de contas, argumentaram, os irmãos Wright não haviam tido nenhum livro-texto em que se apoiar, e *seus* aviões deram bastante certo.

Os garotos estabeleceram uma área de trabalho num campo aberto na cidade. Depois de algumas semanas trabalhando no projeto, convidaram membros de seu colégio e da comunidade para participar. As pessoas podiam vir a qualquer hora do dia ou da noite e acrescentar algo ao avião, ou retirar algo que não lhes parecesse correto, substituí-lo ou deixar a tarefa para a próxima pessoa. Um aviso informava aos passantes que o projeto de construção estava aberto a todos, qualquer que fosse sua formação ou capacidade, que se tratava de um verdadeiro projeto comunitário com acesso igual a todos. Por que a construção de aviões deveria ser restrita a uma elite de poucos? Qualquer pessoa com vontade de contribuir era encorajada a fazê-lo.

Em certo momento, um engenheiro aeronáutico que visitava parentes na cidade passou pelo projeto e ficou preocupado (*horrorizado* talvez fosse um termo melhor). Ele acrescentou uma válvula de desligamento emergencial do sistema de abastecimento e instalou um resfriador a óleo que encontrou num ferro-velho ali perto. Antes de sair da cidade, deixou amplas instruções sobre a construção das asas e o controle do motor a jato, junto de advertências que, segundo ele, precisavam ser observadas antes que se tentasse voar com o avião. Alguns dias depois, um garoto de onze anos, campeão municipal de criação de aviões de papel, por iniciativa própria, levou uma chave até o local da construção e removeu o resfriador a óleo que o engenheiro havia instalado, e em seguida jogou fora todas as instruções e os avisos do engenheiro. Como isso se adequava bem à filosofia do projeto, ninguém o deteve.

Dois anos depois, o avião estava terminado, e arranjou-se um voo experimental para dez membros sortudos da equipe. Eles tiraram a sorte para ver quem seria o piloto, argumentando que se tratava de mais uma tarefa superestimada que deveria ser entregue a qualquer um que se interessasse por ela.

Você gostaria de ser passageiro desse avião? Claro que não! Mas por que não, exatamente?

Em primeiro lugar, você talvez ache perturbador o desprezo ostensivo pela capacidade dos especialistas. A maior parte de nós acredita que construir (para não falar em fazer voar) um avião exige treinamento especial, e que isso não pode ser entregue a qualquer um. Numa sociedade organizada, criamos escolas especializadas que fornecem instrução sobre aeronáutica. Essas escolas precisam ser reconhecidas e certificadas por instituições independentes que garantem o valor do treinamento. Nós endossamos, *de modo geral*, um sistema em que cirurgiões, advogados, eletricistas, construtores etc. precisam de licenças e certificados de todo tipo para poder atuar. Isso nos garante que foram cumpridos altos padrões de segurança e qualidade. Em suma, presumimos que existam no mundo peritos que saibam mais do que nós, e que essa perícia tem valor e é de fato necessária para que nos dediquemos a importantes projetos.

Esse caso é inteiramente fictício, mas é uma analogia muito parecida com o que a Wikipédia faz. Digo isto com certo receio, porque a Wikipédia fez ao menos duas coisas admiráveis: tornou a informação maciça, inaudita e ridiculamente acessível, e de graça. Concordo plenamente que a informação deva ser acessível, e acredito que isto seja um pilar de uma sociedade bem-sucedida — os cidadãos informados são mais capazes de tomar decisões sobre nossa governança mútua, e também de se tornar membros produtivos e felizes da comunidade.

Mas houve um dilema: uma antipatia contra a perícia. Isso de acordo com a autoridade de ninguém menos que Lawrence Sanger, cofundador (com Jimmy Wales) da Wikipédia! O problema, frisa ele, é que qualquer um — *qualquer um* — pode editar um artigo da Wikipédia, a despeito de seu saber ou sua prática.[1] Não existe nenhuma autoridade central de peritos credenciados que reveja os artigos para assegurar sua veracidade e que estejam sendo publicados por alguém com conhecimento do assunto. Como leitor da Wikipédia, você não tem como saber se está lendo algo exato ou não. E isso não é resultado de um efeito colateral impensado; fazia parte da própria filosofia da Wikipédia. Jimmy Wales afirmou que os peritos não deveriam merecer mais respeito do que os iniciantes, e que não deveria haver "nenhuma elite ou hierarquia" composta por eles para se interpor aos recém-chegados que quisessem participar da Wikipédia.[2]

Se você estivesse olhando para o leme daquele avião comunitário, não teria meios de saber se ele fora projetado por um perito ou por um iniciante, especialmente se você mesmo fosse um iniciante. E quando um perito de verdade aparecesse, o engenheiro aeronáutico de visita, seu trabalho e sua contribuição não mereceriam mais consideração do que os de um garoto de onze anos. Além do mais, se você conhecesse o avião pela primeira vez, é de esperar que presumisse que o projeto tivesse sido feito por um profissional, porque é isso que esperamos quando nos deparamos com um projeto consideravelmente caro e importante neste país. Esperamos que as pontes não caiam, que os tanques de gasolina dos carros não explodam e que as represas resistam.

As enciclopédias convencionais empregam editores reconhecidamente líderes de seus respectivos campos de saber. Os editores, por sua vez, identificam e contratam peritos mundialmente renomados em vários assuntos para escrever os verbetes. Essas contribuições são então revistas de modo que se possa averiguar a exatidão e a tendenciosidade por parte de outros peritos mundiais naquele terreno, que precisam aceitar o tratamento dado ao assunto. Os autores assinam seu trabalho com suas credenciais acadêmicas de modo que qualquer leitor possa ver quem foi responsável pelo artigo, e quais eram suas qualificações. O sistema não é à prova de erros. Há pelo menos três fontes de inexatidão nos artigos: a tendenciosidade intrínseca, a manutenção do status quo e um efeito de pré-seleção daqueles que concordam em escrever os artigos. Um perito em arte chinesa talvez desvalorize a arte coreana (tendenciosidade intrínseca); novas ideias e estudos avançados que desafiem o que já está bem estabelecido podem levar tempo para ser aceitos pelos peritos entrincheirados que alcançaram bastante renome no seu campo, a ponto de serem considerados autores de enciclopédias (com um impulso de manter o status quo); os cientistas com programas de pesquisa ativos, portanto aqueles que conhecem melhor as tendências emergentes, podem não se dar ao trabalho de escrever artigos de enciclopédia, que não são considerados "estudos importantes" por seus pares acadêmicos (efeito de pré-seleção).

Mas, apesar de o sistema não ser à prova de erros, sua falha ocorre dentro de um sistema de valor que reconhece e respeita a perícia, um sistema que tanto implícita quanto explicitamente estabelece uma meritocracia na qual aqueles que demonstram saber mais sobre um assunto são colocados numa posição de compartilhar seu conhecimento. Não sei como frisar isto mais agudamente. Sob o modelo da Wikipédia, o que um neurocirurgião tem a dizer sobre aneurismas cerebrais vale tanto quanto o que tem algum jovem que abandonou o ensino médio. Nenhuma pessoa em seu juízo perfeito vai escolher o ex-estudante como cirurgião para o próprio cérebro, mas se tomamos a Wikipédia como fonte definitiva e padrão de informação sobre questões técnicas (e também não técnicas) como aneurismas, todos deveríamos poder confiar nas origens de seus artigos.

É certo que, no final, alguém com conhecimentos pode aparecer para corrigir o conselho inexperiente do ex-estudante, mas quando? E como saber que isso foi feito? Pode ter sido logo antes ou logo depois de você ter consultado o artigo. Além disso, sem supervisores ou curadores, as contribuições têm pouca consistência. Detalhes que chamaram a atenção de um único indivíduo podem crescer de escala em uma contribuição, enquanto coisas importantes talvez mereçam um tratamento muito menor se nin-

O QUE ENSINAR AOS NOSSOS FILHOS   395

guém tiver o conhecimento ou o interesse de desenvolver essas partes. O que falta é uma mão editorial que decida sobre questões como "vale a pena falar sobre isto neste verbete; será que esse fato é mais importante do que outros?". No outro extremo, um verbete de enciclopédia poderia lhe informar todo fato possível sobre um lugar ou uma pessoa, sem deixar nada de fora — mas um verbete assim seria muito pouco prático para ser útil. A utilidade da maioria dos resumos profissionais é que alguém, dono de uma perspectiva sobre aquilo, usou seu melhor juízo sobre o que deveria ser incluído. A pessoa mais envolvida em editar o verbete sobre Charles Dickens pode não ter ligação nenhuma com a que escreve o verbete sobre Anton Tchékhov, de modo que acabamos com artigos idiossincráticos que não dão peso equivalente a esses escritores em termos de vida, obra, influências e posição histórica.

No que diz respeito a tópicos científicos, médicos e técnicos, mesmo em publicações com revisão dos pares, as fontes de informação nem sempre são mostradas claramente. Pode ser difícil entender os artigos técnicos sem uma formação específica, e existem controvérsias em muitos campos que exigem experiência para serem compreendidas e solucionadas. Um perito sabe como pesar diferentes fontes de informação e resolver contradições aparentes como essas.

Alguns dos mais implacáveis revisores da Wikipédia parecem ser pessoas que simplesmente leram uma versão contrária num livro didático ou aprenderam no colégio algo diferente do que os atuais peritos acreditam ser verdade. ("Se estava num livro didático, deve estar certo!") O que muitos iniciantes não sabem é que pode levar cinco anos ou mais até que uma nova informação chegue aos livros didáticos, e que seus professores do ensino médio nem sempre estavam certos. Como frisa Lawrence Sanger, os artigos da Wikipédia podem acabar "sendo piorados em sua qualidade pela maioria das pessoas, cujo conhecimento da questão se baseia em parágrafos de livros e meras menções em aulas de colégio". Artigos que podem ter começado com exatidão acabam desfigurados e inexatos por contribuições de hordas de pessoas sem experiência, muitas delas inclinadas a crer fervorosamente que suas próprias intuições, memórias ou sentimentos devam ter o mesmo peso do que diz um artigo científico ou a opinião de verdadeiros conhecedores. O problema básico, diz Lawrence Sanger, é a "falta de respeito pela perícia". Como notou um comentador da Wikipédia, "por que um perito se daria ao trabalho de contribuir com seu valioso tempo para um projeto capaz de ser estragado por qualquer idiota aleatoriamente na rede?".[3]

A Wikipédia tem, sim, duas claras vantagens sobre as enciclopédias convencionais. Uma é sua agilidade. Quando há notícias acontecendo — um surto de violência num país conturbado, um terremoto, a morte de uma celebridade —, a Wikipédia reage rápido e pode relatar esses eventos dentro de minutos ou horas, ao contrário das enciclopédias impressas, que levam muito tempo para ser compiladas. A segunda vantagem é que assuntos que poderiam não merecer a inclusão numa enciclopédia impressa podem merecê-lo no formato on-line, em que o espaço e as páginas impressas não são fatores limitantes. Há milhares de palavras escritas sobre o jogo de computador *Dungeons & Dragons* e a série *Buffy, a caça-vampiros*, muito mais do que as escritas sobre o presidente Millard Fillmore ou o *Inferno* de Dante. Quanto às séries populares, a Wikipédia publica sinopses de cada episódio, e inclui informação bastante vasta sobre o elenco e atores convidados. Verbetes assim são exemplos de sua força, onde o éthos da multidão é capaz de brilhar. Qualquer um que tenha ficado emocionado com o desempenho de um ator com uma participação pequena em CSI pode procurar seu nome nos créditos finais do episódio e acrescentá-lo no verbete desse episódio na Wikipédia, tudo isso sem ser nenhum perito de espécie alguma. Pode-se confiar em que os outros fãs do programa, dedicados a ele, corrijam qualquer informação falha.

Esse tipo de edição calcada nos fãs está relacionado com a *fan fiction* [ficção de fãs], fenômeno recente em que fãs escrevem obras estreladas por seus personagens favoritos de programas populares da TV e do cinema, ou para acrescentar algo a lacunas na trama de histórias já existentes que não lhes agradou na sua forma original. Tudo isso começou com o fanzine de *Star Trek* (é claro).[4] Esse tipo de literatura calcada nos fãs talvez revele uma necessidade humana da narrativa coletiva. Somos, afinal de contas, uma espécie social. O que nos une são as narrativas comuns, seja sobre a origem da humanidade ou do país em que vivemos. A Wikipédia responde claramente à necessidade de transformar a narrativa em um ato participativo, da comunidade, e inspira milhões de pessoas a contribuir com seu interesse e seu entusiasmo (e, sim, muitas vezes seu conhecimento especializado) a serviço do que pode ser um dos projetos mais ambiciosos de erudição que jamais houve.

Uma das maneiras de melhorar significativamente a Wikipédia seria contratar um painel de editores para supervisionar os verbetes e os processos de edição. Esses peritos poderiam assegurar a uniformidade e moderar as disputas. Os novatos ainda poderiam contribuir — que é parte da graça e do encanto da Wikipédia —, mas um painel de peritos teria a última palavra. Essa iniciativa só seria possível se a Wikipédia tivesse uma fonte maior de renda disponível, através de assinaturas, taxas de uso ou benfeitores. Uma sociedade informal de milionários e bilionários, filantropos, entidades governamentais, editores de livros e universidades talvez pudesse financiar esse trabalho, embora seja difícil desafiar o éthos fundamental que se desenvolveu em torno da Wikipédia, de que seu conteúdo seja determinado de forma democrática, e de que toda informação seja sempre livre.

A antipatia pelo modelo pago é semelhante a uma situação que surgiu na cena psicodélica dos anos 1960. Quando o empresário musical Bill Graham começou a organizar os primeiros concertos de rock ao ar livre no Golden Gate Park, em San Francisco, muitos hippies reclamaram vigorosamente contra a cobrança de ingressos.[5] "A música deveria ser de graça", gritavam. Alguns acrescentavam que a capacidade da música de consolar a alma mortal, ou sua condição de "voz do universo", praticamente a obrigava a ser de graça. Graham assinalou pacientemente o problema. "Tudo bem", disse ele, "vamos imaginar por um instante que os músicos estejam dispostos a tocar de graça, que não precisem se preocupar em pagar o aluguel, ou com seus instrumentos musicais. Vocês estão vendo aquele palco? Nós o construímos aqui no parque. Foram necessárias uma turma de carpinteiros, a madeira, e outros materiais tiveram de ser trazidos de caminhão. Será que todos eles também vão trabalhar de graça? E o que dizer dos caminhoneiros e da gasolina que seus caminhões usam? Agora, temos também os eletricistas, os engenheiros de som, a iluminação, os banheiros químicos... Será que toda essa gente também vai trabalhar de graça?"

É claro que, como detalhei aqui, esse éthos de liberdade da Wikipédia leva a todo tipo de problema.[6] Então, por enquanto, a situação está num impasse, com uma exceção notável — o surgimento de sessões de edição organizadas, com a curadoria de instituições públicas. O Smithsonian Art Museum de Washington organiza "maratonas editoriais" de um dia inteiro para melhorar a qualidade dos verbetes, convidando editores, autores e outros voluntários da Wikipédia a usar os amplos arquivos e recursos da instituição junto dos funcionários do Smitsonian.[7] Infelizmente, como os roedores no experimento de James Olds e Peter Milner que apertavam repetidamente uma tecla para conseguir uma recompensa, um usuário recalcitrante é capaz de estragar toda essa cuidadosa edição com um único clique do mouse.

Será que as vantagens de poder receber uma enorme quantidade de informação de graça compensam as desvantagens? Depende da importância que a exatidão das informações tem para você. Segundo algumas definições da palavra, algo só pode ser considerado "informação" se *for* exato. Uma parte importante da leitura das informações, e de mantê-las organizadas, é saber o que é verdade e o que não é, e saber algo sobre o peso da evidência que sustenta alegações distintas. A despeito da importância do respeito devido a outros pontos de vista — afinal de contas, é esta a maneira como podemos aprender coisas novas —, também é importante reconhecer que nem todos os pontos de vista são necessária e igualmente válidos: alguns são oriundos de verdadeiras erudição e perícia. Alguém pode acreditar de todo o coração que a Rússia fica no meio da América do Sul, mas isso não o torna verdade.

O mundo mudou para as crianças em idade escolar (para não falar nos estudantes universitários e todos os outros). Apenas quinze anos atrás, se você quisesse aprender um fato novo, isso levava algum tempo. Digamos, por exemplo, que você quisesse saber em que lugares pode ser encontrado o seu pássaro predileto, o sanhaço escarlate, ou o valor da constante de Planck. Nos velhos tempos pré-internet, você tinha que descobrir alguém que soubesse ou procurar você mesmo a informação num livro. Para isso, primeiro era preciso descobrir qual livro poderia trazer essa informação. Você ia até uma típica biblioteca e passava bastante tempo no fichário para achar, quando não o livro certo, pelo menos a seção certa da biblioteca. Ali, você, sem dúvida, teria de folhear vários livros até encontrar a resposta. Todo o processo poderia levar literalmente horas. Hoje essas duas pesquisas levam segundos.

## O QUE ENSINAR AOS NOSSOS FILHOS    399

A aquisição de informação, processo que costumava levar horas, até mesmo dias, tornou-se praticamente instantâneo. Isso muda radicalmente o papel do professor desde os primeiros anos da escola até o final do doutorado. Não faz mais sentido que os professores considerem a transmissão de informação como sua função principal. Como disse Adam Gopnik, ensaísta da *New Yorker*, hoje, quando o professor começa a explicar a diferença entre *elegia* e *eulogia*, todo mundo da turma já descobriu no Google.[8]

É claro que nem tudo é tão fácil de achar. O acesso imediato à informação que Wikipédia, Google, Bing e outras ferramentas da internet proporcionam criou um novo problema que poucos de nós fomos treinados para solucionar, e *esta* deve ser nossa missão coletiva ao treinar a próxima geração de cidadãos. É isto que precisamos ensinar a nossos filhos: como avaliar a avalanche de informação que existe por aí, como discernir o que é verdade do que não é, como identificar preconceitos e meias verdades, e como aprender a pensar de modo independente e crítico. Em suma, a principal missão dos professores deve mudar — da disseminação da informação crua para o treinamento de um conjunto de capacidades mentais que giram em torno do pensamento crítico. E uma das primeiras e mais importantes lições que deve acompanhar essa mudança é uma compreensão de que existem no mundo especialistas que sabem muito mais do que nós sobre determinados assuntos. Não devemos confiar neles cegamente, mas seu conhecimento e suas opiniões, se aprovados em testes de valor imediato e de posições preconceituosas, devem ser mais valorizados do que os de quem não teve nenhuma instrução especial. A necessidade de educação e perícia nunca foi tão grande. Uma das coisas que os peritos passam boa parte de seu tempo fazendo é descobrindo quais fontes de informação são confiáveis ou não, descobrindo aquilo que sabem versus aquilo que não sabem. E essas duas habilidades são talvez a coisa mais importante que podemos ensinar a nossos filhos neste mundo pós-Google, pós-Wikipédia. Que mais? A ser conscienciosos e cordatos. A ser tolerantes com os outros. A ajudar os que tiveram menos sorte que eles. A tirar cochilos.

Tão logo a criança tenha idade suficiente para entender o processo de arrumar e organizar, reforçaremos suas capacidades cognitivas e de aprendizado se a ensinarmos a organizar seu próprio mundo. Isto pode ser feito com bichos de pelúcia, roupas, panelas e frigideiras na cozinha. Faça como se fosse uma brincadeira de arrumar e rearrumar, por cor, altura, brilho, nome — tudo como um exercício de enxergar os atributos um por um. Devemos lembrar que organização e consciensiosidade são preditivos de uma série de bons resultados, mesmo décadas depois, em termos de longevidade, saúde e desempenho no trabalho.[9] Ser organizado é um traço mais importante do que nunca.[10]

A procrastinação é um problema difuso e mais generalizado entre as crianças do que entre os adultos. Todo pai conhece as dificuldades de se obrigar uma criança a fazer o dever de casa quando está passando um programa de TV de que ela gosta, a arrumar o quarto quando há amigos brincando na rua, ou até mesmo a ir para a cama na hora estabelecida. Essas dificuldades surgem por dois motivos — as crianças são mais propensas a querer uma gratificação imediata e menos propensas a entrever as consequências futuras de uma inação atual; ambas as características estão ligadas ao subdesenvolvimento do córtex pré-frontal, que só amadurece plenamente aos vinte anos (!). Isso também as deixa mais vulneráveis ao vício.[11]

Até certo ponto, a maioria das crianças pode ser ensinada a *fazer agora* e evitar a procrastinação. Alguns pais criam até uma brincadeira com isso. Lembre o ditado de Jake Eberts, o produtor de cinema que ensinava aos filhos: "Engulam o sapo. Façam aquela coisa desagradável logo de manhã cedo e se sentirão livres pelo resto do dia".[12]

Existe uma série de habilidades de pensamento crítico que são importantes, e ensiná-las é relativamente simples. Na verdade, a maioria delas já é ensinada nas faculdades de direito e nos mestrados e doutorados, e nas gerações anteriores eram ensinadas nas séries preparatórias para a entrada na universidade. A mais importante dessas habilidades não está além do alcance de uma criança de doze anos, em média. Se vocês gostam de assistir a dramas de tribunal (*Perry Mason*, *L.A. Law*, *The Practice*), muitas dessas habilidades serão familiares, porque se parecem muito com os tipos de avaliações feitas durante os julgamentos. Ali, juiz, júri e advogados dos dois lados precisam decidir aquilo que será admitido no tribunal, e isso é baseado em considerações sobre a fonte da informação, sua credibilidade, se a testemunha possui a capacidade necessária para emitir determinados juízos, e na plausibilidade de uma alegação.

O QUE ENSINAR AOS NOSSOS FILHOS   401

Meu colega Stephen Kosslyn, neurocientista cognitivo que já foi diretor do departamento de psicologia de Harvard e hoje preside o corpo discente da Minerva Schools no Keck Graduate Institute of Claremont, chama isso de *conceitos e hábitos fundamentais da mente*. São hábitos e reflexos mentais que deveriam ser ensinados a todas as crianças e reforçados no ensino médio, e durante todos os anos na universidade.

## Alfabetização da informação

Não existe nenhuma autoridade central que controle o nome dos sites ou dos blogs, e é fácil criar uma identidade fictícia ou alegar credenciais falsas. O presidente da Whole Foods posava como um bom freguês que elogiava os preços e a filosofia da loja. Há muitos casos como este. Só porque um site se chama Serviço de Saúde do Governo dos Estados Unidos isto não significa que ele é do governo; um site chamado Laboratórios Independentes não significa que ele é independente — pode muito bem ser tocado por um fabricante de carros que deseja que seus carros pareçam bons através de testes não tão independentes.

Jornais e revistas como *The New York Times*, *The Washington Post*, *The Wall Street Journal* e *Time* buscam ser neutros na sua cobertura de imprensa. Seus repórteres são treinados para obter informação por meio de verificações independentes — uma das pedras angulares desse tipo de jornalismo. Se alguém do governo lhes diz algo, eles comprovam através de outra fonte. Se um cientista afirma uma coisa, os repórteres entram em contato com outros cientistas, sem qualquer relação pessoal ou profissional com o primeiro cientista, de modo a obter opiniões independentes. Poucos aceitariam de imediato uma alegação dos benefícios do consumo de amêndoas para a saúde publicada pela Associação dos Cultivadores de Amêndoas dos Estados Unidos sem buscar as mesmas informações em outra fonte.

É verdade que fontes respeitáveis são um tanto conservadoras quanto a querer ter certeza dos fatos antes de concordar com eles. Surgiram muitas fontes na rede que não se atêm aos mesmos padrões tradicionais de verdade, e em alguns casos elas podem trazer as manchetes, e fazê-lo com exatidão, antes da mídia conservadora e tradicional. O TMZ deu a notícia da morte de

Michael Jackson antes de qualquer outro veículo, porque se dispôs a publicá-la com base em menos evidências do que a CNN ou o *New York Times*. Nesse caso em particular, acabaram tendo razão, mas nem sempre é assim.

Durante eventos que irrompem no noticiário de uma hora para outra, como a Primavera Árabe, os jornalistas nem sempre estão no local. Relatos de cidadãos comuns atingem a rede através do Twitter, do Facebook e de blogs. Estes *podem* constituir fontes confiáveis de informação, sobretudo quando considerados no conjunto. Os jornalistas não profissionais — cidadãos que são arrastados por uma crise — fornecem relatos oportunos de primeira mão dos acontecimentos. Mas nem sempre distinguem, em seus relatos, o que percebem de primeira mão daquilo que simplesmente ouviram através de boatos. Nossa voracidade por atualizações instantâneas sobre as manchetes que surgem leva a inexatidões que apenas mais tarde são corrigidas. Os primeiros relatos contêm informação falsa ou não confirmada, que acaba não sendo peneirada senão horas ou dias depois do acontecido. Nos dias pré-internet, os jornalistas tinham tempo de coletar a informação necessária e verificá-la antes de imprimir a notícia. Como os jornais eram impressos apenas uma vez por dia e o noticiário principal da TV era também veiculado apenas uma vez por dia, não havia essa pressa que vemos agora para montar a história antes da chegada de todos os fatos.

Durante os ataques com armas químicas na Síria em agosto de 2013, a informação disponível chegava via mídia social contaminada com má informação, às vezes plantada deliberadamente.[13] Sem jornalistas investigativos treinados para organizar os relatos opostos e contraditórios, era difícil que alguém pudesse fazer sentido do que estava acontecendo. Como notou Bill Keller, ex-editor do *New York Times*, "foi preciso que um repórter familiarizado com a guerra civil síria, meu colega C. J. Chivers, se aprofundasse na informação técnica do relatório da ONU e descobrisse a evidência — o curso de dois foguetes químicos dado pela bússola — que estabeleceu que o ataque foi lançado de um reduto dos militares de Assad em Damasco". Como diz o próprio Chivers: "A mídia social não é jornalismo, é informação. *Jornalismo* é o que você faz com ela".[14]

Há duas fontes de preconceitos que podem afetar artigos. Uma é o preconceito de quem escreve ou do editor. Como seres humanos, eles têm as próprias opiniões políticas e sociais, e, no que diz respeito ao jornalismo

## O QUE ENSINAR AOS NOSSOS FILHOS    403

sério, elas devem ser deixadas de fora. Isso nem sempre é fácil. Uma das dificuldades de se preparar uma reportagem neutra é que podem existir muitas sutilezas e nuances, muitas partes da reportagem que não se encaixam bem num breve sumário. A escolha de quais partes de um artigo omitir — elementos que complicam a história — é tão importante quanto decidir o que incluir, e os tendenciosidades conscientes ou subconscientes dos repórteres e editores podem desempenhar um papel nesta seleção.

Algumas fontes de notícias, como a *National Review* ou a *Fox* (de direita), a MSNBC ou *The Nation* (de esquerda), nos atraem por terem determinada inclinação política. Se isso é ou não resultado de uma filtragem consciente de informação, não é óbvio. Alguns de seus repórteres podem achar que são os *únicos* jornalistas neutros e imparciais no ramo. Outros podem achar que é sua responsabilidade buscar pontos de vista do lado do espectro político, para contrabalançar o que veem como um viés político pernicioso da chamada mídia comum.

Meu ex-professor Lee Ross, da Universidade Stanford, fez um estudo que revelou um fato interessante sobre esses vieses políticos e ideológicos na reportagem, que chamou de *efeito da mídia hostil*.[15] Ross e seus colegas, Mark Lepper e Robert Vallone, descobriram que partidários de qualquer lado de uma questão tendem a achar que a reportagem é distorcida em favor de seus adversários. Em seu experimento, eles mostraram uma série de notícias sobre o massacre de Beirute em 1982 para alunos de Stanford que haviam se identificado antes como pró-Israel ou pró-Palestina. Os estudantes pró-Israel reclamavam que a reportagem estava fortemente distorcida para o lado palestino. Disseram que os repórteres julgavam Israel por padrões mais rígidos do que os aplicados a outros países, e que tinham claros preconceitos contra Israel. Por fim, os estudantes registraram somente algumas referências a favor de Israel nos relatos, mas muitas referências anti-israelenses. Os estudantes pró-Palestina, por outro lado, relataram exatamente a mesma distorção ao assistir aos mesmos noticiários — julgaram que os relatos eram fortemente distorcidos a favor de Israel, e registraram menos referências pró-Palestina e muito mais anti-Palestina. Eles também achavam que os repórteres estavam sendo tendenciosos, mas contra os palestinos, não contra os israelenses. Os dois grupos tinham a preocupação de que, tendo em vista essa tendenciosidade, os espectadores antes neutros se voltassem contra o lado deles depois de ver a reportagem. Na realidade, um grupo de estudantes neutros que assistiram aos mesmos vídeos adotaram opiniões que ficavam num meio-termo em relação às dos estudantes engajados, testemunhando a neutralidade dos vídeos.

Esses experimentos foram conduzidos com relatos próximos de ser objetivamente neutros (como foi indicado pelas reações dos estudantes neutros). É fácil imaginar, então, que um espectador engajado que assiste a um noticiário inclinado a favor de suas crenças ache que ele é *neutro*. Isto possivelmente explica a nova proeminência dos chamados comentários de notícias ideologicamente informados, como os de Ann Coulter e Rachel Maddow, uma forma de jornalismo que provavelmente sempre existiu desde que houvesse notícias para cobrir. Heródoto, na Grécia antiga, não só é reconhecido como um dos primeiros historiadores, mas também como o primeiro a deixar que o preconceito sectário entrasse em seus relatos, sendo censurado por isso por Aristóteles, Cícero, Josefo e Plutarco.[16] Os preconceitos chegam de muitas formas, inclusive através da escolha do que se julga digno de ser noticiado, das fontes citadas e do uso de informação seletiva em vez de abrangente.[17]

Nem sempre buscamos neutralidade quando encontramos informação na rede, mas é importante compreender quem está fornecendo a informação, a quais organizações está filiado (se for o caso), e se o conteúdo do site é sancionado ou fornecido por autoridades, peritos, partidários, amadores ou gente fingindo ser quem não é.

Uma vez que a internet é como o Velho Oeste — em grande parte sem lei, governada por si mesma —, é responsabilidade de cada usuário vigiar para não ser enganado pelo equivalente digital de bandidos, malandros e picaretas. Se isso está começando a parecer mais um exemplo de trabalho paralelo, é exatamente isso. O trabalho de autenticar informação costumava ser feito, em vários graus, por bibliotecários e editores. Em muitas universidades, o bibliotecário detém um diploma de nível superior avançado equivalente ao de professor. Um bom bibliotecário é um erudito do erudito, que conhece a diferença entre uma publicação rigorosamente revisada e um texto apenas pomposo, e está atualizado sobre controvérsias em muitos campos, que surgem em razão de lapsos na erudição, na credibilidade e na busca de fontes com perspectivas imparciais.

O QUE ENSINAR AOS NOSSOS FILHOS    405

Os bibliotecários e demais especialistas em informação criaram guias de referência para avaliação de sites da web.[18] Eles incluem perguntas que deveríamos fazer, como "A página é atual?", "Qual o domínio?". (Há um guia preparado pela Nasa especialmente útil.)[19] O pensamento crítico exige que não levemos a sério todo o conteúdo que encontramos na rede. As pistas normais que usamos para interagir com pessoas — sua linguagem corporal, expressões faciais e comportamento geral — estão ausentes. As pessoas republicam artigos e os alteram em benefício próprio; matéria paga é disfarçada em resenhas, e é difícil detectar os impostores. A página é meramente uma opinião? Há algum motivo para acreditar mais no seu conteúdo do que no de qualquer outra página? A página é uma extravagância, um ponto de vista extremado, possivelmente distorcido e exagerado?[20]

Ao avaliar informação médica e científica, a notícia deveria incluir notas ao pé da página e outras citações da literatura acadêmica com revisão feita por pares. Os fatos devem ser documentados através de citações a fontes respeitadas. Dez anos atrás, era relativamente simples saber se uma publicação era séria, mas as coisas ficaram confusas com a proliferação de publicações de acesso livre, que imprimem qualquer coisa por dinheiro num mundo paralelo pseudoacadêmico.[21] Como nota Steven Goodman, reitor e professor da Faculdade de Medicina de Stanford, "a maioria das pessoas não conhece o universo das publicações. Não saberá dizer pelo título de uma publicação se ela é autêntica ou não".[22] Como você sabe se está lidando com uma publicação séria ou não? Publicações que aparecem em índices como o PubMed (mantido pela U.S. National Library of Medicine) são selecionadas pela sua qualidade; os artigos do Google Scholar, não. Jeffrey Beall, um pesquisador bibliotecário na Universidade do Colorado Denver, criou uma lista negra do que ele chama publicações predadoras de acesso aberto.[23] Sua lista, que há quatro anos tinha vinte editoras, hoje aumentou para mais de trezentas.

Imagine que seu médico recomenda que você tome um novo medicamento e você tenta buscar mais informação sobre ele. Você põe o nome da droga no seu mecanismo de busca favorito, e um dos primeiros sites a surgir é RxList.com. Você nunca viu esse site antes e quer validá-lo. Na página "Sobre a RxList", você lê: "Fundado por farmacêuticos em 1995, a RxList é o mais importante índice de drogas da internet".[24] Um link o remete a uma lista de escritores colaboradores e editores, com mais links para breves biografias, mostrando seus títulos acadêmicos ou suas filiações profissionais, de modo que você possa decidir por si mesmo se o conhecimento deles é adequado. Você também pode digitar RxList.com no Alexa.com, um serviço gratuito para peneirar e analisar dados, no qual você fica sabendo que o site é usado principalmente por pessoas com "alguma formação universitária" e, comparado a outros sites da internet, menos usado por pessoas com diplomas universitários. Isso lhe diz que é um recurso para a pessoa tipicamente leiga, que pode ser exatamente o que você estava procurando — uma maneira de evitar o jargão técnico na descrição médica de produtos farmacêuticos —, mas, para usuários mais sofisticados, serve como aviso de que a informação pode não ter sido examinada minuciosamente. Até que ponto a informação é confiável? De acordo com o Alexa.com, os cinco sites mais importantes com links para o RxList.com são:[25]

yahoo.com

wikipedia.org

blogger.com

reddit.com

bbc.co.uk

Somente um deles nos informa sobre a validade do site, o link do serviço de notícias da BBC. Se você segue o link, no entanto, acaba sendo direcionado ao fórum de discussão do site, e não passa do comentário de um leitor.[26] Uma busca no Google de sites .gov que remetem ao RxList é mais útil, revelando 3290 resultados.[27] É claro que o número em si não significa nada — podem ser intimações ou processos contra a companhia, mas uma amostra aleatória mostra que não é esse o caso. Entre os primeiros links que surgiram está o dos Institutos Nacionais de Saúde, numa página sobre recursos recomendados para a clínica médica, além de links do estado de Nova York, do estado do Alabama, da U.S. Food and Drug Administration, do Instituto Nacional do Câncer e de outras organizações que emprestam legitimidade e um selo de validade ao RxList.com.[28]

O QUE ENSINAR AOS NOSSOS FILHOS   407

Uma vez que a rede não é regulamentada, o ônus de empregar o pensamento crítico ao utilizá-la recai sobre cada usuário. Saber ler a rede envolve três aspectos: autenticar, validar, avaliar.

Grande parte da informação que encontramos sobre saúde, economia, nosso esporte predileto, a resenha de um novo produto, envolve a estatística, mesmo quando não se apresenta nessa roupagem. Há uma fonte de dados enganadores que provém de uma distorção na obtenção dos dados. Isso ocorre com maior frequência nos resumos estatísticos que encontramos, mas também pode acontecer em reportagens comuns. Essa distorção se refere a casos em que é tomado um exemplar não representativo (de pessoas, bactérias, alimentos, rendas, ou de qualquer quantidade cuja medida esteja sendo informada). Imagine que um repórter quisesse saber a média de altura das pessoas da cidade de Minneapolis, para uma reportagem investigativa com o objetivo de descobrir se pretensos elementos poluidores na água diminuíram a estatura da população. O repórter resolve ficar numa esquina e medir os passantes. Se ficar diante de uma quadra de basquete, a amostra tenderá a ser mais alta do que a média; se ficar diante da Sociedade das Pessoas Baixas de Minneapolis, a tendência é que a amostra seja abaixo da média.

Não é para rir — esse tipo de erro de amostragem é difundido (embora nem sempre de maneira tão óbvia), mesmo em publicações científicas respeitadas! As pessoas que se oferecem como voluntárias para testes com drogas experimentais são, sem dúvida, diferentes daquelas que não se oferecem; elas podem vir de estratos socioeconômicos mais baixos e precisar do dinheiro, e é sabido que o status socioeconômico tem uma relação com medidas gerais em defesa da saúde, por causa de diferenças na nutrição infantil e no acesso a cuidados médicos regulares. Quando apenas um subconjunto de todos os possíveis participantes de uma experiência passa pela porta do laboratório, a distorção na amostragem se chama efeito de *pré-seleção*. Mais um exemplo: se os pesquisadores, através de um anúncio, buscam participantes para uma experiência com uma nova droga, sendo que a precondição é que não possam beber álcool durante as oito semanas dos testes, eles acabam ignorando a pessoa normal e pré-selecionando pessoas com um certo estilo de vida, e tudo o mais que o acompanha (elas podem estar superestressadas por não poderem ter o alívio do drinque ocasional; podem ser alcoólatras em tratamento; podem ser pessoas muito saudáveis e fanáticas por exercícios).

A Universidade Harvard publica rotineiramente dados sobre os salários recebidos pelos recém-formados. O tipo de treinamento mental que deveríamos ensinar, começando pela infância, levaria qualquer um a perguntar: será que existe uma fonte possível de distorção nos dados de Harvard? Poderiam os números desses salários ser de certo modo imprecisos, por uma distorção latente nos métodos de recolhimento de dados? Por exemplo, se Harvard dependesse de questionários enviados aos recém-formados, poderia perder alguns recém-graduados sem domicílio, indigentes ou na prisão. Daqueles que receberam o formulário, talvez nem todos desejem devolvê-lo. Parece plausível que os recém-formados desempregados, fazendo serviços humildes ou simplesmente não ganhando muito, talvez se sintam acanhados em devolver o formulário. Isto levaria a uma superestimação do verdadeiro salário médio dos recém-formados. E é claro que há outra fonte de erro — que horror! —: as pessoas mentem (até mesmo alunos de Harvard). Numa pesquisa assim, os recém-graduados podem aumentar sua renda para impressionar quem quer que leia a pesquisa, ou por sentirem culpa de não estarem ganhando mais.

Imagine que um corretor de ações mande uma carta inesperada para sua casa.

> Caro vizinho.
>
> Acabei de me mudar para o bairro e sou perito na previsão do movimento da bolsa. Já fiz uma fortuna, e gostaria que você pudesse se beneficiar do sistema que desenvolvi no decorrer de muitos anos de trabalho duro.
>
> Não estou pedindo nenhum dinheiro seu! Apenas peço que me dê a oportunidade de provar o que digo sem nenhum compromisso em absoluto de sua parte. Durante os próximos meses, farei previsões sobre o mercado pelo correio, e basta esperar para ver se elas são ou não corretas. Você pode me pedir a qualquer momento que pare de lhe mandar cartas. Mas, se minhas previsões estiverem certas, pode entrar em contato comigo no número abaixo, e terei prazer em incluí-lo entre meus clientes e ajudá-lo a ficar rico como você jamais sonhou.

O QUE ENSINAR AOS NOSSOS FILHOS 409

Para começar, prevejo que as ações da IBM irão subir no próximo mês. Mandarei outra carta dentro de quatro semanas com minha próxima previsão.

Um mês depois, você recebe outra carta.

Caro vizinho.
Obrigado por abrir esta carta. Como deve se lembrar, previ no mês passado que as ações da IBM subiriam — e subiram! Minha próxima previsão é que as da Dow Chemical subirão. Até o mês que vem.

Um mês depois, você recebe outra carta, em que o corretor frisa que acertou de novo e faz uma nova previsão. Isso continua durante seis meses — toda vez ele acerta exatamente como havia dito. Nesse ponto, a pessoa comum já pensa que deve dar a ele algum dinheiro. Alguns talvez até pensem em hipotecar suas casas e dar a ele *todo* o seu dinheiro. Seis vezes seguidas! Esse cara é um gênio! Você sabe, como vimos no Capítulo 6, que a chance de ele acertar por sorte é apenas de $1/2^6$, ou 1 em 64.

Mas você não é a pessoa comum. Foi treinado nos hábitos da mente e para se fazer a pergunta: falta informação? Existe alguma explicação lógica, alternativa, para o sucesso desse corretor que não dependa de suas habilidades impressionantes para prever o mercado? Que informação está faltando, ou sendo escondida de você?

Pense que, nesse caso em particular, você está vendo apenas as cartas que ele optou por lhe mandar — não está vendo as cartas que mandou para outras pessoas. Os estatísticos chamam isso de seleção por janelas. O caso que descrevo de fato ocorreu, e o corretor foi preso por fraude. No início de todo o plano, ele mandou *dois* conjuntos de cartas: mil pessoas receberam uma carta prevendo que as ações da IBM subiriam e mil receberam uma carta dizendo que iriam baixar. No final do mês ele simplesmente esperava para ver o que acontecia. Se a IBM baixasse, ele esquecia as pessoas que haviam recebido a previsão errada e mandava novas cartas somente para os mil que haviam recebido a previsão correta. Ele diz a metade delas que a Dow Chemical vai subir, e à outra metade, que vai baixar. Depois de seis repetições do esquema, ele tem um grupo básico de 31 pessoas que receberam seis previsões corretas em sequência e estão prontas a segui-lo para onde ele queira.

A seleção por janelas também ocorre de maneiras menos nefastas e propositais. Uma câmera de vídeo focada num jogador de basquete que acerta dez lances livres seguidos pode escolher seletivamente os êxitos, omitindo os cem erros que ocorreram. Um vídeo de um gato tocando uma melodia reconhecível ao piano talvez mostre apenas dez segundos de música aleatória no meio de várias horas de besteiras.

Ouvimos com frequência notícias sobre alguma intervenção — uma pílula que alguém toma para melhorar sua saúde, um programa do governo que reduz as tensões num país estrangeiro, um pacote de incentivo econômico que volta a dar emprego a muita gente. O que geralmente falta a essas notícias é uma condição de controle, isto é: o que teria acontecido *sem* a intervenção? Isso é especialmente importante se quisermos chegar a conclusões sobre causalidade, sobre um evento ter provocado outro. Não temos como saber isso sem um controle adequado. "Tomei vitamina C e em cinco dias meu resfriado tinha acabado!" Mas quanto tempo seu resfriado teria levado para acabar se você *não* tivesse tomado vitamina C? Se o estranho padrão de voo e de manobras que uma testemunha atribuiu a um óvni pudesse ser reproduzido por um avião convencional, isso esvaziaria o argumento de que a aeronave só podia ter sido um óvni.

Há décadas o mágico profissional e cético James Randi segue as pessoas que se autoproclamam paranormais pelo mundo, reproduzindo *exatamente* seus feitos de leitura de mente. Seu objetivo? Refutar a opinião de que os paranormais *devem* estar usando a percepção extrassensorial e poderes psíquicos misteriosos, pois não há outra explicação para seus feitos extraordinários. Ao conseguir realizar o mesmo por meio da mágica, Randi oferece uma explicação mais lógica e modesta dos mesmos fenômenos. Ele não está provando que os poderes paranormais não existem, apenas que os paranormais não podem fazer nada que ele também não possa por meio da mágica normal. Sua postura é de condição de controle, em que os poderes paranormais não são usados. Isso nos deixa com as seguintes possibilidades lógicas:

1. Tanto os poderes paranormais quanto a mágica existem, sendo capazes de produzir os mesmos feitos.
2. Os poderes paranormais não existem — os paranormais usam mágica e depois mentem.
3. A mágica não existe — os mágicos usam poderes paranormais e depois mentem.

Duas dessas opções exigem que se jogue fora tudo que sabemos sobre ciência, relações de causa e efeito e a maneira como o mundo funciona. Uma delas nos pede apenas que acreditemos que há pessoas no mundo dispostas a mentir sobre o que fazem ou como fazem para ganhar a vida. Para tornar as coisas mais interessantes, Randi ofereceu um prêmio de 1 milhão de dólares a qualquer um que se mostrasse capaz de fazer qualquer coisa através de poderes paranormais que ele não pudesse reproduzir com mágica. A única restrição era que os paranormais fizessem suas demonstrações sob condições controladas — usando cartas e outros objetos que fossem neutros (não os fornecidos por eles próprios ou que pudessem ter sido adulterados) — e fossem filmados em vídeo. Mais de quatrocentas pessoas se candidataram ao prêmio, mas seus poderes paranormais desaparecem misteriosamente nessas condições, e o dinheiro repousa numa conta consignada.[29] Como diz Lee Ross, psicólogo de Stanford: "Se existem poderes paranormais, eles são brincalhões, e não querem ser descobertos na presença de um cientista".[30]

Quando duas quantidades variam em conjunto, em algum tipo de relação clara, nós dizemos que são correlatas. Em alguns estudos mais antigos, a ingestão de multivitaminas era correlacionada à longevidade.[31] Mas isso não significa que as multivitaminas são a *causa* de se viver mais. Essas duas coisas poderiam não estar inteiramente relacionadas, ou poderia haver um terceiro fator $x$ que fosse a causa de ambas. Chama-se $x$ porque, ao menos de início, não foi identificado. Poderia haver um conjunto de comportamentos chamados preocupação com a saúde. As pessoas que têm essa preocupação vão ao médico com frequência, comem bem e fazem exercícios. Este terceiro fator $x$ poderia ser o motivo de as pessoas tomarem vitaminas e viverem mais; as próprias vitaminas podem ser um elemento nessa história que não é a causa da longevidade. (Na verdade, as provas de que as multivitaminas têm relação com a longevidade parecem ser falsas, como vimos no Capítulo 6.)[32]

Os resultados da pesquisa sobre salários de Harvard são formulados, sem dúvida, para provocar a sensação na pessoa comum de que a educação de Harvard é responsável pelos salários altos de seus recém-formados. Isso pode ser verdade, mas também é possível que os que vão para Harvard sejam oriundos de famílias ricas que lhes dão todo o apoio, e que, portanto, têm mais chances de conseguir trabalhos mais bem remunerados, qualquer que seja a universidade que cursem. Demonstrou-se que o status socioeconômico quando criança constitui um valor importante correlacionado aos salários na idade adulta. Correlação não é causalidade. A prova da causalidade exige experiências científicas cuidadosamente controladas.

Há também as correlações verdadeiramente espúrias — estranhas coincidências de fatos que não têm nenhuma relação mútua e nenhum terceiro fator $x$ para ligá-los. Por exemplo, poderíamos fazer um gráfico sobre a relação da temperatura média global da Terra durante os últimos quatrocentos anos e a quantidade de piratas no mundo, e concluir que a diminuição da quantidade de piratas foi causada pelo aquecimento global.[33]

A máxima griceana da relevância implica que ninguém criaria um gráfico como o que vem a seguir se não achasse que as duas coisas estivessem relacionadas, mas é aí que entra o pensamento crítico. O gráfico mostra que elas são correlacionadas, mas não que uma seja a causa da outra. Seria possível inventar teorias sob medida — os piratas não suportam o calor, por exemplo, de modo que com o aquecimento dos oceanos eles foram buscar outro trabalho. Exemplos deste tipo demonstram a loucura de não separar a correlação da causalidade.

É fácil confundir causa e efeito quando nos deparamos com correlações. Há com frequência aquele terceiro fator $x$ ligando as observações correlatas. No caso do decréscimo de piratas relacionado ao aquecimento global, pode-se alegar plausivelmente que o fator $x$ seja a industrialização. A industrialização trouxe as viagens e o transporte aéreo; navios maiores e mais bem armados; melhores práticas de segurança e vigilância policial. Os piratas diminuíram porque mudamos nossa maneira de transportar valores em grandes distâncias, e houve uma melhora na manutenção da ordem pública. A industrialização que levou a esses acontecimentos também levou a aumentos das emissões de carbono e outros gases com efeito estufa, que por sua vez levaram a uma mudança climática global.

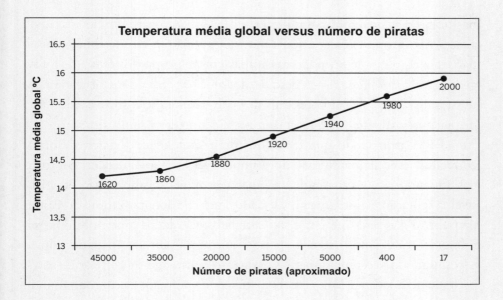

O motivo pelo qual tantas vezes acabamos com dados correlatos é que fazer experiências controladas pode ser pouco prático ou antiético. A experiência controlada é a regra de ouro da ciência, e exige exposições aleatórias de "unidades de tratamento" às condições experimentais. Para estudar o efeito do cigarro no câncer de pulmão, as "unidades de tratamento" são pessoas, e as condições experimentais são fumar e não fumar. A única maneira rigorosamente científica de estudar esta questão seria destinar aleatoriamente algumas pessoas à condição de *fumante* e, em seguida, forçá-las a fumar determinado número de cigarros por dia, enquanto outro grupo de pessoas seria destinado à condição de *não fumante*. Depois o pesquisador precisa simplesmente esperar para ver quantas pessoas de cada grupo vão contrair câncer de pulmão.

Esse tipo de experiência é feito rotineiramente com medicamentos em fase de testes, e as pessoas naturalmente se dispõem de boa vontade a se incluir na condição de usuárias do remédio se acham que isso poderá ajudá-las a curar sua doença. Mas se a experiência carrega consigo a ameaça de um mal de verdade, como fumar, não é ético fazê-la. A lógica por trás da filiação aleatória é esta: pode haver pessoas mais propensas ao efeito da experiência do que outras, e a filiação aleatória nos ajuda a distribuí-las por igual entre os diferentes grupos da experiência. Sabemos que as pessoas que trabalham nas minas de carvão ou moram em regiões com altos níveis de poluição do ar são mais propensas a contrair câncer de pulmão; o estudo sobre o fumo não seria equilibrado se todas elas acabassem no grupo dos *fumantes* ou no grupo dos *não fumantes* — o pesquisador aloca os indivíduos aleatoriamente para nivelar os efeitos potenciais de qualquer condição preexistente, tipo de personalidade ou outro fator que possa distorcer os resultados.

Pode ser mais do que tentador inferir causalidade a partir de dados correlatos, especialmente quando é impossível fazer experiências controladas. Quando somos capazes de imaginar algum mecanismo subjacente plausível, a tentação é ainda maior. Os dados que relacionam o fumo ao câncer de pulmão nos seres humanos são correlatos. Os dados foram obtidos examinando-se retrospectivamente pessoas que morreram de câncer de pulmão e pesquisando se eram fumantes e quanto fumavam. A correlação não é perfeita: nem todo fumante morre de câncer de pulmão, e nem todo mundo que morre de câncer de pulmão foi fumante. Alguns fumantes vivem muito e morrem de outras causas — muitas pessoas continuam a fumar com seus oitenta, noventa anos. Alguns cânceres de pulmão surgem em não fumantes, e poderiam ter fundamento em fatores genéticos ou epigenéticos, exposição à radiação ou outros. Mas a correlação entre fumar e câncer de pulmão é forte — 90% dos cânceres de pulmão ocorrem entre fumantes[34] —, e os cientistas identificaram um mecanismo subjacente plausível: produtos químicos tóxicos dentro do tecido pulmonar lesado pelo fumo.[35] Ninguém provou que fumar causa câncer de pulmão com uma experiência controlada, mas inferimos uma causalidade. É importante conhecer a diferença.

Considere agora um relato alternativo, patrocinado pelo cientista (e fumante) Hans Eysenck. Ele propôs que existe certo tipo de personalidade propenso a fumar.[36] Isso parece razoável. Agora imagine que exista um gene associado não só a este tipo de personalidade, mas *também* à propensão a ter câncer de pulmão. O gene se torna um terceiro fator $x$ — ele aumenta a probabilidade de as pessoas passarem a fumar e também de que tenham câncer de pulmão. Reparem que, se isso for verdade, elas teriam desenvolvido câncer de pulmão quer *fumassem ou não* — mas, pelo fato de os genes as levarem a fumar, nunca saberemos ao certo se teriam contraído câncer de pulmão sem fumar. Há poucos cientistas que levam a sério esse ponto de vista, mas é possível que Eysenck tenha razão.

O QUE ENSINAR AOS NOSSOS FILHOS   415

Um exemplo de explicação pelo terceiro fator $x$ que acabou se revelando verdadeira é o caso das linhas elétricas de alta tensão e as taxas de leucemia nos subúrbios de Denver. Nos anos 1980, os Centros de Controle e Prevenção de Doenças ficaram alarmados com a incidência muitas vezes maior de leucemia infantil em determinados subúrbios de Denver do que em outras partes dos Estados Unidos.[37] Lançaram uma investigação. Os pesquisadores descobriram que as regiões com as maiores taxas de leucemia eram onde passavam linhas elétricas de alta tensão. E quanto mais perto estivesse a casa de uma linha de alta tensão com transformador, maior era o risco. Sugeriu-se que os fortes campos eletromagnéticos das linhas de alta tensão rompiam as membranas celulares das crianças, tornando as células mais vulneráveis à mutação e, portanto, ao câncer. Aqui estavam a correlação e um mecanismo plausível subjacente. O mecanismo era que as linhas de alta tensão estavam causando a leucemia. Uma investigação epidemiológica de vários anos, entretanto, concluiu que havia um terceiro fator $x$ que dava conta da maior parte do aumento das taxas de leucemia: o status socioeconômico. Tendo em vista a má aparência das linhas, e o fato de que na maioria dos subúrbios de Denver as linhas de alta tensão eram subterrâneas, as casas perto da fiação visível eram mais baratas. As pessoas que moravam perto dessas linhas tinham, portanto, mais chances de se situar mais abaixo na escala socioeconômica; comiam pior, tinham menos acesso aos cuidados de saúde e, em média, estilos de vida não saudáveis. A correlação entre morar perto das linhas de alta tensão e desenvolver leucemia era verdadeira, mas a explicação inicial para a causa não era exata — o status socioeconômico era responsável pelas duas coisas.

Descobriu-se que o óleo de peixe, rico em ácidos graxos do ômega-3, protege contra doenças cardiovasculares, e a Associação Americana do Coração há mais de dez anos recomenda o consumo de peixe duas vezes por semana, além de uma suplementação com cápsulas de óleo de peixe.[38] Os ácidos graxos de cadeia longa do ômega-3, encontrados em peixes oleosos como bacalhau, sardinha, salmão e cavala, são considerados essenciais para a saúde humana. Eles diminuem a inflamação e foram associados a melhora do ânimo, habilidade cognitiva e energia, e fortalecem a função cardíaca. Apesar de alguns estudos recentes levantarem dúvidas sobre a eficácia do óleo de peixe, ainda há uma série de evidências indicando seus benefícios, de modo que muitos médicos continuam a recomendá-lo a seus pacientes.[39]

No verão de 2013, foi publicado um estudo que revelava um forte laço entre o ômega-3 e um aumento do risco de câncer de próstata.[40] Os homens já diagnosticados com câncer de próstata demonstravam ter níveis mais altos de substâncias químicas encontradas em peixes oleosos do que os que não tinham câncer. Esses níveis sanguíneos altos foram associados a um risco 43% maior de desenvolver câncer de próstata. É claro que, num estudo correlativo, poderia haver um terceiro fator $x$ que levasse a ambos, e isto não foi identificado (nem muito mencionado nos artigos que relatavam a descoberta). Os médicos estão divididos quanto a seguir recomendando óleo de peixe para seus pacientes homens.

A situação é confusa, para dizer o mínimo. Um dos mais veementes críticos do estudo, o dr. Mark Hyman, tem um potencial conflito de interesse: é dono de um laboratório que lucra com os exames dos ácidos graxos do ômega-3 no sangue das pessoas, e tem um site que vende cápsulas de ômega-3.[41] Mas isso não quer dizer que ele esteja errado. Ele nota que os dados são correlatos, não o resultado de uma pesquisa controlada. Externa sua preocupação com a maneira como as amostras de sangue foram analisadas.[42] Há muitas incógnitas aqui, e os vários riscos e benefícios não estão bem quantificados, tornando os tipos de análise de tabela quádrupla do Capítulo 6 não confiáveis, embora não inexequíveis. Assim, um corpo bastante sólido de provas sugere de fato que o óleo de peixe protege contra a doença cardíaca, e isto agora é contraposto a um único estudo que sugere que o óleo de peixe pode promover o câncer de próstata.

Para descobrir como os médicos vinham lidando com as notícias, falei com cardiologistas, oncologistas urológicos e clínicos gerais. Os cardiologistas e oncologistas se dividiram de modo geral segundo linhas partidárias, com os cardiologistas recomendando suplementos de óleo de peixe por seu efeito protetor e os oncologistas recomendando o contrário por causa do aumento do risco de câncer. Uma leitura radical do estado da decisão seria: "Morrer do coração ou de câncer de próstata? A escolha é sua!". O dr. Katsuto Shinohara, oncologista urológico da Universidade da Califórnia em San Francisco, fez o desempate entre vários médicos, notando que "é prudente não apostar tantas fichas num único estudo". Esse único estudo certamente será acompanhado e repetido nos anos vindouros. A evidência dos efeitos protetores do óleo de peixe demonstrados em dezenas de estudos, na opinião dele, contrabalança os riscos do óleo de peixe demonstrados em um único estudo.

Ainda assim, os homens com o diagnóstico prévio de câncer de próstata podem querer tomar bastante cuidado. Para eles (e talvez para os homens com mais de cinquenta anos que não receberam um diagnóstico assim), a situação não apresenta nenhuma solução clara. Até que apareçam novos estudos sobre o óleo de peixe, há riscos em tomar e não tomar ômega-3. Aliás, a Associação Americana do Coração também recomenda comer tofu e soja por causa de seus benefícios cardíacos,[43] e alguns estudos demonstram que a soja previne o câncer de próstata.[44] Outros estudos demonstraram que a soja não reduz a recorrência do câncer de próstata, e que pode ser associada à perda da acuidade mental em homens de mais idade.[45]

A questão do óleo de peixe é talvez um dos equivalentes em matéria de tomada de decisão à gaveta da bagunça, uma decisão que não pode ser facilmente categorizada por aquilo que sabemos no presente. Às vezes, o pensamento crítico leva à conclusão de que não existe a resposta certa. E, contudo, ainda precisamos fazer uma escolha.[46]

Toda vez que encontramos informação na forma de números, é importante fazer uma rápida verificação mental para ver se os números informados chegam a ser *plausíveis*. Para fazer isso, você precisa ter familiaridade com certos elementos da sabedoria do mundo. Todos nós temos uma janela de arquivo mental cheia de banalidades, como a população dos Estados Unidos, a velocidade normal de um carro, quanto tempo levamos para perder peso ou a duração da gravidez humana. E qualquer desses fatos que você não relegou à memória pode ser encontrado em milésimos de segundo numa busca na internet. Fazer uma rápida verificação da informação numérica é uma das partes mais fáceis e importantes do pensamento crítico.

Se alguém disser que 400 milhões de pessoas votaram na última eleição federal nos Estados Unidos, que um novo carro econômico tem a velocidade máxima de seiscentos quilômetros por hora, ou que fulano ou beltrano perdeu 25 quilos em dois dias fazendo uma dieta só de sucos, seus conhecimentos gerais e numéricos deveriam erguer uma bandeira vermelha diante desses valores.

Assim, uma das habilidades mais importantes que podemos ensinar a nossos filhos é pensar lógica e criticamente sobre os números, possibilitando a dúvida e a verificação. O objetivo dessa capacidade não é descobrir se o número que você encontrou está *exatamente correto*, apenas se está *aproximadamente* correto — isto é, próximo o bastante para ser *plausível*.

Existe um truque rápido para avaliar a informação numérica sobre o qual raramente se escreve na literatura sobre pensamento crítico. Imponha *condições-limite*. Uma condição-limite descreve as respostas *mais baixas* e *mais altas* possíveis. Imagine que eu lhe pergunte qual a altura de Shaquille O'Neal, e você não saiba a resposta. Será mais alto que 1,20 metro? Bem, com certeza, raciocinará você; ele é um jogador famoso da NBA, e os jogadores de basquete tendem a ser altos. É mais alto que 1,50 metro? Mais uma vez, isso, sem dúvida, deve ser verdade. É mais baixo que 3 metros? Você pode se achar vasculhando a memória; provavelmente jamais ouviu falar de *alguém* com 3 metros, então, sim, você diria que ele é mais baixo que 3 metros. Assim, um par rápido e não muito exato de condições-limite é que Shaq tem entre 1,50 e 3 metros de altura. Se você sabe um pouco de basquete e da altura dos jogadores, e conhece um pouco sobre as limitações da fisiologia humana, talvez possa refinar suas condições-limite e dizer que ele provavelmente tem entre 1,70 e 2,30 metros. A arte de estabelecer condições-limite é fazê-las se aproximar o máximo possível uma da outra, e ao mesmo tempo ter confiança na sua resposta. De acordo com a NBA, Shaq tem 2,15 metros.[47]

Estabelecer condições-limite é parte essencial do pensamento crítico científico e cotidiano, e é crucial para a tomada de decisões. Fazemos isso o tempo todo sem sequer nos darmos conta. Se você for ao mercado e comprar uma sacola de coisas, e a caixa lhe disser que o valor total é de cinco centavos, você sabe na mesma hora que há algo errado sem precisar somar o preço de todos os artigos na sacola. Do mesmo modo, se ela lhe diz que o total é de quinhentos dólares, você também sabe que algo está errado. A abordagem eficaz é ser capaz de estabelecer condições-limite que não estejam tão ridiculamente separadas. Com base nos seus hábitos de consumo, talvez você saiba que uma sacola de artigos no seu mercado de costume custa entre 35 e 45 dólares; seria uma surpresa se o total fosse de quinze ou 75 dólares. Assim, nós diríamos que as *condições-limite* de sua sacola de

O QUE ENSINAR AOS NOSSOS FILHOS    419

compras estão entre 35 e 45 dólares. Os cientistas descreveriam isso como o seu *intervalo de confiança de 90%* — isto é, você tem 90% de certeza de que o valor total deverá estar neste intervalo. Quanto mais próximas estiverem suas condições-limites, mais útil será sua estimativa, é claro.

Parte da tarefa de estabelecer condições-limite consiste em usar seus conhecimentos do mundo, ou adquirir alguns pontos de reparo para ajudar na sua avaliação. Se você tivesse que avaliar a altura de um amigo, poderia usar o fato de a altura média de uma porta nos Estados Unidos ser de aproximadamente dois metros; qual a altura da pessoa comparada à porta? Por outro lado, se você estivesse falando com ela, olharia nos seus olhos ou teria de olhar para cima ou para baixo? Se você precisa calcular a largura de um carro ou ônibus, imagine-se deitando dentro dele — você seria capaz de se deitar sem se dobrar? Quantos de você caberiam nesse espaço?

Os cientistas falam de cálculos de *ordem de magnitude*. Uma ordem de magnitude é uma potência de dez. Em outras palavras, num primeiro cálculo aproximado, tentamos decidir quantos zeros existem numa resposta. Imagine se eu lhe perguntasse quantas colheres de sopa de água existem numa xícara de café. Eis algumas possibilidades da "potência de dez":

a. 2
b. 20
c. 200
d. 2000
e. 20000

Para não deixar nada incompleto, podemos também incluir potências fracionárias de dez:

f. 1/20
g. 1/200
h. 1/2000

Bem, você pode descartar rapidamente as frações: 1/20 de uma colher de sopa é uma quantidade muito pequena, e 1/200 é ainda menor. Você poderia provavelmente descartar 2 colheres de sopa como resposta. E 20 colheres de sopa? Talvez você não tenha certeza, e talvez se veja tentando converter mentalmente 20 colheres de sopa em alguma outra medida mais útil, como copos ou gramas. Vamos deixar isso de lado por um instante e primeiro trabalhar com base na intuição, e pelo cálculo e conversão, em segundo lugar. Recapitulando: você tem certeza de que tem mais que 2 colheres de sopa; você não tem certeza se tem mais ou menos que 20 colheres de sopa. E 200 colheres de sopa? Parece muito, mas novamente você talvez não tenha certeza. Mas deve ficar claro que 2000 é muito. Das oito estimativas listadas, você convergiu rapidamente para duas: 20 ou 200 colheres de sopa. Isto é de fato bastante admirável. Trata-se de um problema que você talvez nunca tivesse considerado antes, e, com um pouco de raciocínio e intuição, você foi capaz de afunilar a resposta para duas possibilidades.

Agora vamos calcular. Se você sabe cozinhar, deve saber que existem 2 colheres de sopa em 1/8 de xícara, portanto $2 \times 8 = 16$ colheres de sopa numa xícara. A verdadeira resposta não é nenhuma das arroladas anteriormente, e sim 16, que está mais próxima de 20 do que as outras. A ideia das potências de dez, do cálculo da ordem de magnitude, é não ficarmos presos à precisão desnecessária quando fizermos aproximações. É bastante útil para o propósito desta experiência mental saber que *a resposta está mais próxima de 20 que de 200*. Um cálculo de ordem de magnitude é isto.

Se você não soubesse quantas colheres de sopa existem numa xícara, poderia visualizar uma colher de sopa e uma xícara e tentar imaginar quantas vezes teria de encher e esvaziar a colher até encher a xícara. Nem todo mundo consegue fazer isso, e nem todo mundo consegue visualizar essas quantidades, por isso o processo pode acabar aí mesmo para muita gente. Você talvez simplesmente dissesse que a resposta podia ser 20 ou 200, que não tem certeza. Você afunilou sua resposta para duas ordens de magnitude, o que não é nada mal.

Nós estabelecemos condições-limite inconscientemente, muitas vezes ao dia. Quando você pisa numa balança, espera que o peso esteja próximo do peso que você viu ontem. Quando sai à rua, espera que a temperatura esteja alguns graus próximas do que estava na última vez que saiu. Quando seu filho adolescente diz que levou quarenta minutos para chegar do colégio em casa, você sabe se este tempo está dentro dos padrões normais ou não. A questão é que você não precisa contar *cada* item de sua sacola de compras para saber ou não se o valor total é *razoável*; você não precisa carregar um cronômetro para saber se a baldeação no metrô está demorando extremamente mais ou menos que o normal. Nós arredondamos, calculamos, ajeitamos mais ou menos os números, e esta é uma operação crucial para saber rapidamente se o que estamos observando é algo razoável.

## Aproximadamente certo

Uma das ferramentas mais importantes do pensamento crítico sobre números é que você se permita criar respostas erradas para os problemas matemáticos que encontra. Respostas propositalmente erradas! Os engenheiros e cientistas fazem isso o tempo todo, por isso não há motivo para não ficarmos todos por dentro do seu segredinho: a arte da aproximação, ou o cálculo "na parte de trás do guardanapo". Respostas propositalmente erradas assim podem aproximá-lo da resposta certa, para que você tome uma decisão em uma fração de segundo. Como escreveu o escritor inglês Saki, "um pouquinho de imprecisão poupa muita explicação".

Por mais de uma década, quando o Google conduzia entrevistas de trabalho, fazia aos pretendentes perguntas que não tinham resposta.[48] O Google é uma empresa cuja própria existência depende da inovação — de inventar coisas novas que não existiam antes, e refinar ideias e tecnologias existentes para permitir que os consumidores façam coisas que não podiam fazer antes. Compare isto com a maneira como a maioria das companhias conduz as entrevistas de trabalho. Na parte de habilidade da entrevista, a companhia quer saber se você sabe de fato fazer as coisas que eles precisam que sejam feitas.

Num restaurante, a habilidade necessária talvez seja cortar verduras ou fazer a base para uma sopa. Numa firma de contabilidade, talvez seja o conhecimento dos códigos de impostos e a capacidade de preencher bem os formulários de impostos. Mas o Google não sabe sequer quais são as capacidades que eles esperam dos novos funcionários. O que precisam saber é se um funcionário sabe raciocinar em torno de um problema. Os estudantes que se formam nas maiores universidades, nos campos técnicos ou quantitativos, como ciência da computação, engenharia elétrica, economia ou administração de empresas, sabem aplicar aquilo que aprenderam. Mas são relativamente poucos os de fato capazes de pensar com a própria cabeça.

Pense na seguinte pergunta, que foi feita numa entrevista de trabalho real do Google: quanto pesa o Empire State Building?[49]

Ora, não existe nenhuma resposta correta a essa pergunta em qualquer sentido prático, porque ninguém sabe a resposta. Existem muitas variáveis, demasiadas incógnitas, e o problema é duro. O Google não está interessado *na resposta*, contudo; está interessada no *processo*, em como um pretendente a funcionário tomaria a iniciativa de resolvê-lo. Ela quer ver uma maneira racional, articulada, de abordar o problema, que lhe permita entrever o modo de funcionamento da mente do pretendente, e até que ponto ele é um pensador organizado.

Existem quatro respostas comuns ao problema. As pessoas erguem as mãos e dizem "isso é impossível", ou procuram pesquisar a resposta em algum canto. Apesar de hoje em dia já haver uma resposta para isso na rede (tornou-se um problema um tanto célebre entre a comunidade da ciência da computação), o Google quer empregar funcionários que possam responder a perguntas que não foram respondidas antes — *isto* exige um tipo de mente propensa ao pensamento metódico. Felizmente, esse tipo de pensamento pode ser ensinado, e não está além do alcance da pessoa comum. George Pólya, em seu influente *How to Solve It* [Como resolver o problema], mostrou como a pessoa comum é capaz de resolver problemas matemáticos complicados sem instrução específica em matemática. O mesmo vale para esse tipo de problema maluco e incognoscível.

A terceira resposta? Pedir mais informação. Por "peso do Empire State Building" o senhor quer dizer com ou sem o mobiliário? Com ou sem acessórios? Devo levar em conta as pessoas que estão dentro? Mas perguntas deste tipo constituem uma fuga. Elas não o fazem chegar mais perto da solução do problema; apenas adiam o momento de começar, e em breve você estará de volta ao ponto em que começou, pensando como diabos poderia descobrir algo assim.

A quarta resposta é a correta, usando a aproximação. Problemas desse tipo são chamados de problemas de avaliação ou problemas de Fermi, em homenagem ao físico Enrico Fermi, célebre por fazer cálculos com poucos ou nenhum dado para perguntas que pareciam insolúveis. Exemplos de problemas de Fermi incluem "Quantas bolas de basquete cabem num ônibus urbano?", "Quantas barras de chocolate seria necessário enfileirar para dar a volta ao mundo pela linha do equador?" e "Quantos afinadores de piano há em Chicago?". A aproximação implica uma série de adivinhações instruídas, partindo sistematicamente o problema em segmentos administráveis, identificando pressupostos e em seguida usando seus conhecimentos gerais do mundo para preencher as lacunas.

Como você resolveria o problema dos afinadores de piano em Chicago? O Google quer saber como as pessoas dão sentido ao problema — como dividem os fatos conhecidos e desconhecidos sistematicamente. Lembre-se, você não pode simplesmente ligar para o Sindicato dos Afinadores de Piano de Chicago e perguntar; você precisa elaborar uma resposta a partir de fatos (ou adivinhações razoáveis) que pode tirar da cabeça. A parte divertida é dividir o problema em unidades administráveis. Por onde começar? Tal como em muitos problemas de Fermi, muitas vezes é útil calcular alguma quantidade intermediária, não a que lhe perguntam, mas algo que o ajudará a chegar aonde você deseja. Neste caso, talvez seja mais fácil começar com o número de *pianos* que você acha que existem em Chicago e, em seguida, imaginar quantos afinadores seriam necessários para mantê-los afinados.

Em qualquer problema de Fermi, primeiro expomos o que precisamos saber e, em seguida, arrolamos alguns pressupostos. Para resolver o problema, você pode começar estimando os seguintes números:

1. Quantas vezes se afina um piano (quantas vezes por ano se afina determinado piano?)
2. Quanto tempo leva para se afinar um piano
3. Quantas horas por ano um afinador de piano médio trabalha
4. A quantidade de pianos em Chicago

Saber essas coisas irá ajudá-lo a chegar a uma resposta. Se você sabe com que frequência os pianos são afinados e quanto tempo leva para se afinar um piano, sabe quantas horas por ano são gastas afinando um piano.

Em seguida, você multiplica isso pela quantidade de pianos em Chicago para descobrir quantas horas são gastas todo ano afinando os pianos de Chicago. Divida isso pela quantidade de horas que cada afinador trabalha e você terá a quantidade de afinadores.

**Pressuposto 1:** O dono típico de um piano afina seu instrumento uma vez por ano.

De onde surgiu esse número? Eu o inventei! Mas é isso que você faz quando está aproximando. É certamente dentro de uma ordem de magnitude: o dono de piano típico não afina uma vez a cada dez anos, nem dez vezes por ano. Alguns donos de piano afinam seus instrumentos quatro vezes por ano, alguns zero, mas uma vez por ano parece um chute razoável.

**Pressuposto 2:** Leva-se 2 horas para afinar 1 piano. Uma adivinhação. Talvez só 1 hora, mas 2 está dentro de uma ordem de magnitude, por isso serve.

**Pressuposto 3:** Quantas horas por ano trabalha o afinador de piano típico? Vamos presumir que 40 horas por semana, e que o afinador tire férias de 2 semanas todo ano: 40 horas por semana × 50 semanas dá um ano de trabalho de 2000 horas. Os afinadores de piano se locomovem até o trabalho — as pessoas não levam seus pianos —, assim podem gastar de 10% a 20% de seu tempo para ir de casa em casa. Guarde esse número para fazer o ajuste no cálculo final.

**Pressuposto 4:** Para calcular a quantidade de pianos em Chicago, você pode imaginar que 1 em cada 100 pessoas tem um piano — mais uma vez, uma adivinhação temerária, mas provavelmente dentro de uma ordem de magnitude. Além disso, existem escolas e outras instituições com pianos, muitas delas com muitos pianos. Uma escola de música pode ter 30 pianos, e existem asilos para velhos, bares etc. Este cálculo é mais difícil de basear em fatos, mas imaginemos que, quando incluídos, se aproximem mais ou menos dos pianos particulares. Assim, teremos um total de 2 pianos para cada 100 pessoas.

Agora vamos calcular a quantidade de pessoas em Chicago. Se você não sabe a resposta, talvez saiba que é a terceira maior cidade dos Estados Unidos, depois de Nova York (8 milhões) e Los Angeles (4 milhões). Talvez você chute 2,5 milhões, o que significa que 25 000 pessoas têm pianos. Decidimos dobrar esse número, em razão dos pianos das instituições, e por isso o resultado é 50 000 pianos.

Eis, então, as várias estimativas:

1. Chicago tem 2,5 milhões de pessoas.
2. 1 em cada 100 pessoas tem um piano.
3. Existe um piano institucional para cada 100 pessoas.
4. Logo, existem 2 pianos para cada 100 pessoas.
5. Existem 50 mil pianos em Chicago.
6. Os pianos são afinados uma vez por ano.
7. Leva-se 2 horas para afinar um piano.
8. Os afinadores de piano trabalham 2000 horas por ano.
9. Em um ano, um afinador de piano pode afinar 1000 pianos (2000 horas por ano divididas por 2 horas por piano).
10. Seriam necessários 50 afinadores para afinar 50 000 pianos (50 000 pianos divididos por 1000 pianos afinados por cada afinador de piano).
11. Acrescente 15% a esse número para dar conta do tempo de transporte, e isso resulta em que existem aproximadamente 58 afinadores de piano em Chicago.

Qual é a verdadeira resposta? As Páginas Amarelas de Chicago listam 83. Isso inclui alguns anúncios repetidos (negócios com mais de um número de telefone são listados duas vezes), e a categoria inclui técnicos de piano e de órgão que não são afinadores. Deduzam 25 por conta dessas anomalias e o cálculo de 58 parece muito próximo. Mesmo sem essa dedução, a questão é que está dentro de uma ordem de magnitude (porque a resposta não foi 6 nem 600).

Voltando à entrevista do Google e à questão do Empire State Building. Se você estivesse sentado naquela cadeira, sua entrevistadora pediria que pensasse em voz alta e a deixasse acompanhar seu raciocínio. Há uma infinidade de maneiras de se resolver o problema, mas para lhe dar o sabor de como um pensador inteligente, criativo e sistemático faria isso, eis uma possível "resposta". E lembre-se: o número final não é a questão — o processo mental, o conjunto de pressupostos e deliberações, é esta a resposta.

Vejamos. Uma maneira de começar seria avaliar o tamanho do prédio, e em seguida calcular seu peso com base nisso.

Começarei com alguns pressupostos. Vou calcular o peso do prédio vazio — sem ocupantes humanos, sem mobiliário, acessórios ou apetrechos. Presumirei que o prédio tem uma base quadrada e lados retos que não se afinam em cima, apenas para simplificar os cálculos.

Para calcular o tamanho preciso saber a altura, o comprimento e a largura. Não sei a altura do Empire State Building, mas sei que ele tem definitivamente mais que 20 andares e menos que 200. Não sei a altura de cada andar, mas sei por outros edifícios de escritórios em que já estive que o teto tem pelo menos 2,50 metros em cada andar e que geralmente existem tetos falsos para esconder a fiação elétrica, condutos, dutos de aquecimento e assim por diante. Acho que eles têm provavelmente 0,5 metro. Por isso vou fazer uma aproximação de 3 a 4 metros por andar. Vou refinar meu cálculo de altura para dizer que o prédio provavelmente tem mais que 50 andares de altura. Já estive em muitos prédios de 30-35 andares. Minhas condições-limite são que ele tem entre 50 e 100 andares; 50 andares equivalem a 150-200 metros de altura (3 a 4 metros por andar), e 100 andares dão 300-400 metros. Assim, meu cálculo de altura fica entre 150 e 400 metros. Para facilitar as contas, adotarei o valor de 300 metros.

Agora o tamanho de sua pegada. Não sei o tamanho da base, mas não é maior que um quarteirão da cidade, e lembro de ter aprendido que 10 quarteirões perfazem cerca de 1,5 quilômetro. Um quarteirão da cidade equivale a 1/10 de 1,5 quilômetro, ou 150 metros. Vou adivinhar que o Empire Estate Building ocupa metade de um quarteirão, ou cerca de 75 metros de cada lado. Se o prédio for quadrado, terá 75 metros de comprimento por 75 metros de largura. Isso dá 5625 metros quadrados. Vou arredondar para 5500 metros quadrados para facilitar a conta.

O QUE ENSINAR AOS NOSSOS FILHOS   427

Agora temos o tamanho. Há vários caminhos por onde seguir a partir deste ponto. Todos dependem do fato de que a maior parte do prédio é vazia — ou seja, oca. O peso do prédio provém em maior parte de paredes, andares e tetos. Imagino que o edifício seja feito de aço (nas paredes) e alguma combinação de aço e concreto nos pisos. Não tenho certeza. Sei que provavelmente não é feito de madeira.

O volume do prédio é sua área multiplicada pela altura. Meu cálculo da área da base foi de 5500 metros quadrados. O cálculo da altura foi de 300 metros. Portanto, $5500 \times 300 = 1\,650\,000$ metros cúbicos. Não levo em conta que ele afina ao subir.

Eu poderia calcular a espessura das paredes, dos pisos e o peso do metro cúbico dos materiais, e assim ter o resultado do peso do andar. Por outro lado, poderia estabelecer condições-limite para o volume do prédio. Isto é, posso afirmar que ele pesa mais do que um volume equivalente de ar sólido e menos do que um volume equivalente de aço sólido (pelo fato de ser quase vazio). O primeiro método parece dar muito trabalho. O segundo não satisfaz porque gera números provavelmente muito díspares. Eis uma opção híbrida: presumirei que, em qualquer andar dado, 95% do volume é de ar, e 5%, de aço. Na realidade, estou tirando este cálculo do nada, mas parece razoável. Se a largura do piso for de cerca de 75 metros, 5% de 75 = 3,75 metros. Isso significa que as paredes de cada lado, e qualquer parede de sustentação interna, dão um total de 3,75 metros. Como cálculo de ordem de magnitude, isso bate — o total das paredes não pode ser de mero 0,375 metro (uma ordem de magnitude menor) nem de 37,5 metros (uma ordem de magnitude maior).

Por acaso eu lembro, do tempo do colégio, que 1 metro cúbico de ar pesa cerca de 1,3 quilo. Vou arredondar para 1,5. É óbvio que o prédio não é todo de ar, mas muito dele é — praticamente todo o espaço interior —, e assim isso estabelece o limite mínimo do peso. O volume multiplicado pelo peso do ar nos dá $1\,650\,000$ metros cúbicos $\times 1,5 = 2\,475\,000$ quilos.

Não sei quanto pesa 1 metro cúbico de aço. Mas posso calcular, baseado em algumas comparações. Tenho a impressão de que 1 metro cúbico de aço certamente pesa mais que 1 metro cúbico de madeira. Também não sei quanto pesa 1 metro cúbico de madeira, mas vou supor algo em torno de 200 quilos.[50] Então vou chutar que 1 metro cúbico do aço seja cerca de dez vezes mais pesado.[51] Se todo o Empire State fosse feito de aço, ele pesaria 1 650 000 metros cúbicos × 8000 quilos = 13 200 000 000 quilos.

Isso me dá duas condições-limite: 2 475 000 quilos se o prédio fosse todo de ar, e 13 200 000 000 quilos se fosse todo de aço. Mas, como eu disse, vou supor uma mistura de 5% de aço com 95% de ar.

$$5\% \text{ de } 13\,200\,000\,000 \text{ quilos} = 660\,000\,000 \text{ quilos}$$
$$\underline{+\ 95\% \text{ de } 2\,475\,000 \text{ quilos} = 2\,351\,250 \text{ quilos}}$$
$$662\,351\,250 \text{ quilos, ou cerca de } 660\,000 \text{ toneladas}$$

Essa hipotética entrevistada afirmou seu pressuposto a cada etapa, estabeleceu condições-limite e em seguida concluiu com o *cálculo pontual* de 660 000 toneladas. Muito bem!

Outro entrevistado poderia abordar o problema de modo muito mais parcimonioso. Usando os mesmos pressupostos sobre o tamanho do prédio, e presumindo que estivesse vazio, talvez reduzisse tudo a este conciso protocolo:

> Os arranha-céus são construídos de aço. Imagine que o Empire State esteja cheio de carros. Os carros também contêm muito ar, são feitos de aço, por isso poderiam ser uma boa comparação. Sei que um carro pesa 2 toneladas, tem cerca de 5 metros de comprimento, 1,50 metro de largura e 1,50 metro de altura. Os andares, conforme calculado, têm 75 metros × 75 metros cada um. Se eu dispusesse os carros lado a lado no piso, conseguiria pôr 15 carros em cada fileira. Quantas fileiras caberão? Os carros têm cerca de 1,50 metro de largura, e o prédio, 75 metros; logo, 70/1,5 = 50. Isso dá 15 carros × 50 pilhas = 750 carros em cada andar. Cada andar tem 3 metros de altura e os carros têm 1,50 metro de altura, então posso enfiar 2 carros até o teto: 2 × 750 = 1500 carros por andar. E 1500 carros por andar × 100 andares = 150 000 carros. Cada carro pesa 2 toneladas, então o peso total é 150 000 × 2 = 300 000 toneladas.

Esses dois métodos produziram estimativas relativamente próximas — uma é pouco menos de duas vezes menor do que a outra —, de modo que elas nos ajudam a fazer um teste importante de sanidade. A primeira

O QUE ENSINAR AOS NOSSOS FILHOS   429

nos deu 660 000 toneladas, e a segunda, cerca de 300 000. Como este se tornou um problema bastante famoso (e uma busca frequente no Google), o site do Empire Estate Building passou a dar a estimativa de seu peso, que é de 365 000 toneladas.[52] Assim, vemos que ambas as aproximações nos levaram a uma ordem de magnitude da estimativa oficial, que era exatamente o que era preciso.

Nenhum desses métodos calculou *o* peso do edifício. Lembrem-se, a questão não é surgir com um número, mas com uma linha de raciocínio, um *algoritmo* para descobri-la. Grande parte do que ensinamos aos alunos em ciências da computação é apenas isto — como criar algoritmos para resolver problemas que nunca foram resolvidos antes. Qual a capacidade que precisamos reservar para esse tronco de linhas telefônicas que vai para a cidade? Qual será a carga de usuários da nova linha de metrô que está sendo construída? Se houver enchente, qual será o seu volume na comunidade e quanto tempo levará para que o solo a reabsorva? Estes são problemas que não têm respostas conhecidas, mas a aproximação capacitada pode produzir uma resposta de grande utilidade prática.

O presidente de uma das célebres quinhentas maiores companhias listadas pela *Fortune* propôs a seguinte solução. Embora não siga estritamente as regras do problema, é mesmo assim muito inteligente:

> Eu descobriria a companhia ou as companhias que financiaram a construção do Empire State Building e pediria para ver o inventário dos materiais... a lista de todo o material entregue no canteiro de obras. Presumindo um desperdício de 10% a 15%, eu então calcularia o peso dos materiais que foram usados para construí-lo. Na verdade, haveria uma maneira ainda mais precisa: lembra que todo caminhão que passa por uma autoestrada tem que ser pesado, porque as transportadoras pagam uma taxa para o departamento de estradas baseada em seu peso? Bastaria verificar o peso dos caminhões e você teria toda a sua informação ali. O peso do prédio é o peso de todos os materiais que chegaram de caminhão para construí-lo.[53]

Já houve algum caso de alguém precisar saber o peso do Empire State Building? Se você quisesse construir uma linha de metrô que passasse por baixo dele, haveria de querer sabê-lo, para poder sustentar eficazmente o teto da sua estação. Se você quisesse acrescentar uma nova antena pesada, precisaria saber o peso total do prédio para calcular se as fundações aguentariam o peso adicional. Mas as considerações práticas não vêm ao caso. Num mundo de conhecimentos rapidamente crescentes, quantidades de dados inimagináveis e rápido progresso tecnológico, os arquitetos das novas tecnologias vão precisar saber como resolver problemas insolúveis, como dividi-los em segmentos menores. O problema do Empire State Building é uma janela que permite ver como funciona a mente de pessoas criativas e tecnicamente orientadas, e provavelmente funciona melhor como previsão de êxito nesse tipo de trabalho que currículos e testes de QI.

Esses chamados problemas do verso do envelope são apenas uma janela para se avaliar a criatividade. Outro teste que abarca tanto a criatividade quanto a flexibilidade do pensamento, sem depender de capacidades quantitativas, é o teste dos "muitos usos de um nome". Por exemplo, quantos usos você pode descobrir para um cabo de vassoura? Um limão? Essas são capacidades que podem ser alimentadas desde uma tenra idade. A maioria dos empregos exige algum grau de criatividade e flexibilidade do pensamento. O problema dos muitos usos de um nome foi aplicado no teste de admissão das escolas de voo para pilotos comerciais, porque estes precisam saber reagir rápido numa emergência e ser capazes de pensar em abordagens alternativas quando há falha no sistema. Como você apagaria um incêndio na cabine quando o extintor de incêndio não está funcionando? Como controlar o leme de profundidade se houver falha no sistema hidráulico? Exercitar esta parte do cérebro implica domesticar o poder da livre associação — o modo devaneio do cérebro — e pô-la a serviço da solução de problemas, e é necessário ter pilotos que façam isso numa emergência.

A romancista Diane Ackerman descreve uma sessão deste jogo com seu marido, Paul, em seu livro *One Hundred Names for Love* [Cem nomes do amor]:[54]

O que você pode fazer com um lápis — além de escrever?
Eu comecei. "Tocar tambor. Conduzir uma orquestra. Lançar sortilégios. Enrolar fio. Usar como mão de compasso. Jogar varetas.

Descansar uma sobrancelha sobre ele. Prender um xale. Segurar o penteado em cima da cabeça. Usar como mastro para um navio liliputiano. Jogar dardos. Fazer um relógio de sol. Friccionar conta uma pedra de isqueiro para acender fogo. Combinar com um elástico para fazer um estilingue. Acender e usar como luminária. Verificar a profundidade do óleo. Limpar cachimbo. Mexer tinta. Pôr uma tábua Ouija em funcionamento. Escavar um aqueduto na areia. Alisar a cobertura de uma torta. Dirigir bolas de mercúrio desgovernadas. Usar como fulcro para girar uma tampa. Calçar uma janela. Fornecer um poleiro para seu papagaio... passo o lápis-bastão para você..."

"Usar como longarina num aeromodelo", continuou Paul. "Medir distâncias. Furar um balão. Usar como mastro. Enrolar uma gravata. Socar pólvora num minimosquete. Furar bombons para verificar o recheio... Esmagar o grafite e usar o chumbo nele contido como veneno."

Esse tipo de pensamento pode ser ensinado e praticado, e estimulado até em crianças de cinco anos. É uma habilidade cada vez mais importante num mundo impulsionado pela tecnologia e com incógnitas inimagináveis. Não existem respostas certas, apenas chances de se usar a engenhosidade, descobrir novas conexões e permitir que a experimentação e o capricho se tornem uma parte normal e habitual de nosso modo de pensar, o que nos levará a solucionar problemas com mais eficiência.

É importante ensinar nossas crianças a se tornarem aprendizes a vida inteira, curiosas, inquiridoras. É igualmente importante instilar nas crianças a sensação do lúdico, de que pensar não é só coisa séria, pode ser divertido. Isto implica lhes dar a liberdade de errar, explorar novos pensamentos e ideias fora do comum — o pensamento divergente será cada vez mais necessário para resolver alguns dos maiores problemas com que hoje se defronta o mundo. Benjamin Zander, maestro da Filarmônica de Boston, ensina aos jovens músicos que a autocrítica é inimiga da criatividade: "Quando cometer um erro, diga a si mesmo: *'Que interessante!'*. Um erro é uma oportunidade de aprender!"[55]

## Onde você obtém sua informação

Tal como muitos conceitos, *"informação"* tem um significado especial, específico, para matemáticos e cientistas: é tudo que reduz a incerteza. Posto de outra maneira, a informação existe onde existe um padrão, sempre que uma sequência não é aleatória. Quanto mais informação, mais estruturada ou padronizada a sequência parece ser. A informação está contida em diversas fontes, como jornais, conversas com amigos, anéis das árvores, DNA, mapas, as luzes de estrelas distantes e pegadas de animais selvagens na floresta. Possuir informação não basta. Como concluiu prudentemente a American Library Association no seu relatório de 1989, *Presidential Committee on Information Literacy*, os estudantes precisam ser ensinados a desempenhar um papel *ativo* no conhecimento, identificação, descobrimento, avaliação, organização e uso da informação.[56] Lembrem as palavras de Bill Keller, editor do *New York Times* — o importante não é ter informação, é o que você *faz* com ela.

Conhecer *algo* acarreta duas coisas: tirar a dúvida e descobrir a verdade. "Os fanáticos religiosos não deixam de 'saber' tanto quanto nós, cientistas", diz Daniel Kahneman. "A questão talvez seja: 'como sabemos?'. Aquilo em que creio na ciência é o que me foi dito por pessoas que conheço e em quem confio. Mas se eu apreciasse e confiasse em outras coisas, acreditaria em e 'saberia' outras coisas. 'Saber' é a ausência de crenças alternativas."[57] É por isso que a educação e a exposição a muitas crenças é tão importante. Na presença de outras crenças alternativas, nós podemos fazer uma escolha, esclarecida e baseada na evidência, do que é a verdade.

Nós deveríamos ensinar nossos filhos (e uns aos outros) a ser mais compreensivos com os outros e com outros pontos de vista. Os maiores problemas que o mundo enfrenta hoje — fome, pobreza e violência — exigirão cooperação entre pessoas que não se conhecem bem e que, historicamente, não confiam umas nas outras. Lembre todos os benefícios para a saúde em ser simpático. Isto não significa ser agradável diante de opiniões danosas ou manifestamente erradas, mas manter a mente aberta e tentar ver as coisas do ponto de vista do outro (como fez Kennedy em seu conflito com Khruschóv).

A internet, essa grande igualadora, talvez esteja tornando isso mais difícil do que nunca. Quase todo mundo sabe a esta altura que Google,

O QUE ENSINAR AOS NOSSOS FILHOS    433

Bing, Yahoo! e outros mecanismos de busca rastreiam seu histórico. Eles usam essa informação para o recurso de autocompletar, de modo que você não tenha necessidade de digitar o termo completo na janela de busca da próxima vez. Eles usam essa informação de duas maneiras adicionais — para direcionar a propaganda (é por isso que se você buscou sapatos novos on-line, um anúncio de sapato vai aparecer na próxima vez que você entrar no Facebook) e para melhorar os resultados de busca para cada usuário individualmente. Isto é, depois de buscar alguma coisa, os mecanismos de busca rastreiam em qual dos resultados você acabou clicando, de modo que possam colocá-lo mais alto na lista de apresentação, poupando seu tempo na próxima vez que você fizer uma busca semelhante. Imagine agora que os mecanismos de busca tenham não apenas os resultados de suas buscas durante poucos dias ou semanas, mas sim durante vinte anos. Seus resultados de busca foram refinados por repetição para se tornarem mais pessoais. O resultado geral é que é mais provável que você receba resultados que sustentem sua visão de mundo que resultados que desafiem seus pontos de vista. A despeito de você buscar manter a mente aberta e considerar opiniões alternativas, os mecanismos de pesquisa estarão afunilando o que você de fato verá. Consequência não intencional, talvez, mas que merece nossa preocupação num mundo em que a cooperação e o entendimento global são cada vez mais importantes.

Há três maneiras de apreendermos a informação — podemos absorvê-la implicitamente, recebê-la explicitamente ou descobri-la por nós mesmos. O aprendizado implícito, como quando aprendemos uma nova língua por imersão, é geralmente o mais eficiente. Nos ambientes de sala de aula e no trabalho, a maior parte da informação é transmitida por uma das duas últimas maneiras — explicitamente ou descoberta por nós mesmos.

As últimas duas décadas de pesquisa sobre a ciência do aprendizado demonstraram, de maneira conclusiva, que lembramos melhor as coisas, e por mais tempo, se as descobrimos por nós mesmos em vez de sermos informados explicitamente. Esta é a base para a sala de aula inovadora descrita pelo professor de física Eric Mazur em seu livro *Peer Instruction* [Aprendizado por pares].[58] Mazur não faz palestras nas suas aulas em Harvard. Em vez disso, faz aos alunos perguntas difíceis, com base nas leituras de seus deveres de casa, que exigem que eles juntem fontes de informação para resolver o problema. Mazur não lhes dá a resposta; em vez disso, pede aos estudantes que se dividam em pequenos grupos e discutam o problema entre si. Por fim, praticamente todo mundo na turma acerta a resposta, e os conceitos são fixados, porque os alunos tiveram de usar o próprio raciocínio para chegar à resposta.

Algo parecido acontece na arte. Quando lemos ficção bem escrita, por exemplo, nosso córtex pré-frontal começa a preencher aspectos da personalidade dos personagens, a fazer previsões sobre seus atos, em suma, nós nos tornamos participantes ativos na invenção da história. Ler nos dá tempo de fazer isso porque podemos avançar no nosso próprio ritmo. Todos nós já passamos pela experiência de ler um romance e ver que diminuímos o ritmo em determinados pontos para contemplar o que foi escrito, para deixar que nossas mentes devaneassem e refletissem sobre a trama. Esta é uma ação do modo devaneio (em contraposição ao modo executivo central), e é saudável entrarmos nele — lembre-se, é o modo padrão do cérebro.

Por outro lado, às vezes o entretenimento nos chega tão rápido que nossos cérebros não têm tempo de entrar num estado de reflexão contemplativa ou previsão. Isto acontece com certos programas de televisão e video games. Esses eventos, apresentados com tamanha rapidez, atraem a atenção de baixo para cima, envolvendo o córtex sensório em vez do pré-frontal.[59] Mas seria errado focar no meio e concluir: "Livros são bons, filmes são ruins". Muitos livros não literários, ou pulp fiction, e livros de não ficção, mesmo nos deixando prosseguir no nosso próprio ritmo, apresentam informação de uma maneira direta que carece das nuances e complexidade da ficção literária, e este foi o achado do estudo descrito brevemente no Capítulo 4: ler ficção literária, mas não pulp fiction ou não ficção, aumenta a empatia e a compreensão emocional em relação a outras pessoas.

Descobriu-se um notável paralelo num estudo de programas televisivos infantis. Angeline Lillard e Jennifer Peterson, da Universidade da Virgínia, puseram crianças de quatro anos para assistir a apenas nove minutos do desenho animado *Bob Esponja Calça Quadrada*, um programa de televisão acelerado, em contraposição ao desenho animado *Caillou*, de ritmo mais lento, ou a ficar desenhando por conta própria durante nove minutos.[60] Descobriram que o desenho animado acelerado tinha um impacto

O QUE ENSINAR AOS NOSSOS FILHOS    435

negativo imediato sobre a função executiva das crianças, um conjunto de processos do córtex pré-frontal que inclui comportamento orientado para objetivos, foco de atenção, memória funcional, resolução de problemas, controle de impulsos, autorregulação e capacidade de esperar pela gratificação. Os pesquisadores frisam não apenas o próprio ritmo acelerado, mas o "assalto furioso de eventos fantásticos" que são, por definição, estranhos e uma novidade. Codificar tais eventos parece ser especialmente oneroso para os recursos cognitivos, e o ritmo acelerado de programas como *Bob Esponja* não dá tempo às crianças para assimilar a nova informação. Isto pode reforçar um estilo cognitivo de não seguir as coisas até o fim com o pensamento, ou não seguir novas ideias até sua conclusão lógica.

Como em muitos estudos psicológicos, há muitos senões. Primeiro, as pesquisadoras não testaram a capacidade de atenção nos três grupos de crianças antes do teste (apesar de usarem o método bem aceito de agrupamento aleatório, significando que quaisquer diferenças a priori na capacidade de atenção seriam distribuídas por igual entre os grupos da experiência). Segundo, *Bob Esponja* foi feito para crianças de seis a onze anos, e por isso seu efeito sobre as de quatro anos pode se limitar apenas a esse grupo etário; o estudo não pesquisou outros grupos.[61] Por fim, os participantes eram um grupo extraordinariamente homogêneo de crianças em grande parte brancas, de classe média alta, de uma comunidade universitária, e os achados talvez não sejam generalizáveis. (Por outro lado, esse tipo de questão surge em quase todos os experimentos sobre literatura psicológica, e não diferem do estudo de Lillard e Peterson quanto às limitações acerca da maioria das coisas que sabemos sobre o comportamento humano.)

A mensagem sedutora e intrigante que levamos para casa é que ler livros de ficção de alta qualidade, e livros de não ficção com qualidade literária, e talvez ouvir música, contemplar arte, espetáculos de dança, pode levar a dois resultados desejáveis: uma empatia interpessoal aumentada e melhor controle executivo da atenção.

O que importa hoje, na era da internet, não é se você sabe determinado fato, mas se sabe onde procurá-lo, e, depois, como verificar se a resposta é razoável. Na rede, vale tudo. Os teóricos da conspiração dizem que as lanchonetes da rede McDonald's fazem parte de um plano diabólico multinacional para dizimar a seguridade social, colocar o poder nas mãos de uma elite liberal e esconder o fato de que os alienígenas estão entre nós. Mas, no mundo real, fatos são fatos: Colombo singrou os mares azuis em 1492, não em 1776. A luz vermelha tem um comprimento de onda maior do que a azul. A aspirina pode causar danos ao estômago, mas não autismo. Os fatos importam, e rastrear suas fontes se tornou ao mesmo tempo cada vez mais fácil e mais difícil. Nos velhos dias pré-internet, você ia à biblioteca (exatamente como Hermione faz em Hogwarts) e consultava as coisas. Talvez só houvesse um punhado de fontes escritas, talvez algum artigo de enciclopédia redigido por um erudito eminente, ou alguns artigos revistos por pares, para verificar um fato. Depois da verificação, você podia ficar à vontade. Era difícil encontrar opiniões que estivessem à margem da sociedade ou apenas completamente erradas. Agora há milhares de opiniões, e não é mais provável encontrar as corretas que as incorretas. Como diz o velho ditado, um sujeito com um relógio sempre sabe as horas; um sujeito com dois nunca tem certeza. Temos agora menos certeza do que sabemos e do que não sabemos. Mais do que em qualquer outra época da história, é crucial que cada um de nós assuma a responsabilidade de verificar a informação que encontra, testando-a e avaliando-a. Essa é a habilidade que precisamos ensinar à próxima geração de cidadãos do mundo, a capacidade de pensar com clareza, de modo completo, crítico e criativo.

# 9

## TODO O RESTO

### O poder da gaveta da bagunça

Para muitas pessoas, ser organizado significa ter "um lugar para tudo e tudo no seu lugar". Isto é um princípio importante para organizar arquivos, ferramentas e objetos, em casa e no escritório, e assim por diante. Mas é igualmente importante para nossos sistemas e infraestrutura organizativos que se permita a existência de categorias indefinidas, coisas que passam pelos interstícios — a pasta de miscelânea no seu sistema de arquivamento, a gaveta da bagunça na cozinha. Como diz Doug Merrill, a organização nos dá liberdade de ser um pouco desorganizados.[1] Uma típica gaveta da bagunça na cozinha americana contém fósforos, pedaços de papel, talvez um martelo, hashi, uma fita métrica, ganchos para quadros. Existem certas limitações de design que legitimam uma gaveta em que cabe tudo: você não vai reprojetar a cozinha para ter uma pequena gaveta ou escaninho para hashi, e outra para fósforos. A gaveta da bagunça é um lugar onde as coisas vão se juntando até que você tenha tempo de organizá-las, ou porque não há um lugar melhor para elas. Às vezes, o que parece ser uma bagunça não precisa ser fisicamente organizado em absoluto, se você for capaz de se acalmar e perceber a organização no meio do emaranhado de detalhes.

Como frisei no decorrer deste livro, o princípio fundamental da organização, o mais crucial para evitar que percamos ou esqueçamos as coisas, é este: descarregue do cérebro para o mundo externo o ônus de organizar. Se pudermos pegar um pouco ou todo o processo de nossos cérebros e

## 438 A MENTE ORGANIZADA

depositá-lo no mundo externo, é menos provável que cometamos erros. Mas a mente organizada lhe proporciona muito mais do que simplesmente evitar erros. Ela o capacita a fazer coisas e ir a lugares que você de outro modo nem imaginaria. Exteriorizar informação nem sempre implica anotá-la ou codificá-la em algum meio externo. Muitas vezes a coisa já foi feita para você. Basta saber ler os sinais.

Vamos pegar a numeração do sistema rodoviário interestadual dos EUA.[2] Superficialmente, parece uma bagunça, mas na verdade é um sistema altamente organizado. Foi iniciado pelo presidente Dwight D. Eisenhower, e sua construção começou em 1956. Hoje, comporta quase 80 mil quilômetros de rodovias. A numeração das rodovias interestaduais segue um conjunto de regras simples. Se você conhecer as regras, fica mais fácil descobrir onde está (e mais difícil se perder), porque as regras descarregam informação da sua memória e a colocam num sistema que está no mundo exterior. Em outras palavras, você não precisa memorizar um conjunto de fatos aparentemente arbitrários como *Rodovia 5 vai de norte ao sul*, ou *Rodovia 20 vai de leste a oeste na parte sul do país*. Em vez disso, você aprende um conjunto de regras que se aplica a todos os números, e então os próprios números das rodovias lhe informam como elas avançam:

1. Números de rodovias de um a dois dígitos menores que 100 identificam as estradas mais importantes (por exemplo, 1, 5, 70, 93), que cruzam fronteiras estaduais.
2. Números pares são estradas que vão de leste para oeste; números ímpares, de oeste para leste.
3. Números pares aumentam ao avançar de sul para norte; números ímpares aumentam ao avançar de oeste para leste.[3]
4. Números de rodovias múltiplos de 5 são artérias principais que se estendem por longa distância. Por exemplo, a I-5 é a maior artéria a oeste que leva o tráfego norte-sul entre Canadá e México; a I-95 é a maior artéria a leste que leva o tráfego de norte a sul entre o Canadá e a Flórida. A I-10 é a maior artéria ao sul que leva o tráfego de oeste a leste, da Califórnia à Flórida, e a I-90 é a mais ao norte que leva o tráfego de oeste a leste, do estado de Washington ao estado de Nova York.

5. Números de 3 dígitos identificam contornos, ou rotas auxiliares de entrada ou contorno de uma cidade. Se o primeiro dígito for par, é uma rota que passa por uma cidade ou a contorna, se separando e depois voltando a se juntar a uma rodovia principal. Se o primeiro dígito for ímpar, é um ramal que entra ou sai de uma cidade e não volta a se juntar à estrada principal (se você tem medo de se perder, as rodovias auxiliares com um primeiro dígito par são sempre uma aposta mais segura). Geralmente, o segundo e o terceiro dígitos se referem à interestadual mais importante servida pela rota de três dígitos. Por exemplo, se você estiver no norte da Califórnia e se encontrar em algo chamado I-580, pode deduzir o seguinte:

É auxiliar à rota I-80.

Vai de leste a oeste (número par).

É um ramal para uma cidade (primeiro dígito ímpar) e não voltará à rota I-80.

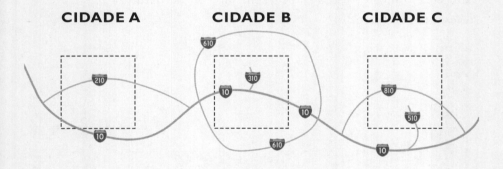

No estado de Nova York, a I-87 é a principal rodovia norte-sul.[4] Não é um múltiplo de 5, por isso não é considerada uma rodovia principal como a I-95, que é paralela e próxima. Em Albany, a I-87 se junta à I-787, que se divide para levar os motoristas até bem dentro da cidade. Este sistema de regras é ligeiramente difícil de memorizar, mas é lógico e estruturado, e muito mais fácil de memorizar do que a direção e a natureza de todas as diversas rodovias do país.

A tabela periódica dos elementos explicita as relações e certas regularidades latentes no mundo que de outro modo poderiam passar despercebidas.[5] Da esquerda para a direita, os elementos são representados em ordem

## 440 A MENTE ORGANIZADA

crescente de número atômico (o número de prótons no núcleo). Os elementos com a mesma carga nuclear, determinada pelo número de elétrons na camada mais externa, aparecem na mesma coluna e têm propriedades semelhantes; à medida que passam de cima para baixo, o número das camadas de elétrons aumenta. Indo da esquerda para a direita, em linha, cada elemento acrescenta um próton e um elétron e se torna menos metálico. Os elementos com propriedades físicas semelhantes tendem a ficar agrupados, com os metais embaixo à esquerda, e não metais em cima à direita; os elementos de propriedades intermediárias (como semicondutores) ficam no meio.[6]

Uma das consequências excitantes e imprevistas de criar a tabela periódica foi que, à medida que os cientistas preenchiam essa estrutura com os elementos, descobriam lacunas onde presumiam que haveria elementos — elementos com um próton a mais do que o da esquerda e um a menos do que o da direita —, mas nenhum elemento conhecido se encaixava nessa descrição. Isto levou os cientistas a procurar os elementos que faltavam, e em todos os casos eles os acharam, ou na natureza ou através de sínteses em laboratório.

| Grupo → | 1 | 2 | 3 | 4 | 5 | 6 | 7 | 8 | 9 | 10 | 11 | 12 | 13 | 14 | 15 | 16 | 17 | 18 |
|---|---|---|---|---|---|---|---|---|---|---|---|---|---|---|---|---|---|---|
| ↓Período |  |  |  |  |  |  |  |  |  |  |  |  |  |  |  |  |  |  |
| 1 | 1 H |  |  |  |  |  |  |  |  |  |  |  |  |  |  |  |  | 2 He |
| 2 | 3 Li | 4 Bc |  |  |  |  |  |  |  |  |  |  | 5 B | 6 C | 7 N | 8 O | 9 F | 10 Ne |
| 3 | 11 Na | 12 Mg |  |  |  |  |  |  |  |  |  |  | 13 Al | 14 Si | 15 P | 16 S | 17 Cl | 18 Ar |
| 4 | 19 K | 20 Ca | 21 Sc | 22 Ti | 23 V | 24 Cr | 25 Mn | 26 Fe | 27 Co | 28 Ni | 29 Cu | 30 Zn | 31 Ga | 32 Ge | 33 As | 34 Se | 35 Br | 36 Kr |
| 5 | 37 Rb | 38 Sr | 39 Y | 40 Zr | 41 Nb | 42 Mo | 43 Tc | 44 Ru | 45 Rh | 46 Pd | 47 Ag | 48 Cd | 49 In | 50 Sn | 51 Sb | 52 Te | 53 I | 54 Xe |
| 6 | 55 Cs | 56 Ba |  | 72 Hf | 73 Ta | 74 W | 75 Re | 76 Os | 77 Ir | 78 Pt | 79 Au | 80 Hg | 81 Tl | 82 Pb | 83 Bi | 84 Po | 85 At | 86 Rn |
| 7 | 87 Fr | 88 Ra |  | 104 Rf | 105 Db | 106 Sg | 107 Bh | 108 Hs | 109 Mt | 110 Ds | 111 Rg | 112 Cn | 113 Uut | 114 Fl | 115 Uup | 116 Lv | 117 Uus | 118 Uuo |

| Lantanídeos | 57 La | 58 Ce | 59 Pr | 60 Nd | 61 Pm | 62 Sm | 63 Eu | 64 Gd | 65 Tb | 66 Dy | 67 Ho | 68 Er | 69 Tm | 70 Yb | 71 Lu |
|---|---|---|---|---|---|---|---|---|---|---|---|---|---|---|---|
| Actinídeos | 89 Ac | 90 Th | 91 Pa | 92 U | 93 Np | 94 Pu | 95 Am | 96 Cm | 97 Bk | 98 Cf | 99 Es | 100 Fm | 101 Md | 102 No | 103 Lr |

É difícil duplicar a elegância da tabela periódica, mas vale a pena tentar, mesmo em ambientes um tanto cotidianos. Uma loja de ferragens que organiza torneiras, tarrachas ou porcas e parafusos por suas dimensões de largura e comprimento é capaz de perceber com facilidade lacunas no conjunto, onde faltam peças. A organização sistemática também facilita perceber itens fora do lugar.

O princípio fundamental de exteriorizar informação se aplica de modo universal. Os pilotos de avião tinham antes dois controles extremamente parecidos, mas que desempenhavam diferentes funções para as aletas e o trem de aterrissagem. Depois de uma série de acidentes, os engenheiros surgiram com a ideia de exteriorizar a informação sobre a ação desses controles: o controle das aletas foi feito de modo a parecer uma aleta em miniatura, e o controle do trem de aterrissagem na forma de uma roda, lembrando o trem de aterrissagem. Em vez de os pilotos precisarem depender de suas memórias quanto à posição específica de cada controle, o próprio controle lhes lembrava a sua função, e como resultado os pilotos cometiam menos erros.

Mas o que acontece quando não conseguimos exteriorizar a informação — por exemplo, ao conhecer gente nova? Certamente há uma maneira de lembrar melhor os nomes das pessoas. Acontece com todos nós: você conhece alguém, entra numa conversa realmente interessante, faz bastante contato visual, troca confidências pessoais, só para descobrir que esqueceu o nome dele. É muito constrangedor perguntar, de modo que você desconversa, desconfiado, sem saber o que fazer em seguida.

Por que é tão difícil? Pela maneira como a memória funciona: nós codificamos informação nova apenas se prestarmos atenção a ela, e nem sempre estamos prestando atenção no momento em que fomos apresentados. No instante em que conhecemos uma pessoa nova, muitos de nós ficamos preocupados com a impressão que causamos — pensamos em como estamos vestidos ou se estamos com mau hálito, ou tentamos ler a linguagem corporal da pessoa para ver como ela está nos avaliando. Isso torna a codificação de uma informação nova, como um nome, impossível. E a pessoa dona de si, orientada para o próprio trabalho, quando conhece alguém novo, pode ser levada a pensamentos como "Quem é essa pessoa? Que informação importante é possível lucrar com essa conversa?", e então começa um diálogo interno que perde o rumo, e deixa de prestar atenção naqueles breves 500 milissegundos em que o nome foi pronunciado uma vez.

Para se lembrar de um novo nome você precisa se permitir tempo para codificá-lo; cinco segundos mais ou menos costumam ser suficientes. Ensaie repetidamente o nome para si mesmo. Enquanto faz isso, olhe a pessoa no rosto e se concentre em associar o nome ao rosto. Lembre-se de que você (provavelmente) já ouviu o nome antes, de modo que não está sendo obrigado a aprender um novo *nome*, apenas associar um nome conhecido a um novo rosto.[7] Se tiver sorte, o rosto da pessoa vai lembrá-lo de outra pessoa com o mesmo nome. Se não for o rosto inteiro, talvez uma feição qualquer. Talvez esse Gary que você está conhecendo tenha olhos parecidos com os de outro amigo Gary, ou essa nova Alyssa tenha maçãs do rosto salientes como as de uma amiga do colégio com o mesmo nome. Se você não for capaz de fazer uma conexão associativa assim, procure sobrepor o rosto de alguém que você conhece com esse nome ao rosto da pessoa atual, criando um elo imaginário. Isto será útil para lembrar.

E se a pessoa se apresenta e depois fica calada? Cinco segundos é muito tempo morto para ficar suspenso no ar. Se isso acontecer, faça uma pergunta a seu novo conhecido sobre de onde ele é ou sobre o que faz — sem que esteja realmente interessado em prestar atenção nisso; você está apenas abrindo uma área na sua memória para codificar esse nome (não se preocupe, a informação secundária geralmente também é codificada).

Se você conhece alguém com um nome que nunca ouviu antes, é apenas ligeiramente mais complicado. Aqui, o tempo para codificar é a chave. Peça a ele que soletre o nome e em seguida soletre-o, você para ele. Durante essa troca, você estará repetindo o nome para você mesmo, e ganhando um tempo valioso para ensaiar. Ao mesmo tempo, tente criar na sua mente uma imagem vívida de algo que lhe faça lembrar o nome e imagine a pessoa dentro dessa imagem. Esses truques funcionam de fato. Quanto mais absurda ou diferente a imagem mental que você cria, mais memorável se torna o nome. Para fixá-lo melhor, depois que o aprendeu, apresente seu novo conhecido às outras pessoas durante uma festa, criando mais oportunidades para praticar o nome.[8] Ou comece uma frase com ele: "Courtney... eu queria lhe perguntar...".

Exteriorizar a informação organiza a mente e permite que ela seja mais criativa. A história da ciência e da cultura está cheia de histórias sobre como ocorreram muitas grandes descobertas científicas e artísticas, quando o autor não estava com a cabeça naquilo, pelo menos não de modo consciente — o modo devaneio resolveu o problema, e a resposta surgiu de repente, num lampejo. John Lennon recordou numa entrevista como compôs "Nowhere Man".[9] Depois de trabalhar cinco horas tentando fazer algo, ele desistiu. "Em seguida, 'Nowhere Man' surgiu, versos e música, a porra toda, quando deitei." James Watson descobriu a estrutura do DNA, e Elias Howe, a máquina de costura automática, em sonhos.[10] Salvador Dalí, Paul McCartney e Billy Joel criaram algumas de suas obras mais apreciadas a partir de sonhos. A descrição do próprio processo criativo da parte de Mozart, Einstein e Wordsworth frisa o papel do devaneio no amparo às suas intuições. Os três livros de *Assim falou Zaratustra*, de Friedrich Nietzsche, foram compostos em três surtos distintos de dez dias de inspiração.[11] Como nota a romancista Marilynne Robinson, vencedora do prêmio Pulitzer:

> Todo escritor fica imaginando de onde vêm as ideias da ficção.[12] As melhores delas muitas vezes surgem abruptamente depois de um período de seca imaginativa. E, misteriosamente, são de fato boas ideias, muito superiores às invenções conscientes.

Muitos artistas criativos relatam não saber de onde vêm suas melhores ideias e que se sentem como meros copistas, que transcrevem a ideia. Dizem que, quando ouviu pela primeira vez seu oratório *A criação*, Haydn irrompeu em lágrimas, gritando: *"Eu* não compus isto".[13] Na gangorra da atenção, a cultura ocidental supervaloriza o modo executivo central e subvaloriza o modo devaneio. A abordagem executiva central na solução de problemas é muitas vezes diagnóstica, analítica e impaciente, enquanto a abordagem do devaneio é lúdica, intuitiva e descontraída.[14]

## Navegação e serendipidade

Malcolm Slaney, pesquisador sênior da Microsoft, e Jason Rentfrow, professor da Universidade de Cambridge, defendiam (no Capítulo 7) a dispensa de cópias físicas de documentos e correspondência, e todos os arquivos, arrumações e localizações que elas acarretam. Os arquivos digitais de computadores são mais eficientes em termos de espaço de armazenamento, e geralmente de acesso mais rápido.

Mas muitos ainda acham algo convidativo e satisfatório o manuseio de objetos físicos. A memória é multidimensional, e nossas memórias dos objetos se baseiam em múltiplos atributos. Pense lá atrás na sua experiência com pastas de arquivos, do tipo físico. Talvez você tivesse alguma velha e gasta que não se parecesse com as outras e — a despeito do que contivesse ou estivesse escrito nela — que evocasse lembranças do seu conteúdo. Os objetos materiais tendem a parecer diferentes entre si de uma maneira que os arquivos de computador não são. Todos os bits são criados iguais.[15] Os mesmos zeros e uns de seu computador que fornecem lixo também podem fornecer a beleza sublime da quinta sinfonia de Mahler, as ninfeias de Monet ou o vídeo de um Boston terrier usando chifres de rena. Não há nada no próprio meio que dê uma pista da mensagem. Tanto que se você visse a representação digital de qualquer uma dessas coisas — ou deste parágrafo, por exemplo —, nem saberia se esses zeros e uns estariam representando imagens no lugar de música, ou texto. A informação, portanto, desapegou-se do significado.[16]

Não temos um sistema no mundo do computador que imite a experiência do mundo real que funcionava tão bem para nós. Há mais de dez anos, os aplicativos de software permitiam que as pessoas personalizassem seus ícones de arquivo e pasta, mas essa ideia nunca pegou, provavelmente porque a ausência de um objeto material pasta, com todas as suas variações nuançadas, fizesse com que todos os ícones do computador continuassem parecendo por demais heterogêneos e bobos. Esta é uma das objeções que os mais velhos fazem aos arquivos MP3 — todos parecem iguais. Não há nada que os diferencie além dos nomes. LPS e CDs oferecem a pista adicional de tamanho e cor para nos ajudar a lembrar o seu conteúdo. A Apple introduziu a possibilidade de vincular uma imagem de capa para melhorar isso, mas muitos sentem que não é igual a segurar um objeto material. As vantagens e desvantagens em jogo, em termos cognitivos e processuais, são relativas à acessibilidade (arquivos digitais) em contraposição ao ato visceral e esteticamente satisfatório de empregar os tipos de pistas visuais e táteis que nossa espécie desenvolveu para seu uso. O escritor especializado em tecnologia Nicholas Carr diz: "O meio importa, sim.[17] Como tecnologia, o livro foca nossa atenção, nos isola da miríade de distrações que preenchem nossa vida cotidiana. Um computador ligado à rede faz exatamente o contrário". Mais rápido nem sempre é desejável, e ir direto ao que você quer nem sempre é melhor.

Há uma estranha ironia nisso tudo: pequenas bibliotecas são muito mais úteis que as maiores. A Biblioteca do Congresso pode ter um exemplar de todo livro já publicado, mas é muito pouco provável que você tenha a sorte de achar ali algum livro que não conheça e que lhe dê muito prazer. Há simplesmente um excesso de material. Uma pequena biblioteca, com curadoria minuciosa e cuidada por um bibliotecário, terá sido peneirada deliberadamente para incluir determinados livros. Quando você for pegar um exemplar na estante, verá os livros ao lado que podem estimular seu entusiasmo, ou poderá ter sua atenção dirigida para um título numa seção completamente separada e não relacionada da biblioteca, e começar a inspecionar os livros ali. Ninguém inspeciona o que quer que seja na Biblioteca do Congresso — é colossal demais, completa demais. Como disse Augustus de Morgan sobre as bibliotecas do Museu Britânico, quando se quer uma obra, "ela pode ser pedida; mas, para ser pedida, ela precisa ser conhecida". E que chance terá uma única obra de ser conhecida como fazendo parte do acervo? Minúscula. O historiador James Gleick nota: "Informação em demasia, e tanta informação perdida".[18]

Muitas pessoas hoje afirmam ter descoberto algumas de suas músicas e seus livros prediletos simplesmente passeando pela coleção (limitada) de amigos. Se em vez disso você girasse a roda do gigantesco carrossel celeste para escolher a esmo uma canção ou um livro dentre os milhões existentes na nuvem, é muito improvável que encontrasse algo agradável.

Gleick, na sua história completa *The Information* [A informação], observa: "Existe um toque de nostalgia neste tipo de alerta, ao lado de uma verdade inegável: na busca do conhecimento, mais lento pode ser melhor. Explorar as pilhas repletas de livros das bibliotecas empoeiradas tem suas próprias recompensas. Ler — mesmo folhear — um velho livro pode fornecer uma sustância que não se consegue numa busca em banco de dados". Talvez tenha vindo a calhar o fato de eu ter encontrado este parágrafo por acaso na biblioteca do Auburn College, quando procurava algo inteiramente diferente e a lombada do livro de Gleick chamou minha atenção.

446 **A MENTE ORGANIZADA**

Muitas carreiras científicas foram alimentadas por artigos com que os pesquisadores toparam quando buscavam algo que se revelou muito mais tedioso e inútil. Muitos estudantes de hoje não conhecem o prazer da serendipidade que surge ao folhearmos pilhas de velhas revistas acadêmicas, virando as páginas de artigos "irrelevantes" a caminho daquele que procuramos, a mente sendo talvez atraída por algum título ou gráfico especialmente interessante. Em vez disso, eles inserem o nome do artigo de revista que querem e o computador o entrega a eles com precisão cirúrgica, sem esforço nenhum. É eficiente, sim. Animador, mas não tão capaz de desbloquear o potencial criativo.

Alguns engenheiros da computação notaram isso e tomaram medidas para consertar o problema. O StumbleUpon é um entre muitos sites da rede que permitem que as pessoas descubram conteúdo (novos sites, fotos, vídeos, música) através da recomendação de outros usuários com padrões de interesse e gosto semelhantes, uma forma de filtragem colaborativa. A Wikipédia tem um botão para um artigo aleatório, e o serviço de recomendação musical Mood Logic costumava ter um botão "surpreenda-me". Mas essas coisas têm um escopo amplo demais, e não respeitam os sistemas organizacionais que os seres humanos sensíveis e cognitivos impuseram aos materiais. Quando topamos com um artigo de jornal, ele está perto do artigo que estávamos procurando porque um editor julgou que os artigos tivessem alguma dimensão comum, de ampla relevância para o mesmo tipo de pessoas. Na biblioteca, o sistema decimal de catalogação Dewey, ou o sistema da Biblioteca do Congresso, colocam na mesma seção livros que possuem, ao menos na mente de seus criadores, temas que se sobrepõem. Os bibliotecários nas pequenas bibliotecas espalhadas pela América do Norte estão agora experimentando o sistema de disposição "Dewey modificado", de modo a servir melhor os usuários que procuram algo casualmente, caminhando por aquele determinado espaço da biblioteca, em vez de folhear um fichário ou procurar num buscador on-line. Os botões de serendipidade eletrônica são até agora por demais desregulados para terem alguma utilidade. A Wikipédia poderia e deveria saber o seu histórico de consultas, para que o botão do artigo aleatório recaísse dentro de um terreno pelo menos *amplamente* tido como de seu interesse. Em vez disso, trata todos os tópicos de modo igual — todos os bits são iguais —, e é tão provável que você receba um artigo sobre algum afluente de um pequeno rio em Madagascar quanto sobre o córtex pré-frontal.

Outra coisa perdida com a digitalização e a livre informação foi a apreciação de objetos de uma coleção. A coleção musical de alguém já foi, não faz muito tempo, um conjunto para se admirar, possivelmente para se invejar, e uma maneira de se conhecer algo sobre seu dono. Uma vez que os discos precisavam ser comprados um de cada vez, eram relativamente caros e tomavam espaço, os amantes de música montavam essas coleções de modo deliberado, planejando, usando o pensamento. Nós nos educamos sobre os artistas da música de modo a nos tornarmos consumidores mais cuidadosos. O custo de cometer um erro nos encorajava a pensar cuidadosamente antes de acrescentar um item vagabundo à coleção. Os estudantes universitários e de ensino médio examinavam a coleção de discos de um novo amigo e passeavam por ela, permitindo-se dar uma olhada no gosto musical do novo amigo e nos caminhos musicais que ele ou ela haviam presumivelmente percorrido para adquirir aquela determinada coleção musical. Agora baixamos músicas de que nunca ouvimos falar e de que talvez não gostemos, se esbarramos aleatoriamente nela no iTunes, mas o preço de cometer um erro tornou-se insignificante. Gleick conceitua essa questão assim: costumava haver uma linha entre o que possuíamos e o que não possuíamos. Esta distinção não existe mais. Quando a soma total de toda canção já gravada está disponível — toda versão, toda gravação, toda variação sutil —, o problema da aquisição se torna irrelevante, porém o problema de seleção se torna impossível. Como decidir o que vou escutar? E é claro que isso é um problema global de informação, não restrito à música. Como decidir a que filme assistir, que livro ler, que notícias acompanhar? O problema de informação do século XXI é um problema de seleção.

Há, na realidade, apenas duas estratégias de seleção diante disso — *buscar* e *filtrar*. Pode-se pensar nelas juntas, com maior parcimônia, como uma só estratégia, filtrar, sendo que a única variável é quem filtra, você ou alguém. Quando *você* busca algo, começa por uma ideia do que quer e vai lá tentar encontrá-lo. Mas, na era da internet, "ir lá" pode não passar de digitar algumas teclas no seu laptop, quando você está sentado na cama, de chinelos, mas de fato você vai lá no mundo digital para procurar o que busca. (Os cientistas da computação chamam isso puxar [*pull*], porque você está puxando informação da internet, em contraposição a empurrar [*push*], quando a internet envia automaticamente informação para você). Você ou seu buscador filtram e priorizam os resultados, e, se tudo der certo, você consegue o que busca na mesma hora. Tendemos a não guardar uma cópia disso, virtual ou material, porque sabemos que estará lá quando precisarmos. Nada de curadoria, colecionar, e serendipidade nenhuma.

Esse é um aspecto negativo da organização digital, e faz com que as oportunidades de devaneio sejam mais importantes do que nunca. "Os maiores cientistas são artistas também", disse Albert Einstein.[19] A própria criatividade de Einstein surgia como um súbito lampejo que se seguia a devaneio, intuição, inspiração. "Quando examino a mim e os meus métodos de pensar", disse ele, "chego quase à conclusão de que o dom da imaginação significou mais para mim do que qualquer talento para absorver o conhecimento absoluto. [...] Todas as grandes conquistas da ciência devem começar a partir do conhecimento intuitivo. Acredito na intuição e na inspiração. [...] Às vezes tenho certeza de estar certo, mesmo sem saber por quê." A importância da criatividade para Einstein resumia-se no seu lema "A imaginação é mais importante do que o saber".

Muitos problemas do mundo — câncer, genocídio, repressão, pobreza, violência, grandes desigualdades na distribuição de recursos e riqueza, mudanças climáticas — exigirão grande criatividade para serem resolvidos. Reconhecendo o valor do pensamento não linear e do modo devaneio, o Instituto Nacional do Câncer promoveu uma sessão de brainstorming com artistas, cientistas e outras pessoas criativas em Cold Spring Harbor durante alguns dias em 2012. O instituto reconheceu que depois de décadas de pesquisa ao custo de bilhões de dólares, a cura para o câncer ainda estava muito longe. Eles escolheram a dedo pessoas que não tinham nenhum conhecimento ou perícia em pesquisa de câncer e as juntaram a alguns dos principais pesquisadores do câncer no mundo. A sessão de brainstorming pedia aos não peritos que simplesmente sugerissem ideias, a despeito de quão extravagantes fossem. Algumas das ideias sugeridas foram consideradas brilhantes pelos especialistas, e há colaborações em curso para implementá-las.

Tal como no caso de Einstein, a chave para a iniciativa do Instituto Nacional do Câncer é ligar o pensamento criativo não linear ao pensamento racional, linear, de modo a implementar da maneira mais potente e rigorosa possível os sonhos de homens e mulheres, conjugados aos vastos recursos dos computadores. Paul Otellini, CEO recém-aposentado da Intel, coloca a coisa desta maneira:

> Quando cheguei à Intel, a possibilidade de que os computadores modelassem todos os aspectos de nossas vidas era ficção científica.[20] [...] Será que a tecnologia consegue resolver nossos problemas? Pensem em como seria o mundo se a lei de Moore, a equação que caracteriza o tremendo crescimento da indústria de computadores, fosse aplicada a qualquer outra indústria. Por exemplo, à indústria automobilística. Os carros fariam 800 mil quilômetros por litro, iriam a 5 mil quilômetros por hora, e seria mais barato jogar fora um Rolls-Royce do que estacioná-lo.
>
> Já vemos a tecnologia fazer coisas que pareciam ficção científica há não muito tempo. Os caminhões da empresa United Parcel Service (UPS) têm sensores que detectam defeitos antes que eles ocorram. Sequenciar o próprio genoma já custou 100 mil dólares, agora custa menos de mil. No final desta década, o equivalente ao cérebro humano, 100 bilhões de neurônios, caberá num único chip de computador. A tecnologia será capaz de resolver nossos problemas? Os indivíduos fascinantes, brilhantes, curiosos e diferentes que criam a tecnologia parecem achar que sim.

Quando a arte, a tecnologia ou a ciência são incapazes sozinhas de resolver problemas, a combinação das três talvez seja mais poderosa do que tudo. A capacidade da tecnologia, quando dirigida corretamente, para resolver problemas globais resistentes nunca foi tão grande. A mensagem que depreendo de Otellini é que visamos recompensas que ainda nem sequer somos capazes de imaginar completamente.

Ao fazer pesquisas para a ideia de um livro que tive vários anos atrás, *O que sua gaveta da bagunça revela sobre você*, olhei dezenas de gavetas da bagunça de outras pessoas. Eram editores, autores, compositores, advogados, palestrantes, construtores, professores, engenheiros, cientistas e artistas. Pedi a cada um deles que fotografasse suas gavetas abertas, em seguida que tirasse tudo de dentro delas e arrumasse em cima de uma mesa, pondo coisas semelhantes ao lado umas das outras. Pedi que tirassem outra foto antes de organizar, rearrumar, rearquivar os objetos e finalmente devolvê-los à gaveta, que acabou ficando muito mais arrumada e bem organizada.

Fiz o mesmo com minha própria gaveta da bagunça. Enquanto separava meticulosamente o lixo em categorias, ocorreu-me que nossa gaveta da bagunça fornece uma metáfora perfeita de como vivemos. Como foi que eu havia acumulado anotações de listas de compras pertencentes a velhos amigos e maçanetas quebradas do apartamento alugado de minha tia-avó? Por que senti necessidade de acumular cinco pares de tesouras, três martelos e duas coleiras adicionais? Terá sido uma decisão estratégica armazenar várias marcas de fitas na cozinha? Será que usei a árvore decisória de Thomas Goetz para resolver colocar o Vick VapoRub ao lado da chave inglesa, ou talvez tenha sido uma associação inconsciente entre Vick VapoRub (hora de dormir) e a chave em forma de crescente (lua crescente no céu noturno?)

Acho que não. Nossa gaveta da bagunça, tal como a vida, sofre uma espécie natural de entropia. De vez em quando deveríamos tirar um tempo para nos fazer as seguintes perguntas:

- Será que ainda preciso me apegar a esta coisa ou a esta relação? Será que ela me passa energia e felicidade? Ela me serve?
- Minhas comunicações estão muito atravancadas? Sou direto? Peço aquilo que quero e de que preciso ou espero que meu companheiro/amigo/colega de trabalho descubra de maneira paranormal?
- Será que preciso acumular várias coisas idênticas? Meus amigos, hábitos e ideias são por demais homogêneos ou estou aberto a ideias e experiências de pessoas jovens?

Outro dia, enquanto tentava mantê-la o mais arrumada possível, achei algo na minha gaveta da bagunça intelectual. É de um post no Reddit — fonte de informação e opinião numa época de sobrecarga de informação — e é sobre matemática, a rainha das ciências e imperatriz da organização abstrata.[21]

> Às vezes, na sua carreira matemática, você percebe que seu lento progresso e o cuidadoso acúmulo de ferramentas e ideias lhe

permitiram de repente fazer várias coisas novas que você não seria capaz de fazer antes de modo algum. A despeito de estar aprendendo coisas em si mesmas inúteis, quando todas foram assimiladas como se fossem naturais, surge todo um novo mundo de possibilidades. Você chegou a um novo nível. Algo dá um clique, mas agora surgem novos desafios, e coisas em que você mal podia pensar antes de repente se tornam criticamente importantes.

Isso é geralmente óbvio quando você está falando com alguém um degrau acima de você, porque eles percebem várias coisas instantaneamente, quando você precisa de bastante esforço para descobri-las. É bom aprender com pessoas assim, porque elas se lembram de como era lutar na situação em que você está, mas as coisas que elas fazem continuam fazendo sentido do seu ponto de vista (só que você mesmo não consegue fazê-las).

Conversar com alguém dois ou mais degraus acima de você é uma história diferente. Eles mal falam a mesma língua, e é quase impossível imaginar que você um dia possa saber o que eles sabem. Você ainda pode aprender com eles, se não desanimar, mas as coisas que eles querem lhe ensinar parecem realmente filosóficas, e você não acha que serão de ajuda — mas, por algum motivo, são.

Alguém três degraus acima está na verdade falando outra língua. Eles provavelmente parecem menos impressionantes do que a pessoa dois degraus acima, porque a maior parte do que estão pensando lhe é completamente invisível. Do ponto onde você está, não é possível imaginar sobre o que eles estão pensando, ou por quê. Você pode pensar que consegue, mas isso é apenas porque eles sabem contar histórias divertidas. Qualquer uma dessas histórias provavelmente contém bastante sabedoria para alçá-lo à metade do seu próximo degrau, se você dedicar bastante tempo a pensar nela.

A organização pode levar todos nós ao próximo degrau de nossas vidas.

Faz parte da condição humana recair nos velhos hábitos. Devemos olhar conscientemente para áreas de nossas vidas que precisam ser organizadas, e então atacar o problema de forma metódica e enérgica. E depois continuar fazendo isso.

De vez em quando o universo tem uma maneira de fazer isso por nós. Perdemos inesperadamente um amigo, um animal de estimação querido, um contrato de negócio, ou toda uma economia global desmorona. A melhor maneira de utilizar os cérebros que nos foram dados pela natureza é aprender a nos adaptar de bom grado às novas circunstâncias. Minha própria experiência é que, quando perdia algo que pensava ser insubstituível, isso era geralmente substituído por algo muito melhor. A chave da mudança é acreditar que, ao nos livrarmos do velho, algo ou alguém ainda mais magnífico tomará seu lugar.

# APÊNDICE

## Construindo suas próprias tabelas quádruplas

Ao pensar no equilibrado raciocínio médico, defrontamo-nos muitas vezes com doenças tão raras que até um exame positivo não garante que você tenha a doença. Diversos produtos farmacêuticos têm tão pouca chance de funcionar que seus efeitos colaterais são muitas vezes maiores que a promessa de seus benefícios.

A tabela quádrupla nos permite calcular facilmente os modelos de probabilidade bayesianos, tais como a resposta à pergunta "Qual a probabilidade de eu ter uma doença, *considerando* que meu exame deu positivo?", ou "Qual a probabilidade de este remédio me ajudar, *considerando* que tenho este sintoma?".

Usarei aqui o exemplo do Capítulo 6 sobre a doença fictícia que chamei de visão embaçada. Recapitulemos a informação dada:

- Você fez um exame de sangue que deu positivo para a doença hipotética visão embaçada.
- A ocorrência fundamental de visão embaçada é de 1 em 10 mil, ou 0,0001.
- O emprego da droga hipotética clorohidroxelene provoca um efeito colateral indesejado em 20% dos casos, ou 0,2.
- O exame de sangue para visão embaçada falha em 2% dos casos, ou 0,02.

A pergunta é: você deve tomar o remédio ou não?

Começamos por desenhar a tabela e etiquetar as fileiras e colunas.

### RESULTADO DO EXAME

|         |       | Pos. | Neg. |   |
|---------|-------|------|------|---|
| Doença  | Sim   |      |      |   |
|         | Não   |      |      |   |
|         | Total |      |      |   |

As células da tabela nos permitem alocar os dados em quatro categorias mutuamente excludentes:

- pessoas que têm a doença e cujo exame deu positivo (célula superior esquerda). Chamamos isso de IDENTIFICAÇÕES CORRETAS.
- pessoas que têm a doença e cujo exame deu negativo (célula superior direita). Chamamos isso de ERROS OU FALSOS NEGATIVOS.
- pessoas que não têm a doença e cujo exame deu positivo (célula inferior esquerda). Chamamos isso de FALSOS POSITIVOS.
- pessoas que não têm a doença e cujo exame deu negativo (célula inferior direita). Chamamos isso de REJEIÇÕES CORRETAS.

### RESULTADO DO EXAME

|         |       | Pos. | Neg. |   |
|---------|-------|------|------|---|
| Doença  | Sim   | Identificações corretas | Falsos negativos |   |
|         | Não   | Falsos positivos | Rejeições corretas |   |
|         | Total |      |      |   |

Agora começamos a preencher o que sabemos. A incidência fundamental da doença é de 1 em 10 mil. Então, no canto inferior direito, fora dos contornos da tabela, preencherei o "total" de 10 mil. Chamo isso de campo da população porque é o número que nos informa a população total que estamos contemplando (poderíamos preencher aqui 320 milhões para a população dos Estados Unidos, e em seguida trabalhar com o total dos casos registrados por ano — 32 mil —, mas prefiro preencher os números menores do "índice de incidência" porque é mais fácil trabalhar com eles).

### RESULTADO DO EXAME

| | | Pos. | Neg. | |
|---|---|---|---|---|
| **Doença** | **Sim** | | | |
| | **Não** | | | |
| | **Total** | | 10 000 | |

O que estamos tentando calcular, com a ajuda desta tabela, são os números das demais células, tanto aquelas dentro dos contornos da tabela quanto as do lado de fora. Dessas 10 mil pessoas, sabemos que 1 sofre de visão embaçada. Ainda não sabemos como essa pessoa é distribuída pelo resultado do exame, então escrevemos o número 1 bem à direita, na linha correspondente a "Doença: Sim".

### RESULTADO DO EXAME

| | | Pos. | Neg. | |
|---|---|---|---|---|
| **Doença** | **Sim** | | | 1 |
| | **Não** | | | |
| | **Total** | | 10 000 | |

A maneira como a tabela é projetada, com números de cima a baixo e da esquerda para a direita, deve fornecer os "totais marginais" ao longo das margens da figura. Isto é lógico: se o número de pessoas que está com a doença = 1, e o número total de pessoas consideradas é 10 000, sabemos que a quantidade de pessoas que *não* tiveram a doença nesta população deve ser: 10 000 - 1 = 9999. Por isso podemos incluir esse número na próxima tabela.

### RESULTADO DO EXAME

| Doença | Pos. | Neg. | |
|---|---|---|---|
| Sim | | | I |
| Não | | | 9999 |
| Total | | | 10 000 |

Sabemos, pelo que o médico nos disse, que o exame é impreciso em 2% dos casos. Colocamos os 2% no total ao longo da margem direita. Dos 9999 que não têm a doença, 2% receberão um diagnóstico errado. Isto é, apesar de *não* terem a doença, o exame dirá que *têm* (um falso positivo, na célula inferior esquerda). Calculamos 2% × 9999 = 199,98 e arredondamos para 200.

### RESULTADO DO EXAME

| Doença | Pos. | Neg. | |
|---|---|---|---|
| Sim | | | I |
| Não | 200 | | 9999 |
| Total | | | 10 000 |

Agora, como os números precisam ser somados em fileiras e colunas, podemos calcular o número de pessoas que não têm a doença e cujo resultado do teste é negativo — as rejeições corretas. Isto é, 9999 - 200 = 9799.

### RESULTADO DO EXAME

| Doença | Pos. | Neg. | |
|---|---|---|---|
| Sim | | | I |
| Não | 200 | 9799 | 9999 |
| Total | | | 10 000 |

APÊNDICE 457

Agora preenchemos outros falsos diagnósticos, os 2% falsos negativos. Falso negativo quer dizer que você tem a doença e o exame diz que não tem — ficam na célula superior direita. Só 1 pessoa tem a doença (como vemos na margem à extrema direita). Calculamos 2% × 1 = 0,02, ou 0, se arredondarmos.

## RESULTADO DO EXAME

| | | Pos. | Neg. | |
|---|---|---|---|---|
| **Doença** | **Sim** | | 0 | I |
| | **Não** | 200 | 9799 | 9999 |
| | **Total** | | | 10 000 |

E é claro que isso nos permite preencher o retângulo vazio com 1 (nós chegamos a isso começando com o total da margem, 1, e subtraindo 0 dele na célula superior direita — lembre que os números precisam ser somados em cada fileira ou coluna).

## RESULTADO DO EXAME

| | | Pos. | Neg. | |
|---|---|---|---|---|
| **Doença** | **Sim** | I | 0 | I |
| | **Não** | 200 | 9799 | 9999 |
| | **Total** | | | 10 000 |

Agora, para completar, somamos os números de cima a baixo para preencher a margem inferior, fora da tabela — a quantidade total de pessoas cujos exames deram positivo é simplesmente a soma dos indivíduos na coluna "Pos.": 1 + 200 = 201. E a quantidade total das pessoas que receberam resultado negativo é 0 + 9799 = 9799.

## RESULTADO DO EXAME

| | | Pos. | Neg. | |
|---|---|---|---|---|
| **Doença** | **Sim** | 1 | 0 | 1 |
| | **Não** | 200 | 9799 | 9999 |
| | **Total** | 201 | 9799 | 10 000 |

A partir daí podemos resolver os problemas conforme foi mostrado no Capítulo 6.

1. Qual a probabilidade de você ter a doença, *considerando* que seu exame deu positivo?

Tradicionalmente, substituímos a palavra *considerando* pelo símbolo | e a palavra *probabilidade* pela letra $p$ para construir uma espécie de equação assim:

1.1. p(você tem a doença | exame deu positivo)

Este formato é conveniente porque nos lembra que a primeira parte da frase — tudo antes do símbolo | — se torna o numerador (parte de cima) de uma fração, e tudo que vem depois do símbolo | se torna o denominador.

Para responder à pergunta 1, olhamos *apenas* a coluna com pessoas cujos exames deram positivo, na coluna da esquerda. Existe 1 pessoa que de fato tem a doença, entre 201 cujos exames deram positivo. A resposta à pergunta 1 é 1/201, ou 0,49%.

2. Qual a probabilidade de você receber um exame positivo, *considerando* que você tem a doença?

2.1 p(exame deu positivo | você tem a doença)

Aqui consultamos apenas a fileira de cima, e construímos a fração 1/1 para concluir que a chance de o exame dar positivo é de 100% se você de fato tem a doença.

## APÊNDICE 459

Lembre que meu tratamento hipotético, o clorohidroxelene, tem 20% de chance de produzir efeitos colaterais. Se tratarmos todo mundo que teve resultado positivo no exame para visão embaçada — todos os 201 —, 20%, ou 40, sofrerão o efeito colateral. Lembre que apenas 1 pessoa tem a doença de fato, por isso o tratamento tem 40 vezes mais chance de produzir efeitos colaterais do que a cura.

Nos dois casos que descrevi no Capítulo 6, visão embaçada e doença da cara azul, mesmo que você recebesse um resultado positivo no exame, seria improvável que tivesse a doença. É claro que se você realmente tiver a doença, é importante escolher o remédio adequado. O que você pode fazer?

Pode fazer o exame uma segunda vez. Aqui aplicamos a lei multiplicativa de probabilidade, presumindo que os resultados dos exames sejam independentes. Isto é, quaisquer erros que possam provocar um resultado falso no seu caso especial são aleatórios — não se trata de alguém no laboratório que possa ter alguma coisa contra você —, e, assim, se você recebeu um resultado incorreto uma vez, não é provável que receba um resultado incorreto de novo, mais do que qualquer um receberia. Lembre que eu disse que o exame tinha 2% de chance de dar errado. A probabilidade de dar errado em série é de 2% × 2%, ou 0,0004. Se você prefere trabalhar com frações, a probabilidade era de 1/50, e 1/50 × 1/50 = 1/2 500. Mas mesmo essa estatística não leva em conta o índice básico, a raridade da doença. E fazer isso é o ponto principal desta seção.

O que ajudaria mais, é claro, seria construir uma tabela quádrupla para responder à pergunta "Qual a probabilidade de eu ter a doença, *considerando* que tive dois resultados positivos em série?".

Quando começamos a considerar a visão embaçada, tínhamos apenas um monte de números que colocamos numa tabela quádrupla; isto nos permitiu calcular facilmente nossas probabilidades atualizadas. Um dos detalhes da inferência bayesiana é que você pode colocar essas probabilidades atualizadas numa nova tabela, para atualizá-las de novo. Com cada atualização da informação, você pode construir uma nova tabela e visar estimativas mais precisas.

A tabela ficou assim depois de preenchida:

## RESULTADO DO EXAME

| | | Pos. | Neg. | |
|---|---|---|---|---|
| | **Sim** | 1 | 0 | 1 |
| **Doença** | **Não** | 200 | 9799 | 9999 |
| | **Total** | 201 | 9799 | 10 000 |

e lemos o seguinte na tabela:

Número de pessoas cujo exame deu positivo: 201
Número de pessoas cujo exame deu positivo e têm a doença: 1
Número de pessoas cujo exame deu positivo e não têm a doença: 200

Repare que agora estamos olhando apenas para metade da tabela, a das pessoas cujo exame deu positivo. Isto porque a pergunta à qual queremos responder presume que você teve resultado positivo: "Qual a probabilidade de eu ter a doença, considerando que tive dois resultados positivos em série?".

Por isso construímos uma nova tabela usando esta informação. No cabeçalho da tabela, o resultado do *segundo* exame pode ser positivo ou negativo, você pode ou não ter a doença, e não estamos mais considerando a população total de 10 mil; consideramos apenas o subconjunto dos 10 mil cujos resultados deram positivo na primeira vez: 201 pessoas. Por isso preenchemos o campo da população, na margem inferior direita, com 201.

## RESULTADO DO SEGUNDO EXAME

| | | Pos. | Neg. | |
|---|---|---|---|---|
| | **Sim** | | | |
| **Doença** | **Não** | | | |
| | **Total** | | | 201 |

## APÊNDICE 461

Também podemos completar algumas outras informações. Sabemos o número de pessoas dentro dessa população que têm e que não têm a doença, de modo que inserimos esses números na margem direita.

### RESULTADO DO SEGUNDO EXAME

| | | Pos. | Neg. | |
|---|---|---|---|---|
| **Doença** | **Sim** | | | I |
| | **Não** | | | 200 |
| | **Total** | | | 201 |

Agora voltamos à informação original que nos foi dada, de que os exames erram em 2% dos casos. Uma pessoa de fato tem a doença; em 2% das vezes ela será diagnosticada incorretamente, e em 98% das vezes, corretamente: 2% de 1 = 0,02. Vou arredondar isso para 0 — esta é a quantidade de pessoas que mostram falsos negativos (elas têm a doença, mas foram dignosticadas incorretamente pela segunda vez). E 98% de 1 é aproximadamente 1.

### RESULTADO DO SEGUNDO EXAME

| | | Pos. | Neg. | |
|---|---|---|---|---|
| **Doença** | **Sim** | I | 0 | I |
| | **Não** | | | 200 |
| | **Total** | | | 201 |

Em seguida aplicamos a mesma taxa de erro de 2% às pessoas que não têm a doença; 2% de 200 que não têm a doença terão resultado positivo (apesar de saudáveis): 2% de 200 = 4. Isto deixa 196 para a célula inferior direita, a das pessoas corretamente diagnosticadas.

## RESULTADO DO SEGUNDO EXAME

| | | Pos. | Neg. | |
|---|---|---|---|---|
| **Doença** | **Sim** | 1 | 0 | 1 |
| | **Não** | 4 | 196 | 200 |
| | **Total** | | | 201 |

Podemos somar as colunas para obter os totais marginais, dos quais precisaremos para computar nossas novas probabilidades atualizadas.

## RESULTADO DO SEGUNDO EXAME

| | | Pos. | Neg. | |
|---|---|---|---|---|
| **Doença** | **Sim** | 1 | 0 | 1 |
| | **Não** | 4 | 196 | 200 |
| | **Total** | 5 | 196 | 201 |

Como antes, nosso cálculo é feito a partir da coluna esquerda, porque estamos interessados apenas nas pessoas que tiveram resultado positivo pela segunda vez.

## RESULTADO DO SEGUNDO EXAME

| | | Pos. | Neg. | |
|---|---|---|---|---|
| **Doença** | **Sim** | 1 | 0 | 1 |
| | **Não** | 4 | 196 | 200 |
| | **Total** | 5 | 196 | 201 |

Das 5 pessoas que tiveram resultado positivo pela segunda vez, 1 de fato tem a doença: $1/5 = 0,20$. Em outras palavras, a doença é tão rara que mesmo que seu exame dê positivo *duas vezes seguidas*, ainda assim só há 20% de chance de você tê-la, e portanto 80% de chance de não tê-la.

APÊNDICE   463

Mas o que dizer dos efeitos colaterais? Se começássemos a dar meu fictício clorohidroxelene, com seus 20% de efeitos colaterais, a todo mundo que teve resultado positivo pela segunda vez, 20% dessas pessoas, ou 1, sofreriam efeitos colaterais. Por isso, embora seja improvável que você tenha a doença, também é improvável que perca todo seu cabelo. Para 5 que façam o tratamento, 1 será curada (porque realmente tem a doença) e 1 sofrerá os efeitos colaterais. Neste caso, com dois exames, você agora tem 4 vezes mais chance de se curar do que de sofrer os efeitos colaterais, uma boa reversão do que vimos antes.

Podemos levar a estatística bayesiana um passo além. Digamos que um estudo recém-publicado demonstra que, se você é mulher, terá dez vezes mais chance de contrair a doença do que se fosse homem. Você pode fazer uma nova tabela para levar em conta esta nova informação e refinar a estimativa de que, de fato, tem a doença.

O cálculo da probabilidade na vida real tem aplicações muito além dos assuntos médicos. Perguntei a Steve Wynn, que é dono de cinco cassinos (nos seus hotéis Wynn e Encore, em Las Vegas, e no Wynn, Encore and Palace, em Macau): "Não dói nem um pouquinho ver os clientes saindo com as mãos cheias do seu dinheiro?".

"Fico sempre satisfeito quando vejo as pessoas ganharem. Isso cria uma baita excitação no cassino."

"Sério? O dinheiro é seu. Às vezes as pessoas saem daqui com *milhões*."

"Em primeiro lugar, você sabe que ganhamos muito mais do que pagamos. Segundo, geralmente recuperamos o dinheiro. Em todos esses anos, nunca vi um grande ganhador ir embora assim. Eles voltam ao cassino e jogam com o dinheiro que ganharam, e normalmente recuperamos tudo. O motivo de estarem ali, antes de mais nada, é que, como a maioria das pessoas com uma mania particular, como golfe ou vinhos finos, eles gostam mais do jogo do que do dinheiro. Ganhar lhes dá capital para jogar, sem que precisem assinar nenhum cheque. As pessoas perdem 100 cents por dólar e ganham 99 cents por dólar. Esse 1% é a nossa margem."

O valor esperado de uma aposta num cassino sempre favorece a casa. Mas existe uma psicologia do jogo que leva os ganhadores, que *poderiam* ir embora com uma fortuna, a ficar até perder tudo. Ainda assim, se todos os ganhadores de fato fossem embora, as chances, a longo prazo, ainda favoreceriam a casa. O que nos leva às garantias estendidas de artigos como impressoras a laser, computadores, aspiradores de pó e aparelhos de DVD. As grandes lojas nos empurram essas garantias, aproveitando-se de nossa relutância muito natural em pagar caro por consertos de um artigo que acabamos de comprar. Elas prometem consertos "sem preocupação", a uma taxa especial. Mas não se enganem — isso não é um serviço movido pela generosidade do vendedor, mas um empreendimento para ganhar dinheiro. Para muitas lojas, o lucro não vem de vender o artigo original, mas de vender as garantias.

Essas garantias são quase sempre um mau negócio para você e um bom negócio para a "casa". Se existe uma chance de 10% de que você vai usá-la, o que lhe poupará trezentos dólares de conserto, então seu valor esperado é de trinta dólares. Se estiverem cobrando noventa dólares pela garantia, isto é, sessenta dólares a mais, então terão lucro certo. Eles tentam nos envolver com afirmações como "se der defeito, o custo mínimo do conserto será de duzentos dólares. A garantia só custa noventa dólares, assim você está levando muita vantagem". Mas não se deixe enganar. *Você* só leva vantagem se for um dos 10% que vão precisar do conserto. Nas outras vezes, são *eles* que levam vantagem. A tomada de decisão médica não é diferente. Você pode aplicar cálculos prováveis de valor aos custos e benefícios de várias opções de tratamento. Existem métodos estritamente matemáticos para calcular esses valores, é claro — não há nada de mágico em utilizar essas tabelas de contingência. Muitas pessoas as preferem, no entanto, porque elas servem como base hipotética para organizar a informação, permitindo uma amostra visual fácil dos números, o que por sua vez ajuda a encontrar erros que você possa ter cometido no processo. Na verdade, grande parte dos conselhos neste livro sobre como se manter organizado se reduz a implementar serviços que nos ajudarão a captar erros quando os cometemos, ou a nos recuperar dos erros que inevitavelmente cometemos.

# NOTAS

## Observação sobre as notas

Os cientistas ganham a vida avaliando provas e depois chegando a conclusões provisórias que têm como base o peso dessas provas. Digo "provisórias" porque reconhecemos a possibilidade de que dados novos possam surgir e desafiar suposições e entendimentos válidos até o momento. Ao avaliar trabalhos já publicados, os cientistas precisam levar em consideração coisas como a qualidade do experimento (e dos pesquisadores), a qualidade do processo avaliativo ao qual o trabalho foi submetido e o poder elucidativo desse mesmo trabalho. Parte dessa avaliação inclui a consideração de explicações alternativas e de descobertas contraditórias, assim como a formulação de uma conclusão (preliminar) sobre tudo o que dizem os dados existentes. Para muitas afirmações é possível encontrar inúmeras publicações na literatura de pesquisa que contradizem ou confirmam ideias já concebidas; nunca uma só pesquisa dá conta de toda a história. "Escolher dados a dedo" para se chegar a uma conclusão é considerado um dos pecados capitais da ciência.

Neste livro, em que cito vários artigos científicos que endossam algum ponto em particular, apresento-os como exemplos de trabalhos que dão suporte a esse ponto, e não como uma lista completa nem definitiva. Sempre que possível, e da melhor forma que minhas habilidades me permitiram, embora só estejam incluídos aqui os trabalhos que julguei mais relevantes, analisei uma boa quantidade de artigos a fim de entender o peso das provas sobre determinados assuntos. Relacionar todos os artigos que li

466 **A MENTE ORGANIZADA**

tornaria o capítulo de Notas dez vezes maior e outras tantas vezes menor em utilidade para o leitor leigo.

**INTRODUÇÃO [pp. 9-23]**

1. S. D. Goldinger, "Echoes of echoes? An episodic theory of lexical access". *Psychological Review*, v. 105, n. 2, 1998, p. 251; D. L. Hintzman, "Judgments of frequency and recognition memory in a multiple-trace memory model". *Psychological Review*, v. 95, n. 4, 1988, p. 528; S. Magnussen, M. W. Greenlee, P. M. Alasken & O. Ø. Kildebo, "High-fidelity perceptual long-term memory revisited — and confirmed". *Psychological Science*, v. 14, n. 1, 2003, pp. 74-76; L. Nadel, A. Samsonovich, L. Ryan & M. Moscovitch, "Multiple trace theory of human memory: computational, neuroimaging, and neuropsychological results". *Hippocampus*, v. 10, n. 4, 2000, pp. 352-368.

2. L. R. Goldberg, "The structure of phenotypic personality traits". *American Psychologist*, Washington, v. 48, n. 1, 1993, pp. 26-34.

3. F. L. Schmidt & J. E. Hunter, "The validity and utility of selection methods in personnel psychology: Practical and theoretical implications of 85 years of research findings". *Psychological Bulletin*, v. 124, n. 2, 1998, pp. 262-274.

4. M. L. Kern & H. S. Friedman, "Do conscientious individuals live longer? A quantitative review". *Health Psychology*, v. 27, n. 5, 2008, pp. 505-512; A. Terracciano, C. E. Löckenhoff, A. B. Zonderman, L. Ferrucci & P. T. Costa, "Personality predictors of longevity: Activity, emotional stability, and conscientiousness". *Psychosomatic Medicine*, v. 70, n. 6, 2008, pp. 621-627.

5. S. E. Hampson, L. R. Goldberg, T. M. Vogt & J. P. Dubanoski, "Mechanisms by which childhood personality traits influence adult health status: Educational attainment and healthy behaviors". *Health Psychology*, v. 26, n. 1, 2007, pp. 121-125.

6. M. R. Barrick & M. K. Mount, "The big five personality dimensions and job performance: A meta-analysis". *Personnel Psychology*, v. 44, n. 1, 1991, pp. 1-26; B. W. Roberts, O. S. Chernyshenko, S. Stark & L. R. Goldberg, "The structure of conscientiousness: An empirical investigation based on seven major personality questionnaires". *Personnel Psychology*, v. 58, n. 1, 2005, pp. 103-139.

7. F. Kamran, "Does conscientiousness increase quality of life among renal transplant recipients?". *International Journal of Research Studies in Psychology*, v. 3, n. 2, 2013, pp. 3-13.

8. H. S. Friedman, J. S. Tucker, J. E. Schwartz, L. R. Martin, C. Tomlinson-Keasey, D. L. Wingard & M. H. Criqui, "Childhood conscientiousness and longevity: Health behaviors and cause of death". *Journal of Personality and Social Psychology*, v. 68, n. 4, 1995, pp. 696-703; H. S. Friedman, J. S. Tucker, J. E. Schwartz, L. R. Martin, C. Tomlinson-Keasey, D. L. Wingard & M. H. Criqui, "Does childhood personality predict longevity?". *Journal of Personality and Social Psychology*, v. 65, n. 1, 1993, pp. 176-185.

**NOTAS** 467

9. L. R. Goldberg, documentos pessoais, 13 maio 2013; M. Gurven, C. von Rueden, M. Massenkoff, H. Kaplan & M. Lero Vie, "How universal is the Big Five? Testing the five-factor model of personality variation among forager-farmers in the Bolivian Amazon". *Journal of Personality and Social Psychology*, v. 104, n. 2, 2013, pp. 354-370.

### CAPÍTULO 1 [pp. 27-64]

1. H. Simon, "Part IV". *Models of man*. Nova York: Wiley, 1957, pp. 196-279.
2. J. Nye, "Billionaire Warren Buffet still lives in modest Omaha home he bought for $31,500 in 1958". *Daily Mail*, 21 jan. 2013.
3. S. Waldman, "The tyranny of choice: Why the consumer revolution is ruining your life". *The New Republic*, 27 jan. 1992, pp. 22-25.
4. J. Trout, "Differentiate or die". *Forbes*, 5 dez. 2005.
5. G. F. Knolmayer, P. Mertens, A. Zeier & J. T. Dickersbach, "Supply chain management case studies". *Supply Chain Management Based on SAP Systems: Architecture and Planning Processes*. Berlim: Springer, 2009, pp. 161-188.
6. K. D. Vohs, R. F. Baumeister, B. J. Schmeichel, J. M. Twenge, N. M. Nelson & D. M. Tice, "Making choices impairs subsequent self-control: A limited-resource account of decision-making, self-regulation, and active initiative". *Journal of Personality and Social Psychology*, v. 94, n. 5, 2008, pp. 883-898.
7. D. Overbye, "Mystery of big data's parallel universe brings fear, and a thrill". *The New York Times*, 5 jun. 2012, p. D3.
8. R. Alleyne, "Welcome to the information age — 174 newspapers a day". *The Telegraph*, 11 fev. 2011; B. Lebwohl, Martin Hilbert, "All human information, stored on CD, would reach beyond the moon". *EarthSky*, 10 fev. 2011. Disponível em: <earthsky.org>.
9. R. E. Bohn & J. E. Short, "How much information? 2009 report on American consumers". (Global Information Industry Center Report), 2010. Disponível em: <hmi.ucsd.edu>.
10. P. Lyman, H. R. Varian, K. Swearingen, P. Charles, N. Good, L. L. Jordan & J. Pal, "How much information? 2003". (University of California at Berkeley School of Information Management Report, 2003.) Disponível em: <www2.sims.berkeley.edu>; M. Hilbert, "How to measure 'how much information'? Theoretical, methodological, and statistical challenges for the social sciences". *International Journal of Communication*, v. 6, 2012, pp. 1042-1055.
11. Q. Hardy, "Today's webcams see all (tortoise, we're watching your back)". *The New York Times*, 8 jan. 2014, p. A1.
12. G. Nunberg, "James Gleick's history of information". *The New York Times Sunday Book Review*, 20 mar. 2011, p. BR1.
13. Esta estimativa é dada de forma independente por Csikszentmihalyi (2007) e por Robert Lucky, engenheiro do Bell Laboratories, que afirmam que, a despeito da modalidade, o córtex não pode absorver mais do que 50 bits/segundo — dentro de uma ordem de magnitude de Csikszentmihalyi, que explica sua estimativa: "Con-

## 468  A MENTE ORGANIZADA

forme sugerido por George Miller e outros, podemos processar 5-7 bits de informação numa única apercepção; cada apercepção demora pelo menos 1/15 de segundo; ou seja, 7 × 15 = 105 bits/segundo. Nusbaum calculou que, para entendermos questões ligadas a verbos, utilizamos, em média, cerca 60 bits/segundo. Ver M. Csikszentmihalyi & J. Nakamura, "Effortless attention in everyday life: A systematic phenomenology". B. Bruya (Org.), *Effortless attention: A new perspective in the cognitive science of attention and action*. Cambridge: MIT Press, 2010, pp. 179-189; M. Csikszentmihalyi, "Music and optimal experience". G. Turow (dir.), *Music, rhythm and the brain*. Simpósio apresentado durante reunião do Instituto Stanford de Arte e Criatividade, Centro de Artes, Ciência e Tecnologia de Stanford, maio 2007; M. Csikszentmihalyi, comunicação pessoal, 8 nov. 2013; R. Lucky, *Silicon dreams: Information, man, and machine*. Nova York: St. Martin's Press, 1989; M. Rajman & V. Pallota, *Speech and language engineering (Computer and Communication Sciences)*. Lausanne: EPFL Press, 2007.

14. M. Csikszentmihalyi, "Music and optimal experience". G. Turow (dir.), *Music, rhythm and the brain*. Simpósio apresentado durante reunião do Instituto Stanford de Arte e Criatividade, Centro de Artes, Ciência e Tecnologia de Stanford, maio 2007. Igualmente, não é de admirar que procuremos por música com tanta determinação. A música é um caso raro em que somos capazes de atender mais de duas pessoas de uma vez, por causa da estrutura da harmonia e da forma pela qual as pessoas conseguem tocar música *juntas* sem causar qualquer impacto ao seu entendimento.

15. D. C. Dennett, "The cultural evolution of words and other thinking tools". *Cold Spring Harbor Symposia on Quantitative Biology*, v. 74, 2009, pp. 435-441; P. MacCready, "An ambivalent Luddite at a technological feast". Disponível em: <www.designfax.net/archives/0899/899trl_2.Asp>, 1999.

16. A. Mack & I. Rock; *Inattentional blindness*. Cambridge: MIT Press, 1998.

17. C. F. Chabris & D. J. Simons, *The invisible gorilla: And other ways our intuitions deceive us*. Nova York: Penguin Random House, 2011.

18. A. M. Blair, *Too much to know: Managing scholarly information before the modern age*. New Haven: Yale University Press, 2010.

19. Citação direta de E. Rosch, "Principles of categorization". E. Rosch & B. B. Lloyd (Orgs.), *Cognition and categorization*. Hillsdale, NJ: Lawrence Erlbaum Associates, 1978, pp. 27-48.

20. Citação direta de B. Bryson, *At home: A short history of private life*. Nova York: Doubleday, 2010, p. 34.

21. Citação indireta de A. Wright, *Glut: Mastering information through the ages*. Ithaca: Cornell University Press, 2008, p. 49.

22. V. G. Childe, *Man makes himself*. Nova York: New American Library, 1951.

23. Citação direta de A. Wright, *Glut: Mastering information through the ages*. Ithaca: Cornell University Press, 2008, p. 49.

24. Citação direta de B. Bryson, *At home: A short history of private life*. Nova York: Doubleday, 2010, p. 34.

25. A.Wright, *Glut: Mastering information through the ages*. Ithaca: Cornell University Press, 2008, p. 6.

26. N. Postman, *Technopoly: The surrender of culture to technology*. Nova York: Vintage, 1993, p. 74. Talvez Thamus estivesse prevendo o mundo de George Orwell, em *1984*, no qual os textos eram editados retroativamente ou censurados para se adequarem a uma versão oficial dos fatos em constante mudança por parte do governo.

27. A. M. Blair, *Too much to know: Managing scholarly information before the modern age*. New Haven, CT: Yale University Press, 2010, p. 17.

28. A. M. Blair, *Too much to know: Managing scholarly information before the modern age*. New Haven: Yale University Press, 2010, p. 15.

29. A. M. Blair, *Too much to know: Managing scholarly information before the modern age*. New Haven: Yale University Press, 2010.

30. A. M. Blair, *Too much to know: Managing scholarly information before the modern age*. New Haven: Yale University Press, 2010.

31. A. M. Blair, *Too much to know: Managing scholarly information before the modern age*. New Haven: Yale University Press, 2010. Sobre livros em demasia para ler, ver também J. Queenan, *One for the books*. Nova York: Viking, 2013.

32. J. Greenstein, "Effect of television upon elementary school grades". *The Journal of Educational Research*, v. 48, n. 3, 1954, pp. 161-176; E. E. Maccoby, "Television: Its impact on school children". *Public Opinion Quarterly*, v. 15, n. 3, 1951, pp. 421--444; J. Scheuer, "The sound bite society". *New England Review*, v. 14, n. 4, 1992, pp. 264-267; P. Witty, "Children's, parents' and teachers' reactions to television". *Elementary English*, v. 27, n. 6, 1950, pp. 349-355, 396.

33. W.J. Cromie, "Computer addiction is coming on-line". *Harvard Gazette*, 21 jan. 1999; H. J. Shaffer, M. N. Hall & J. Vander Bilt, "Computer addiction: A critical consideration". *American Journal of Orthopsychiatry*, v. 70, n. 2, 2000, pp. 162-168.

34. A. Cockrill, M. Sullivan & H. L. Norbury, "Music consumption: Lifestyle choice or addiction". *Journal of Retailing and Consumer Services*, v. 18, n. 2, 2011, pp. 160--166; P. McFedries, "Technically speaking: The iPod people". IEEE *Spectrum*, v. 42, n. 2, 2005, p. 76; H. L. Norbury, A study of Apple's iPod: iPod addiction: Does it exist?. Dissertação de mestrado. País de Gales: Swansea University, 2008.

35. G. Aldridge, "Girl aged four is Britain's youngest-known iPad addict". *Daily Mirror*, 21 abr. 2013; J. L. Smith, "Switch off — it's time for your digital detox". *The Telegraph*, 28 dez. 2013.

36. A. Lincoln, "FYI: TMI: Toward a holistic social theory of information overload". *First Monday*, v. 16, n. 3, 2011; C. Taylor, "12 steps for e-mail addicts". *Time*, 3 jun. 2002.

37. P. Hemp, "Death by information overload". *Harvard Business Review*, v. 87, n. 9, 2009, pp. 82-89; H. Khang, J. K. Kim & Y. Kim, "Self-traits and motivations as antecedents of digital media flow and addiction: The Internet, mobile phones, and video games". *Computers in Human Behavior*, v. 29, n. 6, 2013, pp. 2416-2424; S.

# 470 A MENTE ORGANIZADA

A. Saaid, N. A. A. Al-Rashid & Z. Abdullah, "The impact of addiction to Twitter among university students"; J. J. Park, I. Stojmenovic, M. Choi & F. Xhafa (Orgs.), *Lecture notes in electrical engineering*, v. 276: *Future information technology*. Nova York: Springer, 2014, pp. 231-236.

38. S. Pinker, "Mind over mass media". *The New York Times*, 11 jun. 2010, p. A31; A. Saenz, *How social media is ruining your mind*, 13 dez. 2011. Disponível em: <singularityhub.com>.

39. Citação de Brian Ogilvie, apud A. M. Blair, *Too much to know: Managing scholarly information before the modern age*. New Haven: Yale University Press, 2010, p. 12.

40. United States Department of Agriculture, s.d. Disponível em: <www.usda.gov>.

41. Fairchild Tropical Botanical Garden, Coral Gables, 2011.

42. J. Jowit, "Scientists prune list of world's plants". *The Guardian*, 19 set. 2010; D. R. Headrick, *When information came of age: Technologies of knowledge in the age of reason and revolution: 1700-1850*. Nova York: Oxford University Press, 2000, p. 20.

43. Busca na internet: Google Scholar, 8 fev. 2012. Disponível em: <scholar.google.com> Observação: Entre o tempo da escrita e o da publicação original deste livro, o número de artigos sobre o assunto aumentou para 58 600.

44. P. Lyman, H. R. Varian, K. Swearingen, P. Charles, N. Good, L. L. Jordan & J. Pal, *How much information?* Berkeley: University of California at Berkeley School of Information Management Report, 2003. Disponível em: <www2.sims.berkeley.edu>.

45. A. Wright, *Glut: Mastering information through the ages*. Ithaca: Cornell University Press, 2008, p. 6.

46. Na literatura acadêmica, normalmente chamada de *rede de saliência* ou *sistema de orientação*.

47. Na literatura acadêmica, normalmente se diz usar uma abordagem de cima para baixo e, em especial, usar o sistema de *alerta*.

48. I. Illich, *Shadow work*. Londres: Marion Boyars, 1981; C. Lambert, "Our unpaid, extra shadow work". *The New York Times*, 30 out. 2011, p. SR12.

49. F. Manjoo, "A wild idea: Making our smartphones last longer", 13 mar. 2014, *The New York Times*, p. B1.

50. Isso não aconteceu com os nossos ancestrais. Nossos avós aprenderam a escrever com papel e caneta, e talvez, a datilografar. E a forma como o papel e a caneta funcionavam não mudou durante séculos. Nossos avós não precisavam aprender a usar uma caneta nova a cada punhado de anos, nem a escrever em superfícies diferentes.

51. C. Turner, *Organizing information: Principles and practice*. Londres: Clive Bingley, 1987, p. 2.

52. R. Baillargeon, E. S. Spelke & S. Wasserman, "Object permanence in five-month--old infants". *Cognition*, v. 20, n. 3, 1985, pp. 191-208; Y. Munakata, J. L. McClelland, M. H. Johnson & R. S. Siegler, "Rethinking infant knowledge: Toward an adaptive process account of successes and failures in object permanence tasks". *Psychological Review*, v. 104, n. 4, 1997, pp. 686-713.

**NOTAS**  471

53. S. C. Levinson, "Kinship and human thought". *Science*, v. 336, n. 6084, 2012, pp. 988-989.

54. S. C. Levinson, "Kinship and human thought". *Science*, v. 336, n. 6084, 2012, pp. 988-989.

55. T. R. Trautmann, *Lewis Henry Morgan and the invention of kinship*. Lincoln: University of Nebraska Press, 2008.

56. G. D. Wilson, *Variant sexuality: Research and theory*. Baltimore: The Johns Hopkins University Press, 1987.

57. S. Atran, *Cognitive foundations of natural history: Towards an anthropology of science*. Nova York: Cambridge University Press, 1990.

58. S. Atran, *Cognitive foundations of natural history: Towards an anthropology of science*. Nova York: Cambridge University Press, 1990, p. 216.

59. B. Bryson, *At home: A short history of private life*. Nova York: Doubleday, 2010, p. 37.

### CAPÍTULO 2 [pp. 65-106]

1. J. W. Schooler, E. D. Reichle & D. V. Halpern, "Zoning out while reading: Evidence for dissociations between experience and metaconsciousness". D. T. Levin (Org.), *Thinking and seeing: Visual metacognition in adults and children*. Cambridge: MIT Press, 2004.

2. Em especial a ínsula. V. Menon & L. Q. Uddin, "Saliency, switching, attention and control: A network model of insula function". *Brain Structure and Function*, v. 214, n. 5-6, 2010, pp. 655-667; J. R. Andrews-Hanna, J. S. Reidler, J. Sepulcre, R. Poulin & R. L. Buckner, "Functional-anatomic fractionation of the brain's default network". *Neuron*, v. 65, n. 4, 2010, pp. 550-562; A. D'Argembeau, F. Collette, M. Van der Linden, S. Laureys, G. Del Fiore, C. Degueldre, E. Salmon et al., "Self-referential reflective activity and its relationship with rest: A PET study". *NeuroImage*, v. 25, n. 2, 2005, pp. 616-624; D. A. Gusnard & M. E. Raichle, "Searching for a baseline: Functional imaging and the resting human brain". *Nature Reviews Neuroscience*, v. 2, n. 10, 2001, pp. 685-694; A. I. Jack, A. J. Dawson, K. L. Begany, R. L. Leckie, K. P. Barry, A. H. Ciccia & A. Z. Snyder, "fMRI reveals reciprocal inhibition between social and physical cognitive domains". *NeuroImage*, v. 66, 2013, pp. 385-401; W. M. Kelley, C. N. Macrae, C. L. Wyland, S. Caglar, S. Inati & T. F. Heatherton, "Finding the self? An event-related fMRI study". *Journal of Cognitive Neuroscience*, v. 14, n. 5, 2002, pp. 785-794; M. E. Raichle, A. M. MacLeod, A. Z. Snyder, W. J. Powers, D. A. Gusnard & G. L. Shulman, "A default mode of brain function". *Proceedings of the National Academy of Sciences*, v. 98, n. 2, 2001, pp. 676-682; B. Wicker, P. Ruby, J. P. Royet & P. Fonlupt, "A relation between rest and the self in the brain?". *Brain Research Reviews*, v. 43, n. 2, 2003, pp. 224-230. Observação: tarefas que exigem raciocínio mecânico ou objetos no mundo ativam a rede de dedicação à tarefa, ou rede executiva central.

3. M. E. Raichle, A. M. MacLeod, A. Z. Snyder, W. J. Powers, D. A. Gusnard & G. L. Shulman, "A default mode of brain function". *Proceedings of the National Academy of Sciences*, v. 98, n. 2, 2001, pp. 676-682.

472 **A MENTE ORGANIZADA**

4. M. E. Raichle, A. M. MacLeod, A. Z. Snyder, W. J. Powers, D. A. Gusnard & G. L. Shulman, "A default mode of brain function". *Proceedings of the National Academy of Sciences*, v. 98, n. 2, 2001, pp. 676-682.

5. Na literatura acadêmica, o que chamo de *modo devaneio* refere-se ao *modo repouso* ou rede antitarefa, enquanto o executivo central refere-se à rede *pró-tarefa*.

6. J. R. Binder, J. A. Frost, T. A. Hammeke, P. S. Bellgowan, S. M. Rao & R. W. Cox, "Conceptual processing during the conscious resting state: A functional MRI study". *Journal of Cognitive Neuroscience*, v. 11, n. 1, 1999, pp. 80-93; M. Corbetta, G. Patel & G. Shulman, "The reorienting system of the human brain: From environment to theory of mind". *Neuron*, v. 58, n. 3, 2008, pp. 306-324; M. D. Fox, A. Z. Snyder, J. L. Vincent, M. Corbetta, D. C. Van Essen & M. E. Raichle, "The human brain is intrinsically organized into dynamic, anticorrelated functional networks". *Proceedings of the National Academy of Sciences*, v. 102, n. 27, 2005, pp. 9673-9678; B. Mazoyer, L. Zago, E. Mellet, S. Bricogne, O. Etard, O. Houde, N. Tzourio-Mazoyer, "Cortical networks for working memory and executive functions sustain the conscious resting state in man". *Brain Research Bulletin*, v. 54, n. 3, 2001, pp. 287-298; G. L. Shulman, J. A. Fiez, M. Corbetta, R. L. Buckner, F. M. Miezin, M. E. Raichle & S. E. Petersen, "Common blood flow changes across visual tasks: II. Decreases in cerebral cortex". *Journal of Cognitive Neuroscience*, v. 9, n. 5, 1997, pp. 648-663.

7. V. Menon & L. Q. Uddin, "Saliency, switching, attention and control: A network model of insula function". *Brain Structure and Function*, v. 214, n. 5-6, 2010, pp. 655-667.

8. Estou aqui, em nome da clareza e da simplicidade, reunindo o que a literatura neurocientífica considera três sistemas diferentes: o filtro propriamente dito, o detector de saliência (também chamado de sistema de orientação ou reorientação) e o modo de alerta ou vigilância. Essas distinções são importantes para os neurocientistas, mas não para os leigos.

9. M. D. Greicius, B. Krasnow, A. L. Reiss & V. Menon, "Functional connectivity in the resting brain: A network analysis of the default mode hypothesis". *Proceedings of the National Academy of Sciences*, v. 100, n. 1, 2003, pp. 253-258.

10. D. Sridharan, D. J. Levitin & V. Menon, "A critical role for the right fronto-insular cortex in switching between central-executive and default-mode networks". *Proceedings of the National Academy of Sciences*, v. 105, n. 34, 2008, pp. 12569-12574. A ínsula também tem relação com a atenção, uma vez que ajuda a regular as necessidades físicas e emocionais. As necessidades costumam sinalizar uma perda de homeostase, e pode ser importante estarmos cientes disso — sentir fome ou sede são exemplos óbvios, bem como a necessidade de proteína ou de um ambiente mais fresco. Só que uma atenção contínua requer a supressão dessas necessidades. Alguns de nós são melhores do que outros nisso — com alguns de nós, a determinação leva a melhor, e acabamos sentindo desconforto físico; com outros, as necessidades ganham, e acabamos fazendo inúmeras incursões à geladeira quando, na verdade, deveríamos estar trabalhando. A ínsula ajuda a equilibrar essas necessidades conflitantes, e parte do seu trabalho é enviar sinais até a consciência quando as necessidades aumentam. Pessoas com danos

# NOTAS 473

cerebrais na região da ínsula que estão tentando deixar de fumar sentem mais facilidade de abandonar o vício, pois as necessidades não são transmitidas à consciência. N. H. Naqvi, D. Rudrauf, H. Damasio & A. Bechara, "Damage to the insula disrupts addiction to cigarette smoking". *Science*, v. 315, n. 5811, 2007, pp. 531-534.

11. M. Corbetta, G. Patel & G. L. Shulman, "The reorienting system of the human brain: From environment to theory of mind". *Neuron*, v. 58, n. 3, 2008, pp. 306-324; G. L. Shulman & M. Corbetta, "Two attentional networks: Identification and function within a larger cognitive architecture". M. Posner (Org.), *The cognitive neuroscience of attention*. 2. ed. Nova York: Guilford Press, 2014, pp. 113-128. Como alternativa, ver também J. J. Geng & S. Vossel, "Re-evaluating the role of TPJ in attentional control: Contextual updating?". *Neuroscience & Biobehavioral Reviews*, v. 37, n. 10, 2013, pp. 2608-2620.

12. M. L. Meyer, R. P. Spunt, E. T. Berkman, S. E. Taylor & M. D. Lieberman, "Evidence for social working memory from a parametric functional MRI study". *Proceedings of the National Academy of Sciences*, v. 109, n. 6, 2012, pp. 1883-1888.

13. D. C. Dennett, *Consciousness explained*. Nova York: Little, Brown and Company, 1991.

14. A clássica descoberta de George Miller, em 1956, que foi ensinada durante décadas, de que a atenção está limitada a 7 ± 2 itens, está abrindo espaço na neurociência contemporânea para uma visão mais restrita de apenas quatro itens. N. Cowan, "Capacity limits and consciousness". T. Baynes, A. Cleeremans & P. Wilken (Orgs.), *Oxford companion to consciousness*. Nova York: Oxford University Press, 2009, pp. 127-130; N. Cowan, "The magical mystery four: How is working memory capacity limited, and why?". *Current Directions in Psychological Science*, v. 19, n. 1, 2010, pp. 51-57.

15. Neurocientistas cognitivos reconhecem um quinto componente, o modo alerta ou vigilante. Em termos conceituais, ele é diferente do filtro de atenção, mas, para o objetivo desta discussão, estou tratando do assunto como um caso especial do modo tarefa, em que a tarefa significa pesquisa ou vigilância. É este o estado em que você se encontra quando está em vigilância contínua — o estado de repouso é substituído por outro estado, que envolve preparação para detectar e responder a um sinal esperado. Fazemos isso quando estamos aguardando que o telefone toque, que o sinal de trânsito abra ou que o outro sapato caia. Isso se caracteriza por um alto sentido de alerta, de sensibilidade sensorial e excitação.

16. V. Menon & L. Q. Uddin, "Saliency, switching, attention and control: A network model of insula function". *Brain Structure and Function*, v. 214, n. 5-6, 2010, pp. 655-667.

17. M. Corbetta, G. Patel & G. L. Shulman, "The reorienting system of the human brain: From environment to theory of mind". *Neuron*, v. 58, n. 3, 2008, pp. 306-324.

18. D. Kapogiannis, D. A. Reiter, A. A. Willette & M. P. Mattson, "Posteromedial cortex glutamate and GABA predict intrinsic functional connectivity of the default mode network". *NeuroImage*, v. 64, 2013, pp. 112-119.

19. P. Baldinger, A. Hahn, M. Mitterhauser, G. S. Kranz, M. Friedl, W. Wadsak, R. Lanzenberger et al., "Impact of COMT genotype on serotonin-1A receptor binding investigated with PET". *Brain Structure and Function*, 2013, pp. 1-12.

20. R. Bachner-Melman, C. Dina, A. H. Zohar, N. Constantini, E. Lerer, S. Hoch, R. P. Ebstein, "AVPR1A and SLC6A4 gene polymorphisms are associated with creative dance performance". PLOS *Genetics*, v. 1, n. 3, 2005, p. e42; R. P. Ebstein, S. Israel, S. H. Chew, S. Zhong & A. Knafo, "Genetics of human social behavior". *Neuron*, v. 65, n. 6, 2010, pp. 831-844.
21. M. I. Posner & J. Fan, "Attention as an organ system". J. R. Pomerantz (Org.), *Topics in integrative neuroscience: From cells to cognition*. Nova York: Cambridge University Press, 2008, pp. 31-61.
22. M. Sarter, B. Givens & J. P. Bruno, "The cognitive neuroscience of sustained attention: Where top-down meets bottom-up". *Brain Research Reviews*, v. 35, n. 2, 2001, pp. 146-160.
23. W. M. Howe, A. S. Berry, J. Francois, G. Gilmour, J. M. Carp, M. Tricklebank, M. Sarter, "Prefrontal cholinergic mechanisms instigating shifts from monitoring for cues to cue-guided performance: Converging electrochemical and fMRI evidence from rats and humans". *The Journal of Neuroscience*, v. 33, n. 20, 2013, pp. 8742--8752; M. Sarter, B. Givens & J. P. Bruno, "The cognitive neuroscience of sustained attention: Where top-down meets bottom-up". *Brain Research Reviews*, v. 35, n. 2, 2001, pp. 146-160; M. Sarter & V. Parikh, "Choline transporters, cholinergic transmission and cognition". *Nature Reviews Neuroscience*, v. 6, n. 1, 2005, pp. 48-56.
24. W. M. Howe, A. S. Berry, J. Francois, G. Gilmour, J. M. Carp, M. Tricklebank, M. Sarter et al., "Pre-frontal cholinergic mechanisms instigating shifts from monitoring for cues to cue-guided performance: Converging electrochemical and fMRI evidence from rats and humans". *The Journal of Neuroscience*, v. 33, n. 20, 2013, pp. 8742-8752.
25. M. Sarter & J. P. Bruno, "Cortical cholinergic inputs mediating arousal, attentional processing and dreaming: Differential afferent regulation of the basal forebrain by telencephalic and brainstem afferents". *Neuroscience*, v. 95, n. 4, 1999, pp. 933-952.

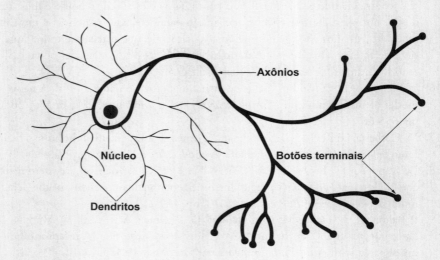

**NOTAS** 475

26. M. Sarter, comunicação pessoal, 23 dez. 2013.

27. E. A. Witte, M. C. Davidson & R. T. Marrocco, "Effects of altering brain cholinergic activity on covert orienting of attention: Comparison of monkey and human performance". *Psychopharmacology*, v. 132, n. 4, 1997, pp. 324-334.

28. V. Menon & L. Q. Uddin, "Saliency, switching, attention and control: A network model of insula function". *Brain Structure and Function*, v. 214, n. 5-6, 2010, p. 655-667.

29. Chamado sistema de *alerta* na maior parte da literatura neurocientífica, ex. M. I. Posner, *Attention in a social world*. Nova York: Oxford University Press, 2012.

30. R. T. Marrocco & M. C. Davidson, "Neurochemistry of attention". R. Parasuraman (Org.), *The attentive brain*. Cambridge: MIT Press, 1998, pp. 35-50. Para outra visão do assunto, ver também S. M. Clerkin, K. P. Schulz, J. M. Halperin, J. H. Newcorn, I. Ivanov, C. Y. Tang & J. Fan, "Guanfacine potentiates the activation of prefrontal cortex evoked by warning signals". *Biological Psychiatry*, v. 66, n. 4, 2009, pp. 307-312.

31. E. J. Hermans, H. J. van Marle, L. Ossewaarde, M. J. Henckens, S. Qin, M. T. van Kesteren & G. Fernández, "Stress-related noradrenergic activity prompts large-scale neural network reconfiguration". *Science*, v. 334, n. 6059, 2011, pp. 1151-1153; T. Frodl-Bauch, R. Bottlender & U. Hegerl, "Neurochemical substrates and neuroanatomical generators of the event-related P300". *Neuropsychobiology*, v. 40, n. 2, 1999, pp. 86-94.

32. L. C. Dang, J. P. O'Neil & W. J. Jagust, "Dopamine supports coupling of attention-related networks". *The Journal of Neuroscience*, v. 32, n. 28, 2012, pp. 9582-9587.

33. M. Corbetta, G. Patel & G. L. Shulman, "The reorienting system of the human brain: From environment to theory of mind". *Neuron*, v. 58, n. 3, 2008, pp. 306-324.

34. D. M. Wegner, "Transactive memory: A contemporary analysis of the group mind". B. Mullen & G. R. Goethals (Orgs.), *Theories of group behavior*. Nova York: Springer-Verlag, 1987, pp. 185-208.

35. D. M. Wegner, "Transactive memory: A contemporary analysis of the group mind". B. Mullen & G. R. Goethals (Orgs.), *Theories of group behavior*. Nova York: Springer-Verlag, 1987, pp. 185-208.

36. J. Harper (roteirista), "Like a redheaded stepchild" (episódio de série de TV). B. Heller (produtor executivo), *The Mentalist* (temporada 3, episódio 21). Los Angeles: CBS Television, 2011.

37. S. Diekelmann, C. Büchel, J. Born & B. Rasch, "Labile or stable: Opposing consequences for memory when reactivated during waking and sleep". *Nature Neuroscience*, v. 14, n. 3, 2011, pp. 381-386; K. Nader, G. E. Schafe & J. E. LeDoux, "Reply-Reconsolidation: The labile nature of consolidation theory". *Nature Reviews Neuroscience*, v. 1, n. 3, 2000, pp. 216-219.

38. D. L. Greenberg, "President Bush's false [flashbulb] memory of 9/11/01". *Applied Cognitive Psychology*, v. 18, n. 3, 2004, pp. 363-370; J. M. Talarico & D. C. Rubin,

"Confidence, not consistency, characterizes flashbulb memories". *Psychological Science*, v. 14, n. 5, 2003, pp. 455-461.

39. Em alguns casos, os primeiros e os últimos itens de uma lista são memorizados igualmente bem, e, em outros casos, os últimos itens são mais bem memorizados do que os primeiros. Essas diferenças se devem, principalmente, a duas variáveis: o tamanho da lista, ou se você está ou não decorando os itens à medida que se depara com eles. Com uma lista comprida e nenhum item decorado, o efeito da primazia diminui. Com uma lista intermediária e itens decorados, o efeito da primazia fica maior do que o efeito da recência, porque aqueles primeiros itens com que você se deparou são mais decorados e codificados do que os últimos.

40. E. F. Loftus & J. C. Palmer, "Reconstruction of automobile destruction: An example of the interaction between language and memory". *Journal of Verbal Learning and Verbal Behavior*, v. 13, n. 5, 1974, pp. 585-589.

41. K. Nader & O. Hardt, "A single standard for memory: The case for reconsolidation". *Nature Reviews Neuroscience*, v. 10, n. 3, 2009, pp. 224-234.

42. B. D. Perry & M. Szalavitz, *The boy who was raised as a dog and other stories from a child psychiatrist's notebook: What traumatized children can teach us about loss, love, and healing*. Nova York: Basic Books, 2006, p. 156.

43. E. Rosch, "Principles of categorization". E. Rosch & B. B. Lloyd (Orgs.), *Cognition and categorization*. Hillsdale: Lawrence Erlbaum Associates, 1978, pp. 27-48.

44. T. H. Irwin, *Aristotle's first principles*. Nova York: Oxford University Press, 1988; J. MacNamara, *Through the rearview mirror: Historical reflections on psychology*. Cambridge: MIT Press, 1999, p. 33; K. Vogt, "Ancient skepticism". E. N. Zalta (Org.), *The Stanford encyclopedia of philosophy*. Edição do inverno de 2011. Disponível em: <plato.stanford.edu/entries/skepticism-ncient>.

45. T. Maddox, jan. 2013. Palestra apresentada no sétimo encontro anual da Auditory Cognitive Neuroscience Society em Tucson, Arizona.

46. B. H. Ross & G. L. Murphy, "Food for thought: Cross-classification and category organization in a complex real-world domain". *Cognitive Psychology*, v. 38, n. 4, 1999, pp. 495-553.

47. S. Seung, *Connectome: How the brain's wiring makes us who we are*. Nova York: Houghton Mifflin Harcourt, 2012.

48. Embora a região precisa das atividades mentais varie de pessoa para pessoa, ela tende a ser estável em cada um, e limitada a uma região específica de seu cérebro.

49. L. Wittgenstein, *Philosophical investigations*. Nova York: John Wiley & Sons, 2010.

50. Sem surpresa alguma, a maioria não quis ver seu nome citado neste livro, mas a lista inclui vários ganhadores do Prêmio Nobel, cientistas de ponta, artistas e escritores, bem como os quinhentos principais executivos listados pela *Fortune* e políticos americanos.

51. S. Sandberg, "By the book: Sheryl Sandberg". *The New York Times Sunday Book Review*, 17 mar. 2013, p. BR8.

52. D. Allen, *Making it all work: Winning at the game of work and business of life*. Nova York: Penguin, 2008, p. 35.

## NOTAS 477

53. D. Allen, *Getting things done: The art of stress-free productivity*. Nova York: Penguin, 2002, p. 15.

54. D. Allen, *Getting things done: The art of stress-free productivity*. Nova York: Penguin, 2002.

55. R. Pirsig, *Lila: An inquiry into morals*. Nova York: Bantam, 1991.

56. R. Pirsig, *Lila: An inquiry into morals*. Nova York: Bantam, 1991.

57. Digamos que você precise telefonar para dez pessoas hoje. Você coloca o nome de cada pessoa e o número do telefone dela numa ficha, junto de um lembrete ou algumas anotações importantes sobre o que vocês precisam falar. No segundo telefonema, você fica sabendo de um problema de tempo que envolve a décima pessoa da sua lista. Você então simplesmente pega a ficha dessa pessoa e a coloca na frente. E com a sua lista de compras? Você a deixa na fila das suas obrigações para pegá-la no dia em que planeja sair para fazer compras, mas se, inesperadamente, acaba indo ao mercado antes, tira a lista da fila e a coloca na frente.

58. P. Simon, comunicação pessoal, 19 set. 2013.

59. J. R. Pierce, comunicação pessoal, 3 jan. 1999.

60. B. McKay & K. McKay, "The pocket notebooks of 20 famous men", 13 set. 2010. Disponível em: <www.artofmanliness.com/010/09/13/the-pocket-notebooks-of-20-famous-men>.

### CAPÍTULO 3 [pp. 109-149]

1. B. Bryson, *At home: A short history of private life*. Nova York: Doubleday, 2010, pp. 52-53; P. Steyn, "Changing times, changing palates: The dietary impacts of Basuto adaptation to new rulers, crops, and markets, 1830s-1966". C. Folke Ax, N. Brimnes, N. T. Jensen & K. Oslund (Orgs.), *Cultivating the colonies: Colonial states and their environmental legacies*. Columbus: Ohio University Press, 2011, pp. 214--236. Ver também J. Hopkins, *Extreme cuisine: The weird & wonderful foods that people eat*. North Clarendon: Tuttle Publishing, 2004.

2. B. Bryson, *At home: A short history of private life*. Nova York: Doubleday, 2010, p. 80.

3. B. Bryson, *At home: A short history of private life*. Nova York: Doubleday, 2010, pp. 56-61.

4. J. E. Arnold, A. P. Graesch, E. Ragazzini & E. Ochs, *Life at home in the twenty-first century: 32 families open their doors*. Los Angeles: Cotsen Institute of Archaeology Press at UCLA, 2012; S. C. Segerstrom & G. E. Miller, "Psychological stress and the human immune system: a meta-analytic study of 30 years of inquiry". *Psychological Bulletin*, v. 130, n. 4, 2004, pp. 601-630.

5. Esta é quase uma citação direta de R. Kolbert, "Spoiled rotten". *The New Yorker*, 2 jul. 2012.

6. B. Teitell, "Boxed in, wanting out". *The Boston Globe*, 10 jul. 2012.

7. P. Green, "The way we live: Drowning in stuff". *The New York Times*, 28 jun. 2012, p. D2.

8. C. Kirschbaum, O. T. Wolf, M. May, W. Wippich & D. H. Hellhammer, "Stress- and treatment-induced elevations of cortisol levels associated with impaired decla-

478 **A MENTE ORGANIZADA**

rative memory in healthy adults". *Life Sciences*, v. 58, n. 17, 1996, pp. 1475-1483; S. J. Lupien, N. P. V. Nair, S. Brière, F. Maheu, M. T. Tu, M. Lemay, M. J. Meaney, "Increased cortisol levels and impaired cognition in human aging: Implication for depression and dementia in later life". *Reviews in the Neurosciences*, v. 10, n. 2, 1999, pp. 117-140; S. Melamed, U. Ugarten, A. Shirom, L. Kahana, Y. Lerman & P. Froom, "Chronic burnout, somatic arousal and elevated salivary cortisol levels". *Journal of Psychosomatic Research*, v. 46, n. 6, 1999, pp. 591-598.

9. A. G. Maule, C. B. Schreck & S. L. Kaattari, "Changes in the immune system of coho salmon (Oncorhynchus kisutch) during the parr-to-smolt transformation and after implantation of cortisol". *Canadian Journal of Fisheries and Aquatic Sciences*, v. 44, n. 1, 1987, pp. 161-166.

10. Outras diferenciações no departamento de calças podem se dar pelas calças boca de sino, boot-cut, com fechamento por botões ou zíper, pré-lavadas, marmorizadas e assim por diante. Isto — assim como a lógica das pastas de arquivo — depende do número total de itens. Se a loja tem um estoque grande, faz sentido dividi-lo da forma como descrevi. Mas se você vai a uma boutique pequena, pode ser que eles tenham somente seis calças de todos os tipos em cada tamanho.

11. Entrevista com a chefe da seção de produtos MAC na Macy's de San Francisco (Union Square), em 30 dez. 2013, às 11h15 (seu nome não aparece porque ela não tem autorização para falar pela empresa). A informação também foi confirmada numa entrevista com o gerente adjunto.

12. E. Rosch, "Principles of categorization". E. Rosch & B. B. Lloyd (Orgs.), *Cognition and categorization*. Hillsdale: Lawrence Erlbaum Associates, 1978, pp. 27-48.

13. P. Lavenex, M. A. Steele & L. F. Jacobs, "Sex differences, but no seasonal variations in the hippocampus of food-caching squirrels: A stereological study". *The Journal of Comparative Neurology*, v. 425, n. 1, 2000, pp. 152-166.

14. L. Harrison, "Taxi drivers and the importance of 'The Knowledge'". *The Telegraph*, 6 ago. 2012; *No GPS! Aspiring London taxi drivers memorize a tangle of streets*. Arquivo de vídeo. NBC News, 11 abr. 2013. Disponível em: <www.nbcnews.com>.

15. E. A. Maguire, R. S. J. Frackowiak & C. D. Frith, "Recalling routes around London: Activation of the right hippocampus in taxi drivers". *The Journal of Neuroscience*, v. 17, n. 18, 1997, pp. 7103-7110; E. A. Maguire, D. G. Gadian, I. S. Johnsrude, C. D. Good, J. Ashburner, R. S. J. Frackowiak & C. D. Frith, "Navigation-related structural change in the hippocampi of taxi drivers". *Proceedings of the National Academy of Sciences*, v. 97, n. 8, 2000, pp. 4398-4403; E. A. Maguire, K. Woollett & H. J. Spiers, "London taxi drivers and bus drivers: A structural MRI and neuropsychological analysis". *Hippocampus*, v. 16, n. 12, 2006, pp. 1091-1101.

16. W. Deng, M. Mayford & F. H. Gage, "Selection of distinct populations of dentate granule cells in response to inputs as a mechanism for pattern separation in mice". *eLife*, v. 2, 2013, p. e00312.

17. J. Foer, *Moonwalking with Einstein: The art and science of remembering everything*. Nova York: Penguin, 2011.

18. S. M. Kosslyn & G. W. Miller, "A new map of how we think: Top brain/bottom brain". *The Wall Street Journal*, 18 out. 2013.

19. Joni Mitchell recorda: "Eu me lembro da primeira vez que assisti ao filme. Claro que gostei da fotografia, da história e do figurino. Mas quando Julie Christie foi até a porta da frente e pendurou a chave num gancho, pensei: 'Isso é uma coisa que eu posso fazer'. Ela colocou as chaves justamente num lugar onde não as perderia". J. Mitchell, comunicação pessoal, 4 out. 2013.

20. Disponível em: <www.keanmiles.com/key-holder.html>. Acesso em: 23 jan. 2014. Pode também ser encontrado em: <www.moderngent.com/j-me/his_hers_keyholders.Php>.

21. S. Dominus, "My moves speak for themselves". *The New York Times Sunday Magazine*, 26 jan. 2014, p. mm10.

22. S. Kosslyn, comunicação pessoal, ago. 2013.

23. Na mesma linha de raciocínio, peritos em eficiência recomendam deixar as coisas próximas de onde podemos precisar usá-las.

24. Conversa com o autor, 7 set. 2012.

25. Conversa com o autor, 3 jan. 2013.

26. L. Logan (roteirista), "Michael Jackson's lucrative legacy" (episódio de série de tv). J. Fagar (produtor executivo), *60 Minutes*. Nova York: cbs News, 2013.

27. Yoko Ono, "Lost Lennon Tapes". *Premiere Show* (entrevista). Westwood One Radio Network, 18 jan. 1988.

28. N. Cowan, "The magical mystery four: How is working memory capacity limited, and why?". *Current Directions in Psychological Science*, v. 19, n. 1, 2010, pp. 51-57; N. Cowan, "Capacity limits and consciousness". T. Bayne, A. Cleeremans & P. Wilken (Orgs.), *Oxford companion to consciousness*. Nova York: Oxford University Press, 2009, pp. 127-130.

29. Citação direta de D. Allen, *Making it all work: Winning at the game of work and the business of life*. Nova York: Penguin, 2008, p. 18.

30. D. Norman, *The design of everyday things: Revised and expanded edition*. Nova York: Basic Books, 2013.

31. Os quatro princípios cognitivos para organizar prateleiras e gavetas são: deixe os objetos de uso mais frequente em um lugar visível ou pelo menos à mão, e, da mesma forma, ponha as coisas de uso menos frequente fora de vista para que não o distraiam; guarde coisas parecidas no mesmo lugar; coloque no mesmo lugar as coisas que são utilizadas juntas, mesmo que não sejam similares; organize tudo hierarquicamente, sempre que possível.

32. Citação quase direta de S. Mutkoski (professor da Cornell School of Hotel Administration). Comunicação pessoal, 2 maio 2013.

33. Citação quase direta de S. Mutkoski (professor da Cornell School of Hotel Administration). Comunicação pessoal, 2 maio 2013.

34. P. R. Farnsworth, "Examinations in familiar and unfamiliar surroundings". *The Journal of Social Psychology*, v. 5, n. 1, 1934, pp. 128-129; S. M. Smith, "Remembering in and out of context". *Journal of Experimental Psychology: Human Learning*

480 **A MENTE ORGANIZADA**

*and Memory*, v. 5, n. 5, 1979, pp. 460-471; S. M. Smith & E. Vela, "Environmental context-dependent memory: A review and meta-analysis". *Psychonomic Bulletin & Review*, v. 8, n. 2, 2001, pp. 203-220.

35. Estou utilizando o termo de forma livre; o cérebro não foi projetado, ele evoluiu como uma coleção de módulos de processamento com um objetivo especial.

36. Por F. D. Jonas, patente americana n. 2305710 A, 1942. East Williston, NY. U. S. Patent and Trademark Office. Patentes relacionadas por Jonas e Oxford incluem US2935204, 2312717, 2308077, 2800907, 3667854 e 2318077, entre várias outras.

37. R. Creel, *How to set up an effective filing system*. Smead Corporation, 2013. Disponível em: <www.smead.com/hot-topics/filing-system-1396.asp>; United States Environmental Protection Agency, *Records management tools*, 2012. Disponível em: <www.epa.gov>.

38. Por outro lado, documentos de uso pouco frequente não precisam dessa atenção. Talvez você queira guardar as notas fiscais de aparelhos domésticos, caso precise acionar a garantia. Se a sua experiência com os aparelhos domésticos lhe diz que eles não estragam com frequência, uma única pasta para todas as notas fiscais já basta, e não pastas individuais para cada um. Um belo dia, daqui a três anos, quando você precisar encontrar a nota fiscal da sua máquina de lavar, você levará de dois a três minutos procurando nas pastas de notas fiscais de eletrodomésticos.

39. D. C. Merrill & J. A. Martin, *Getting organized in the Google era: How to get stuff out of your head, find it when you need it, and get it done right*. Nova York: Crown Business, 2010, p. 73.

40. Conforme citado em S. Kastenbaum, *Texting while walking: a dangerous experiment in multitasking*. Áudio de *podcast*. CNN Radio, 26 maio 2012.

41. J. Naish, "Is multi-tasking bad for your brain? Experts reveal the hidden perils of juggling too many jobs". *Daily Mail*, 11 ago. 2009.

42. De acordo com um relatório das Nações Unidas, 6 bilhões dos 7 bilhões de pessoas no mundo têm telefones celulares, enquanto 4,5 bilhões têm banheiros. T. Worstall, "More people have mobile phones than toilets". *Forbes*, 23 mar. 2013.

43. J. Naish, "Is multi-tasking bad for your brain? Experts reveal the hidden perils of juggling too many jobs". *Daily Mail*, 11 ago. 2009; G. Wilson, *Infomania experiment for Hewlett-Packard*, 2010. Disponível em: <www.drglennwilson.com>.

44. K. Foerde, B. J. Knowlton & R. A. Poldrack, "Modulation of competing memory systems by distraction". *Proceedings of the National Academy of Sciences*, v. 103, n. 31, 2006, pp. 11778-11783; N. J. Cohen & H. Eichenbaum, *Memory, amnesia, and the hippocampal system*. Cambridge: MIT Press, 1993.

45. Conforme citado em J. Naish, "Is multi-tasking bad for your brain? Experts reveal the hidden perils of juggling too many jobs". *Daily Mail*, 11 ago. 2009.

46. Ver exemplo: M. Gazzaniga, *Human: The science behind what makes us unique*. Nova York: HarperCollins, 2008.

47. Trocas repetitivas de tarefas causam grandes alterações no grau de dependência do nível de oxigenação do sangue no córtex pré-frontal e no córtex anterior cingulado,

**NOTAS** 481

assim como em outras áreas do cérebro, sendo que essas mudanças no nível de oxigenação quase sempre envolvem metabolismo de glicose.

48. A exaustão que observamos na troca repetitiva de tarefas pode também ter muito a ver com as tarefas que estamos intercalando — normalmente, alternamos entre duas delas que consideramos chatas (quase sempre tendemos a nos prender a uma tarefa quando a julgamos interessante). M. Posner, comunicação pessoal, 16 abr. 2014.

49. J. Nash, "Is multi-tasking bad for your brain? Experts reveal the hidden perils of juggling too many jobs". *Daily Mail*, 11 ago. 2009.

50. J. Nash, "Is multi-tasking bad for your brain? Experts reveal the hidden perils of juggling too many jobs". *Daily Mail*, 11 ago. 2009.

51. Y-Y. Tang, M. K. Rothbart & M. I. Posner, "Neural correlates of establishing, maintaining, and switching brain states". *Trends in Cognitive Sciences*, v. 16, n. 6, 2012, pp. 330-337.

52. R. J. Haier, B. V. Siegel, A. MacLachlan, E. Soderling, S. Lottenberg & M. S. Buchsbaum, "Regional glucose metabolic changes after learning a complex visuospatial/motor task: A positron emission tomographic study". *Brain Research*, v. 570, n. 1-2, 1992, pp. 134-143.

53. L. Kaufman, "In texting era, crisis hotlines put help at youths' fingertips". *The New York Times*, 5 fev. 2014, p. A1.

54. J. Olds, "Pleasure centers in the brain". *Scientific American*, v. 195, n. 4, 1956, pp. 105-116; J. Olds & P. Milner, "Positive reinforcement produced by electrical stimulation of septal area and other regions of rat brain". *Journal of Comparative Physiological Psychology*, v. 47, n. 6, 1954, pp. 419-427.

55. Associated Press, *Chinese man drops dead after 3-Day gaming binge*, 18 set. 2007; B. Demick, "Gamers rack up losses". *The Los Angeles Times*, 29 ago. 2005.

56. J. Dove, "Adobe reports massive security breach". PC*World*, 3 out. 2013.

57. D. Thomas, "Hackers steal bank details of 2m Vodafone customers in Germany". *Financial Times*, 12 set. 2013.

58. D. Yadron & D. Barrett, "Jury indicts 13 cyberattack suspects". *The Wall Street Journal*, 13 out. 2013, p. A2.

59. F. Manjoo, "Fix your terrible, insecure passwords in five minutes". *Slate*, 24 jul. 2009.

60. D. Nahamoo, "IBM 5 in 5: Biometric data will be key to personal security". IBM *Research*, 19 dez. 2011. Disponível em: <ibmresearchnews.blogspot.com/2011/12/ibm-5-in-5-biometric-data-will-be-key.tml>.

61. D. Kahneman, comunicação pessoal, 11 jul. 2013. Ver também G. Klein, *The power of intuition: How to use your gut feelings to make better decisions at work*. Nova York: Crown, 2003, pp. 98-101; D. Kahneman, *Thinking, fast and slow*. Nova York: Farrar, Straus and Giroux, 2011.

62. Escaneie cópias de seu prontuário médico, de seus testes de laboratório, de qualquer raio X que esteja em seu poder, e os coloque em arquivo PDF ou no seu pen drive. A primeira página do seu documento em PDF deve conter informações vitais, que incluem o seu nome, endereço, data de nascimento, tipo sanguíneo, se você o sou-

482 **A MENTE ORGANIZADA**

ber, e qualquer alergia a medicamentos (isso é muito importante!). Dessa forma, se você algum dia se envolver em um acidente ou precisar de atendimento médico de urgência — ou se estiver longe de casa e precisar de algum atendimento médico de rotina —, seu médico plantonista não precisará esperar para receber seus dados do médico da família. Pen drives não custam quase nada, e arquivos PDF são legíveis em qualquer lugar aonde você vá. Quaisquer erros em diagnósticos, mal-entendidos e enganos podem ser evitados se essas informações estiverem prontamente disponíveis. Para ter certeza de que essas informações não se perderão, inclua um pedaço de papel na sua carteira ou bolsa, perto do seu cartão do plano de saúde, com os dizeres: "Todos os meus dados de saúde estão em um pen drive que carrego sempre comigo".

63. S. Wynn, comunicação pessoal, 5 maio 2012.

64. D. J. Levitin, "The world in six songs: How the musical brain created human nature". Nova York: Dutton, 2008.

CAPÍTULO **4 [pp. 150-202]**

1. W. Hu & J. D. Goodman, "Wake-up call for New Yorkers as police seek abducted boy". *The New York Times*, 18 jul. 2013, p. A1; P. Shallwani, "Missing-child hunt sets off wake-up call". *The Wall Street Journal*, 17 jul. 2013, p. A19.

2. O "alerta Amber" é o sistema de alerta antissequestro nos Estados Unidos, assim batizado em homenagem a Amber Hagerman, criança de nove anos sequestrada e morta no Texas em 1996.

3. J. Markoff, "Looking for balloons and insights to online behavior". *The New York Times*, 1º dez. 2009, p. D2.

4. B. M. Leiner, V. G. Cerf, D. D.Clark, R. E. Kahn, L. Kleinrock, D. C. Lynch, S. Wolff et al., "A brief history of the Internet". ACM SIGCOMM *Computer Communication Review*, v. 39, n. 5, 2009, pp. 22-31; Computer History Museum, "Internet history", 2004. Disponível em: <www.computerhistory.org/internet_history>.

5. J. Markoff, "New force behind agency of wonder". *The New York Times*, 13 abr. 2010, p. D1.

6. T. Buchenroth, F. Garber, B. Gowker & S. Hartzell, "Automatic object recognition applied to Where's Waldo?". Aerospace and Electronics Conference (NAECON), IEEE *National*, jul. 2012, pp. 117-120; R. Garg, S. M. Seitz, D. Ramanan & N. Snavely, "Where's Waldo: Matching people in images of crowds". *Proceedings of the 24th IEEE Conference on Computer Vision and Pattern Recognition*, 2011, pp. 1793-1800.

7. P. Ayers, C. Matthews & B. Yates, *How Wikipedia works: And how you can be a part of it*. San Francisco: No Starch Press, 2008, p. 514.

8. Kickstarter, Inc. *Seven things to know about Kickstarter*, 2014. Disponível em: <www.kickstarter.com>.

9. J. Surowiecki, *The wisdom of crowds*. Nova York: Penguin, 2005; J. L. Treynor, "Market efficiency and the bean jar experiment". *Financial Analysts Journal*, v. 43, n. 3, 1987, pp. 50-53.

**NOTAS** 483

10. S. Iaconesi, 2012. TED (produção). *Why I open-sourced cures to my cancer: Salvatore Iaconesi at* TEDG*lobal 2013*. Arquivo de vídeo, 2013. Disponível em: <blog.ted.com>; TEDMED. *Salvatore Iaconesi em* TEDMED *2013*. Arquivo de vídeo, 17 jul. 2013. Disponível em: <www.youtube.com>; TEDX Talks. *My open source cure: Salvatore Iaconesi at* TEDX *transmedia*. Arquivo de vídeo, 4 nov. 2012. Disponível em: <www.youtube.com>.

11. Google, *Digitalizing books one word at a time*, 2014. Disponível em: <www.google.com/recaptcha/learnmore>; L. von Ahn, B. Maurer, C. McMillen, D. Abraham & M. Blum, "reCAPTCHA: Human-based character recognition via web security measures". *Science*, v. 321, n. 5895, 2008, pp. 1465-1468.

12. Luis von Ahn, comunicação pessoal por e-mail, 15 abr. 2014.

13. Google, *Digitalizing books one word at a time*, 2014. Disponível em: <www.google.com/recaptcha/learnmore>; L. von Ahn, B. Maurer, C. McMillen, D. Abraham & M. Blum, "reCAPTCHA: Human-based character recognition via web security measures". *Science*, v. 321, n. 5895, 2008, pp. 1465-1468.

14. A palavra do reCAPTCHA tem sido redesenhada para acompanhar o que está em uso pelo Google Books, e para enfatizar uma das dificuldades envolvidas na visão da máquina.

15. J. Decety & C. Lamm, "The role of the right temporoparietal junction in social interaction: How low-level computational processes contribute to meta-cognition". *The Neuroscientist*, v. 13, n. 6, 2007, pp. 580-593.

16. A. Gopnik, "The information: How the internet gets inside us". *The New Yorker*, 14 fev. 2014, pp. 123-128.

17. Frases soltas em várias partes desta seção do capítulo 4 apareceram pela primeira vez na minha resenha de *Mindwise* no *Wall Street Journal*. D. J. Levitin, "Deceivers and believers: We are surprisingly terrible at divining what's going on in someone else's mind", *The Wall Street Journal*, 22-23 fev. 2014, pp. C5, C6.

18. B. D. Perry & M. Szalavitz, *The boy who was raised as a dog and other stories from a child psychiatrist's notebook: What traumatized children can teach us about loss, love and healing*. Nova York: Basic Books, 2006.

19. B. D. Perry & M. Szalavitz, *The boy who was raised as a dog and other stories from a child psychiatrist's notebook: What traumatized children can teach us about loss, love and healing*. Nova York: Basic Books, 2006.

20. Citação direta de B. D. Perry & M. Szalavitz, *The boy who was raised as a dog and other stories from a child psychiatrist's notebook: What traumatized children can teach us about loss, love and healing*. Nova York: Basic Books, 2006.

21. E. Klinenberg, "America: Single, and loving it". *The New York Times*, 12 fev. 2012, p. ST10.

22. B. Bryson, *At home: A short history of private life*. Nova York: Doubleday, 2010, p. 323.

23. B. Bryson, *At home: A short history of private life*. Nova York: Doubleday, 2010.

24. Statistic Brain, *Walmart company statistics*, 11 dez. 2013. Disponível em: <www.statisticbrain.com>.

25. R. Shapiro, comunicação pessoal, 6 maio 2012.

484 **A MENTE ORGANIZADA**

26. D. Gold, comunicação pessoal, 26 nov. 2013.

27. C. Kallman, comunicação pessoal, 20 set. 2013.

28. D. M. Wegner, "Transactive memory: A contemporary analysis of the group mind". B. Mullen & G. R. Goethals (Orgs.), *Theories of group behavior*. Nova York: Springer, 1987, pp. 185-208.

29. D. M. Wegner, T. Giuliano & P. Hertel, "Cognitive interdependence in close relationships". W. J. Ickes (Org.), *Compatible and incompatible relationships*. Nova York: Springer-Verlag, 1985, pp. 253-276.

30. D. M. Wegner, "Transactive memory: A contemporary analysis of the group mind". B. Mullen & G. R. Goethals (Orgs.), *Theories of group behavior*. Nova York: Springer, 1987, p. 194.

31. R. F. Baumeister & M. R. Leary, "The need to belong: Desire for interpersonal attachments as a fundamental human motivation". *Psychological Bulletin*, v. 117, n. 3, 1995, pp. 497-529.

32. S. Grassian, "Psychopathological effects of solitary confinement". *American Journal of Psychiatry*, v. 140, n. 11, 1983, pp. 1450-1454; T. B. Posey & M. E. Losch, "Auditory hallucinations of hearing voices in 375 normal subjects". *Imagination, Cognition and Personality*, v. 3, n. 2, 1983, pp. 99-113; P. S. Smith, "The effects of solitary confinement on prison inmates: A brief history and review of the literature". *Crime and Justice*, v. 34, n. 1, 2006, pp. 441-528.

33. N. Epley, S. Akalis, A. Waytz & J. T. Cacioppo, "Creating social connection through inferential reproduction: Loneliness and perceived agency in gadgets, gods, and greyhounds". *Psychological Science*, v. 19, n. 2, 2008, pp. 114-120.

34. E. Klinenberg, "America: Single, and loving it". *The New York Times*, 12 fev. 2012, p. st10.

35. N. Epley, *Mindwise: How we understand what others think, believe, feel, and want*. Nova York: Alfred A. Knopf, 2014, pp. 58-59.

36. A amígdala já foi considerada o centro do medo no cérebro no tocante a lutar ou fugir. Sabemos agora que ela não envolve apenas o medo, mas também a atenção aos eventos emocionais mais importantes de todos os tipos — ela é o centro de consolidação de aprendizagem e memória do cérebro emocional. J. Dębiec, V. Doyère, K. Nader & J. E. LeDoux, "Directly reactivated, but not indirectly reactivated, memories undergo reconsolidation in the amygdala". *Proceedings of the National Academy of Sciences*, v. 103, n. 9, 2006, pp. 3428-3433; J. L McGaugh, "The amygdala modulates the consolidation of memories of emotionally arousing experiences". *Annual Review of Neuroscience*, v. 27, n. 1, 2004, pp. 1-28; E. A. Phelps, "Emotion and cognition: Insights from studies of the human amygdala". *Annual Review of Psychology*, v. 57, n. 1, 2006, pp. 27-53.

37. P. Cashmore, *MySpace, America's number one*, 11 jul. 2006. Disponível em: <www.mashable.com>; S. Olsen, *Google's antisocial downside*, 13 jul. 2006. Disponível em: <news.cnet.com>.

38. J. Kiss, "Facebook's 10th birthday: from college dorm to 1.23 billion users". *The Guardian*, 4 fev. 2014.

## NOTAS 485

39. S. Marche, "Is Facebook making us lonely?". *The Atlantic*, maio 2012; S. Turkle, *Alone together: Why we expect more from technology and less from each other*. Nova York: Basic Books, 2011.

40. B. Fredrickson, "Your phone vs. your heart". *The New York Times*, 23 mar. 2013, p. SR14.

41. D. Buhrmester & W. Furman, "The development of companionship and intimacy". *Child Development*, v. 58, n. 4, 1987, pp. 1101-1113.

42. T. P. George & D. P. Hartmann, "Friendship networks of unpopular, average, and popular children". *Child Development*, v. 67, n. 5, 1996, pp. 2301-2316; W. W. Hartup & N. Stevens, "Friendships and adaptation in the life course". *Psychological Bulletin*, v. 121, n. 3, 1997, pp. 355-370.

43. T. J. Berndt, "Friendship quality and social development". *Current Directions in Psychological Science*, v. 11, n. 1, 2002, pp. 7-10.

44. D. Buhrmester & W. Furman, *Child Development*, v. 58, n. 4, 1987, pp. 1101-1113; L. L'Abate, resenha do livro "The science of intimate relationships", de Garth Fletcher, Jeffry A. Simpson, Lorne Campbell e Nikola C. Overall. *The American Journal of Family Therapy*, v. 41, n. 5, 2013, p. 456; ver também S. S. Brehm, *Intimate relationships: The McGraw-Hill series in social psychology*. 2. ed. Nova York: McGraw-Hill, 1992.

45. K. Weingarten, "The discourses of intimacy: Adding a social constructionist and feminist view". *Family Process*, v. 30, n. 3, 1991, p. 285-305; L. C. Wynne, "The epigenesis of relational systems: A model for understanding family development". *Family Process*, v. 23, n. 3, 1984, pp. 297-318.

46. Esse é um parágrafo bem similar ao de H. G. Lerner, *The dance of intimacy: A woman's guide to courageous acts of change in key relationships*. Nova York: Harper Paperbacks, 1989, p. 3. A primeira vez que encontrei esse guia foi em K. Weingarten, "The discourses of intimacy: Adding a social constructionist and feminist view". *Family Process*, v. 30, n. 3, 1991, pp. 285-305.

47. E. Hatfield & R. I. Rapson, *Love, sex & intimacy: Their psychology, biology & history*. Nova York: HarperCollins, 1993; M. K. Hook, L. H. Gerstein, L. Detterich & B. Gridley, "How close are we? Measuring intimacy and examining gender differences". *Journal of Counseling & Development*, v. 81, n. 4, 2003, pp. 462-472.

48. D. A. Luepnitz, "The family interpreted: Feminist theory in clinical practice". Nova York: Basic Books, 1988.

49. J. Ridley, "Gender and couples: Do women and men seek different kinds of intimacy?". *Sexual and Marital Therapy*, v. 8, n. 3, 1993, pp. 243-253.

50. M. Acker & M. H. Davis, "Intimacy, passion and commitment in adult romantic relationships: A test of the triangular theory of love". *Journal of Social and Personal Relationships*, v. 9, n. 1, 1992, pp. 21-50; J. M. Graham, "Measuring love in romantic relationships: A metaanalysis". *Journal of Social and Personal Relationships*, v. 28, n. 6, 2011, pp. 748-771; R. J. Sternberg, "A triangular theory of love". *Psychological Review*, v. 93, n. 2, 1986, p. 119.

486 **A MENTE ORGANIZADA**

51. B. Hare, J. Call & M. Tomasello, "Chimpanzees deceive a human competitor by hiding". *Cognition*, v. 101, n. 3, 2006, p. 495-514; L. McNally & A. L. Jackson, "Cooperation creates selection for tactical deception". *Proceedings of the Royal Society B: Biological Sciences*, v. 280, n. 1762, 2013.

52. A. Amirmoayed, resenha do livro "Intimacy and power: The dynamics of personal relationships in modern society", de D. Layder. *Sociology*, v. 46, n. 3, 2012, p. 566-568.

53. L. C. Wynne & A. R. Wynne, "The quest for intimacy". *Journal of Marital and Family Therapy*, v. 12, n. 4, 1986, pp. 383-394.

54. B. Bryson, *At home: A short history of private life*. Nova York: Doubleday, 2010, p. 323.

55. S. Cohen, E. Frank, W. J. Doyle, D. P. Skoner, B. S. Rabin & J. M. Gwaltney Jr., "Types of stressors that increase susceptibility to the common cold in healthy adults". *Health Psychology*, v. 17, n. 3, 1998, pp. 214-223; S. E. Hampson, L. R. Goldberg, T. M. Vogt & J. P. Dubanoski, "Forty years on: Teachers' assessments of children's personality traits predict self-reported health behaviors and outcomes at midlife". *Health Psychology*, v. 25, n. 1, 2006, pp. 57-64.

56. J. K. Kiecolt-Glaser, T. J. Loving, J. R. Stowell, W. B. Malarkey, S. Lemeshow, S. L. Dickinson & R. Glaser, "Hostile marital interactions, proinflammatory cytokine production, and wound healing". *Archives of General Psychiatry*, v. 62, n. 12, 2005, pp. 1377-1384.

57. L. C. Gallo, W. M. Troxel, K. A. Matthews & L. H. Kuller, "Marital status and quality in middle-aged women: Associations with levels and trajectories of cardiovascular risk factors". *Health Psychology*, v. 22, n. 5, 2003, pp. 453-463; J. Holt-Lunstad, T. B. Smith & J. B. Layton, "Social relationships and mortality risk: A meta-analytic review". PLOS *Medicine*, v. 7, n. 7, 2010, pp. e1000316.

58. E. Diener & M. E. P. Seligman, "Very happy people". *Psychological Science*, v. 13, n. 1, 2002, pp. 81-84. Neste parágrafo, faço uma paráfrase muito próxima do excelente artigo de E. J. Finkel, P. W. Eastwick, B. R. Karney, H. T. Reis & S. Sprecher, "Online dating: A critical analysis from the perspective of psychological science". *Psychological Science in the Public Interest*, v. 13, n. 1, 2012, pp. 3-66.

59. J. M. Knack, C. Jacquot, L. A. Jensen-Campbell & K. T. Malcolm, "Importance of having agreeable friends in adolescence (especially when you are not)". *Journal of Applied Social Psychology*, v. 43, n. 12, 2013, pp. 2401-2413.

60. S. E. Hampson & L. R. Goldberg, "A first large cohort study of personality trait stability over the 40 years between elementary school and midlife". *Journal of Personality and Social Psychology*, v. 91, n. 4, 2006, pp. 763-779; M. K. Rothbart & S. A. Ahadi, "Temperament and the development of personality". *Journal of Abnormal Psychology*, v. 103, n. 1, 1994, pp. 55-66; R. L. Shiner, A. S. Masten & J. M. Roberts, "Childhood personality foreshadows adult personality and life outcomes two decades later". *Journal of Personality*, v. 71, n. 6, 2003, pp. 1145-1170.

61. S. A. Ahadi & M. K. Rothbart, "Temperament, development and the Big Five". C. F. Halverson Jr., G. A. Kohnstamm & R. P. Martin (Orgs.), *The developing structure*

**NOTAS** 487

*of temperament and personality from infancy to adulthood.* Hillsdale: Lawrence Erlbaum Associates, 1994, pp. 189-207.

62. J. M. Knack, C. Jacquot, L. A. Jensen-Campbell & K. T. Malcolm, "Importance of having agreeable friends in adolescence (especially when you are not)". *Journal of Applied Social Psychology*, v. 43, n. 12, 2013, pp. 2401-2413.

63. J. M. Knack, C. Jacquot, L. A. Jensen-Campbell & K. T. Malcolm, "Importance of having agreeable friends in adolescence (especially when you are not)". *Journal of Applied Social Psychology*, v. 43, n. 12, 2013, pp. 2401-2413.

64. L. Kohlberg, "Stages of moral development". C. Beck & E. Sullivan (Orgs.), *Moral education.* Toronto: University of Toronto Press, 1971, pp. 23-92.

65. M. J. Boulton, M. Trueman, C. Chau, C. Whitehead & K. Amatya, "Concurrent and longitudinal links between friendship and peer victimization: Implications for befriending interventions". *Journal of Adolescence*, v. 22, n. 4, 1999, pp. 461-466.

66. M. E. Schmidt & C. L. Bagwell, "The protective role of friendships in overtly and relationally victimized boys and girls". *Merrill-Palmer Quarterly*, v. 53, n. 3, 2007, pp. 439-460.

67. G. J. Hitsch, A. Hortaçsu & D. Ariely, "What makes you click? — Mate preferences in online dating". *Quantitative Marketing and Economics*, v. 8, n. 4, 2010, pp. 393-427.

68. H. G. Cocks, *Classified: The secret history of the personal column.* Londres: Random House, 2009; A. Orr, *Meeting, mating, and cheating: Sex, love, and the new world of online dating.* Upper Saddle River: Reuters Prentice Hall, 2004.

69. A. Orr, *Meeting, mating, and cheating: Sex, love, and the new world of online dating.* Upper Saddle River: Reuters Prentice Hall, 2004.

70. J. T. Cacioppo, S. Cacioppo, G. C. Gonzaga, E. L. Ogburn & T. J. VanderWeele, "Marital satisfaction and break-ups differ across on-line and off-line meeting venues". *Proceedings of the National Academy of Sciences*, v. 110, n. 25, 2013, pp. 10135-10140.

71. Menos de 1% dos americanos conheceram parceiros românticos através de anúncios pessoais nos anos 1980 e início dos anos 1990, de acordo com pesquisas nacionais. E. O. Laumann, J. H. Gagnon, R. T. Michael & S. Michaels, *The social organization of sexuality: Sexual practices in the United States.* Chicago: University of Chicago Press, 1994; J. Simenauer & D. Carroll, *Singles: The new Americans.* Nova York: Simon & Schuster, 1982.

72. J. T. Cacioppo, S. Cacioppo, G. C. Gonzaga, E. L. Ogburn & T. J. VanderWeele, "Marital satisfaction and break-ups differ across on-line and off-line meeting venues". *Proceedings of the National Academy of Sciences*, v. 110, n. 25, 2013, pp. 10135-10140.

73. D. Randall, C. Hamilton & E. Kerr, "We just clicked: More and more couples are meeting online and marrying". *The Independent*, 9 jun. 2013.

74. E. J. Finkel, P. W. Eastwick, B. R. Karney, H. T. Reis & S. Sprecher, "Online dating: A critical analysis from the perspective of psychological science". *Psychological Science in the Public Interest*, v. 13, n. 1, 2012, pp. 3-66.

488  **A MENTE ORGANIZADA**

75. As pessoas nascidas antes de 1960, em geral, não tiveram o primeiro contato com a internet até chegarem à idade adulta, e muitas delas, no início, a consideraram com ceticismo, tendo como base histórias de crimes cibernéticos, falsidade ideológica e outros tantos problemas que existem até hoje. Quando agregamos problemas a um meio de comunicação novo e desconhecido, as pessoas ficam menos propensas a utilizá-lo. Para aquelas que nasceram após 1990, a internet já estava tão estabelecida que elas consideram seus riscos como riscos pertinentes a qualquer outro meio já utilizado. Nós sabemos que contas-correntes e cartões de créditos são objeto de crimes de falsidade ideológica, mas eles estão no mercado há muito tempo, e nós aceitamos seus riscos. Se uma nova alternativa surge — como o Paypal, em 1998 —, o baixo custo de migração para ela é equiparado à percepção de que essa nova alternativa é tão arriscada quanto as outras opções já existentes. Agora, se o PayPal tivesse sido urdido no tecido das suas primeiras interações com a internet e apresentado como uma mera alternativa a outros instrumentos financeiros já existentes, as barreiras para adotá-lo seriam ainda menores.

76. R. Kraut, M. Patterson, V. Lundmark, S. Kiesler, T. Mukophadhyay & W. Scherlis, "Internet paradox: A social technology that reduces social involvement and psychological well-being?". *American Psychologist*, v. 53, n. 9, 1998, pp. 1017-1031; S.B. Stevens & T. L. Morris, "College dating and social anxiety: Using the Internet as a means of connecting to others". *Cyberpsychology & Behavior*, v. 10, n. 5, 2007, pp. 680-688.

77. Citação direta de A. Gopnik, "The information: How the internet gets inside us". *The New Yorker*, 14 fev. 2014, pp. 123-128. Ele continua e cita S. Turkle, *Alone together: Why we expect more from technology and less from each other*. Nova York: Basic Books, 2011.

78. Citação direta de S. Turkle, *Alone together: Why we expect more from technology and less from each other*. Nova York: Basic Books, 2011.

79. E. J. Finkel, P. W. Eastwick, B. R. Karney, H. T. Reis & S. Sprecher, "Online dating: A critical analysis from the perspective of psychological science". *Psychological Science in the Public Interest*, v. 13, n. 1, 2012, pp. 3-66.

80. A. C. Kerckhoff, "Patterns of homogamy and the field of eligibles". *Social Forces*, v. 42, n. 3, 1964, pp. 289-297.

81. E. J. Finkel, P. W. Eastwick, B. R. Karney, H. T. Reis & S. Sprecher, "Online dating: A critical analysis from the perspective of psychological science". *Psychological Science in the Public Interest*, v. 13, n. 1, 2012, pp. 3-66.

82. E. J. Finkel, P. W. Eastwick, B. R. Karney, H. T. Reis & S. Sprecher, "Online dating: A critical analysis from the perspective of psychological science". *Psychological Science in the Public Interest*, v. 13, n. 1, 2012, pp. 3-66.

83. E. J. Finkel, P. W. Eastwick, B. R. Karney, H. T. Reis & S. Sprecher, "Online dating: A critical analysis from the perspective of psychological science". *Psychological Science in the Public Interest*, v. 13, n. 1, 2012, pp. 3-66.

84. E. J. Finkel, P. W. Eastwick, B. R. Karney, H. T. Reis & S. Sprecher, "Online dating: A critical analysis from the perspective of psychological science". *Psychological Science in the Public Interest*, v. 13, n. 1, 2012, pp. 3-66; T. D. Wilson & J. W.

## NOTAS 489

Schooler, "Thinking too much: Introspection can reduce the quality of preferences and decisions". *Journal of Personality and Social Psychology*, v. 60, n. 2, 1991, pp. 181-192; P. L. Wu & W-B. Chiou, "More options lead to more searching and worse choices in finding partners for romantic relationships online: An experimental study". *Cyber Psychology*, v. 12, n. 3, 2009, pp. 315-318.

85. L. L. Martin, J. J. Seta & R. A. Crelia, "Assimilation and contrast as a function of people's willingness and ability to expend effort in forming an impression". *Journal of Personality and Social Psychology*, v. 59, n. 1, 1990, pp. 27-37. Há também um princípio matemático em curso: a tentação de sair à procura de alguém na esperança de encontrar um par melhor faz com que a pessoa que namora on-line leia perfis que estão muito aquém dos bons partidos, dessa forma reduzindo a média de partidos de qualidade no grupo selecionado. Uma overdose de decisões se estabelece, e os que estão à procura de namoro passam a fazer escolhas piores à medida que se tornam menos seletivos.

86. J. E. Lydon, "How to forego forbidden fruit: The regulation of attractive alternatives as a commitment mechanism". *Social and Personality Psychology Compass*, v. 4, n. 8, 2010, pp. 635-644".

87. C. L. Toma, J. T. Hancock & N. B. Ellison, "Separating fact from fiction: An examination of deceptive self-presentation in online dating profiles". *Personality and Social Psychology Bulletin*, v. 34, n. 8, 2008, pp. 1023-1036.

88. C. L. Toma, J. T. Hancock & N. B. Ellison, "Separating fact from fiction: An examination of deceptive self-presentation in online dating profiles". *Personality and Social Psychology Bulletin*, v. 34, n. 8, 2008, pp. 1023-1036.

89. C. L. Toma, J. T. Hancock & N. B. Ellison, "Separating fact from fiction: An examination of deceptive self-presentation in online dating profiles". *Personality and Social Psychology Bulletin*, v. 34, n. 8, 2008, pp. 1023-1036.

90. S. Rosenbloom, "Love, lies and what they learned". *The New York Times*, 12 nov. 2011, p. ST1.

91. J. T. Cacioppo, S. Cacioppo, G. C. Gonzaga, E. L. Ogburn & T. J. VanderWeele, "Marital satisfaction and break-ups differ across on-line and off-line meeting venues". *Proceedings of the National Academy of Sciences*, v. 110, n. 25, 2013, pp. 10135-10140.

92. N. Epley, *Mindwise: How we understand what others think, believe, feel, and want*. Nova York: Alfred A. Knopf, 2014; T. Eyal & N. Epley, "How to seem telepathic: Enabling mind reading by matching construal". *Psychological Science*, v. 21, n. 5, 2010, pp. 700-705; D. A. Kenny, *Interpersonal perception: A social relations analysis*. Nova York: The Guilford Press, 1994, p. 159.

93. N. Epley, *Mindwise: How we understand what others think, believe, feel, and want*. Nova York: Alfred A. Knopf, 2014, pp. 10-12.

94. Citação direta de N. Epley, *Mindwise: How we understand what others think, believe, feel, and want*. Nova York: Alfred A. Knopf, 2014, p. 12. Ver também W. B. Swann, D. H. Silvera & C. U. Proske, "On 'knowing your partner': Dangerous illusions in the age of AIDS?". *Personal Relationships*, v. 2, n. 3, 1995, pp. 173-186.

490  **A MENTE ORGANIZADA**

95. C. F. Bond Jr. & B. M. DePaulo, "Accuracy of deception judgments". *Personality and Social Psychology Review*, v. 10, n. 3, 2006, pp. 314-234.

96. Citação quase direta de N. Epley, *Mindwise: How we understand what others think, believe, feel, and want*. Nova York: Alfred A. Knopf, 2014.

97. I. Urbina, "Workers on doomed rig voiced safety concerns". *The New York Times*, 22 jul. 2010, p. A1.

98. A. Kachalia, S. R. Kaufman, R. Boothman, S. Anderson, K. Welch, S. Saint & M. A. M. Rogers, "Liability claims and costs before and after implementation of a medical error disclosure program". *Annals of Internal Medicine*, v. 153, n. 4, 2010, pp. 213-221.

99. Citação direta de N. Epley, *Mindwise: How we understand what others think, believe, feel, and want*. Nova York: Alfred A. Knopf, 2014, p. 185. Ver também P. W. Chen, "When doctors admit their mistakes". *The New York Times*, 19 ago. 2010; A. Kachalia, S. R. Kaufman, R. Boothman, S. Anderson, K. Welch, S. Saint & M. A. M. Rogers, "Liability claims and costs before and after implementation of a medical error disclosure program". *Annals of Internal Medicine*, v. 153, n. 4, 2010, pp. 213-221.

100. Parágrafo de Epley de uma citação de Richard Boothman, chefe do setor de riscos do hospital da Universidade de Michigan que participou do estudo sobre a revelação. N. Epley, *Mindwise: How we understand what others think, believe, feel, and want*. Nova York: Alfred A. Knopf, 2014, p. 185.

101. C. Camden, M. T. Motley & A. Wilson, "White lies in interpersonal communications: A taxonomy and preliminary investigation of social motivations". *Western Journal of Speech Communication*, v. 48, n. 4, 1984, pp. 309-325; S. Erat & U. Gneezy, "White lies". *Management Science*, v. 58, n. 4, 2012, pp. 723-733; G. G. Scott, *The truth about lying: Why and how we all do it and what to do about it*. Lincoln: iUniverse, 2006; V. Talwar, S. M. Murphy & K. Lee, "White lie-telling in children for politeness purposes". *International Journal of Behavioral Development*, v. 31, n. 1, 2007, pp. 1-11.

102. H. P. Grice, "Logic and conversation". P. Cole & J. Morgan (Orgs.), *Syntax and semantics*, v. 3. Nova York: Academic Press, 1975. Disponível também em D. J. Levitin, *Foundations of cognitive psychology: Core readings*. 2. ed. Boston: Allyn & Bacon, 2010.

103. J. R. Searle, "Indirect speech acts". S. Davis (Org.), *Pragmatics: A reader*. Nova York: Oxford University Press, 1991, pp. 265-277.

104. N. I. Eisenberger & M. D. Lieberman, "Why rejection hurts: A common neural alarm system for physical and social pain". *Trends in Cognitive Sciences*, v. 8, n. 7, 2004, pp. 294-300; N. I. Eisenberger, M. D. Lieberman & K. D. Williams, "Does rejection hurt? An fMRI study of social exclusion". *Science*, v. 302, n. 5643, 2003, pp. 290-292; G. MacDonald & M. R. Leary, "Why does social exclusion hurt? The relationship between social and physical pain". *Psychological Bulletin*, v. 131, n. 2, 2005, pp. 202-223.

105. C. N. DeWall, G. MacDonald, G. D. Webster, C. L. Masten, R. F. Baumeister, C. Powell, N. I. Eisenberger et al., "Acetaminophen reduces social pain: Behavioral and neural evidence". *Psychological Science*, v. 21, n. 7, 2010, pp. 931-937.

**NOTAS** 491

106. J. R. Searle (1965). "What is a speech act?". R. J. Stainton (Org.), *Perspectives in the philosophy of language: A concise anthology*. Peterborough: Broadview Press, 2000, pp. 253-268. Estou parafraseando e simplificando a história livremente; a versão de Searle é muito melhor e mais engraçada.

107. C. Turner, *Organizing information: Principles and practice*. Londres: Clive Bingley, 1987.

108. *Sesame Street*, "Ernie eats cake" (episódio de série de TV, 1ª temporada, episódio 119). Nova York: Children's Television Workshop, 23 abr. 1970.

109. C. Turner, *Organizing information: Principles and practice*. Londres: Clive Bingley, 1987.

110. National Aeronautics and Space Administration, "Pluto: Overview", s.d. Disponível em: <solarsystem.nasa.gov/planets/profile.cfm?Object=Pluto>.

111. B. Shannon, "Cooperativeness and implicature — A reversed perspective". *New Ideas in Psychology*, v. 5, n. 2, 1987, pp. 289-293.

112. J. S. Anderson, N. Lange, A. Froehlich, M. B. DuBray, T. J. Druzgal, M. P. Froimowitz & J. E. Lainhart, "Decreased left posterior insular activity during auditory language in autism". *American Journal of Neuroradiology*, v. 31, n. 1, 2010, pp. 131-139; G. J. Harris, C. F. Chabris, J. Clark, T. Urban, I. Aharon, S. Steele & H. Tager-Flusberg, "Brain activation during semantic processing in autism spectrum disorders via functional magnetic resonance imaging". *Brain and Cognition*, v. 61, n. 1, 2006, pp. 54-68; A. T. Wang, S. S. Lee, M. Sigman & M. Dapretto, "Neural basis of irony comprehension in children with autism: The role of prosody and context". *Brain*, v. 129, n. 4, 2006, pp. 932-943.

113. W. Blaicher, D. Gruber, C. Bieglmayer, A. M. Blaicher, W. Knogler & J. C. Huber, "The role of oxytocin in relation to female sexual arousal". *Gynecologic and Obstetric Investigation*, v. 47, n. 2, 1999, pp. 125-126; M. S. Carmichael, R. Humbert, J. Dixen, G. Palmisano, W. Greenleaf & J. M. Davidson, "Plasma oxytocin increases in the human sexual response". *Journal of Clinical Endocrinology & Metabolism*, v. 64, n. 1, 1987, pp. 27-31; ver também L. M. Diamond, "Emerging perspectives on distinctions between romantic love and sexual desire". *Current Directions in Psychological Science*, v. 13, n. 3, 2004, pp. 116-119; L. J. Young & Z. Wang, "The neurobiology of pair bonding". *Nature Neuroscience*, v. 7, n. 10, 2004, pp. 1048-1054.

114. A maior parte desta seção tem como base informações encontradas em M. L. Chanda & D. J. Levitin, "The neurochemistry of music". *Trends in Cognitive Sciences*, v. 17, n. 4, 2013, pp. 179-193.

115. D. G. Blazer, "Social support and mortality in an elderly community population". *American Journal of Epidemiology*, v. 115, n. 5, 1982, pp. 684-694; W. E. Broadhead, B. H. Kaplan, S. A. James, E. H. Wagner, V. J. Schoenbach, R. Grimson, S. H. Gehlbach et al., "The epidemiologic evidence for a relationship between social support and health". *American Journal of Epidemiology*, v. 117, n. 5, 1983, pp. 521-537; T. A. Wills & M. G. Ainette, "Social networks and social support". A. Baum, T. A. A. Revenson & J. Singer (Orgs.), *Handbook of Health Psychology*. Nova York: Psychology Press, 2012, p. 465-492.

492 **A MENTE ORGANIZADA**

116. A ocitocina não é um estimulante social em si; na verdade, ela regula o estresse e a ansiedade, os estados afetivos motivacionais e/ou a seleção perceptiva relacionada às informações sociais. J. A. Bartz & E. Hollander, "The neuroscience of affiliation: Forging links between basic and clinical research on neuropeptides and social behavior". *Hormones and Behavior*, v. 50, n. 4, 2006, pp. 518-528; J. A. Bartz, J. Zaki, N. Bolger & K. N. Ochsner, "Social effects of oxytocin in humans: context and person matter". *Trends in Cognitive Sciences*, v. 15, n. 7, 2011, pp. 301-309; M. L. Chanda & D. J. Levitin, "The neurochemistry of music". *Trends in Cognitive Sciences*, v. 17, n. 4, 2013, pp. 179-193.

117. C. Grape, M. Sandgren, L. O. Hansson, M. Ericson & T. Theorell, "Does singing promote well-being? — An empirical study of professional and amateur singers during a singing lesson". *Integrative Physiological and Behavioral Science*, v. 38, n. 1, 2003, pp. 65-74; U. Nilsson, "Soothing music can increase oxytocin levels during bed rest after open-heart surgery: A randomised control trial". *Journal of Clinical Nursing*, v. 18, n. 15, 2009, pp. 2153-2161.

118. T. R. Insel, "The challenge of translation in social neuroscience: A review of oxytocin, vasopressin, and affiliative behavior". *Neuron*, v. 65, n. 6, 2010, pp. 768-779; L. J. Young, R. Nilsen, K. G. Waymire, G. R. MacGregor & T. R. Insel, "Increased affiliative response to vasopressin in mice expressing the V1a receptor from a monogamous vole". *Nature*, v. 400, n. 6746, 1999, pp. 766-768.

119. V. Trezza, P. J. Baarendse & L. J. Vanderschuren, "The pleasures of play: Pharmacological insights into social reward mechanisms". *Trends in Pharmacological Sciences*, v. 31, n. 10, 2010, pp. 463-469; V. Trezza & L. J. Vanderschuren, "Bidirectional cannabinoid modulation of social behavior in adolescent rats". *Psychopharmacology*, v. 197, n. 2, 2008, pp. 217-227.

120. Agradeço a Jason Rentfrow por sua apresentação e sua formulação. J. Rentfrow, comunicação pessoal, 4 nov. 2013. Ver também M. Rothbart, R. Dawes & B. Park, "Stereotyping and sampling biases in intergroup perception". J. R. Eiser (Org.), *Attitudinal judgment*. Nova York: Springer-Verlag, 1984, pp. 109-134; D. Watson, "The actor and the observer: How are their perceptions of causality divergent?". *Psychological Bulletin*, v. 92, n. 3, 1982, pp. 682-700.

121. D. T. Gilbert & P. S. Malone, "The correspondence bias". *Psychological Bulletin*, v. 117, n. 1, 1995, pp. 21-38.

122. J. M. Darley & C. D. Batson, "From Jerusalem to Jericho: A study of situational and dispositional variables in helping behavior". *Journal of Personality and Social Psychology*, v. 27, n. 1, 1973, pp. 100-108.

123. Estou simplificando aqui — o estudo propriamente dito tinha três condições e quarenta participantes. As três condições eram *muita pressa*, *pressa regular* e *pouca pressa*. Mas o contraste maior e as condições mais interessantes para essa hipótese são as condições de *muita* e *pouca pressa*, e é isso que estou colocando aqui.

124. L. D. Ross, T. M. Amabile & J. L. Steinmetz, "Social roles, social control, and biases in social-perception processes". *Journal of Personality and Social Psychology*, v. 35, n. 7, 1977, pp. 485-494.

## NOTAS 493

125. As perguntas feitas nos experimentos de Ross não constam da literatura, mas esses exemplos ilustram o tipo, o escopo e a abrangência das perguntas do questionário. (As perguntas sobre Auden e as geleiras foram mesmo tiradas de seu artigo original.) L. Ross, comunicação pessoal, jan. 1991.

126. L. D. Ross, T. M. Amabile & J. L. Steinmetz, "Social roles, social control, and biases in social-perception processes". *Journal of Personality and Social Psychology*, v. 35, n. 7, 1977, pp. 485-494.

127. O erro fundamental de atribuição tem recebido muitas críticas, entre elas a de que os processos sociais e não apenas os inferenciais estão em ação. Ver, por exemplo, B. Gawronski, "Theory-based bias correction in dispositional inference: The fundamental attribution error is dead, long live the correspondence bias". *European Review of Social Psychology*, v. 15, n. 1, 2004, pp. 183-217. E também talvez seja próprio das culturas ocidentais refletir uma influência individualista: S. Clarke, "Appealing to the fundamental attribution error: Was it all a big mistake?". D. Coady (Org.), *Conspiracy theories: The philosophical debate*. Burlington: Ashgate Publishing, 2006, pp. 130-140; R. Hooghiemstra, "East-West differences in attributions for company performance: A content analysis of Japanese and U. S. corporate annual reports". *Journal of Cross-Cultural Psychology*, v. 39, n. 5, 2008, pp. 618-629; D. Langdridge & T. Butt, "The fundamental attribution error: A phenomenological critique". *British Journal of Social Psychology*, v. 43, n. 3, 2004, pp. 357-369; D. Truchot, G. Maure & S. Patte, "Do attributions change over time when the actor's behavior is hedonically relevant to the perceiver?". *The Journal of Social Psychology*, v. 143, n. 2, 2003, pp. 202-208.

128. D. M. Mackie, S. T. Allison, L. T. Worth & A. G. Asuncion, "The generalization of outcome-biased counter-stereotypic inferences". *Journal of Experimental Social Psychology*, v. 28, n. 1, 1992, pp. 43-64.

129. Este exemplo vem de D. M. Mackie, S. T. Allison, L. T. Worth & A. G. Asuncion, "The generalization of outcome-biased counter-stereotypic inferences". *Journal of Experimental Social Psychology*, v. 28, n. 1, 1992, pp. 43-64.

130. S. T. Allison & D. M. Messick, "The group attribution error". *Journal of Experimental Social Psychology*, v. 21, n. 6, 1985, pp. 563-579; D. M. Mackie, S. T. Allison, L. T. Worth & A. G. Asuncion, "The generalization of outcome-biased counter-stereotypic inferences". *Journal of Experimental Social Psychology*, v. 28, n. 1, 1992, pp. 43-64; M. Schaller, "In-group favoritism and statistical reasoning in social inference: Implications for formation and maintenance of group stereotypes". *Journal of Personality and Social Psychology*, v. 63, n. 1, 1992, pp. 61-74.

131. D. Kahneman, *Thinking, fast and slow*. Nova York: Farrar, Straus and Giroux, 2011; D. M. Mackie, S. T. Allison, L. T. Worth & A. G. Asuncion, "The generalization of outcome-biased counter-stereotypic inferences". *Journal of Experimental Social Psychology*, v. 28, n. 1, 1992, pp. 43-64.

132. J. J. Rachlinski, A. J. Wistrich & C. Guthrie, "Can judges ignore inadmissible information? The difficulty of deliberately disregarding". *University of Pennsylvania Law Review*, v. 153, n. 4, 2005, pp. 1251-1345.

494 **A MENTE ORGANIZADA**

133. C. A. Anderson & K. L. Kellam, "Belief perseverance, biased assimilation, and co-variation detection: The effects of hypothetical social theories and new data". *Personality and Social Psychology Bulletin*, v. 18, n. 5, 1992, pp. 555-565; E. Bonabeau, "Decisions 2.0: The power of collective intelligence". MIT *Sloan Management Review*, v. 50, n. 2, 2009, pp. 45-52; T. R. Carretta & R. L. Moreland, "Nixon and Watergate: A field demonstration of belief perseverance". *Personality and Social Psychology Bulletin*, v. 8, n. 3, 1982, pp. 446-453; C. L. Guenther & M. D. Alicke, "Self-enhancement and belief perseverance". *Journal of Experimental Social Psychology*, v. 44, n. 3, 2008, pp. 706-712. Mesmo as qualidades emocionais de uma decisão provocam hesitação quando a evidência é invalidada. D. K. Sherman & H. S. Kim, "Affective perseverance: The resistance of affect to cognitive invalidation". *Personality and Social Psychology Bulletin*, v. 28, n. 2, 2002, pp. 224-237.

134. R. E. Nisbett & S. Valins, "Perceiving the causes of one's own behavior". D. E. Kanouse, H. H. Kelley, R. E. Nisbett, S. Valins & B. Weiner (Orgs.), *Attribution: Perceiving the causes of behavior*. Morristown: General Learning Press, 1972, pp. 63--78; S. Valins, "Persistent effects of information about internal reactions: Ineffectiveness of debriefing". H. London & R. E. Nisbett (Orgs.), *Thought and feeling: The cognitive alteration of feeling states*. Chicago: Aldine Transaction, 2007.

    Para outra perspectiva interessante sobre a ubiquidade do erro fundamental de atribuição e as circunstâncias que o provocam, ver B. F. Malle, "The actor-observer asymmetry in attribution: A (surprising) meta-analysis". *Psychogical Bulletin*, v. 132, n. 6, 2006, pp. 895-919.

135. Em um ponto predeterminado da experiência, o batimento cardíaco aumentou muito, indicando os níveis mais altos possíveis de excitação e, por consequência, atração. Não que uma das mulheres tivesse sido considerada por todos como a mais atraente — esse fator foi aleatório, de forma que o batimento cardíaco dos homens chegou ao pico diante de fotos diferentes durante o experimento.

136. Citação quase direta de S. Valins, "Persistent effects of information about internal reactions: Ineffectiveness of debriefing". *Integrative Physiological & Behavioral Science*, v. 40, n. 3, 2005, pp. 161-165.

137. N. Epley, *Mindwise: How we understand what others think, believe, feel, and want*. Nova York: Alfred A. Knopf, 2014.

138. P. Eckert, *Jocks and burnouts: Social categories and identity in the high school*. Nova York: Teachers College Press, 1989.

139. M. Rothbart, R. Dawes & B. Park, "Stereotyping and sampling biases in intergroup perception". J. R. Eiser (Org.), *Attitudinal judgment*. Nova York: Springer-Verlag, 1984, pp. 109-134.

140. A. D'Argembeau, P. Ruby, F. Collette, C. Degueldre, E. Balteau, A. Luxen, E. Salmon et al., "Distinct regions of the medial prefrontal cortex are associated with self-referential processing and perspective taking". *Journal of Cognitive Neuroscience*, v. 19, n. 6, 2007, pp. 935-944; J. P. Mitchell, M. R. Banaji & C. N. MacRae, "The link between social cognition and self-referential thought in the medial prefrontal cortex". *Journal of Cognitive Neuroscience*, v. 17, n. 8, 2005, pp. 1306-1315; G.

**NOTAS** 495

Northoff & F. Bermpohl, "Cortical midline structures and the self". *Trends in Cognitive Sciences*, v. 8, n. 3, 2004, pp. 102-107.

141. A. D'Argembeau, P. Ruby, F. Collette, C. Degueldre, E. Balteau, A. Luxen, E. Salmon et al., "Distinct regions of the medial prefrontal cortex are associated with self-referential processing and perspective taking". *Journal of Cognitive Neuroscience*, v. 19, n. 6, 2007, pp. 935-944; D. A. Gusnard, E. Akbudak, G. L. Shulman & M. E. Raichle, "Medial prefrontal cortex and self-referential mental activity: Relation to a default mode of brain function". *Proceedings of the National Academy of Sciences*, v. 98, n. 7, 2001, pp. 4259-4264; J. P. Mitchell, M. R. Banaji & C. N. MacRae, "The link between social cognition and self-referential thought in the medial prefrontal cortex". *Journal of Cognitive Neuroscience*, v. 17, n. 8, 2005, pp. 1306-1315.

142. J. M. Rabbie & M. Horwitz, "Arousal of ingroup outgroup bias by a chance win or loss". *Journal of Personality and Social Psychology*, v. 13, n. 3, 1969, pp. 269-277.

143. K. Lewin, *Resolving social conflicts: Selected papers on group dynamics.* Oxford: Harper, 1948.

144. Se tudo isso parece fantasioso, o mecanismo principal em ação pode simplesmente estar relacionado à autoestima. De acordo com o psicólogo Mick Rothbart, da Universidade do Oregon, nós desejamos fortalecer a nossa estima ao exaltar os grupos que são similares a nós e criticar aqueles que são diferentes. Consideremos o achado de Robert Cialdini, que descobriu que quando as pessoas eram conduzidas pelos cientistas a experimentar uma perda de autoestima isso influenciava significativamente a forma como se sentiam com relação ao seu time predileto: elas eram mais propensas a se referir ao time vencedor como "nós" e ao time perdedor como "eles". R. B. Cialdini, R. J. Borden, A. Thorne, M. R. Walker, S. Freeman & L. R. Sloan, "Basking in reflected glory: Three (football) field studies". *Journal of Personality and Social Psychology*, v. 34, n. 3, 1976, pp. 366-375; M. Rothbart, R. Dawes & B. Park. J. R. Eiser (Org.), *Attitudinal judgment.* Nova York: Springer-Verlag, 1984, pp. 109-134.

145. M. Rothbart & W. Hallmark, "In-group-out-group differences in the perceived efficacy of coercion and conciliation in resolving social conflict". *Journal of Personality and Social Psychology*, v. 55, n. 2, 1988, pp. 248-257.

146. Há explicações adicionais para o racismo, além da explicação cognitiva que apresento aqui. Ver, por exemplo, R. Brown, *Prejudice: Its social psychology.* 2. ed. Oxford: John Wiley & Sons, 2010; B. Major & L. T. O'Brien, "The social psychology of stigma". *Annual Review of Psychology*, v. 56, 2005, pp. 393-421; A. Smedley & B. D. Smedley, "Race as biology is fiction, racism as a social problem is real: Anthropological and historical perspectives on the social construction of race". *American Psychologist*, v. 60, n. 1, 2005, pp. 16-26.

147. M. Rothbart, R. Dawes & B. Park, "Stereotyping and sampling biases in intergroup perception". J. R. Eiser (Org.), *Attitudinal judgment.* Nova York: Springer-Verlag, 1984, pp. 109-134.

148. Citação quase direta de M. Rothbart, R. Dawes & B. Park, "Stereotyping and sampling biases in intergroup perception". J. R. Eiser (Org.), *Attitudinal judgment.* Nova York: Springer-Verlag, 1984, pp. 109-134.

496 **A MENTE ORGANIZADA**

149. Isso se chama teoria do contato intergrupal. T. F. Pettigrew & L. R. Tropp, "A meta--analytic test of intergroup contact theory". *Journal of Personality and Social Psychology*, v. 90, n. 5, 2006, pp. 751-783.

150. M. Rothbart, R. Dawes & B. Park, "Stereotyping and sampling biases in intergroup perception". J. R. Eiser (Org.), *Attitudinal judgment*. Nova York: Springer-Verlag, 1984, pp. 109-134.

151. M. Rothbart & S. Lewis, "Inferring category attributes from exemplar attributes: Geometric shapes and social categories". *Journal of Personality and Social Psychology*, v. 55, n. 5, 1988, pp. 861-872.

152. R. L. Garthoff, "Cuban missile crisis: The Soviet story". *Foreign Policy*, v. 72, 1988, pp. 61-80.

153. N. Khrushchev, carta ao presidente Kennedy. Kennedy Library, President's Office Files, Cuba, 24 out. 1962, sem categoria de classificação. Essa tradução oficial preparada pelo Departamento de Estado e uma "tradução informal" da embaixada de Moscou (transmitida pelo telegrama 1070, em 25 de outubro; correspondência presidencial, Departamento de Estado: lote 66 D 304) estão impressas em boletim do Departamento de Estado, 19 nov. 1973, pp. 63-639; Office of the Historian, U. S. Department of State, Kennedy-Khrushchev exchanges: Document 63. *Foreign Relations of the United States, 1961-1963*, n. 6, s.d. Disponível em: <history.state. gov/historicaldocuments/frus1961-63v06/d63>.

154. N. Khrushchev, telegrama da embaixada da União Soviética para o Departamento de Estado norte-americano em 26 out. 1962, 19h. Kennedy Library, National Security Files, Countries Series, USSR, Khrushchev Correspondence. Secret; Eyes Only; Niact; Verbatim Text. Passado para a Casa Branca às 21h15 de 26 de outubro. Outras cópias dessa mensagem estão na Correspondência Presidencial do Departamento de Estado: Lot 66 D 204, e ibid.: Lot 77 D 163 (que contém também uma cópia em russo). Essa "tradução informal" e uma "tradução oficial" preparadas pelo Departamento de Estado estão impressas no boletim do Departamento de Estado, 19 nov. 1973, pp. 640-645; Office of the Historian, U. S. Department of State, Kennedy-Krushchev exchanges: Document 65. Foreign Relations of the United States, 1961-1963, n. 6, s.d. Disponível em: <history.state.gov/historicaldocuments/frus1961-63v06/d65>.

155. Para uma réplica experimental, ver "Experiment 2" em M. Rothbart & W. Hallmark, "In-group out-group differences in the perceived efficacy of coercion and conciliation in resolving social conflict". *Journal of Personality and Social Psychology*, v. 55, n. 2, 1988, pp. 248-257.

156. Citação quase direta de D. D. Kirkpatrick, "Prolonged fight feared in Egypt after bombings". *The New York Times*, 25 jan. 2014, p. A1.

157. Esta frase e grande parte do parágrafo anterior são de M. Rothbart & W. Hallmark, "In-group-out-group differences in the perceived efficacy of coercion and conciliation in resolving social conflict". *Journal of Personality and Social Psychology*, v. 55, n. 2, 1988, pp. 248-257.

158. G. Shultz, comunicação pessoal, jul. 2012, Sonoma County, Califórnia.

159. Artigos 106-108 do código penal da Argentina, que inclui a seguinte cláusula no Artigo 106: "uma pessoa que coloque em risco a vida ou a saúde de outra, seja colocando

**NOTAS** 497

uma pessoa em situação de perigo ou *abandonando a seu próprio destino uma pessoa incapaz de cuidar sozinha de si, e que precise de cuidados de terceiros* [grifo do autor] [...] cumprirá pena de prisão de dois a seis anos". Hassel, G, *Penal especial*, s.d. Disponível em: <www.monografias.com/trabajos52/penal-especial/penal-especial2.Shtml>.

160. J. M. Darley & B. Latané, "Bystander intervention in emergencies: Diffusion of responsibility". *Journal of Personality and Social Psychology*, v. 8, n. 4, 1968, pp. 377--383; S. Milgram & P. Hollander, "The murder they heard". *The Nation*, v. 198, n. 15, 1964, pp. 602-604.

161. J. M. Darley & B. Latané, "Bystander intervention in emergencies: Diffusion of responsibility". *Journal of Personality and Social Psychology*, v. 8, n. 4, 1968, pp. 377-383.

162. "Report: Shoppers unfazed as man dies at Target". Arquivo de vídeo. NBC *News*, 6 nov. 2011.

163. R. Pocklington, "Shocking surveillance footage shows customers stepping over shooting victim as he lay dying in store doorway". *Daily Mirror*, 29 dez. 2013; R. Hall, Jr. "Kalamazoo man convicted of murder in 2012 shooting of Jheryl Wright". *Kalamazoo Gazette/MLive.com*, 23 dez. 2013.

164. S. E. Asch, "Studies of independence and conformity: I. A minority of one against a unanimous majority". *Psychological Monographs: General and Applied*, v. 70, n. 9, 1956, pp. 1-70.

165. L. Festinger, "A theory of social comparison processes". *Human Relations*, v. 7, n. 2, 1954, pp. 117-140.

166. J. M. Darley & B. Latané, "Bystander intervention in emergencies: Diffusion of responsibility". *Journal of Personality and Social Psychology*, v. 8, n. 4, 1968, pp. 377-383.

167. J. M. Darley & B. Latané, "Bystander intervention in emergencies: Diffusion of responsibility". *Journal of Personality and Social Psychology*, v. 8, n. 4, 1968, pp. 377-383.

168. N. D. Kristof, "A farm boy reflects". *The New York Times*, 31 jul. 2008; N. D. Kristof, "Are chicks brighter than babies?". *The New York Times*, 20 out. 2013, p. SR13.

169. D. L. Cheney & R. M. Seyfarth, "How monkeys see the world: Inside the mind of another species". Chicago: University of Chicago Press, 1990.

170. P. Santema & T. Clutton-Brock, "Meerkat helpers increase sentinel behaviour and bipedal vigilance in the presence of pups". *Animal Behavior*, v. 85, n. 3, 2013, pp. 655-661.

171. J. R. Madden & T. H. Clutton-Brock, "Experimental peripheral administration of oxytocin elevates a suite of cooperative behaviors in a wild social mammal". *Proceedings of the Royal Society B: Biological Sciences*, v. 278, n. 1709, 2010, pp. 1189-1194.

### CAPÍTULO 5 [pp. 203-268]

1. Esta é a única situação que não é retirada exatamente da forma como consta da literatura — é uma composição de vários pacientes com problemas no lobo frontal e com o propósito ilustrativo de dar ao leitor uma noção desses problemas. Detalhes

básicos foram tirados de W. Penfield, "The frontal lobe in man: A clinical study of maximum removals". *Brain*, v. 58, n. 1, 1935, pp. 115-133.

2. P. J. Eslinger & A. R. Damasio, "Severe disturbance of higher cognition after bilateral frontal lobe ablation: Patient EVR". *Neurology*, v. 35, n. 12, 1985, p. 1731. (As identidades foram alteradas para manter a privacidade dos pacientes.)

3. V. Goel & J. Grafman, "Role of the right prefrontal cortex in ill-structured planning". *Cognitive Neuropsychology*, v. 17, n. 5, 2000, pp. 415-436.

4. I. Newton, *The Principia*. Tradução de A. Motte. Nova York: Prometheus Books, 1995.

5. M. A. Lombardi, "Why is a minute divided into 60 seconds, an hour into 60 minutes, yet there are only 24 hours in a day?". *Scientific American*, 5 mar. 2007; K. Masters, "Why is a day divided into 24 hours? Ask an astronomer". Disponível em: <curious.astro.cornell.edu/question.php?number=594>, 5 abr. 2006.

6. A. Wright, *Glut: Mastering information through the ages*. Ithaca: Cornell University Press, 2008, p. 257.

7. J. D. North, "Monasticism and the first mechanical clocks". J. T. Fraser et al. (Orgs.), *The study of time* II. Nova York: Springer-Verlag, 1975.

8. Centers for Disease Control and Prevention, "Deaths and mortality", 13 fev. 2014. Disponível em: <www.cdc.gov/nchs/fastats/deaths.html>; Central Intelligence Agency, *The world factbook*. Washington, DC: U. S. Government Printing Office, 2010; A. D. N. J. De Grey, "Life span extension research and public debate: Societal considerations". *Studies in Ethics, Law, and Technology*, v. 1, n. 1, 2007, pp. 1941-6008.

9. T. B. L. Kirkwood & S. N. Austad, "Why do we age?". *Nature*, v. 408, n. 6809, 2000, pp. 233-238.

10. T. B. L. Kirkwood & S. N. Austad, "Why do we age?". *Nature*, v. 408, n. 6809, 2000, pp. 233-238.

11. J. W. Shay & W. E. Wright, "Hayflick, his limit, and cellular ageing". *Nature Reviews Molecular Cell Biology*, v. 1, n. 1, 2000, pp. 72-76.

12. E. R. Laskowski, "What's a normal resting heart rate?". *Mayo Clinic*, 29 set. 2009). Disponível em: <www.mayoclinic.com/health/heart-rate/AN01906>.

13. Sou grato a David Crosby por essa observação.

14. A. Roxin, N. Brunel, D. Hansel, G. Mongillo & C. van Vreeswijk, "On the distribution of firing rates in networks of cortical neurons". *The Journal of Neuroscience*, v. 31, n. 45, 2011, pp. 16217-6226.

15. United States Department of Health and Human Services, Office of Population Affairs, "Maturation of the Prefrontal Cortex", 2013. Disponível em: <www.hhs.gov/opa/familylife/tech_assistance/etraining/adolescent_brain/Development/prefrontal_cortex>.

16. T. R. Knight & D. T. Stuss, "Pre-frontal cortex: The present and the future". D. T. Stuss & R. T. Knight (Orgs.), *Principles of frontal lobe function*. Nova York: Oxford University Press, 2002, pp. 573-598.

**NOTAS** 499

17. Alguns primatas não humanos, notavelmente chimpanzés e macacos, revelam certa habilidade para adiar sentimentos de satisfação, o que se mostra consistente com seu córtex pré-frontal em alteração e desenvolvimento; M. J. Beran, "Delay of gratification in nonhuman animals". *Psychological Science Agenda*, maio 2013. Disponível em: <www.apa.org/science/about/psa/2013/05/nonhuman-animals.aspx>.

18. M. Beckman, "Crime, culpability, and the adolescent brain". *Science*, v. 305, n. 5684, 2004, pp. 596-599; J. N. Giedd, J. Blumenthal, N. O. Jeffries, F. X. Castellanos, H. Liu, A. Zijdenbos, J. L. Rapoport et al., "Brain development during childhood and adolescence: A longitudinal MRI study". *Nature Neuroscience*, v. 2, n. 10, 1999, pp. 861-863; E. R. Sowell, P. M. Thompson & A. W. Toga, "Mapping changes in the human cortex throughout the span of life". *The Neuroscientist*, v. 10, n. 4, 2004, pp. 372-392; L. Steinberg, "Risk taking in adolescence: What changes, and why?". *Annals of the New York Academy of Sciences*, v. 1021, n. 1, 2004, pp. 51-58.

19. A. D. Baddeley, *Working memory*. Oxford: Clarendon Press, 1986.

20. F. Lhermitte, "'Utilization behaviour' and its relation to lesions of the frontal lobes". *Brain*, v. 106, n. 2, 1983, pp. 237-255.

21. R. T. Knight & M. Grabowecky, "Prefrontal cortex, time, and consciousness". M. Gazzaniga (Org.), *The new cognitive neurosciences*. Cambridge: MIT Press, 2000, pp. 1319-1337.

22. G. P. Prigatano, "Disturbances of self-awareness of deficit after traumatic brain injury". G. P. Prigatano & D. L. Schacter (Orgs.), *Awareness of deficit after brain injury: Clinical and theoretical issues*. Nova York: Oxford University Press, 1991, pp. 111-126; D. T. Stuss, "Disturbances of self-awareness after frontal system damage". G. P. Prigatano & D. L. Schacter (Orgs.), *Awareness of deficit after brain injury: Clinical and theoretical issues*. Nova York: Oxford University Press, 1991, pp. 63-83.

23. R. T. Knight & D. T. Stuss, "Prefrontal cortex: The present and the future". D. T. Stuss & R. T. Knight (Orgs.), *Principles of frontal lobe function*. Nova York: Oxford University Press, 2002.

24. H. Trantham Davidson, E. J. Burnett, J. T. Gass, M. F. Lopez, P. J. Mulholland, S. W. Centanni, L. J. Chandler et al., "Chronic alcohol disrupts dopamine receptor activity and the cognitive function of the medial prefrontal cortex". *The Journal of Neuroscience*, v. 34, n. 10, 2014, pp. 3706-718.

25. E. Courchesne, P. R. Mouton, M. E. Calhoun, K. Semendeferi, C. Ahrens-Barbeau, M. J. Hallet, K. Pierce et al., "Neuron number and size in prefrontal cortex of children with autism". JAMA, v. 306, n. 18, 2011, pp. 2001-2010.

26. A. F. T. Arnsten & A. G. Dudley, "Methylphenidate improves prefrontal cortical cognitive function through □2 adrenoceptor and dopamine D1 receptor actions: Relevance to therapeutic effects in Attention Deficit Hyperactivity Disorder". *Behavioral and Brain Functions*, v. 1, n. 1, 2005, p. 2; A. M. Owen, B. J. Sahakian, J. R. Hodges, B. A. Summers, C. E. Polkey & T. W. Robbins, "Dopamine-dependent frontostriatal planning deficits in early Parkinson's disease". *Neuropsychology*, v. 9, n. 1, 1995, pp. 126-140; L. Tucha, O. Tucha, T. A. Sontag, D. Stasik, R. Laufkötter

500 **A MENTE ORGANIZADA**

& K. W. Lange, "Differential effects of methylphenidate on problem solving in adults with ADHD". *Journal of Attention Disorders*, v. 15, n. 2, 2011, pp. 161-173.

27. D. D. Clarke & L. Sokoloff, "Circulation and energy metabolism of the brain: Substrates of cerebral metabolism". G. J. Siegel, B. W. Agranoff, R. W. Albers, S. K. Fisher & M. D. Uhler (Orgs.), *Basic neurochemistry: Molecular, cellular and medical aspects*. 6. ed. Filadélfia: Lippincott-Raven, 1999, pp. 637-669.

28. O potencial de repouso de um neurônio típico é -70 mV, o que quer dizer que ele tem uma carga negativa, e a saída de um iPod tem carga positiva.

29. P. Janata, *Electrophysiological studies of auditory contexts*. Dissertation Abstracts International: Section B: The Sciences and Engineering, University of Oregon, 1997.

30. Citação direta de D. Anderson, "Your brain is more than a bag of chemicals". Arquivo de vídeo. TedX CalTech, 2011.

31. D. D. Clarke & L. Sokoloff, "Circulation and energy metabolism of the brain: Substrates of cerebral metabolism". G. J. Siegel, B. W. Agranoff, R. W. Albers, S. K. Fisher & M. D. Uhler (Orgs.), *Basic neurochemistry: Molecular, cellular and medical aspects*. 6. ed. Filadélfia: Lippincott-Raven, 1999, pp. 637-669; L. Sokoloff, M. Reivich, C. Kennedy, M. H. Des Rosiers, C. S. Patlak, K. E. A. Pettigrew, M. Shinohara et al., "The [14C]deoxyglucose method for the measurement of local cerebral glucose utilization: Theory, procedure, and normal values in the conscious and anesthetized albino rat". *Journal of Neurochemistry*, v. 28, n. 5, 1977, pp. 897-916.

32. H. E. Himwich & L. H. Nahum, "The respiratory quotient of testicle". *American Journal of Physiology*, v. 88, n. 4, 1929, pp. 680-685; B. P. Setchell & G. M. H. Waites, "Blood flow and the uptake of glucose and oxygen in the testis and epididymis of the ram". *Journal of Physiology*, v. 171, n. 3, 1964, pp. 411-425.

33. A. Hoyland, C. L. Lawton, L. Dye, "Acute effects of macronutrient manipulations on cognitive test performance in healthy young adults: A systematic research review". *Neuroscience & Biobehavioral Reviews*, v. 32, n. 1, 2008, pp. 72-85; L. M. Riby, A. S. Law, J. McLaughlin & J. Murray, "Preliminary evidence that glucose ingestion facilitates prospective memory performance". *Nutrition Research*, v. 31, n. 5, 2011, pp. 370-377; A. B. Scholey, S. Harper & D. O. Kennedy, "Cognitive demand and blood glucose". *Physiology & Behavior*, v. 73, n. 4, 2001, pp. 585-592.

34. Harvard Medical School, "Calories burned in thirty minutes for people of three different weights". *Harvard Heart Letter*, jul. 2004. O número de calorias depende do seu peso — este exemplo é para pessoas com 68 quilos; acrescente ou diminua oito calorias para cada 11 quilos a mais ou a menos.

35. J. J. Harris, R. Jolivet & D. Attwell, "Synaptic energy use and supply". *Neuron*, v. 75, n. 5, 2012, pp. 762-777.

36. S. Kastenbaum (produtor). "Texting while walking: a dangerous experiment in multitasking". Arquivo de áudio, 26 mai. 2012. Disponível em: <news.blogs.cnn. com/2012/05/26/texting-while-walking-a-dangerous-experiment-in--multitasking>.

37. Citado em A. Tuged, "Multitasking can make you lose... um... focus". *The New York Times*, 25 out. 2008, p. B7.

**NOTAS** 501

38. D. M. Tucker, "Hemisphere specialization: A mechanism for unifying anterior and posterior brain regions". D. Ottoson (dir.), *Duality and unity of the brain: Unified functioning and specialization of the hemispheres.* Simpósio apresentado no The Wenner-Gren Center, Estocolmo, Suécia. Nova York: Plenum Press, maio 1987, pp. 180-193.

39. Citação quase direta de A. Gopnik, "The great illusion", resenha do livro *Soul Dust*, de N. Humphrey. *The New York Times Book Review*, 22 maio 2011, p. 19.

40. Alguns músicos criativos que precisam executar tarefas repetitivas, como edição de áudio digital, ingerem drogas que aumentam a dopamina quando têm de fazer edições, mas jamais pensariam em ingerir a mesma droga para escrever ou tocar música.

41. US National Library of Medicine. "Genetics home reference: Genes, COMT", set. 2007. Disponível em: <ghr.nlm.nih.gov/gene/COMT>.

42. L. S. Colzato, F. Waszak, S. Nieuwenhuis, D. Posthuma, B. Hommel, "The flexible mind is associated with the catechol-O-methyltransferase (COMT) Vall158Met polymorphism: Evidence for a role of dopamine in the control of task-switching". *Neuropsychologia*, v. 48, n. 9, 2010, pp. 2764-2768; Q. He, G. Xue, C. Chen, Z. L. Lu, C. Chen, X. Lei, A. Bechara et al., "COMT Val158Met polymorphism interacts with stressful life events and parental warmth to influence decision-making". *Scientific Reports*, v. 2, n. 677, 2012.

43. H. Eichenbaum, "Memory on time". *Trends in Cognitive Sciences*, v. 17, n. 2, 2013, pp. 81-88.

44. M. F. Kennard, "The Building of Mulberry Harbour". *The war illustrated.* Londres: Amalgamated Press, v. 10, n. 255, 11 abr. 1947, pp. 771-772; History Learning Site, The Mulberry Harbour, s.d. Disponível em: <www.historylearningsite.co.uk>.

45. A medida padrão da madeira inglesa, conforme utilizada no comércio, é de 4,7 metros cúbicos. G. D. Urquhart, *Dues and charges on shipping in foreign ports: A manual of reference for the use of shipowners, shipbrokers & shipmasters.* Londres: George Philip and Son, 1869, pp. 185; Chest of Books, "Petersburg standard of timber", s.d. Disponível em: <chestofbooks.com/crafts/mechanics/Cyclopaedia/Petersburg-Standard-Of-Timber.html#.UYW9jt2Qc3I>.

46. M. F. Kennard, "The Building of Mulberry Harbour". *The war illustrated.* Londres: Amalgamated Press, v. 10, n. 255, 11 abr. 1947, pp. 771-772.

47. M. Chevignard, B. Pillon, P. Pradat-Diehl, C. Taillefer, S. Rousseau, C. Le Bras & B. Dubois, "An ecological approach to planning dysfunction: Script execution". *Cortex*, v. 36, n. 5, 2000, pp. 649-669.

48. E. Goldberg, *The executive brain: Frontal lobes and the civilized mind.* Nova York: Oxford University Press, 2001.

49. R. T. Knight & D. T. Stuss, "Prefrontal cortex: The present and the future". D. T. Stuss & R. T. Knight (Orgs.), *Principles of frontal lobe function.* Nova York: Oxford University Press, 2002.

50. T. J. Buschman, E. L. Denovellis, C. Diogo, D. Bullock & E. K. Miller, "Synchronous oscillatory neural ensembles for rules in the prefrontal cortex". *Neuron*, v. 76, n. 4, 2012, pp. 838-846.

502 **A MENTE ORGANIZADA**

51. S. J. Fallon, C. H. Williams-Gray, R. A. Barker, A. M. Owen & A. Hampshire, "Prefrontal dopamine levels determine the balance between cognitive stability and flexibility". *Cerebral Cortex*, v. 23, n. 2, 2013, pp. 361-369.

52. J. Ferguson, comunicação pessoal, 9 dez. 2010.

53. J. Gottschall, *The storytelling animal: How stories make us human*. Nova York: Houghton Mifflin Harcourt Publishing Company, 2012; J. Gottschall & D. S. Wilson, *The literary animal: Evolution and the nature of narrative (rethinking theory)*. Evanston: Northwestern University Press, 2005.

54. C. A. Kurby & J. M. Zacks, "Segmentation in the perception and memory of events". *Trends in Cognitive Sciences*, v. 12, n. 2, 2007, pp. 72-79.

55. C. A. Kurby & J. M. Zacks, "Segmentation in the perception and memory of events". *Trends in Cognitive Sciences*, v. 12, n. 2, 2007, pp. 72-79.

56. D. Piraro, comunicação pessoal, 8 mar. 2014.

57. F. I. Craik & R. S. Lockhart, "Levels of processing: A framework for memory research". *Journal of Verbal Learning and Verbal Behavior*, v. 11, n. 6, 1972, pp. 671-684.

58. C. H. Crouch & E. Mazur, "Peer instruction: Ten years of experience and results". *American Journal of Physics*, v. 69, n. 9, 2001, pp. 970-977.

59. Citação quase direta de M. Kopasz, B. Loessl, M. Hornyak, D. Riemann, C. Nissen, H. Piosczyk & U. Voderhol-zer, "Sleep and memory in healthy children and adolescents — A critical review". *Sleep Medicine Reviews*, v. 14, n. 3, 2010, pp. 167-177.

60. M. Kopasz, B. Loessl, M. Hornyak, D. Riemann, C. Nissen, H. Piosczyk & U. Voderholzer, "Sleep and memory in healthy children and adolescents — A critical review". *Sleep Medicine Reviews*, v. 14, n. 3, 2010, pp. 167-177.

61. S. Diekelmann & J. Born, "The memory function of sleep". *Nature Reviews Neuroscience*, v. 11, n. 2, 2010, pp. 114-126; M. P. Walker & R. Stickgold, "Overnight alchemy: Sleep-dependent memory evolution". *Nature Reviews Neuroscience*, v. 11, n. 3, 2010, p. 218.

62. J. L. McClelland, B. L. McNaughton & R. C. O'Reilly, "Why there are complementary learning systems in the hippocampus and neocortex: Insights from the successes and failures of connectionist models of learning and memory". *Psychological Review*, v. 102, n. 3, 1995, pp. 419-457.

63. M. P. Walker & R. Stickgold, "Overnight alchemy: Sleep-dependent memory evolution". *Nature Reviews Neuroscience*, v. 11, n. 3, 2010, p. 218.

64. Como escreveram Walker & Stickgold (2010): "A unificação ao longo da noite tem sido observada utilizando uma tarefa motora de ficar batendo com o dedo, na qual os pacientes aprendem a digitar sequências numéricas tais como 4-1-3-2-1-3-2-1-4. Durante o aprendizado inicial, os pacientes parecem quebrar a sequência em 'pedaços' (ex.: 413-21-3214), separados por pausas breves. Mas durante uma noite de sono, a sequência se torna unificada e digitada sem pausas (ex.: 413213214)". Esta passagem descreve o principal trabalho de K. Kuriyama, R. Stickgold & M. P. Walker, "Sleep-dependent learning and motor-skill complexity". *Learning & Memory*, v. 11, n. 6, 2004, pp. 705-713.

# NOTAS 503

65. M. Dworak, R. W. McCarley, T. Kim, A. V. Kalinchuk & R. Basheer, "Sleep and brain energy levels: ATP changes during sleep". *The Journal of Neuroscience*, v. 30, n. 26, 2010, pp. 9007-9016.

66. T. R. Barrett & B. R. Ekstrand, "Effect of sleep on memory: III. Controlling for time-of-day effects". *Journal of Experimental Psychology*, v. 96, n. 2, 1972, pp. 321--327; S. Fischer, M. Hallschmid, A. L. Elsner & J. Born, "Sleep forms memory for finger skills". *Proceedings of the National Academy of Sciences*, v. 99, n. 18, 2002, pp. 11987-11991; R. Huber, M. F. Ghilardi, M. Massimini & G. Tononi, "Local sleep and learning". *Nature*, v. 430, n. 6995, 2004, pp. 78-81; J. G. Jenkins & K. M. Dallenbach, "Obliviscence during sleep and waking". *American Journal of Psychology*, v. 35, n. 4, 1924, pp. 605-612; W. Plihal & J. Born, "Effects of early and late nocturnal sleep on declarative and procedural memory". *Journal of Cognitive Neuroscience*, v. 9, n. 4, 1997, pp. 534-547; R. Stickgold, L. James & J. A. Hobson, "Visual discrimination learning requires sleep after training". *Nature Neuroscience*, v. 3, n. 12, 2000, pp. 1237-1238; R. Stickgold, D. Whidbee, B. Schirmer, V. Patel & J. A. Hobson, "Visual discrimination task improvement: A multi-step process occurring during sleep". *Journal of Cognitive Neuroscience*, v. 12, n. 2, 2000, pp. 246-254; M. Walker, T. Brakefield, A. Morgan, J. A. Hobson & R. Stickgold, "Practice with sleep makes perfect: Sleep dependent motor skill learning". *Neuron*, v. 35, n. 1, 2002, pp. 205-211.

67. S. Allen, "Memory stabilization and enhancement following music practice". *Psychology of Music*, 2013. Disponível em: <pom.sagepub.com>.

68. U. Wagner, S. Gais, H. Haider, R. Verleger, J. Born, "Sleep inspires insight". *Nature*, v. 427, n. 6972, 2004, pp. 352-355.

69. U. Wagner, S. Gais, H. Haider, R. Verleger, J. Born, "Sleep inspires insight". *Nature*, v. 427, n. 6972, 2004, pp. 352-355.

70. R. Stickgold, A. Malia, D. Maguire, D. Roddenberry & M. O'Connor, "Replaying the game: Hypnagogic images in normals and amnesiacs". *Science*, v. 290, n. 5490, 2000, pp. 350-353.

71. J. Siegel, "The stuff dreams are made of: Anatomical substrates of REM sleep". *Nature Neuroscience*, v. 9, n. 6, 2006, pp. 721-722.

72. M. E. Hasselmo, "Neuro-modulation: Acetylcholine and memory consolidation". *Trends in Cognitive Sciences*, v. 3, n. 9, 1999, pp. 351-359.

73. M. W. Jones & M. A. Wilson, "Theta rhythms coordinate hippocampal-prefrontal interactions in a spatial memory task". PLOS *Biology*, v. 3, n. 12, 2005, p. e402.

74. J. Lu, D. Sherman, M. Devor, C. B. Saper, "A putative flip-flop switch for control of REM sleep". *Nature*, v. 441, 1º jun. 2006, pp. 589-594.

75. G. W. Domhoff, *The scientific study of dreams: Neural networks, cognitive development, and content analysis*. Washington: APA Press, 2002.

76. R. Stickgold, "Sleep-dependent memory consolidation". *Nature*, v. 437, 2005, pp. 1272-1278; American Psychological Association, *Why sleep is important and what happens when you don't get enough*, s.d. Disponível em: <www.apa.org/topics/sleep/why.aspx?item=11>.

504  **A MENTE ORGANIZADA**

77. R. Stickgold, L. James & J. A. Hobson, "Visual discrimination learning requires sleep after training". *Nature Neuroscience*, v. 3, n. 12, 2000, pp. 1237-1238.

78. G. W. Domhoff, *The scientific study of dreams: Neural networks, cognitive development, and content analysis*. Washington: APA Press, 2002; L. Xie, K. Hongyi, X. Qiwu, M. J. Chen, L. Yonghong, T. Meenakshisundaram, M. Nedergaard et al., "Sleep drives metabolite clearance from the adult brain". *Science*, v. 342, n. 6156, 2013, pp. 373-377.

79. L. Xie, K. Hongyi, X. Qiwu, M. J. Chen, L. Yonghong, T. Meenakshisundaram, M. Nedergaard et al., "Sleep drives metabolite clearance from the adult brain". *Science*, v. 342, n. 6156, 2013, pp. 373-377.

80. H. P. A. Van Dongen & D. P. Dinges, "Circadian rhythms in fatigue, alertness, and performance". M. H. Kryger, T. Roth & W. C. Dement (Orgs.), *Principles and practice of sleep medicine*. 3. ed. Filadélfia: W. B. Saunders, 2000, pp. 391-399; D. Stenberg, "Neuroanatomy and neurochemistry of sleep". *Cellular and Molecular Life Sciences*, v. 64, n. 10, 2007, pp. 1187-1204.

81. J. M. Krueger, D. M. Rector, S. Roy, H. P. A. Van Dongen, G. Belenky & J. Panksepp, "Sleep as a fundamental property of neuronal assemblies". *Nature Reviews Neuroscience*, v. 9, n. 12, 2008, pp. 910-919.

82. C. D. Mah, K. E. Mah, E. J. Kezirian & W. C. Dement, "The effects of sleep extension on the athletic performance of collegiate basketball players". *Sleep*, v. 34, n. 7, 2011, p. 943.

83. A. R. Ekirch, *At day's close: Night in times past*. Nova York: W. W. Norton & Company, 2006; C. Koslofsky, *Evening's empire: A history of the night in early modern Europe*. Cambridge: Cambridge University Press, 2011; Wehr, "In short photoperiods, human sleep is biphasic". *Journal of Sleep Research*, v. 1, n. 2, 1992, pp. 103-107.

84. Y-Y Chiang, P-Y Tsai, P-C Chen, M-H Yang, C-Y Li, F-C Sung & K-B Chen, "Sleep disorders and traffic accidents". *Epidemiology*, v. 23, n. 4, 2012, pp. 643-644; United States Census Bureau, "Transportation: Motor vehicle accidents and fatalities", s.d. Disponível em: <www.census.gov>.

85. National Sleep Foundation, "How much sleep do we really need?", s.d. Disponível em: <www.sleepfoundation.org/article/how-sleep-works/how-much-sleep-do-we-really-need>.

86. H. Hor & M. Tafti, "How much sleep do we need?". *Science*, v. 325, n. 5942, 2009, pp. 825-826.

87. H. P. A. van Dongen & D. P. Dinges, "Circadian rhythms in fatigue, alertness, and performance". M. H. Kryger, T. Roth & W. C. Dement (Orgs.), *Principles and practice of sleep medicine*. 3. ed. Filadélfia: W. B. Saunders, 2000, pp. 391-399.

88. Centers for Disease Control and Prevention, "Insufficient sleep is a public health epidemic", s.d. Disponível em: <www.cdc.gov/features/dssleep/index.html# References>.

89. Citação direta do U. S. Institute of Medicine Committee on Sleep Medicine and Research. H. R. Colton & B. M. Altevogt (Orgs.), *Sleep disorders and sleep depriva-*

**NOTAS** 505

*tion: An unmet public health problem.* Washington, DC: The National Academies Press, 2006. Disponível também em: <www.ncbi.nlm.nih.gov/books/NBK19958>; ver ainda D. Dinges, N. Rogers & M. D. Baynard, "Chronic sleep deprivation". M. H. Kryger, T. Roth & W. C. Dement (Orgs.), *Principles and practice of sleep medicine.* 4. ed. Filadélfia: Elsevier/Saunders, 2005, pp. 67-76; "Nightly news: Sleep deprivation costs companies billions". Arquivo de vídeo. NBC *News*, 23 jan. 2013. Disponível em: <www.nbcnews.com>.

90. C. Kuruvilla, "Captain of Air France plane that crashed into Atlantic Ocean killing everyone on board was running on one hour of sleep". *New York Daily News*, 15 mar. 2013; D. K. Randall, "Decoding the science of sleep". *The Wall Street Journal*, 3 ago. 2012; U. S. Institute of Medicine Committee on Sleep Medicine and Research. H. R. Colton & B. M. Altevogt (Orgs.), *Sleep disorders and sleep deprivation: An unmet public health problem.* Washington, DC: The National Academies Press, 2006. Disponível também em: <www.ncbi.nlm.nih.gov/books/NBK19958>.

91. Y. Harrison & J. A. Horne, "The impact of sleep deprivation on decision--making: A review". *Journal of Experimental Psychology: Applied*, v. 6, n. 3, 2000, pp. 236-249.

92. U. S. National Transportation Safety Board, *Marine accident report: Grounding of the U. S. tankship Exxon Valdez on Bligh Reef, Prince William Sound, near Valvez, Alaska.* NTSB Number MAR-90/04; PB90-916405. Washington, DC: U. S. Government Printing Office, 1997.

93. U. S. National Transportation Safety Board, *Marine accident report: Grounding of the Liberian passenger ship Star Princess on Poundstone Rock, Lynn Canal, Alaska.* NTSB Number MAR-97/02; PB97-916403. Washington, DC: U. S. Government Printing Office, 1997; ver também D. B. Brown, "Legal implications of obstructive sleep apnea". C. A. Kushida (Org.), *Obstructive sleep apnea: Diagnosis and treatment.* Nova York: Informa Healthcare USA, 2007.

94. *Presidential Commission on the Space Shuttle Challenger Accident.* Washington, DC: U. S. Government Printing Office, 1986.

95. CNN Money, "Fortune global 500", s.d. Disponível em: <money.cnn.com>.

96. D. K. Randall, "Decoding the science of sleep". *The Wall Street Journal*, 13 ago. 2012.

97. D.K Randall, *Dreamland: Decoding the science of sleep.* Nova York: W. W. Norton & Company, 2012.

98. G. D. Jacobs, E. F. Pace-Schott, R. Stickgold & M. W. Otto, "Cognitive behavior therapy and pharmacotherapy for insomnia: A randomized controlled trial and direct comparison". *Archives of Internal Medicine*, v. 164, n. 17, 2004, pp. 1888-1896.

99. D. K. Randall, *Dreamland: Decoding the science of sleep.* Nova York: W. W. Norton & Company, 2012; D. K. Randall, "Decoding the science of sleep". *The Wall Street Journal*, 3 ago. 2012.

100. J. Monti, S. R. Pandi-Perumal, C. M. Sinton & C. W. Sinton (Orgs.) *Neurochemistry of sleep and wakefulness.* Cambridge: Cambridge University Press, 2008; D.

Stenberg, "Neuroanatomy and neurochemistry of sleep". *Cellular and Molecular Life Sciences*, v. 64, n. 10, 2007, pp. 1187-1204.

101. Mayo Clinic, "Napping: Do's and don'ts for healthy adults", s.d. Disponível em: <www.mayoclinic.com/health/napping/MY01383>.

102. M. Nishida, J. Pearsall, R. L. Buckner & M. P. Walker, "REM sleep, prefrontal theta, and the consolidation of human emotional memory". *Cerebral Cortex* v. 19, n. 5, 2009, pp. 1158-1166.

103. M. A. Tucker, Y. Hirota, E. J. Wamsley, H. Lau, A. Chaklader & W. Fishbein, "A daytime nap containing solely non-REM sleep enhances declarative but not procedural memory". *Neurobiology of Learning & Memory*, v. 86, n. 2, 2006, pp. 241--247; J. K. Wilson, B. Baran, E. F. Pace-Schott, R. B. Ivry & R. M. C. Spencer, "Sleep modulates word-pair learning but not motor sequence learning in healthy older adults". *Neurobiology of Aging*, v. 33, n. 5, 2012, pp. 991-1000.

104. N. Gujar, S. A. McDonald, M. Nishida & M. P. Walker, "A role for REM sleep in recalibrating the sensitivity of the human brain to specific emotions". *Cerebral Cortex*, v. 21, n. 1, 2011, pp. 115-123; S. Mednick, K. Nakayama & R. Stickgold, "Sleep-dependent learning: A nap is as good as a night". *Nature Neuroscience*, v. 6, n. 7, 2003, pp. 697-698.

105. E. Markowitz, "Should your employees take naps?". *Inc*, 12 ago. 2011. Disponível em: <www.inc.com>; A. Naska, E. Oikonomou, A. Tichopoulou, T. Psaltopoulou & D. Tichopoulous, "Siesta in healthy adults and coronary mortality in the general population". JAMA *Internal Medicine*, v. 167, n. 3, 2007, pp. 296-301; R. Stein, "Midday naps found to fend off heart disease", *The Washington Post*, 13 fev. 2007.

Repare que há certa controvérsia em relação ao assunto. Primeiro, o efeito mostrou-se estatisticamente significativo para os homens, mas não para as mulheres; provavelmente esta é uma estatística artificiosa que mostra que poucas mulheres morreram de ataques cardíacos a ponto de formarem um grupo de controle adequado. Um estudo isolado mostrou que cochilos diários estavam associados a um *maior risco* de infartos do miocárdio, e outro estudo mostrou que o hábito de cochilar está ligado ao aumento do risco da mortalidade de todos os tipos, embora estes também sejam confundidos com cultura. Ver H. Campos & X. Siles, "Siesta and the risk of coronary heart disease: Results from a population-based, case-control study in Costa Rica". *International Journal of Epidemiology*, v. 29, n. 3, 2000, pp. 429-437; N. Tanabe, H. Iso, N. Seki, H. Suzuki, H. Yatsuya, H. Toyoshima & A. Tamakshi, "Daytime napping and mortality, with a special reference to cardiovascular disease: The JACC study". *International Journal of Epidemiology*, v. 39, n. 1, 2010, pp. 233-243.

106. E. Markowitz, "Should your employees take naps?". *Inc*, 12 ago. 2011. Disponível em: <www.inc.com>.

107. L. D. Recht, R. A. Lew & W. J. Schwartz, "Baseball teams beaten by jet lag". *Nature*, v. 377, n. 6550, 1995, p. 583.

108. J. Waterhouse, T. Reilly, G. Atkinson & B. Edwards, "Jet lag: Trends and coping strategies". *Lancet*, v. 369, n. 9567, 2007, pp. 1117-1129.

109. T. Monk, "Aging human circadian rhythms: Conventional wisdom may not always be right". *Journal of Biological Rhythms*, v. 20, n. 4, 2005, pp. 366-374; T. Monk, D. Buysse, J. Carrier & D. Kupfer, "Inducing jet-lag in older people: Directional asymmetry". *Journal of Sleep Research*, v. 9, n. 2, 2000, pp. 101-116.

110. H. J. Burgess, S. J. Crowley, C. J. Gazda, L. F. Fogg & C. I. Eastman, "Preflight adjustment to eastward travel: 3 days of advancing sleep with and without morning bright light". *Journal of Biological Rhythms*, v. 18, n. 4, 2003, pp. 318-328.

111. A. Suhner, P. Schlagenhauf, R. Johnson, A. Tschopp & R. Steffen, "Comparative study to determine the optimal melatonin dosage form for the alleviation of jet lag". *Chronobiology International*, v. 15, n. 6, 1998, pp. 655-666; J. Waterhouse, T. Reilly, G. Atkinson & B. Edwards, "Jet lag: Trends and coping strategies". *Lancet*, v. 369, n. 9567, 2007, pp. 1117-1129.

112. D. Sanders, A. Chatuvedi & J. Hordinsky, "Melatonin: Aeromedical, toxicopharmacological, and analytical aspects". *Journal of Applied Toxicology*, v. 23, n. 3, 1999, pp. 159-167.

113. C. I. Eastman & H. J. Burgess, "How to travel the world without jet lag". *Sleep Medicine Clinics*, v. 4, n. 2, 2009, pp. 241-255.

114. Muitas informações desta seção seguem a ordem de apresentação e as ideias encontradas em P. Steel & J. Ferrari, "Sex, education and procrastination: An epidemiological study of procrastinators' characteristics from a global sample". *European Journal of Personality*, v. 27, n. 1, 2013, pp. 51-58.

115. J. Eberts, comunicação pessoal, 5 maio 2008.

116. A. Eberts, comunicação pessoal, 26 nov. 2013.

117. A. Eberts, comunicação pessoal, 26 nov. 2013. A expressão "engolir sapo" foi retirada de uma citação atribuída a Mark Twain: "Eat a live frog first thing in the morning and nothing worse will happen to you the rest of the day" [Coma um sapo vivo de manhã cedo e nada pior lhe acontecerá pelo resto do dia].

118. L. E. Orellana-Damacela, R. S. Tindale & Y. Suárez-Balcázar, "Decisional and behavioral procrastination: How they relate to self-discrepancies". *Journal of Social Behavior & Personality*, v. 15, n. 5, 2000, pp. 225-238.

119. L. C. Harlan, A. B. Bernstein & L. G. Kessler, "Cervical cancer screening: Who is not screened and why?". *American Journal of Public Health*, v. 81, n. 7, 1991, pp. 885-890; F. M. Jaberi, J. Parvizi, C. T. Haytmanek, A. Joshi & J. Purtill, "Procrastination of wound drainage and malnutrition affect the outcome of joint arthroplasty". *Clinical Orthopaedics and Related Research*, v. 466, n. 6, 2008, pp. 1368-1371; G. Saposnik, "Acute stroke management: Avoiding procrastination, the best way to optimize care delivery". *European Journal of Neurology*, v. 16, n. 12, 2009, pp. 1251-1252; P. Steel & J. Ferrari, "Sex, education and procrastination: An epidemiological study of procrastinators' characteristics from a global sample". *European Journal of Personality*, v. 27, n. 1, 2013, pp. 51-58; D. L. Worthley, S. R. Cole, A. Esterman, S. Mehaffey, N. M. Roosa, A. Smith, G. P. Young et al., "Screening for colorectal cancer by faecal occult blood test: Why people choose to refuse". *Internal Medicine Journal*, v. 36, n. 9, 2006, pp. 607-610.

508   **A MENTE ORGANIZADA**

120. A. Byrne, D. Blake, A. Cairns & K. Dowd, "There's no time like the present: The cost of delaying retirement saving". *Financial Services Review*, v. 15, n. 3, 2006, pp. 213-231; S. Venti, "Choice, behavior and retirement saving". G. Clark, A. Munnell & M. Orszag (Orgs.), *Oxford handbook of pensions and retirement income*, v. 1. Nova York: Oxford University Press, 2006, pp. 21-30.

121. C. Goldin, L. F. Katz & I. Kuziemko, "The homecoming of American college women: The reversal of the college gender gap". *The Journal of Economic Perspectives*, v. 20, n. 4, 2006, pp. 133-156; J. J. Heckman & P. A. LaFontaine, "The American high school graduation rate: Trends and levels". *The Review of Economics and Statistics*, v. 92, n. 2, 2010, pp. 244-262; M. Janosz, I. Archambault, J. Morizot & L. S. Pagani, "School engagement trajectories and their differential predictive relations to dropout". *Journal of Social Issues*, v. 64, n. 1, 2008, pp. 21-40.

122. As correlações são extremamente baixas e atingem significância estatística nesses estudos por causa das grandes incógnitas. A maior dessas correlações dá conta de apenas 1% das variações no comportamento procrastinador.

123. S. Kaplan & M. G. Berman, "Directed attention as a common resource for executive functioning and self-regulation". *Perspectives on Psychological Science*, v. 5, n. 1, 2010, pp. 43-57.

124. P. Rentfrow, S. Gosling & J. Potter, "A theory of the emergence, persistence, and expression of geographic variation in psychological characteristics". *Perspectives on Psychological Science*, v. 3, n. 5, 2008, pp. 339-369.

125. W. Freema & J. W. Watts, "An interpretation of the functions of the frontal lobe: Based upon observations in forty-eight cases of prefrontal lobotomy". *The Yale Journal of Biology and Medicine*, v. 11, n. 5, 1939, pp. 527-539; R. L. Strub, "Frontal lobe syndrome in a patient with bilateral globus pallidus lesions". *Archives of Neurology*, v. 46, n. 9, 1989, pp. 1024-1027.

126. P. Steel, "The nature of procrastination: A meta-analytic and theoretical review of quintessential self-regulatory failure". *Psychological Bulletin*, v. 133, n. 1, 2007, p. 65; P. Steel, "The procrastination equation: How to stop putting things off and start getting stuff done". Nova York: HarperCollins, 2010.

127. Steel constrói sua equação de forma inversa à que descrevo aqui, colocando a autoconfiança e o valor de completude no numerador, com o prazo de entrega e a distração no denominador. Isso resulta no quociente de necessidade da tarefa, que está inversamente relacionado à probabilidade à procrastinação, isto é:

$$\text{Desejabilidade} = \frac{\text{autoconfiança} \times \text{valor de completude da tarefa}}{\text{Prazo de entrega} \times \text{distração}}$$

Peço desculpas a Steel, pois eliminei a etapa de inverter a proporção em prol da clareza da expressão.

128. Baseado na equação 1 de P. Steel & C. J. König, "Integrating theories of motivation". *Academy of Management Review*, v. 31, n. 4, 2006, pp. 889-913. O atraso é

**NOTAS** 509

mais comumente expresso como T-t, a diferença entre o valor de uma recompensa agora, num dado tempo T, versus o valor dessa mesma recompensa mais tarde, num dado tempo t.

129. L. A. Rabin, J. Fogel & K. E. Nutter-Upham, "Academic procrastination in college students: The role of self-reported executive function". *Journal of Clinical and Experimental Neuropsychology*, v. 33, n. 3, 2011, pp. 344-357.

130. Esta é uma citação quase direta de L. A. Rabin, J. Fogel & K. E. Nutter-Upham, "Academic procrastination in college students: The role of self-reported executive function". *Journal of Clinical and Experimental Neuropsychology*, v. 33, n. 3, 2011, pp. 344-357.

131. H.C Schouwenburg & C. H. Lay, "Trait procrastination and the Big Five factors of personality". *Personality and Individual Differences*, v. 18, n. 4, 1995, pp. 481-490.

132. G. Plimpton, "The X factor: A quest for excellence". Nova York: W. W. Norton & Company, 1995.

133. J. S. Beer, O. P. John, D. Scabini & R. T. Knight, "Orbitofrontal cortex and social behavior: desirability = Integrating self-monitoring and emotion-cognition interactions". *Journal of Cognitive Neuroscience*, v. 18, n. 6, 2006, pp. 871-879; P. Luu, P. Collins & D. M. Tucker, "Mood, personality, and self-monitoring: Negative affect and emotionality in relation to frontal lobe mechanisms of error monitoring". *Journal of Experimental Psychology: General*, v. 129, n. 1, 2000, pp. 43-60; R. E. Passingham, S. L. Bengtsson & H. C. Lau, "Medial frontal cortex: From self-generated action to reflection on one's own performance". *Trends in Cognitive Sciences*, v. 14, n. 1, 2010, pp. 16-21.

134. C. J. Limb & A. R. Braun, "Neural substrates of spontaneous musical performance: An fMRI study of jazz improvisation". PLOS *One*, v. 3, n. 2, 2008, p. e1679.

135. Citação direta de W. Freeman & J. W. Watts, "An interpretation of the functions of the frontal lobe: Based upon observations in forty-eight cases of prefrontal lobotomy". *The Yale Journal of Biology and Medicine*, v. 11, n. 5, 1939, pp. 527-539.

136. Rolling Stone, "The many business failures of Donald Trump", s.d. Disponível em: <www.rollingstone.com>.

137. "Donald Trump's companies filed for bankruptcy 4 times". Arquivo de vídeo. ABC *News*, 21 abr. 2011. Disponível em: <abcnews.ago.com/Politics/donald-trump-filed-bankruptcy-times/story?id=13419250>.

138. E. F. Ronningstam, *Identifying and understanding the narcissistic personality*. Nova York: Oxford University Press, 2005.

139. M. Jung-Beeman, E. M. Bowden, J. Haberman, J. L. Frymiare, S. Arambel-Liu, R. Greenblatt, J. Kounios et al., "Neural activity when people solve verbal problems with insight". PLOS *Biology*, v. 2, n. 4, 2004, p. e97.

140. A palavra que une essas três é *apple* [maçã; formando *crabapple* — maçã silvestre —, *applesauce* — purê de maçã — e *pineapple* — abacaxi].

141. R. Friend, G. Lerner & D. Foster (roteiristas). "Holding on". *House* (8ª temporada, episódio 21), 2012.

142. M. Jung-Beeman, citado em J. Lehrer. "The eureka hunt". *The New Yorker*, 28 jul. 2008, pp. 40-45.

510 **A MENTE ORGANIZADA**

143. J. I. Fleck, D. L. Green, J. L. Stevenson, L. Payne, E. M. Bowden, M. Jung-Beeman & J. Kounios, "The transliminal brain at rest: Baseline EEG, unusual experiences, and access to unconscious mental activity". *Cortex*, v. 44, n. 10, 2008, pp. 1353-1363.

144. "A fase de relaxamento é crucial. É por isso que muitos insights acontecem durante chuveiradas quentes". Citação de M. Jung-Beeman, apud J. Lehrer, "The eureka hunt". *The New Yorker*, 28 jul. 2008, pp. 40-45.

145. S. L. Bengtsson, M. Csíkszentmihályi & F. Ullén, "Cortical regions involved in the generation of musical structures during improvisation in pianists". *Journal of Cognitive Neuroscience*, v. 19, n. 5, 2007, pp. 830-842; M. Ulrich, J. Keller, K. Hoenig, C. Waller & G. Grön. "Neural correlates of experimentally induced flow experiences". *NeuroImage*, v. 86, 2014, pp. 194-202.

146. Aqui, estou parafraseando e pegando emprestado livremente ideias de bate-papos com Csikszentmihalyi, de nossas conversas privadas e públicas no simpósio do qual nós dois participamos, no Departamento de Psiquiatria da Universidade de Stanford, Califórnia, em 6 mar. 2007.

147. N. E. Omaha, comunicação pessoal, 15 set. 2010 e jan. 1991. Partes de outras conversas foram publicadas em D. J. Levitin, "Rosanne Cash". *Recording-Engineering-Production*, v. 22, n. 2, 1991, pp. 18-19.

148. P. Huxley, comunicação pessoal, Washington, DC, 25 maio 2013.

149. J. K. Seamans & C. R. Yang, "The principal features and mechanisms of dopamine modulation in the prefrontal cortex". *Progress in Neurobiology*, v. 74, n. 1, 2004, pp. 1-58; F. Ullén, Ö. de Manzano, R. Almeida, P. K. E. Magnusson, N. L. Pedersen, J. Nakamura, G. Madison et al., "Proneness for psychological flow in everyday life: Associations with personality and intelligence". *Personality and Individual Differences*, v. 52, n. 2, 2012, pp. 167-172.

150. V. Boulougouris & E. Tsaltas, "Serotonergic and dopaminergic modulation of attentional processes". *Progress in Brain Research*, v. 172, 2008, pp. 517-542.

151. A. Dietrich, "Neurocognitive mechanisms underlying the experience of flow". *Consciousness and Cognition*, v. 13, n. 4, 2004, pp. 746-761.

152. N. Young, comunicação pessoal, jun. 1981 e abr. 1984, Woodside, Califórnia.

153. S. Wonder, comunicação pessoal, abr. 1995, Burbank. Partes dessa conversa foram publicadas em D. J. Levitin, "Conversation in the key of life: Stevie Wonder". *Grammy Magazine*, v. 14, n. 3, 1996, pp. 14-25.

154. Sting, comunicação pessoal, 27 set. 2007, Barcelona, Espanha.

155. J. Perry, *The art of procrastination: A guide to effective dawdling, lollygagging and postpone*. Nova York: Workman Publishing Company, 2012.

156. J. Tierney, "This was supposed to be my column for New Year's Day". *The New York Times*, 15 jan. 2013, p. D3.

157. Citação quase direta de R. Kubey & M. Csikszentmihalyi, "Television addiction is no mere metaphor". *Scientific American*, fev. 2002, pp. 48-55.

158. J. Grafman, "Plans, actions and mental sets: Managerial knowledge units in the frontal lobes". E. Perecman (Org.), *Integrating Theory and Practice in Clinical Neuropsychology*. Hillsdale: Erlbaum, 1989, pp. 93-138.

**NOTAS** 511

159. The Freelancers' Show (produção). *The Freelancers' Show 073 — Book club: Getting things done with David Allen*, 8 ago. 2013. Arquivo de áudio. Disponível em: <www. freelancersshow.com/the-freelancers-show-073-book-club-getting-things--done-with-david-allen>.

160. D. E. Warburton, C. W. Nicol & S. S. Bredin, "Health benefits of physical activity: The evidence". *Canadian Medical Association Journal*, v. 174, n. 6, 2006, pp. 801-809.

161. C. M. Friedenreich, "Physical activity and cancer prevention from observational to intervention research". *Cancer Epidemiology Biomarkers & Prevention*, v. 10, n. 4, 2001, pp. 287-301; C. M. Friedenreich & M. R. Orenstein, "Physical activity and cancer prevention: Etiologic evidence and biological mechanisms". *The Journal of Nutrition*, v. 132, n. 11, 2002, pp. 3456S-3464S.

162. S. S. Bassuk, T. S. Church & J. E. Manson, "Why exercise works magic". *Scientific American*, ago. 2013, pp. 74-79; World Health Organization, "Global recommendations on physical activity for health", s.d. Disponível em: <www.who.int/dietphysicalactivity/factsheet_recommendations/en>; K. I. Erickson, M. W. Voss, R. S. Prakash, C. Basak, A. Szabo, L. Chaddock, A. F. Kramer et al., "Exercise training increases size of hippocampus and improves memory". *Proceedings of the National Academy of Sciences*, v. 108, n. 7, 2011, pp. 3017-022.

163. A. C. Pereira, D. E. Huddleston, A. M. Brickman, A. A. Sosunov, R. Hen, G. M. McKhann, S. M. Small et al., "An in vivo correlate of exercise-induced neurogenesis in the adult dentate gyrus". *Proceedings of the National Academy of Sciences*, v. 104, n. 13, 2007, pp. 5638-5643.

164. S. J. Colcombe, K. I. Erickson, P. E. Scalf, J. S. Kim, R. Prakash, E. McAuley, A. F. Kramer et al., "Aerobic exercise training increases brain volume in aging humans". *The Journals of Gerontology Series A: Biological Sciences and Medical Sciences*, v. 61, n. 11, 2006, pp. 1166-1170; C. H. Hillman, K. I. Erickson & A. F. Kramer, "Be smart, exercise your heart: Exercise effects on brain and cognition". *Nature Reviews Neuroscience*, v. 9, n. 1, 2008, pp. 58-65.

165. S. J. Colcombe, A. F. Kramer, K. I. Erickson, P. Scalf, E. McAuley, N. J. Cohen, S. Elavsky et al., "Cardiovascular fitness, cortical plasticity, and aging". *Proceedings of the National Academy of Sciences*, v. 101, n. 9, 2004, pp. 3316-3321.

166. D. Lavin, comunicação pessoal, 23 out. 2012.

167. A receita da empresa foi de 10 bilhões de dólares em 1988. De acordo com o U. S. Bureau of Labor Statistics, isto é equivalente a 20 bilhões de dólares em 2013, a data mais recente em que encontramos estatísticas disponíveis. United States Department of Labor Bureau of Labor Statistics, "Databases, tables & calculators by subject, CPI inflation calculator". Disponível em: <www.bls.gov/data/inflation_calculator.htm>.

168. Linda, comunicação pessoal, 16 nov. 2009.

169. P. Fraisse, *The psychology of time*. Nova York: Harper & Row, 1963; J. L. Walker, "Time estimation and total subjective time". *Perceptual and Motor Skills*, v. 44, n. 2, 1977, pp. 527-532.

170. J. L. Walker, "Time estimation and total subjective time". *Perceptual and Motor Skills*, v. 44, n. 2, 1977, pp. 527-532.

A fórmula é $S = (A_1/ A_2)^{1/2}$, em que S é a duração subjetiva e A é a idade da pessoa em questão.

171. R. A. Block, D. Zakay & P. A. Hancock, "Human aging and duration judgments: A meta-analytic review". *Psychology and Aging*, v. 13, n. 4, 1998, pp. 584-596; J. D. McAuley, M. R. Jones, S. Holub, H. M. Johnston & N. S. Miller, "The time of our lives: Life span development of timing and event tracking". *Journal of Experimental Psychology: General*, v. 135, n. 3, 2006, p. 348.

172. As frases que começam com *Quando se percebe o tempo como aberto e Quando se percebe o tempo como limitado* foram retiradas quase que literalmente de L. L. Carstensen, "The influence of a sense of time on human development". *Science*, v. 312, n. 5782, 2006, pp. 1913-1915.

173. L. L. Carstensen & B. L. Fredrickson, "Influence of HIV status and age on cognitive representations of others". *Health Psychology*, v. 17, n. 6, 1998, pp. 494-503; H. H. Fung & L. L. Carstensen, "Goals change when life's fragility is primed: Lessons learned from older adults, the September 11 attacks and SARS". *Social Cognition*, v. 24, n. 3, 2006, pp. 248-278.

174. B. Wansink, K. M. Kniffin & M. Shimizu, "Death row nutrition: Curious conclusions of last meals". *Appetite*, v. 59, n. 3, 2012, pp. 837-843.

175. M. Mather & L. L. Carstensen, "Aging and motivated cognition: The positivity effect in attention and memory". *Trends in Cognitive Sciences*, v. 9, n. 10, 2005, pp. 496-502.

176. L. L. Carstensen, "The influence of a sense of time on human development". *Science*, v. 312, n. 5782, 2006, pp. 1913-1915.

177. A. J. Furst, G. D. Rabinovici, A. H. Rostomian, T. Steed, A. Alkalay, C. Racine, W. J. Jagust, "Cognition, glucose metabolism and amyloid burden in Alzheimer's disease". *Neurobiology of Aging*, v. 33, n. 2, 2012, pp. 215-225; W. J. Jagust & E. C. Mormino, "Lifespan brain activity, β-amyloid, and Alzheimer's disease". *Trends in Cognitive Sciences*, v. 15, n. 11, 2011, pp. 520-526.

178. "Tem a ver com os padrões comportamentais durante a vida", diz William Jagust, neurocientista da UC Berkeley. "Em termos de demência, tendemos a focar no que as pessoas fazem aos 75 anos. Mas há mais provas de que o que você faz aos quarenta ou cinquenta é muito mais importante."

Citado em D. Grady, "Exercising an aging brain". *The New York Times*, 8 mar. 2012, p. F6.

179. T. E. Seeman, D. M. Miller-Martinez, S. S. Merkin, M. E. Lachman, P. A. Tun & A. S. Karlamangla, "Histories of social engagement and adult cognition: Midlife in the US study". *The Journals of Gerontology Series B: Psychological Sciences and Social Sciences*, v. 66, supl. 1, 2011, pp. i141-i152.

180. D. T. Campbell, "Blind variation and selective retentions in creative thought as in other knowledge processes". *Psychological Review*, v. 67, n. 6, 1960, pp. 380-400.

## NOTAS 513

**CAPÍTULO 6 [pp. 269-322]**

1. Barack Obama para Michael Lewis sobre a perda de liberdade advinda da presidência: "Não dá para se acostumar com isso — eu pelo menos não consigo". M. Lewis, *Vanity Fair*, 5 set. 2012.
2. S. Wynn, comunicação pessoal, 1º ago. 2010.
3. L. Gerstein (M. D.), comunicação pessoal, 9 abr. 2013.
4. A proporção exata de meninos e meninas não é tão simples quanto parece. Precisamos especificar se estamos interessados apenas nos partos com vida; se nos partos que acontecem somente em hospitais ou todos os partos; se estamos ou não contando os gêmeos. Foram observadas variações dependentes desses fatores, assim como a raça dos pais, o país e muitas outras informações. A proporção acaba sendo muito próxima de 50-50, mas não exata.
5. Para completar, são poucos os casos em que uma afirmação como "Há 90% de chances de eu ir à festa de Susan" tem mesmo uma base de cálculo. Por exemplo, digamos que o meu carro está na oficina e precisa de um novo injetor de combustível ou de uma troca de válvula e anel. Se for somente o injetor de combustível, a oficina consegue aprontar o carro até sexta-feira — a tempo de eu pegá-lo para ir à festa—, mas se ele precisar da troca de válvula e anel, a oficina precisará de mais uma semana para retirar o motor e enviá-lo à retífica. Agora, talvez o meu mecânico tenha acesso a dados do fabricante das peças que garantem que há 90% de chance de haver falhas no injetor de combustível de carros com minha quilometragem, e 10% de chance de eu precisar de uma troca de válvula e anel. Assim, minha afirmação quanto a ir à festa de Susan — normalmente uma estimativa, não uma forte probabilidade — está mesmo ligada a um cálculo de probabilidade, o de eu precisar de um novo injetor de combustível. Se eu quisesse ser totalmente exato quanto a ir à festa, teria de dizer: "Espero poder ir, mas, de acordo com meu mecânico, há 10% de chance de o meu carro não ficar pronto, e, se não ficar, não poderei ir". Fica meio esquisito, mas assim está claro que minha afirmação não é apenas uma estimativa e sim uma informação ligada a um cálculo de verdade.
6. Estou sendo particularmente otimista com essa estimativa de 10%. Em 2006, Robert Gallucci, reitor da Georgetown University School of Foreign Service, estimou que "é mais provável que sim do que não que a al-Qaeda ou um de seus membros soltem uma arma nuclear numa cidade americana dentro dos próximos 5 ou 10 anos". A frase "é mais provável que sim do que não" claramente representa mais de 50% de chance. Citado em O. F. Kittrie, "Averting catastrophe: Why a nuclear nonproliferation treaty is losing its deterrence capacity and how to restore it". *Michigan Journal of International Law*, v. 28, 2007, pp. 337-430.
7. National Weather Service, "How dangerous is lightning?", s.d. Disponível em: <www.lightningsafety.noaa.gov>.
8. "How lucky can you get! Incredible story of how man survives being hit by lightning TWICE in remarkable CCTV footage". *Daily Mail*, 2 maio 2011; K. Campbell, *Guinness World Records 2001*. Nova York: Guinness World Records Ltd., 2000, p. 36.

514  **A MENTE ORGANIZADA**

9. Escrevi isso por conta própria, e depois descobri que em muito se assemelha a uma passagem no livro de Hacking, que só encontrei mais tarde. I. Hacking, *An introduction to probability and inductive logic*. Nova York: Cambridge University Press, 2001, p. 31.

10. Esse é um daqueles casos em que a intuição — nossa opinião — nos deixa preocupados por falta de um raciocínio correto. A probabilidade de tirar cara dez vezes consecutivas, seguida de uma coroa, é exatamente a mesma que a de tirar dez caras consecutivas, seguida de mais uma cara. Ambas as sequências são totalmente pouco prováveis, mas, se você já tirou dez caras seguidas, a 11ª chance ainda é de 50-50, e a moeda pode cair de qualquer lado. Não há obrigatoriedade de dar coroa. Ela não precisa aparecer para equilibrar a sequência.

11. I. Hacking, *An introduction to probability and inductive logic*. Nova York: Cambridge University Press, 2001, p. 31.

12. P. Ginsparg, "How many coin flips on average does it take to get n consecutive heads?", 2005. Disponível em: <www.cs.cornell.edu/~ginsparg/physics/INFO295/mh.pdf>.

13. A probabilidade de haver pelo menos uma jogada em que haja três caras ou mais em N jogadas é de:

$$1-(1{,}236839844/1{,}087378025^{(N+1)})$$

Que em cada cem jogadas é de cerca de 0,9997382.
E. W. Weisstein, *Run*, s.d. Disponível em: <mathworld.wolfram.com/Run.html>.

14. F. Mosteller, R. E. K. Rourke & G. B. Thomas, *Probability and statistics*. Reading: Addison-Wesley, 1961, p. 17.

15. L. Gerstein (doutor em medicina), comunicação pessoal, 9 abr. 2013.

16. A. Young, H. J. Chaudhry, J. Rhyne & M. Dugan, "A census of actively licensed physicians in the United States, 2010". *Journal of Medical Regulation*, v. 96, n. 4, 2011, pp. 10-20.

17. The White House, "The cabinet", s.d. Disponível em: <www.whitehouse.gov/administration/cabinet>. Existem dezesseis ministros, contando o vice-presidente.

18. J. E. Manning, *Membership of the 111th Congress: A Profile*. Washington, DC: Congressional Research Service Publication, 2010. Disponível em: <www.senate.gov/CRSReports/crs-publish.cfm?pid=%260BL%29PL%3B%3D%0A_7-5700>.

19. Y. M. Bishop, S. E. Fienberg & P. W. Holland, *Discrete multivariate analysis: Theory and practice*. Cambridge: MIT Press, 1975; T. D. Wickens, *Multiway contingency tables analysis for the social sciences*. Hillsdale: Lawrence Erlbaum Associates, Inc., 1989.

20. Eu inventei isso. Não há nenhum medicamento com esse nome. Qualquer semelhança com algum medicamento existente é mera coincidência.

21. Os medicamentos dos quais estamos falando aqui são para visão embaçada — nada falei sobre medicamentos para coceira nas costas. Na verdade, existe uma enfermidade real em que você tem uma coceira nas costas exatamente num lugar onde não alcança — notalgia parestética —, e ela não tem cura.

## NOTAS 515

22. Você pode escolher o número que quiser. Eu escolhi 120 porque sabia que tinha que ser divisível por 6, para ter números inteiros no exemplo. Números inteiros não são necessários — pode-se começar com uma população de 100 e acabar com casas decimais na tabela, o que não é problema.

23. Isso se resolve com álgebra de ensino médio. Há um número $x$ que representa o número de pessoas com uma doença da mais incomum (a doença azul): $5x$ representa a doença mais comum (a doença verde); $x + 5x$ tem que ser igual a 120, que nós designamos que seria nossa população para os propósitos dessa tabela. Estabelecemos a equação $x + 5x = 120$. Somando os dois termos na esquerda, temos $6x = 120$. Dividindo ambos os lados da equação por 6, para isolar o único $x$, temos: $x = 20$. Sendo assim, o número de pessoas com a doença azul é igual a 20.

24. Meu editor disse que eu teria de colocar a seguinte observação: não estou aconselhando ninguém a descumprir a lei, estacionando ilegalmente; estou apenas usando esse exemplo para ilustrar uma hipótese.

25. Podemos acrescentar diferentes resultados para um valor total esperado. Vamos imaginar que temos um baú cheio de cédulas de dinheiro — notas de 1, 5 e 20 dólares. Você tem permissão de abri-lo, pegar uma nota e ficar com ela. Há 65 notas de 1,25 notas de 5, e 10 notas de 20. Que valor se espera desse jogo? Uma vez que o total de notas é 100 (65 + 25 + 10), fica fácil convertê-las em probabilidade: Temos 0,65 de chance de pegar uma nota de 1, 0,25 de chance de pegar a nota de 5 e 0,1 de chance de pegar uma nota de 20. Multiplicamos cada probabilidade por seu valor e os somamos:

$$0,65 \times 1 = 0,65$$
$$0,25 \times 5 = 1,25$$
$$0,1 \times 20 = 2,00$$

$$\overline{\phantom{0,1 \times 20 = 2,00}}$$

3,90 dólares

O valor esperado desse jogo é, portanto, 3,90 dólares. Repare que, na verdade, você nunca vai receber esse valor. Mas esta é a média que você poderia esperar receber, e isso o ajuda a calcular quanto você poderia estar disposto a pagar para jogá-lo; as probabilidades mudam ligeiramente à medida que as notas vão sendo retiradas em sequência, porque ficarão menos notas no baú e você saberá quais já tirou. Quando você vai a essas barraquinhas de tiro ao alvo e paga para atirar bolas de beisebol em garrafas de leite ou acertar anéis em cones, pode se sentir atraído por aqueles bichos de pelúcia gigantes ou por outros prêmios igualmente atraentes. O custo para jogar é normalmente apenas uma fração do valor do prêmio. Mas esses jogos estão no mercado para fazer dinheiro, e foram planejados de forma a favorecer o dono da casa, o dono da barraquinha ou aquele que tem sua concessão. O valor esperado desses joguinhos é sempre menor do que o custo de jogá-los. Embora poucas pessoas consigam lucrar e ganhem prêmios mais valiosos do que o dinheiro que irão gastar ali, essas barraquinhas, a longo prazo, fazem muito dinheiro. Os cassinos funcionam da mesma forma.

516 **A MENTE ORGANIZADA**

26. Sei disso por ter dado aula durante muitos anos para alunos de medicina. Além do mais, a maioria dos alunos deixa de avaliar fontes de informações, por serem "mal preparados e não terem disposição para fazê-lo", como dizem N. Thompson, S. Lewis, P. Brennan & J. Robinson, "Information literacy: Are final-year medical radiation science students on the pathway to success?". *Journal of Allied Health*, v. 39, n. 3, 2010, pp. e83-e89. Para ser franco, a residência médica é tão inacreditavelmente detalhada e intensa que a maior parte dos alunos tem pouco tempo para qualquer outra coisa fora do currículo estabelecido — simplesmente há um conteúdo enorme a ser absorvido em um tempo relativamente curto.

27. D. S. Jones, *Broken hearts: The tangled history of cardiac care*. Baltimore: The Johns Hopkins University Press, 2012.

28. University of Michigan Health System, "Coronary artery bypass grafting (CABG)", 2013. Disponível em: <www.med.umich.edu/cardiacsurgery/patient/adult/adult-candt/cabg.shtml>.

29. M. L. Murphy, H. N. Hultgren, K. Detre, J. Thomsen & T. Takaro, "Treatment of chronic stable angina: A preliminary report of survival data of the randomized Veterans Administration Cooperative Study". *New England Journal of Medicine*, v. 297, n. 12, 1977, pp. 621-627.

30. D. S. Jones, *Broken hearts: The tangled history of cardiac care*. Baltimore: The Johns Hopkins University Press, 2012.

31. A. Park, "A cardiac conundrum: How gaps in medical knowledge affect matters of the heart". *Harvard Magazine*, mar./abr. 2013, pp. 25-29.

32. S. G. Ellis, M. R. Mooney, B. S. George, E. E. da Silva, J. D. Talley, W. H. Flanagan & E. J. Topol, "Randomized trial of late elective angioplasty versus conservative management for patients with residual stenoses after thrombolytic treatment of myocardial infarction. Treatment of Post-Thrombolytic Stenoses (TOPS) Study Group". *Circulation*, v. 86, n. 5, 1992, pp. 1400-1406; W. Hueb, N. H. Lopes, B. J. Gersh, P. Soares, L. A. Machado, F. B. Jatene, J. A. Ramires et al., "Five-year follow-up of the Medicine, Angioplasty, or Surgery Study (MASS II): A randomized controlled clinical trial of 3 therapeutic strategies for multivessel coronary artery disease". *Circulation*, v. 115, n. 9, 2007, pp. 1082-1089; K. B. Michels & S. Yusuf, "Does PTCA in acute myocardial infarction affect mortality and reinfarction rates? A quantitative overview (meta-analysis) of the randomized clinical trials". *Circulation*, v. 91, n. 2, 1992, pp. 476-485.

33. D. S. Jones, *Broken hearts: The tangled history of cardiac care*. Baltimore: The John Hopkins University Press, 2012.

34. J. B. Engelmann, C. M. Capra, C. Noussair & G. S. Berns, "Expert financial advice neurobiologically 'offloads' financial decision-making under risk". PLOS *One*, v. 4, n. 3, 2009, p. e4957.

35. N. Hertz, "Why we make bad decisions". *The New York Times*, 20 out. 2013, p. SR6.

36. Tomei a liberdade de pegar emprestada a informação de um artigo que já havia publicado. D. J. Levitin, "Heal thyself", resenha do livro *Your medical mind: How*

**NOTAS** 517

*to decide what is right for you*, de J. Groopman & P. Hartzband. *The New York Times Sunday Book Review*, 9 out. 2011, p. BR28.

37. N. Howlader, A. M. Noone, M. Krapcho, N. Neyman, R. Aminou, W. Waldron, K. A. Cronin et al. (Orgs.). "SEER Cancer Statistics Review, 1975-2009 (Vintage 2009 Populations)". Bethesda: National Cancer Institute, com base na submissão de dados do SEER, nov. 2011. Disponível em: <seer.cancer.gov/archive/csr/1975_2009_pops09>.

38. American Cancer Society. "What are the key statistics about prostate cancer?", 2013. Disponível em: <www.cancer.org>.

39. National Cancer Institute. "Prostate cancer treatment (PDQ®): Treatment option overview", 2013. Disponível em: <www.cancer.gov>; M. Scholz & R. Blum, "Invasion of the prostate snatchers: No more unnecessary biopsies, radical treatment or loss of sexual potency". Nova York: Other Press, 2010, pp. 20-21.

40. J. Groopman & P. Hartzband, *Your medical mind: How to decide what is right for you*. Nova York: Penguin, 2011, pp. 246-247; D. Hessels, G. W. Verhaegh, J. A. Schalken & J. A. Witjes, "Applicability of biomarkers in the early diagnosis of prostate cancer". *Expert Review of Molecular Diagnostics*, v. 4, n. 4, 2004, pp. 513-526.

41. J. Hugosson, J. Stranne & S. V. Carlsson, "Radical retropubic prostatectomy: A review of outcomes and side-effects". *Acta Oncologica*, v. 50, supl. 1, 2011, pp. 92-97; National Cancer Institute, "Stage I prostate cancer treatment", 2014. Disponível em: <www.cancer.gov>; Prostate Doctor, "Shortening of the penis after prostatectomy: Yes, it really happens", 4 jun. 2011. Disponível em: <myprostatedoc.blogspot.com>; J. A. Talcott, P. Rieker, J. A. Clark, K. J. Propert, J. C. Weeks, C. J. Beard, P. W. Kantoff et al., "Patient-reported symptoms after primary therapy for early prostate cancer: Results of a prospective cohort study". *Journal of Clinical Oncology*, v. 16, n. 1, 1998, pp. 275-283; T. J. Wilt, R. MacDonald, I. Rutks, T. A. Shamliyan, B. C. Taylor & R. L. Kane, "Systematic review: Comparative effectiveness and harms of treatments for clinically localized prostate cancer". *Annals of Internal Medicine*, v. 148, n. 6, 2008, pp. 435-48.

42. F. H. Schröder, J. Hugosson, M. J. Roobol, T. Tammela, S. Ciatto, V. Nelen, A. Auvinen, "Screening and prostate cancer mortality in a randomized European study". *New England Journal of Medicine*, v. 360, n. 13, 2009, pp. 1320-1328.

43. T. C. Kao, D. F. Cruess, D. Garner, J. Foley, T. Seay, P. Friedrichs, J. W. Moul, "Multicenter patient self-reporting questionnaire on impotence, incontinence and stricture after radical prostatectomy". *The Journal of Urology*, v. 163, n. 3, 2000, pp. 858-864; T. S. Bates, M. P. Wright & D. A. Gillatt, "Prevalence and impact of incontinence and impotence following total prostatectomy assessed anonymously by the ICS-Male Questionnaire". *European Urology*, v. 33, n. 2, 1998, pp. 165-169.

44. T. Parker-Pope, "Regrets after prostate surgery". *The New York Times*, 27 ago. 2008.

45. Citação de A. Pollock, "New test improves assessment of prostate cancer risk, study says". *The New York Times*, 8 maio 2013, p. B3.

46. B. Kenet, comunicação pessoal, 30 jan. 2014.

## 518  A MENTE ORGANIZADA

47. Science Daily Health Behavior News Service, "Exercise can extend your life by as much as five years", 2012. Disponível em: <www.sciencedaily.com/releases/2012/12/121211082810.htm>.

48. Considere a estatística para o número médio de horas por semana que as pessoas passam assistindo a televisão. Num apartamento pequeno, talvez quatro pessoas assistam a uma hora de televisão por semana e uma pessoa assista a dez horas. Para computar a média, somamos o total de horas por semana (1 + 1 + 1 + 1 + 10 = 14) e dividimos pelo número de pessoas (14/5) para chegar a 2,8. Neste caso, ninguém no apartamento assiste a 2,8 horas de televisão por semana, mas esta é a média.

    Há outras duas medidas de tendência central, a mediana e a moda, que também são chamadas de média. A mediana é o ponto no meio do caminho, o número pelo qual metade das observações se encontram acima e metade, abaixo. Se olhássemos para a renda semanal daquele mesmo apartamento e elas fossem de 500, 500, 600, 700 e 800 dólares, a média seria 600: metade dos valores está acima e metade está abaixo. (Por convenção, se você tem um dado número de gravatas, assim como um dado número de horas por semana assistindo a tevê, você conta até a gravata no meio da série, e esse número se torna a mediana; no exemplo da tevê, a mediana é 1.) A outra medida que também é chamada de média é a "moda", o valor que ocorre com mais frequência. Nas horas por semana no exemplo da tevê, a moda é 1. No exemplo da receita semanal, é 500. Perceba que a média, a mediana e a moda podem ser diferentes, e têm funções diferentes. Para ver exemplos de quando cada uma é necessária, veja C. Wheelan, *Naked statistics: Stripping the dread from the data*. Nova York: W. W. Norton & Company, 2013.

49. A. Tuncel, U. Kirilmaz, V. Nalcacioglu, Y. Aslan, F. Polat & A. Atan, "The impact of transrectal prostate needle biopsy on sexuality in men and their female partners". *Urology*, v. 71, n. 6, 2008, pp. 1128-1131.

50. Espero que você, caro leitor, acredite em mim quando digo que as estatísticas médicas *não são* diferentes das outras estatísticas. Os números numa equação não sabem se estão sendo usados para descrever um câncer ou injetores de combustível defeituosos. Eu gostaria que essa reação dos cirurgiões fosse algo anormal, mas, infelizmente, ouvi dúzias de variações dela. Sinto-me imensamente grato por os cirurgiões serem muito melhores nas cirurgias do que são na tomada de decisões, mas isso quer apenas dizer que todos nós precisamos ser mais vigilantes na comissão de frente, decidindo se a cirurgia é mesmo a melhor opção para qualquer caso que tenhamos nas mãos.

51. A. Edwards, G. Elwyn & A. Mulley, "Explaining risks: Turning numerical data into meaningful pictures". BMJ, v. 324, n. 7341, 2002, pp. 827-830.

52. National Immunization Program, CDC, "Achievements in public health, 1900-1999 impact of vaccines universally recommended for children — United States, 1990--1998". *Morbidity and Mortality Weekly Report*, v. 48, n. 12, 1999, pp. 243-248. Disponível em: <www.cdc.gov/mmwr/preview/mmwrhtml/00056803.htm#00003753.htm>.

53. "Global life expectancy 10,000 BCE-2003", s.d. Disponível em: <cdn.singularityhub.com/wp-content/uploads/2013/09/life-expectancy-hockey-stick.Png>.

## NOTAS 519

54. National Institutes of Health, "U. S. life expectancy", s.d. Disponível em: <www.nih.gov/about/impact/life_expectancy_graph.Htm>.

55. Maternal and Child Health Bureau. "Infant mortality", 2013. Disponível em: <mchb.hrsa.gov/chusa13/perinatal-health-status-indicators/p/infant-mortality.Html>.

56. J. V. Simone, "Childhood leukemia — successes and challenges for survivors". *New England Journal of Medicine*, v. 349, n. 7, 2003, pp. 627-628.

57. "Think yourself better". *The Economist*, 19 maio 2011. O *New York Times* estima que este seja um negócio de 32 bilhões de dólares nos Estados Unidos. A. O'Connor, "Spike in harm to liver is tied to dietary aids". *The New York Times*, 21 dez. 2013, p. A1.

58. Mayo Clinic Staff. "Complementary and alternative medicine", 20 out. 2011. Disponível em: <www.mayoclinic.com/health/alternative-medicine/PN00001>.

59. Agradeço Ben Goldacre por esta exposição.

60. E. Ernst, "A systematic review of systematic reviews of homeopathy". *British Journal of Clinical Pharmacology*, v. 54, n. 6, 2002, pp. 577-582; W. B. Jonas, T. J. Kaptchuk & K. Linde, "A critical overview of homeopathy". *Annals of Internal Medicine*, v. 138, n. 5, 2003, pp. 393-399.

61. D. Dancu, *Homeopathic vibrations: A guide for natural healing*. Longmont: SunShine Press Publications, 1996; K. W. Kratky, *"Homöopathie und Wasserstruktur: Ein hysikalisches Modell"*. *Forschende Komplementärmedizin und Klassische Naturheilkunde*, v. 11, n. 1, 2004, pp. 24-32; G. Vithoulkas, *The science of homeopathy*. Nova York: Grove Press, 1980.

62. B. Goldacre, "In case of overdose, consult a lifeguard". *The Guardian*, 19 fev. 2011; J. Randi (Rational Response Squad), "James Randi explains homeopathy". Arquivo de vídeo, 16 nov. 2006. Disponível em: <www.youtube.com>.

63. Suponhamos que um grão de arroz tenha $5 \times 1,4 \times 1,4$ milímetros, ou o volume de 9,8 metros cúbicos. Convertendo para milhas = $2,4 \times 10^{-18}$. Quanto ao tamanho do nosso Sistema solar, fiquemos com o raio desde o Sol até uma extremidade da nuvem de Oort, cerca de 50 UAs (unidades astronômicas), ou $4,65 \times 10^{12}$ milhas. Volume = $4/3\prod r^3 = 4,21 \times 10^{38}$. Um grão de arroz numa esfera com o volume do sistema solar seria $(2,4 \times 10^{-18}) / (4,21 \times 10^{38}) = 5,70 \times 10^{-57}$. Para se ter a diluição de $1 \times 10^{1500}$ seria preciso ter 1500/57 mais diluições, ou 26 vezes mais.

64. O. Solon, "Sceptic offers \$1 million for proof that homeopathy works". *Wired* UK, 11 fev. 2011.

65. "Think yourself better". *The Economist*, 19 maio 2011.

66. M. Ebbing & S. E. Vollset, "Long-term supplementation with multivitamins and minerals did not improve male US physicians' cardiovascular health or prolong their lives". *Evidence-Based Medicine*, v. 18, n. 6, 2013, pp. 218-219; E. Guallar, S. Stranges, C. Mulrow, L. J. Appel & E. R. Miller, "Enough is enough: Stop wasting money on vitamin and mineral supplements". *Annals of Internal Medicine*, v. 159, n. 12, 2013, pp. 850-851; A. Willig, "Multivitamins are no use?". *The Guardian*, 19 jan. 2014.

520  **A MENTE ORGANIZADA**

67. G. Rattue, "Can too much vitamin D harm cardiovascular health? Probably". *Medical News Today*, 9 jan. 2012.

68. J. Sheehan, "Can you take too much vitamin B6 & vitamin B12?", s.d. Disponível em: <healthyeating.sfgate.com/can-much-vitamin-b6-vitamin-b12-6060.Html>.

69. C. W. Marshall, "Vitamin C: Do high doses prevent colds?", s.d. Disponível em: <www.quackwatch.com/01QuackeryRelatedTopics/DSH/colds.Html>.

70. B. A. Bauer, "Will dietary supplements containing echinacea help me get over a cold faster?", s.d. Disponível em: <www.mayoclinic.com/health/echinacea/an01982>.

71. D. Kahneman, *Thinking, fast and slow*. Nova York: Farrar, Straus and Giroux, 2011.

72. Há estatísticas discordantes sobre o assunto. Deonandan e Backwell (2011) não encontraram diferenças no número de vítimas fatais, mas um aumento nos feridos. Blalock, Kadiyali & Simon (2009) encontraram um aumento nas mortes de 982 nos últimos três meses de 2001, mas 2300 a longo prazo. O efeito do Onze de Setembro parece continuar — uma centena a mais de pessoas do que a média morre em acidentes nas estradas no mês de setembro, por medo de que terroristas ataquem de novo no dia ou próximo do dia do aniversário do Onze de Setembro (Hampson, 2011). Gigerenzer (2006) diz: "Um número estimado de 1500 americanos morreram nas estradas numa tentativa de evitar o destino dos passageiros que foram mortos em quatro voos fatais". Há um artigo muito bom de Chapman & Harris (2002) sobre a falha humana na percepção do risco, na reação excessiva a algumas formas de morte e reações mais brandas a outras. Ver também Kenny (2011) e Sivac & Flannagan (2003). G. Blalock, V. Kadiyali & D. H. Simon, "Driving fatalities after 9/11: A hidden cost of terrorism". *Applied Economics*, v. 41, n. 14, 2009, pp. 1717--1729; C. R. Chapman & A. W. Harris, "A skeptical look at September 11th". *Skeptical Inquirer*, v. 26, n. 5, 2002. Disponível em: <www.csicop.org>; R. Deonandan & A. Backwell, "Driving deaths and injuries post-9/11". *International Journal of General Medicine*, v. 4, 2011, pp. 803-807; G. Gigerenzer, "Out of the frying pan into the fire: Behavioral reactions to terrorist attacks". *Risk Analysis*, v. 26, n. 2, 2006, pp. 347-351; R. Hampson, "After 9/11: 50 dates that quietly changed America". usa *Today*, 5 set. 2011; C. Kenny, "Airport security is killing us". *Business Week*, 18 nov. 2011; M. Sivak & M. Flannagan, "Flying and driving after the September 11 attacks". *American Scientist*, v. 91, n. 1, 2003, pp. 6-8.

73. B. Snyder, "An incredibly safe year for air travel". cnn, 9 jan. 2012. Disponível em: <www.cnn.com>.

74. W. Gaissmaier & G. Gigerenzer, "9/11, Act ii: A fine-grained analysis of regional variations in traffic fatalities in the aftermath of the terrorist attacks". *Psychological Science*, v. 23, n. 12, 2012, pp. 1449-1454.

75. D. Kahneman, *Thinking, fast and slow*. Nova York: Farrar, Straus and Giroux, 2011.

76. N. A. Christakis, *Death foretold: Prophecy and prognosis in medical care*. Chicago: The University of Chicago Press, 1999.

77. E. S. Berner & M. L. Graber, "Overconfidence as a cause of diagnostic error in medicine". *American Journal of Medicine*, n. 121, supl. 5, 2008, pp. S2-S23.

**NOTAS** 521

78. A. O'Connor, "Spike in harm to liver is tied to dietary aids". *The New York Times*, 21 dez. 2013, p. A1.
79. A. O'Connor, "Spike in harm to liver is tied to dietary aids". *The New York Times*, 21 dez. 2013, p. A1.
80. Informação tirada de A. O'Connor, "Spike in harm to liver is tied to dietary aids". *The New York Times*, 21 dez. 2013, p. A1.
81. L. Sechrest & D. Pitz, "Commentary: Measuring the effectiveness of heart transplant programmes". *Journal of Chronic Diseases*, n. 40, supl. 1, 1987, pp. 155S-158S.
82. Quora. "Why did Steve Jobs choose not to effectively treat his cancer?", s.d. Disponível em: <www.quora.com/SteveJobs/Why-did-Steve-Jobs-choose-not-to-effectively-treat-his-cancer>; A. G. Walton, "Steve Jobs' cancer treatment regrets". *Forbes*, 24 out. 2011.
83. National Center for Complementary and Alternative Medicine (NCCAM), s.d. Disponível em: <nccam.nih.gov>.
84. Ver, por exemplo S. K. Garg, A. M. Croft & P. Bager, "Helminth therapy (worms) for induction of remission in inflammatory bowel disease". *Cochrane Database of Systematic Reviews*, n. 1, art. n. CD009400, 20 jan. 2014. Disponível em: <summaries.cochrane.org/CD009400/helminth-therapy-worms-for-induction-of-remission-in-inflammatory-bowel-disease>; A. R. White, H. Rampes, J. P. Liu, L. F. Stead & J. Campbell, "Acupuncture and related interventions for smoking cessation". *Cochrane Database of Systematic Reviews*, n. 1, art. n. CD000009, 13 jan. 2014. Disponível em: <summaries.cochrane.org/CD000009/do-acupuncture-and-related-therapies-help-smokers-who-are-trying-to-quit>.
85. G. Bjelakovic, L. Gluud, D. Nikolova, K. Whitfield, J. Wetterslev, R. G. Simonetti, C. Gluud et al., "Vitamin D supplementation for prevention of mortality in adults". *Cochrane Database of Systematic Reviews*, n. 1, art. n. CD007470, 2014. Disponível em: <summaries.cochrane.org/CD007470/vitamin-d-supplementation-for-prevention-of-mortality-in-adults#sthash.Z6rLxTiS.dpuf>.
86. D. Durup, H. L. Jørgensen, J. Christensen, P. Schwarz, A. M. Heegaard & B. Lind, "A reverse J-shaped association of all-cause mortality with serum 25-hydroxyvitamin D in general practice: The CopD study". *The Journal of Clinical Endocrinology & Metabolism*, v. 97, n. 8, 2012, pp. 2644-2652; J. Groopman & P. Hartzband, "Your medical mind: How to decide what is right for you". Nova York: Penguin, 2011.
87. Pego emprestado livremente aqui um artigo que publiquei antes. D. J. Levitin, "Heal thyself", resenha do livro *Your medical mind: How to decide what is right for you*, de J. Groopman & P. Hartzband. *The New York Times Sunday Book Review*, 9 out. 2011, p. BR28.
88. Ver, por exemplo, D. Kahneman & A. Tversky, "Prospect theory: An analysis of decision under risk". *Econometrica*, v. 47, n. 2, 1979, pp. 263-292.
89. Amos costumava nos contar uma história sobre um homem casado e pai de duas crianças que é preso por um grupo de rebeldes terroristas que o forçam a jogar uma

## 522  A MENTE ORGANIZADA

versão modificada de roleta-russa, em que várias balas são colocadas no revólver. Ao prisioneiro é permitido pagar seus algozes para que removam uma bala da arma. O dilema se dá porque ele tem que medir quanto valoriza a própria vida em contraposição à possibilidade de deixar a esposa e as crianças sem nenhum centavo sequer. Consideremos para essa nossa história que os rebeldes são pessoas de palavra, e dirão a ele exatamente quantas balas há no revólver, no início do jogo, e que o libertarão assim que ele jogar a primeira rodada.

> a. Quanto você pagaria para remover uma bala, se houvesse 6 balas na arma, reduzindo o risco de 6/6 para 5/6?
> b. Quanto você pagaria para remover uma bala, se houvesse 4 balas na arma, reduzindo o risco de 4/6 para 3/6?
> c. Quanto você pagaria para remover uma bala, se houvesse apenas 1 bala na arma, reduzindo o risco de 1/6 para 0?

A maioria de nós pagaria qualquer quantia na situação C, para reduzir o risco de morrer para 0. E também poderíamos pagar a mesma quantia na situação A, que mostra o efeito da possibilidade. A situação B, de alguma forma, mostra-se diferente das outras duas. Você está saindo de uma possibilidade para outra possibilidade, não da certeza para a possibilidade da situação A, nem da possibilidade para a certeza da situação C.

90. D. Kahneman, *Thinking, fast and slow*. Nova York: Farrar, Straus and Giroux, 2011.
91. D. Kahneman & A. Tversky, "Choices, values, and frames". *American Psychologist*, v. 39, n. 4, 1984, pp. 341-350.
92. Simplifiquei esses exemplos para focar nos fatores críticos. Eles foram tirados de A. Tversky & D. Kahneman, "Rational choice and the framing of decisions". *Journal of Business*, v. 59, n. 4, parte 2, 1986, pp. S251-S278.
93. F. Ferrara, D. Pratt & O. Robutti, "The role and uses of technologies for the teaching of algebra and calculus". A. Gutiérrez & P. Boero (Orgs.), *Handbook of research on the psychology of mathematics education: Past, present and future*. Boston: Sense Publishers, 2006, pp. 237-273; D. Tall, "Intuition and rigour: The role of visualization in the calculus". W. Zimmermann & S. Cunningham (Orgs.), *Visualization in teaching and learning mathematics: A project*. Washington, DC: Mathematical Association of America, 1991, pp. 105-119.
94. C. Cates, "Dr. Chris Cates' EBM website", s.d. Disponível em: <www.nntonline.net>.
95. R. Crosswhite, comunicação pessoal, 29 abr. 2013, American Tire Depot, Sherman Oaks; ver também R. Montoya, "How old — and dangerous — are your tires?", 18 nov. 2011. Disponível em: <www.edmunds.com>.

### CAPÍTULO 7 [pp. 323-388]

1. Government of Quebec, Transports Quebec, *Commission of inquiry into the collapse of a portion of the de la Concorde overpass: Report*, 2007. Disponível em: <www.cevc. gouv.qc.ca/UserFiles/File/Rapport/report_eng.pdf>.

**NOTAS** 523

2. C. Tranquillus Suetonius, *Lives of the twelve Caesars*. Hertfordshire: Wordsworth Classics of World Literature, 1997.

3. J. Yates, *Control through communication: The rise of system in American management*. Baltimore: The Johns Hopkins University Press, 1989. Neste parágrafo faço empréstimos deliberadamente, incluindo paráfrases bem próximas dos excelentes discursos de Yates nas pp. 15-19. Poucas são as exceções. A Companhia Holandesa das Índias Orientais, sempre citada como a primeira multinacional, foi fundada em 1602, e a Hudson's Bay Company, fundada em 1670, ainda está no mercado. A. Damodaran, "The octopus: Valuing multi-business, multi-national companies", 2009. Disponível em: <dx.doi.org/10.2139/ssrn.1609795>; P. Lubinsky, G. A. Romero-Gonzalez, S. M. Heredia & S. Zabel, "Origins and patterns of vanilla cultivation in tropical America (1500-1900): No support for an independent domestication of vanilla in South America". D. Havkin-Frenkel & F. Belanger (Orgs.), *Handbook of vanilla science and technology*. Oxford: Blackwell Publishing, 2011, p. 117; R. Shorto, *Amsterdam: A history of the world's most liberal city*. Nova York: Doubleday, 2013.

4. Partes aqui citadas são citações quase diretas de J. Yates, *Control through communication: The rise of system in American management*. Baltimore: The Johns Hopkins University Press, 1989, p. 1.

5. Yates (1989) dá uma breve explanação, e indica ao leitor "Report on the collision of trains, near Chester", 16 out. 1841; "Western Railroad Clerk's File #74". *Western Railroad Collection, Case #1*, Baker Library, Harvard Business School; J. Yates, *Control through communication: The rise of system in American management*. Baltimore: The John Hopkins University Press, 1989.

6. Ao seguir os conselhos dados nesses relatórios sobre colisões de trens, as ferrovias se conscientizaram da necessidade de uma comunicação mais formalizada e mais bem estruturada. Os gerentes começaram a identificar quais informações eram necessárias — tais como a velocidade do trem, a hora em que ele deixava a estação, quantos vagões puxava — a fim de maximizar a eficiência (e, portanto, os lucros) e minimizar a possibilidade de acidentes.

7. "... uma tentativa contínua de transcender a dependência das habilidades, memória ou capacidade de qualquer indivíduo." Citação direta de Yates, p. 10, apud M. Jelinek, "Toward systematic management: Alexander Hamilton Church". *Business History Review*, v. 54, n. 1, 1980, pp. 63-79; J. Yates, *Control through communication: The rise of system in American management*. Baltimore: The John Hopkins University Press, 1989.

8. "... uma definição cuidadosa das responsabilidades e obrigações aliadas a formas padronizadas de desempenhar as funções." Citação direta de J. A. Litterer, "Systematic management: Design for organizational recoupling in American manufacturing firms". *Business History Review*, v. 37, n. 4, 1963, pp. 369-391; ver também J. A. Litterer, "Systematic management: The search for order and integration". *Business History Review*, v. 35, n. 4, 1961, pp. 461-476.

9. M. Jelinek, "Toward systematic management: Alexander Hamilton Church". *Business History Review*, v. 54, n. 1, 1980, pp. 63-79; J. A. Litterer, "Systematic mana-

gement: The search for order and integration". *Business History Review*, v. 35, n. 4, 1961, pp. 461-476.

10. A. D. Chandler, Jr., *Strategy and structure: Chapters in the history of the American industrial enterprise*. Cambridge: MIT Press, 1962; B. S. Kaliski, *Encyclopedia of business and finance*. Nova York: Macmillan, 2001, p. 669.

11. J. L. Moreno, "Sociometry and the cultural order". *Sociometry* v. 6, n. 3, 1943, pp. 299-344; S. Wasserman, *Social network analysis: Methods and applications*, v. 8. Nova York: Cambridge University Press, 1994.

12. K. Whitenton, "Flat vs. deep web hierarchies". Nielsen Norman Group, 10 nov. 2013. Disponível em: <www.nngroup.com/articles/flat-vs-deep-hierarchy>.

13. J. R. Dodson, "Man-hunting, nexus topography, dark networks, and small worlds". IO *Sphere*, 2006, pp. 7-10; L. Heger, D. Jung & W. H. Wong, "Organizing for resistance: How group structure impacts the character of violence". *Terrorism and Political Violence*, v. 24, n. 5, 2012, pp. 743-768; J. Matusitz, "Social network theory: A comparative analysis of the Jewish revolt in antiquity and the cyber terrorism incident over Kosovo". *Information Security Journal: A Global Perspective*, v. 20, n. 1, 2011, pp. 34-44.

14. H. A. Simon, *Administrative behavior: A study of decision-making processes in administrative organization*. Nova York: Macmillan, 1957, p. 9.

15. H. A. Simon, *Administrative behavior: A study of decision-making processes in administrative organization*. Nova York: Macmillan, 1957, p. 2.

16. CNN Money, "Top companies: Biggest employers", s.d. Disponível em: <money.cnn.com>; A. E. M. Hess, "The 10 largest employers in America". USA *Today*, 22 ago. 2013.

17. D. M. Wegner, "Transactive memory: A contemporary analysis of the group mind". B. Mullen & F. R. Goethals (Orgs.), *Theories of group behavior*. Nova York: Springer-Verlag, 1987, pp. 185-208.

18. Citação quase direta de G. R. Jones, A. J. Mills, T. G. Weatherbee & J. H. Mills, *Organizational theory, design, and change*. Toronto: Prentice Hall, 2006, p. 150.

19. G. R. Jones, A. J. Mills, T. G. Weatherbee & J. H. Mills, *Organizational theory, design, and change*. Toronto: Prentice Hall, 2006, p. 144.

20. Citação quase direta de G. R. Jones, A. J. Mills, T. G. Weatherbee & J. H. Mills, *Organizational theory, design, and change*. Toronto: Prentice Hall, 2006, p. 147.

21. J. A. Andersen & P. Jonsson, "Does organization structure matter? On the relationship between the structure, functioning and effectiveness". *International Journal of Innovation and Technology Management*, v. 3, n. 3, 2006, pp. 237-263.

22. P. M. Blau, "On the nature of organizations". *American Journal of Sociology*, v. 82, n. 5, 1974, pp. 1130-1132; M. Delmastro, "The determinants of the management hierarchy: Evidence from Italian plants". *International Journal of Industrial Organization*, v. 20, n. 1, 2002, pp. 119-137; M. Graubner, *Task, firm size, and organizational structure in management consulting: An empirical analysis from a contingency perspective*, v. 63. Frankfurt: Deutscher Universitäts-Verlag, 2006.

23. G. R. Jones, A. J. Mills, T. G. Weatherbee & J. H. Mills, *Organizational theory, design, and change*. Toronto: Prentice Hall, 2006, p. 146.

## NOTAS 525

24. C. W. L. Hill & G. R. Jones, *Strategic management: An integrated approach*. 8. ed. Nova York: Houghton Mifflin Company, 2008.
25. Parte tomada livremente de H. A. Simon, *Administrative behavior: A study of decision-making processes in administrative organization*. 2. ed. Nova York: Macmillan, 1957, p. 2.
26. A. G. Sanfey, J. K. Rilling, J. A. Aronson, L. E. Nystrom & J. D. Cohen, "The neural basis of economic decision-making in the ultimatum game". *Science*, v. 300, n. 5626, 2003, pp. 1755-1758.
27. U. Basten, G. Biele, H. R. Heekeren & C. J. Fiebach, "How the brain integrates costs and benefits during decision-making". *Proceedings of the National Academy of Sciences*, v. 107, n. 50, 2010, pp. 21767-21772.
28. F. B. M. de Waal, "How selfish an animal? The case of primate cooperation". P. J. Zak (Org.), *Moral markets: The critical role of values in the economy*. Princeton: Princeton University Press, 2008, pp. 63-76.
29. United States Department of the Army. *Unified land operations*, ADP3-0. Washington, DC: United States Department of the Army, 2011.
30. United States Department of the Army, *Field service regulations United States Army*. Washington, DC: Government Printing Office, 1923, p. 7.
31. United States Department of the Army, *The army*, ADP 1. Washington, DC: United States Department of the Army, 2012, p. 2.
32. United States Department of the Army, *The army*, ADP 1. Washington, DC: United States Department of the Army, 2012, pp. 2-4.
33. United States Department of the Army, *Mission command*, ADP 6-0. Washington, DC: United States Department of the Army, 2012, p. 8.
34. H. A. Simon, *Administrative behavior: A study of decision-making processes in administrative organization*. 2. ed. Nova York: Macmillan, 1957, p. 236.
35. Citação quase direta de H. A. Simon, *Administrative behavior: A study of decision--making processes in administrative organization*. 2. ed. Nova York: Macmillan, 1957, p. 236.
36. Citação quase direta de H. A. Simon, *Administrative behavior: A study of decision--making processes in administrative organization*. 2. ed. Nova York: Macmillan, 1957, p. 238.
37. S. McChrystal, comunicação pessoal, 18 jul. 2013.
38. S. Wynn, comunicação pessoal, 5 maio 2012.
39. M. Bloomberg, comunicação pessoal, 20 jul. 2013.
40. J. Mikhail, "Universal moral grammar: Theory, evidence and the future". *Trends in Cognitive Science*, v. 11, n. 4, 2007, pp. 143-152; L. Petrinovich, P. O'Neill & M. Jorgensen, "An empirical study of moral intuitions: Toward an evolutionary ethics". *Journal of Personality and Social Psychology*, v. 64, n. 3, 1993, pp. 467-478; R. Wright, *The moral animal: Why we are, the way we are: The new science of evolutionary psychology*. Nova York: Random House Vintage Books, 1995.
41. V. LoBue, T. Nishida, C. Chiong, J. S. DeLoache & J. Haidt, "When getting something good is bad: Even three-year-olds react to inequality". *Social Development*, v. 20, n. 1, 2011, pp. 154-170.

526 **A MENTE ORGANIZADA**

42. United States Department of the Army, *The army*, ADP 1. Washington, DC: United States Department of the Army, 2012, pp. 2-7.

43. United States Department of the Army, *The army*, ADP 1. Washington, DC: United States Department of the Army, 2012, pp. 2-5.

44. R. Salvador & R. G. Folger, "Business ethics and the brain". *Business Ethics Quarterly*, v. 19, n. 1, 2009, pp. 1-31.

45. J. M. Harlow, "Passage of an iron rod through the head". *Boston Medical and Surgical Journal*, v. 39, n. 20, 1848, pp. 389-393; J. Moll, R. de Oliveira-Souza, P. J. Eslinger, I. E. Bramati, J. Mourão-Miranda, P. A. Andreiulo & L. Pessoa, "The neural correlates of moral sensitivity: A functional magnetic resonance imaging investigation of basic and moral emotions". *The Journal of Neuroscience*, v. 22, n. 7, 2002, pp. 2730--2736; M. Spitzer, U. Fischbacher, B. Herrnberger, G. Grön & E. Fehr, "The neural signature of social norm compliance". *Neuron*, v. 56, n. 1, 2007, pp. 185-196.

46. R. Salvador & R. G. Folger, "Business ethics and the brain". *Business Ethics Quarterly*, v. 19, n. 1, 2009, pp. 1-31.

47. J. A. King, R. J. Blair, D. G. Mitchell, R. J. Dolan & N. Burgess, "Doing the right thing: A common neural circuit for appropriate violent or compassionate behavior". *NeuroImage*, v. 30, n. 3, 2006, pp. 1069-1076; Z. A.Englander, J. Haidt & J. P. Morris, "Neural basis of moral elevation demonstrated through inter-subject synchronization of cortical activity during free-viewing". *PloS One*, v. 7, n. 6, 2012, p. e39384; A. E. Cavann & M. R. Trimble, "The precuneus: A review of its functional anatomy and behavioural correlates". *Brain*, v. 129, n. 3, 2006, pp. 564-583.

48. D. S. Margulies, J. L. Vincent, C. Kelly, G. Lohmann, L. Q. Uddin, B. B. Biswal, M. Petrides et al., "Precuneus shares intrinsic functional architecture in humans and monkeys". *Proceedings of the National Academy of Sciences*, v. 106, n. 47, 2009, p. 20069-20074; F. B. M. de Waal, K. Leimgruber & A. R. Greenberg, "Giving is self-rewarding for monkeys". *Proceedings of the National Academy of Sciences*, v. 105, n. 36, 2008, pp. 13685-13689.

49. M. van Wolkenten, S. F. Brosnan & F. B. M. de Waal, "Inequity responses of monkeys modified by effort". *Proceedings of the National Academy of Sciences*, v. 104, n. 47, 2007, pp. 18854-18859.

50. Welch era CEO da GE, e Kelleher, da Southwest Airlines. Os dois criaram culturas corporativas muito diferentes. Welch foi conhecido durante um tempo como Neutron Jack por causa da forma impiedosa como costumava demitir os empregados (esvaziando os prédios, mas deixando-os de pé, da mesma forma como uma bomba de nêutron deixaria). Num período de cinco anos, ele reduziu a folha de pagamento em 25%. Kelleher criou um clima de camaradagem e diversão entre seus empregados, e a Southwest é sempre considerada uma das melhores empregadoras dos Estados Unidos pela revista *Fortune*.

51. United States Department of the Army, *Army leadership*, ADP 6-22. Washington, DC: United States Department of the Army, 2012, p. 1.

52. Aqui temos incorporada uma citação direta de H. Gardner, *Leading minds: An anatomy of leadership*. Nova York: Basic Books, 2011.

## NOTAS 527

53. H. S. Harung & F. Travis, "Higher mind-brain development in successful leaders: Testing a unified theory of performance". *Cognitive Processing*, v. 13, n. 2, 2012, pp. 171-181; H. Harung, F. Travis, W. Blank & D. Heaton, "Higher development, brain integration, and excellence in leadership". *Management Decision*, v. 47, n. 6, 2009, pp. 872-894.

54. D. Tschampa & M. Rosemain, "BMW to build sports car with Toyota in deeper partnership". *Bloomberg News*, 24 jan. 2013.

55. United States Department of the Army, *Army leadership*, ADP 6-22. Washington: United States Department of the Army, 2012, p. 3.

56. United States Department of the Army. *Mission command*, ADP 6-0. Washington, DC: United States Department of the Army, 2012, p. 2.

57. Citação quase direta do United States Department of the Army, *Mission command*, ADP 6-0. Washington, DC: United States Department of the Army, 2012, p. 3.

58. Citação direta do United States Department of the Army, *Mission command*, ADP 6-0. Washington, DC: United States Department of the Army, 2012, p. 4.

59. M. R. Weisbord, *Productive workplace revisited: Dignity, meaning, and community in the 21st century*. San Francisco: Jossey-Bass, 2004, p. xxi.

60. D. M. Randel (Org.), *The Harvard dictionary of music*. Cambridge: The Belknap Press of Harvard University Press, 2003.

61. J. B. Rotter, *Social learning and clinical psychology*. Englewood Cliffs: Prentice Hall, 1954; ver também M. H. Roark, "The relationship of perception of chance in finding jobs to locus of control and to job search variables on the part of human resource agency personnel". Tese de dotourado. Virginia Polytechnic University, 1978. Disponível em: *Dissertation Abstracts International*, v. 38, p. 2070A (University Microfilms n. 78-18558).

62. C. B. Whyte, "High-risk college freshman and locus of control". *The Humanist Educator*, v. 16, n. 1, 1977, pp. 2-5; C. B. Whyte, "Effective counseling methods for high-risk college freshmen". *Measurement and Evaluation in Guidance*, v. 10, n. 4, 1978, pp. 198-200; ver também H. Altmann & L. Arambasich, "A study of locus of control with adult students". *Canadian Journal of Counselling and Psychotherapy*, v. 16, n. 2, 1982, pp. 97-101.

63. B. A. S. Martin, E. Veer & S. J. Pervan, "Self-referencing and consumer evaluations of larger-sized female models: A weight locus of control perspective". *Marketing Letters* v. 18, n. 3, 2007, pp. 197-209.

64. H. M. Lefcourt, "Internal versus external control of reinforcement: A review". *Psychological Bulletin*, v. 65, n. 4, 1966, pp. 206-220; S. M. Moore & K. Ohtsuka, "Beliefs about control over gambling among young people, and their relation to problem gambling". *Psychology of Addictive Behaviors*, v. 13, n. 4, 1999, pp. 339--347; J. B. Rotter, "Generalized expectancies for internal versus external control of reinforcement". *Psychological Monographs: General and Applied*, v. 80, n. 1, 1966, pp. 1-28.

65. United States National Oceanic and Atmospheric Administration, s.d. Disponível em: <www.noaa.gov>.

## 528 A MENTE ORGANIZADA

66. C. R. Anderson, "Locus of control, coping behaviors, and performance in a stress setting: A longitudinal study". *Journal of Applied Psychology*, v. 62, n. 4, 1977, pp. 446-451.

67. Spector (1986) aconselha: "O instrumento mais amplamente utilizado para medir o locus de controle é o Interno/Externo (I/E) da escala Rotter, que consiste em 23 loci de controle e seis itens de enchimento num formato de escolha forçada". J. B. Rotter, "Generalized expectancies for internal versus external control of reinforcement". *Psychological Monographs: General and Applied*, v. 80, n. 1, 1966, pp. 1-28.

68. P. E. Spector, "Perceived control by employees: A meta-analysis of studies concerning autonomy and participation at work". *Human Relations*, v. 39, n. 11, 1986, pp. 1005-1016.

69. Há literatura sobre o CEO do locus de controle que o leitor interessado pode querer consultar: C. Boone & B. De Brabander, "Generalized vs. specific locus of control expectancies of chief executive officers". *Strategic Management Journal*, v. 14, n. 8, 1993, pp. 619-625; C. Boone, B. De Brabander & A. Witteloostuijn, "CEO locus of control and small firm performance: An integrative framework and empirical test". *Journal of Management Studies*, v. 33, n. 5, 1996, pp. 667-700; D. Miller, M. F. R. K. De Vries & J-M. Toulouse, "Top executive locus of control and its relationship to strategy-making, structure, and environment". *Academy of Management Journal*, v. 25, n. 2, 1982, pp. 237-253; O. C. Nwachukwu, "CEO locus of control, strategic planning, differentiation, and small business performance: A test of a path analytic model". *Journal of Applied Business Research*, v. 11, n. 4, 2011, pp. 9-14.

70. V. A. Benassi, P. D. Sweeney & C. L. Dufour, "Is there a relation between locus of control orientation and depression?". *Journal of Abnormal Psychology*, v. 97, n. 3, 1988, p. 357.

71. E. J. Phares, *Locus of control in personality*. Nova York: General Learning Press, 1976; S. Wolk & J. DuCette, "Intentional performance and incidental learning as a function of personality and task dimensions". *Journal of Personality and Social Psychology*, v. 29, n. 1, 1974, pp. 90-101.

72. D. P. Crowne & S. Liverant, "Conformity under varying conditions of commitment". *Journal of Abnormal and Social Psychology*, v. 66, n. 6, 1963, pp. 547-555.

73. L. A. Hjelle & R. Clouser, "Susceptibility to attitude change as a function of internal-external control". *Psychological Record*, v. 20, n. 3, 1970, pp. 305-310.

74. P. E. Spector, "Behavior in organizations as a function of employee's locus of control". *Psychological Bulletin*, v. 91, n. 3, 1982, pp. 482-497; ver também Q. Wang, N. A. Bowling & K. J. Eschleman, "A meta-analytic examination of work and general locus of control". *Journal of Applied Psychology*, v. 95, n. 4, 2010, pp. 761-768.

75. P. E. Spector, "Behavior in organizations as a function of employee's locus of control". *Psychological Bulletin*, v. 91, n. 3, 1982, pp. 482-497.

76. Citação direta de P. E. Spector, "Behavior in organizations as a function of employee's locus of control". *Psychological Bulletin*, v. 91, n. 3, 1982, pp. 482-497.

**NOTAS** 529

77. Essa frase e a seguinte são citações quase diretas da p. 221 de J. M. Lonergan & K. J. Maher, "The relationship between job characteristics and workplace procrastination as moderated by locus of control". *Journal of Social Behavior & Personality*, v. 15, n. 5, 2000, pp. 213-224.

78. G. Richard, T. Drew Kelley & J. Littman, *The ten faces of innovation:* IDEO's *strategies for defeating the devil's advocate & driving creativity throughout your organization*. Nova York: Doubleday, 2005.

79. J. M. Lonergan & K. J. Maher, "The relationship between job characteristics and workplace procrastination as moderated by locus of control". *Journal of Social Behavior & Personality*, v. 15, n. 5, 2000, pp. 213-224.

80. N. Epley, *Mindwise: How we understand what others think, believe, feel, and want*. Nova York: Alfred A. Knopf, 2014.

81. P. S. Adler, "Time-and-motion regained". *Harvard Business Review*, v. 71, n. 1, jan. 1993, pp. 97-108; P. S. Adler & R. E. Cole, "Designed for learning: A tale of two auto plants". MIT *Sloan Management Review*, v. 34, n. 3, 1995, pp. 157-178; J. Shook, "How to change a culture: Lessons from NUMMI". MIT *Sloan Management Review*, v. 51, n. 2, 2010, pp. 42-51.

82. Citação quase direta de N. Epley, *Mindwise: How we understand what others think, believe, feel, and want*. Nova York: Alfred A. Knopf, 2014.

83. M. Currey, *Daily rituals: How great minds make time, find inspiration, and get to work*. Londres: Picador, 2013.

84. M. Cuban, citado em "15 ways to be more productive". *Inc*, s.d.

85. W. Buffett, citado em D. Baer, "Why some of the world's most productive people have empty schedules". *Lifehacker*, 11 jun. 2013. Disponível em: <lifehacker.com/why-some-of-the-worlds-most-productive-people-have-emp-512473783>.

86. "Daily chart: I'm a lumberjack". *The Economist*, 3 abr. 2012.

87. United States Environmental Protection Agency, "Frequent questions: How much paper do we use in the United States each year?", s.d. Disponível em: <www.epa.gov/osw/conserve/materials/paper/faqs.htm#sources>.

88. "Daily chart: I'm a lumberjack". *The Economist*, 3 abr. 2012.

89. O escritório moderno começou a tomar forma na década de 1870. Essa década viu a invenção dos clipes de metal pela Gem Company, do grampeador e, anos depois, da caneta esferográfica, da máquina de somar da Burroughs e de carimbos de borracha com data. J. Yates, *Control through communication: The rise of system in American management*. Baltimore: The Johns Hopkins University Press, 1989, p. 8. Ainda segundo as anotações de Yates, os gerentes das grandes ferrovias americanas, entre os anos de 1850 e 1860, inventaram quase todas as técnicas básicas da contabilidade moderna, refinando os princípios teóricos das finanças e inventando capital e contabilidade de custos. A. D. Chandler, Jr., *The visible hand: The managerial revolution in American business*. Cambridge: Belknap Press of Harvard University Press, 1977, p. 109.

90. L. F. Jacobs & E. R. Liman, "Grey squirrels remember the locations of buried nuts". *Animal Behaviour*, v. 41, n. 1, 1991, pp. 103-110.

530 **A MENTE ORGANIZADA**

91. M. A. Lenning, *Filing methods: A textbook on the filing of commercial and governmental records*. Filadélfia: T. C. Davis & Sons, 1920.

92. J. Yates, *Control through communication: The rise of system in American management*. Baltimore: The Johns Hopkins University Press, 1989, p. 27.

93. Eles consistiam em duas argolas de metal que podiam ser abertas ou fechadas e que eram colocadas dentro de uma gaveta horizontal (eram normalmente chamados arquivos Shannon, em alusão ao principal fabricante).

94. Edwin G. Seibels, 1999: "Legacy of leadership". Disponível em: <www.knowitall. org/legacy/aureates/Edwin%20G.%20Seibels.html>.

95. J. Gleick, *The Information: A history, a theory, a flood*. Nova York: Vintage, 2011, p. 58.

96. Linda, comunicação pessoal, 16 nov. 2009.

97. Adaptação da Pendaflex School. Disponível em: <esselte.com>.

98. Essa informação foi adquirida por meio de entrevistas que o autor conduziu com funcionários atuais e anteriores da Casa Branca, inclusive um ex-suplente de chefe do estado-maior. Todos eles solicitaram sigilo, uma vez que não têm autorização para falar em nome da administração.

99. M. Kelleher, "Letters to the president". Arquivo de vídeo, 13 ago. 2009. Disponível em: <www.Whitehouse.gov/blog/Letters-to-the-President>.

100. Informação baseada em entrevistas com três funcionários da Casa Branca, que solicitaram sigilo por não estarem autorizados a falar em nome da administração.

101. R. Shepard, comunicação pessoal, 18 fev. 1998.

102. D. Kahneman, comunicação pessoal, 12 dez. 2012, Nova York.

103. D. Allen, *Making it all work: Winning at the game of work and the business of life*. Nova York: Penguin Books, 2008, p. 131.

104. "Interview: Clifford Nass", *Frontline*. PBS, 2 fev. 2010; W. Yardley, "Clifford Nass, who warned about data deluge, dies at 55". *The New York Times*, 10 nov. 2013.

105. Citação quase direta de M. Konnikova, "The power of concentration". *The New York Times*, p. SR8, 16 dez. 2012; ver também M. Konnikova, *Mastermind: How to think like Sherlock Holmes*. Nova York: Penguin Books, 2013.

106. "Interview: Clifford Nass", *Frontline*, PBS, 2 fev. 2010. Disponível em: <www.pbs. org/wgbh/pages/frontline/digitalnation/interviews/nass.html>.

107. S. Freierman, "One million mobile apps, and counting at a fast pace". *The New York Times*, 11 dez. 2011; Readwrite, "Apple iOS App Store adding 20,000 apps a month, hits 40 billion downloads", 7 jan. 2013. Disponível em: <readwrite. com/2013/01/07/apple-app-store-growing-by>.

108. John Kounios, citado em J. Lehrer, "The eureka hunt". *The New Yorker*, 28 jul. 2008, pp. 40-45. Embora tenha havido perguntas quanto à escolaridade de Lehrer, não há qualquer prova de que o conteúdo e as citações em seu artigo não sejam corretos. Essas duas frases são paráfrases de citações do artigo de Leher. Ver também D. Lametti, "Does the *New Yorker* give enough credit to its sources?". Brow beat | *Slate's* culture blog, *Slate*, 2012. Disponível em: <www.slate.com>.

109. H. Somerville, "Safeway CEO Steve Burd has legacy as a risk-taker". *San Jose Mercury News*, 12 maio 2013.

110. "Working hours: Get a life". *The Economist*, 24 set. 2013; Stanford University Department of Computer Science, "The relationship between hours worked and productivity", s.d. Disponível em: <www-cs-faculty.stanford.edu/~eroberts/cs181/projects/2004-05/crunchmode/econ-hours-productivity.html>.

111. J. Mar, "60-hour work week decreases productivity: Study". *Canada*, 3 mai. 2013. Disponível em: <www.canada.com>.

112. A. Brooks & L. Lack, "A brief afternoon nap following nocturnal sleep restriction: Which nap duration is most recuperative?". *Sleep*, v. 29, n. 6, 2006, pp. 831-840; M. Hayashi, N. Motoyoshi & T. Hori, "Recuperative power of a short daytime nap with or without stage 2 sleep". *Sleep*, v. 28, n. 7, 2005, pp. 829-836; R. Smith-Coggins, S. K. Howard, D. T. Mac, C. Wang, S. Kwan, M. R. Rosekind, D. M. Gaba et al., "Improving alertness and performance in emergency department physicians and nurses: The use of planned naps". *Annals of Emergency Medicine*, v. 48, n. 5, 2006, pp. 596-604.

113. T. Schwartz, "Relax! You'll be more productive". *The New York Times*, 10 fev. 2013, p. SR1.

114. S. Crowley, "Perks of the dot-com culture". Arquivo de vídeo, 11 nov. 2013. Disponível em: <www.myfoxny.com>.

115. "Fortune: 100 best companies to work for". CNN *Money*, 2013. Disponível em: <money.cnn.com>.

116. S. Streufert, P. Suedfeld & M. J. Driver, "Conceptual structure, information search, and information utilization". *Journal of Personality and Social Psychology*, v. 2, n. 5, 1965, p. 736; ver também S. Streufert & M. J. Driver, "Conceptual structure, information load and perceptual complexity". *Psychonomic Science*, v. 3, n. 1, 1965, pp. 249-250.

117. S. Streufert & H. M. Schroder, "Conceptual structure, environmental complexity and task performance". *Journal of Experimental Research in Personality*, v. 1, n. 2, 1965, pp. 132-137.

118. J. Jacoby, "Information load and decision quality: Some contested issues". *Journal of Marketing Research*, v. 14, n. 4, 1977, pp. 569-573; J. Jacoby, D. E. Speller & C. K. Berning, "Brand choice behavior as a function of information load: Replication and extension". *Journal of Consumer Research*, v. 1, n. 1, 1974, pp. 33-42; J. Jacoby, D. E. Speller & C. A. Kohn, "Brand choice behavior as a function of information load". *Journal of Marketing Research*, v. 11, n. 1, 1974, pp. 63-69.

119. N. K. Malhotra, "Information load and consumer decision-making". *Journal of Consumer Research*, v. 8, n. 4, 1982, pp. 419-430.

120. D. Ariely, "Controlling the information flow: Effects on consumers' decision-making and preferences". *Journal of Consumer Research*, v. 27, n. 2, 2000, pp. 233-248.

121. D. Kahneman, P. Slovic & A. Tversky (Orgs.). *Judgment under uncertainty: Heuristics and biases*. Cambridge: Cambridge University Press, 1982.

532  **A MENTE ORGANIZADA**

122. C. E. Shannon, "A mathematical theory of communication". *The Bell System Technical Journal*, v. 27, 1948, pp. 379-423, pp. 623-656; ver também T. M. Cover & J. A. Thomas, *Elements of information theory*. 2. ed. NovaYork: Wiley-Interscience, 2006; R. V. L. Hartley, "Transmission of information". *The Bell System Technical Journal*, v. 7, n. 3, 1928, pp. 535-563; J. R. Pierce, *An introduction to information theory: Symbols, signals, and noise*. Nova York: Dover Publications, 1980.

123. H. Anderson & S. Yull, BTEC *nationals* — IT *practioners tutor resource pack*. Oxford: Newnes, 2002.

124. O cálculo do bit depende de como o programador aloca a informação no algoritmo. As três instruções podem ser

    forma[quadrado]
    tamanho[8]
    cor[alternada].
    Ou podem ser
    tamanho horizontal[8]
    tamanho vertical[8]
    cor[alternada]

    Cada caso requer três comandos, e, portanto, na aritmética binária, 2 bits (o que deixa um bit sobrando, porque $2^2$ carrega 4 itens de informação).

125. Certas configurações podem ser descritas com menos de 64 itens de informação, tais como a configuração de início, que pode ser descrita em 32 itens de informação para representar cada uma das peças do xadrez, mais uma 33ª instrução que diga: "Todos os outros quadrados estão vazios".

126. Na matemática (no ramo da topologia) e na ciência da computação, um organograma com toda a hierarquia representada de cima para baixo pode ser descrito como um caso especial de grafo acíclico dirigido (GAD). Um GAD, no qual toda a supervisão aponta para baixo, é acíclico, o que quer dizer que ninguém mais abaixo no mapa volta para cima para supervisionar alguém numa posição superior, qualquer que seja a ocasião; de fato, é dessa forma que a maioria das empresas funciona. No entanto, um organograma que seja desenhado para representar não a estrutura hierárquica, mas a estrutura comunicativa, iria, naturalmente, dar voltas que representariam quando os subordinados responderiam a seus superiores. Ver, por exemplo, J. Bang--Jensen & G. Gutin, *Digraphs: Theory, algorithms and applications*. Berlim: Springer--Verlag, 2007; N. Christofides, *Graph theory: An algorithmic approach*. Nova York: Academic Press, 1975; F. Harary, *Graph theory*. Reading: Addison-Wesley, 1994.

127. O organograma da página 315 pode ser apresentado em quatro instruções computacionais, ou 2 bits:

    Estrutura[árvore padrão]
    Supervisionados por supervisor[3]
    Níveis[4]
    Supervisionados por supervisores no último nível[>= 50, <= 100]

## NOTAS 533

128. A. N. Kolmogorov, "Three approaches to the quantitative definition of information". *International Journal of Computer Mathematics*, v. 2, n. 1-4, 1968, pp. 157-68; A. Kolmogorov, "On tables of random numbers". Sankhyā: *The Indian Journal of Statistics*, Series A, v. 25, n. 4, 1963, pp. 369-375.

129. Primeiramente, esta noção me foi apresentada em L. Hellerman, "Representations of living forms". *Biology and Philosophy*, v. 21, n. 4, 2006, pp. 537-552. Hellerman a usava para quantificar o grau da organização em entidades biológicas. Para ele, a principal característica de um sistema organizado envolvia a diferenciabilidade. Isto é, se as partes de um organismo são diferenciáveis, pode-se dizer que ele tem maior organização. Um organismo unicelular tem uma organização mínima. Ele apresenta a fórmula:

Consideremos que $n_i$ seja igual ao número de coisas da $x^a$ parte.
v seja igual ao valor do grau da estrutura em termos de informação-teoria
lg seja igual ao logaritmo de base 2
Sendo assim, $v(n1, n2, ..., nk) = n_1 lg(n/n_1) + n_2 lg(n/n_2) + ... + n_k lg(n/n_k)$

Uma estrutura plana com partes iguais teria uma organização de valor 0.
Uma estrutura completamente vertical e completamente horizontal tem a mesma quantidade de informação, porque $\{0, 8\} = \{8, 0\}$. Sendo assim, há um ótimo de Pareto para a organização quando a árvore está bem estruturada.

130. Gráficos de fluxo de trabalho retirados de J. Cardoso, "Approaches to compute workflow complexity". F. Leymann, W. Reisig, S. R. Thatte & W. van der Aalst (Orgs.), *The role of business processes in service oriented architectures*. IBFI: Schloss Dagstuhl, 2006.

131. D. C. Merrill & J. A. Martin, *Getting organized in the Google era: How to get stuff out of your head, find it when you need it, and get it done right*. Nova York: Crown Business, 2010.

132. D. C Merrill & J. A. Martin, *Getting organized in the Google era: How to get stuff out of your head, find it when you need it, and get it done right*. Nova York: Crown Business, 2010, p. 161.

133. E. Pinheiro, W-D. Weber & L. A. Barroso. "Failure trends in a large disk drive population". *Proceedings of the 5th* USENIX *Conference on File and Storage Technologies (*FAST*)*. Mountain View, 2007. Disponível em: <static.googleusercontent.com/media/research.google.com/en//archive/diskfailures.pdf>.

134. G. Cole, "Estimating drive reliability in desktop computers and consumer electronics systems". *Seagate Technology Paper*, 2000, p. TP-338.1.

135. Schroeder e Gibson encontraram frequências de falha em instalações reais de até 13% ao ano. A aplicação do binômio de Newton apresenta 50% de probabilidade de pelo menos uma falha em cinco anos. B. Schroeder & G. A. Gibson. "Disk failures in the real world: What does an MTTF of 1,000,000 hours mean to you?". *Proceedings of the 5th* USENIX *Conference on File and Storage Technologies (*FAST*)*, 2007, Mountain View, Califórnia. Disponível em: <www.pdl.cmu.edu/ftp/Failure/

534　**A MENTE ORGANIZADA**

failure-fast07.pdf>; ver também Z. He, H. Yang & M. Xie, "Statistical modeling and analysis of hard disk drives (HDDs) failure". *Institute of Electrical and Electronics Engineers* APMRC, out. 2012, pp. 1-2.

136. K. V. Vishwanath & N. Nagappan, "Characterizing cloud computing hardware reliability". *Proceedings of the 1st* ACM *symposium on cloud computing*. Nova York: ACM, 2010, pp. 193-04.

137. P. Boutin. "An app that will never forget a file". *The New York Times*, 12 dez. 2013, p. B7.

**CAPÍTULO 8 [pp. 391-436]**

1. L. Sanger, "Why Wikipedia must jettison its anti-elitism". *Kuro5hin*, 31 dez. 2014. Disponível em: <www.kuro5hin.org>. Para crédito da Wikipédia, ela contém um artigo intitulado Criticism of Wikipedia [Críticas à Wikipédia]. Disponível em: <en.wikipedia.org/wiki/Criticism_of_Wikipedia>. Acesso em: 19 mar. 2014.

2. Usuário: Jimbo Wales. Wikipédia, s.d. Disponível em: <en.wikipedia.org/wiki/User:Jimbo_Wales>. Acesso em: 30 jun. 2013.

3. Dharma, comentários em L. Sanger, "Why Wikipedia must jettison its anti-elitism". Comentário em fórum online, dez. 2004. Disponível em: <www.kuro5hin.org>.

4. H. Jenkins, *Textual poachers: Television fans and participatory culture*. Nova York: Routledge, 1992; N. Schulz, "Fan fiction — TV viewers have it their way: Year in review 2001". *Encyclopedia Britannica online*, s.d.

5. B. Graham, comunicação pessoal, out. 1983. San Francisco, Califórnia.

6. Você talvez esteja pensando que alguém deveria lançar um concorrente on-line da Wikipédia, que fizesse uso de editores profissionais e escritores gabaritados. Pois já fizeram isso — Larry Sanger —, e o nome do site é Citizendium. Infelizmente ele não conseguiu competir com a Wikipédia, e parece estar indo de mal a pior.

7. P. Cohen, "Museum welcomes Wikipedia editors". *The New York Times*, 27 jul. 2013, p. C1.

8. A. Gopnik, discurso de formatura na Universidade McGill, Montreal, maio 2013.

9. H. S. Friedman, J. S. Tucker, J. E. Schwartz, L. R. Martin, C. Tomlinson-Keasey, D. L. Wingard & M. H. Criqui, "Childhood conscientiousness and longevity: Health behaviors and cause of death". *Journal of Personality and Social Psychology*, v. 68, n. 4, 1995, pp. 696-703; H. S. Friedman, J. S. Tucker, J. E. Schwartz, L. R. Martin, C. Tomlinson-Keasey, D. L. Wingard & M. H. Criqui, "Does childhood personality predict longevity?". *Journal of Personality and Social Psychology*, v. 65, n. 1, 1993, pp. 176-185.

10. L. R. Goldberg, comunicação pessoal, 13 maio 2013; M. Gurven, C. von Rueden, M. Massenkoff, H. Kaplan & M. Lero Vie, "How universal is the Big Five? Testing the five-factor model of personality variation among forager-farmers in the Bolivian Amazon". *Journal of Personality and Social Psychology*, v. 104, n. 2, 2013, pp. 354-370.

11. M. Beckman, "Crime, culpability, and the adolescent brain". *Science*, v. 305, n. 5684, 2004, pp. 596-599; J. N. Giedd, J. Blumenthal, N. O. Jeffries, F. X. Castellanos, H. Liu, A. Zijdenbos, J. L. Rapoport et al., "Brain development during childhood

**NOTAS** 535

and adolescence: A longitudinal MRI study". *Nature Neuroscience*, v. 2, n. 10, 1999, pp. 861-863; E. R. Sowell, P. M. Thompson & A. W. Toga, "Mapping changes in the human cortex throughout the span of life". *The Neuroscientist*, v. 10, n. 4, 2004, pp. 372-392; L. Steinberg, "Risk taking in adolescence: What changes, and why?". *Annals of the New York Academy of Sciences*, v. 1021, n. 1, 2004, pp. 51-58.

12. A. Eberts, comunicação pessoal, 26 nov. 2013, Montreal.

13. B. Keller, "It's the golden age of news". *The New York Times*, 4 nov. 2013, p. A25. Estou bem próximo do que escreveu Keller: "As mídias sociais foram contaminadas pela desinformação (algumas delas de forma deliberada) e preenchidas de contradições".

14. B. Keller, "It's the golden age of news". *The New York Times*, 4 nov. 2013, p. A25.

15. R. P. Vallone, L. Ross & M. R. Lepper, "The hostile media phenomenon: Biased perception and perceptions of media bias in coverage of the Beirut Massacre". *Journal of Personality and Social Psychology*, v. 49, n. 3, 1985, pp. 577-585.

16. O. Murray, "Herodotus and Hellenistic culture". *The Classical Quarterly*, v. 22, n. 2, 1972, pp. 200-213; K. L. Sparks, *Ethnicity and identity in ancient Israel: Prolegomena to the study of ethnic sentiments and their expression in the Hebrew Bible*. Warsaw: Eisenbrauns, 1998. Para um ponto de vista alternativo, ver D. Lateiner, *The historical method of Herodotus*, v. 23. Toronto: University of Toronto Press, 1989.

17. R. A. Nelson, "Tracking propaganda to the source: Tools for analyzing media bias". *Global Media Journal*, v. 2, n. 3, 2003, artigo 9.

18. Georgetown University, "Evaluating Internet resources", 2014. Disponível em: <www.library.georgetown.Edu/tutorials/research-guides/evaluating-internet-content>; University of California, Berkeley, "Evaluating web pages: Techniques to apply and questions to ask", 5 ago. 2012. Disponível em: <www.lib.berkeley.edu/TeachingLib/Guides/Internet/Evaluate.Html>.

19. Nasa, "Evaluating and validating information sources, including web sites", s.d. Disponível em: <wiki.nasa.gov/federal-knowledge-management-working-group--kmwg/wiki/home/z-archives-legacy-content/federal-cio-council-where--technology-meets-human-creativity-2002/f-information-literacy/f-5-tutorial-evaluating-information/f-5c-tutorial-evaluating-and-validating-information-sources--including-web-sites>.

20. Citação direta da Universidade da Califórnia em Berkeley, "Evaluating web pages: Techniques to apply and questions to ask", 5 ago. 2012. Disponível em: <www.lib.berkeley.edu/TeachingLib/Guides/Internet/Evaluate.Html>.

A natureza da web permite que qualquer um copie um artigo de um site e cole em outro. Um artigo repetidamente publicado pode aparecer como novo nas ferramentas de busca, por ser novo naquele site em particular, e não por ser propriamente novo. Uma informação antiga e desatualizada pode facilmente passar por informação nova. Nem sempre os dados estão expostos de forma proeminente nos sites, e, sendo assim, fica fácil esbarrar em dados antigos e desatualizados. Você pode estar se baseando em estatísticas desatualizadas, que já foram recolhidas ou que se aplicam a um ano diferente daquele em que você está interessado. Postagens repetidas

# 536 A MENTE ORGANIZADA

às vezes alteram a informação-chave no processo; não reconhecem que o conteúdo foi postado novamente sem alterações.

Uma ferramenta que ajuda a identificar se um artigo foi alterado é a *Wayback Machine* (assim chamada em alusão ao desenho animado com os personagens Peabody e Sherman, de Jay Ward, dos anos 1950 e 1960). A Wayback cria imagens instantâneas da web em diferentes momentos ao longo do tempo. O arquivo não é contínuo — cria imagens instantâneas em intervalos irregulares —, mas pode ser útil em pesquisas e na validação de informações para ver como os sites eram anteriormente. O endereço é <www.webarchive.org>. Assim como a Wayback, há outros serviços que o avisam quando o conteúdo de uma página é alterado, como o <www.watchthatpage.com>.

Em que domínio está o site? Assim como no Velho Oeste, há o lado bom da cidade e os lados que ainda são inseguros. Sites oficiais e autenticados pelo governo têm domínio especial indicado pelas extensões .gov para os Estados Unidos (órgãos federais, estaduais e municipais), .gc.ca para o Canadá, .gov.uk para o Reino Unido (central e local). Outras extensões oficiais incluem .mil (US military – as Forças Armadas norte-americanas). No domínio .gov nos Estados Unidos há subdivisões. Cada estado tem o seu próprio segundo nível ou subdomínio (por exemplo, colorado.gov e nebraska.gov), assim como algumas cidades (por exemplo, nyc.gov, burlingtonvt.gov) e escolas públicas (o distrito escolar de Westminster, Califórnia, é wsd.k12.ca.us; as escolas públicas de Dallas County são dallascountytexas.us). Para complicar, alguns sites oficiais do governo usam outros domínios, o que torna mais difícil autenticá-los, como a Flórida (www.StateOfFlorida.com), Broward County (www.broward.org) e as cidades de Chicago (www.cityofchicago.org) e Madison (www.cityofmadison.com). Nesses casos, quando você não pode confiar no nome do domínio para verificar o site, há outros métodos descritos a seguir.

Instituições reconhecidas de nível superior nos Estados Unidos (faculdades, universidades etc.) podem se candidatar a um domínio .edu. *Esses domínios são administrados por uma organização não lucrativa chamada Educause, graças a um acordo com o Departamento de Comércio dos Estados Unidos.* O sistema não é perfeito, e algumas fábricas de diplomas e outras instituições de baixa reputação também fazem parte dele. Ver U.S. Department of Education, "Diploma mills and accreditation — diploma mills", s.d. Disponível em: <www2.ed.gov/students/prep/college/diplomamills/diploma-mills.html>.

O domínio mais conhecido talvez seja o .com (com fins comerciais), e os sites oficiais dos Estados Unidos, assim como algumas empresas internacionais, normalmente o utilizam. É uma forma fácil de verificar a identidade do site. Se você quer informações do fabricante de um remédio, Pfizer.com é um site de empresa, enquanto Pfizer.info tanto pode ser quanto não ser. Preste atenção aos URLs <www.ChaseBank.verify.com> e <www.Microsoft.Software.com>; eles não são sites oficiais dessas empresas, simplesmente porque o nome da empresa está no URL — o que conta é o nome da empresa *colocado antes* do .com (neste caso, verify.com e software.com são os provedores da web, nem de perto a mesma coisa que a Microsoft e o Chase Bank).

# NOTAS   537

Outros países têm seus próprios domínios, e, em muitos casos, eles são usados para qualquer site de origem nestes países, públicos ou privados [www.domainit. com/domains/country-domains.mhtml]. Alguns deles incluem .ch (Suíça), .cn (China), .de (Alemanha), .fr (França) e .jp (Japão). Eles ainda podem ser subdivididos, como .ac.uk e .ac.jp, para instituições acadêmicas, e .judiciary.uk, .parliament. uk e .police.uk, para judiciário, parlamento e polícia, respectivamente.

De que domínio vem o site? Ele é condizente com a sua origem? IRS.com e InternalRevenue.com não são sites oficiais do governo dos Estados Unidos, porque não têm a extensão .gov (mesmo que IRS.com pareça bastante oficial). É muito fácil para os mal-intencionados fazer páginas da web com aparência oficial. É fácil obter informações do proprietário registrado do site indo a <networksolutions.com>. Por exemplo, se você procurar Ford.com, logo verá um quadro indicando que o proprietário é:

Ford Motor Company
20600 Rotunda Drive ECC Building
Dearborn MI 48121
US
dnsmgr@ford.com + 1.3133903476 Fax: + 1.3133905011

Parece que é mesmo a Ford Motor Company (você pode verificar o endereço usando uma ferramenta de busca). Pode ser também que hackers tenham controle sobre a Ford.com e encham o site de informações falsas. Apelando para o bom senso, se o conteúdo lhe parecer estranho, tente entrar em contato com a empresa por meios convencionais, publique sua observação numa rede social ou simplesmente espere — os técnicos da empresa normalmente são capazes de restaurar os dados em questão de horas ou dias.

Trata-se da página pessoal de alguém ou de uma empresa profissional? Se uma página na web não lhe parece familiar, tente entrar em contato com as pessoas que estão por trás dela. Procure os links que dizem "sobre nós" ou qualquer outro que revele as credenciais, a filosofia ou a perspectiva política da organização responsável pelo site. Temos aqui tanto questões de perícia quanto de desconfiança. Terá o autor credenciais relevantes ou conhecimento que o qualifiquem para escrever sobre o assunto? Uma organização religiosa que seja contra o fraturamento hidráulico talvez não tenha o conhecimento técnico necessário para discutir questões ambientais e de engenharia; a Associação Americana de Importadores de Café talvez não possa dar as melhores informações sobre os benefícios do chá verde para a saúde. Pessoas que têm hobbies podem ser entusiastas, até mesmo eloquentes, mas isso não quer dizer que sejam especialistas reconhecidos.

Páginas bem reputadas levam à página que você quer? Você pode usar o Alexa. com para descobrir, ao colar o URL no qual você está interessado na caixa de pesquisa, ou colocando o URL na sua ferramenta de busca precedido pelo comando link: ela mostrará páginas que têm relação com o URL que você digitar. Você também pode restringir esta lista indicando sites que venham de certos domínios, como .edu

538 **A MENTE ORGANIZADA**

ou .gov, usando o comando site:.edu. Por exemplo, se você quisesse ver somente os links do governo para páginas da United States Fencing Association (www.usfa.org), você digitaria: link:usfa.org site:.gov

21. G. Kolata, "Scientific articles accepted (personal checks, too)". *The New York Times*, 8 abr. 2013, p. A1.

22. Citado em G. Kolata, "Scientific articles accepted (personal checks, too)". *The New York Times*, 8 abr. 2013, p. A1.

23. J. Beall, "Predatory publishers are corrupting open access". *Nature*, v. 489, n. 7415, 2012, p. 179; Scholarly Open Access, "Beall's list: Potential, possible, or probably predatory scholarly open-access publishers", s.d. Disponível em: <scholarlyoa.com/publishers>.

24. "About RxList". *RxList*, 20 nov. 2013. Disponível em: <www.rxlist.com/script/main/art.asp?articlekey=64467>.

25. Isso só é válido durante a escrita deste livro, pois, sem dúvida, o conteúdo do Alexa já será outro quando o livro for publicado. "How popular is rxlist.com?". *Alexa*, s.d. Disponível em: <www.alexa.com/siteinfo/rxlist.com#trafficstats>.

26. rainbow 05 (U14629301). Morphine/Butrans patches. Fórum de discussão on-line, 26 out. 2010. Disponível em: <www.bbc.co.uk/ouch/messageboards/NF2322273?thread=7841114>. Acesso em: 30 mar. 2014.

27. O termo utilizado para a pesquisa foi: "*rxlist.com site:.gov*".

28. D. Graham, "Scientific cybernauts: Tips or clinical medicine resources on the Internet", dez. 1996. Disponível em: <www.nih.gov/catalyst/ack/96.11/cybernaut.Html>.

29. FreeThinker, *James Randi and the one million dollar paranormal challenge*, 23 maio. Disponível em: <www.youtube.com/watch?v=4Ja6ronAWsY>; James Randi Educational Foundation, "One million dollar paranormal challenge", 2014. Disponível em: <www.randi.org/site/index.php/1m-challenge.html>; "Randi $1,000,000 paranormal challenge". *The Skeptic's Dictionary*, 29 dez. 2013. Disponível em: <skepdic.com/randi.Html>.

30. L. Ross, comunicação pessoal, fev. 1991.

31. D. R. Thomas, "Vitamins in aging, health, and longevity". *Clinical Interventions in Aging*, v. 1, n. 1, 2006, pp. 81-91.

32. M. Ebbing & S. E. Vollset, "Long-term supplementation with multivitamins and minerals did not improve male us physicians' cardiovascular health or prolong their lives". *Evidence Based Medicine*, v. 18, n. 6, 2013, pp. 218-219.

33. "Open letter to Kansas school board. Chart: Global average temperature vs. number of pirates", s.d. Disponível em: <www.venganza.org/about/open-letter>.

34. Centers for Disease Control and Prevention. "Lung cancer", 21 nov. 2013. Disponível em: <www.cdc.gov/cancer/lung/basic_info/risk_factors.Html>.

35. Centers for Disease Control and Prevention. "Lung cancer", 21 nov. 2013. Disponível em: <www.cdc.gov/cancer/lung/basic_info/risk_factors.Html>.

36. H. J. Eysenck, "Personality, stress and cancer: Prediction and prophylaxis". *British Journal of Medical Psychology*, v. 61, n. 1, 1988, pp. 57-75; H. J. Eysenck, R. Grossarth-Maticek & B. Everitt, "Personality, stress, smoking, and genetic predisposi-

**NOTAS** 539

tion as synergistic risk factors for cancer and coronary heart disease". *Integrative Physiological and Behavioral Science*, v. 26, n. 4, 1991, pp. 309-322.

37. J. P. Fulton, S. Cobb, L. Preble, L. Leone & E. Forman, "Electrical wiring configurations and childhood leukemia in Rhode Island". *American Journal of Epidemiology*, v. 111, n. 3, 1980, pp. 292-296; D. A. Savitz, N. E. Pearce & C. Poole, "Methodological issues in the epidemiology of electromagnetic fields and cancer". *Epidemiologic Reviews*, v. 11, n. 1, 1989, pp. 59-78; N. Wertheimer & E. D. Leeper, "Adult cancer related to electrical wires near the home". *International Journal of Epidemiology*, v. 11, n. 4, 1982, pp. 345-355.

38. P. M. Etherton, W. S. Harris & L. J. Appel, "AHA scientific statement: Fish consumption, fish oil, omega-3 fatty acids, and cardiovascular disease". *Circulation*, v. 106, n. 21, 2002, pp. 2747-2757.

39. D. Kromhout, S. Yasuda, J. M. Geleijnse & H. Shimokawa, "Fish oil and omega-3 fatty acids in cardiovascular disease: Do they really work?". *European Heart Journal*, v. 33, n. 4, 2012, pp. 436-443.

40. T. M. Brasky, A. K. Darke, X. Song, C. M. Tangen, P. J. Goodman, I. M. Thompson, A. R. Kristal et al., "Plasma phospholipid fatty acids and prostate cancer risk in the SELECT trial". *Journal of the National Cancer Institute*, v. 105, n. 15, 2013, pp. 1132-1141.

41. Dr. Hyman. "Search results: Omega3", s.d. Disponível em: <store.drhyman.com/Store/Search?Terms=omega+3>.

42. M. Hyman, "Can fish oil cause prostate cancer?". *Huffington Post*, 26 de jul. 2013. Disponível em: <www.Huffingtonpost.com/dr-mark-hyman/omega-3s-prostate--cancer_b_3659735.Html>.

43. American Heart Association. "Fish 101", s.d. Disponível em: <www.heart.org>.

44. L. Yan & E. L. Spitznagel, "Soy consumption and prostate cancer risk in men: A revisit of a meta-analysis". *The American Journal of Clinical Nutrition*, v. 89, n. 4, 2009, pp. 1155-1163.

45. M. C. Bosland, I. Kato, A. Zeleniuch-Jacquotte, J. Schmoll, E. E. Rueter, J. Melamed, J. A. Davies et al., "Effect of soy protein isolate supplementation on biochemical recurrence of prostate cancer after radical prostatectomy". JAMA, v. 310, n. 2, 2013, pp. 170-178.

46. Outro aspecto do pensamento crítico pergunta: a informação é plausível? Em 1984, Fred Sanford, um compositor amador e desconhecido do Meio-Oeste, processou a CBS Records, dizendo que o hit "The Girl Is Mine", atribuído a Michael Jackson/Paul McCartney, tinha sido roubado dele. Quanto há de verdade no fato de dois dos mais profícuos e famosos compositores da nossa época roubarem uma canção de outra pessoa? Ou no fato de que um completo desconhecido, sem nenhuma música gravada, possa ter escrito uma música que seja um sucesso internacional? Qual a possibilidade de Michael Jackson ter ouvido a versão de Sanford? Alguma dessas opções é plausível? A ocorrência das três parece muito pouco provável. Nada disso prova que "The Girl Is Mine" não tenha sido plagiada, mas é importante pesar os fatos e considerar suas probabilidades e possibilidades. Sanford perdeu a ação.

540 **A MENTE ORGANIZADA**

A plausibilidade depende do contexto. Se uma joia valiosa — e com boa cobertura de seguro — desaparece da casa de uma pessoa, sua reclamação de que alguém deva tê-la roubado pode não parecer plausível, principalmente ao se ficar sabendo que essa pessoa estava afundada em dívidas, que não há nenhum sinal de arrombamento na casa, e se as câmeras de segurança não mostrarem a entrada de pessoas desautorizadas. Legisladores mais conservadores andaram preocupados com o fato de algumas mães solteiras estarem engravidando somente para poder reivindicar bolsas em dinheiro dadas pelo governo. Um artigo de jornal publicou matéria dizendo que outra lei fora criada negando esses benefícios e que, no espaço de seis meses, a taxa de natalidade caíra significativamente. Essa argumentação por si só é plausível — índices de natalidade sobem e descem o tempo todo por conta de vários fatores —, mas a sugestão de que essa queda se deu após seis meses da entrada em vigor da nova lei é improvável por conta de o tempo de uma gestação ser de nove meses.

47. NBA. *Shaquille O'Neal*, s.d. Disponível em: <stats.nba.com/playerProfile.html?PlayerID=406>. Os jogadores mais altos da história da NBA foram Manute Bol e Gheorghe Mureşan, com quase 2,30 metros cada um. Brown, D. H. *A basketball handbook*. Bloomington, IN: AuthorHouse, 2007, p. 20.

48. N. Carlson, "Answers to 15 Google interview questions that will make you feel stupid". *Business Insider*, 5 nov. 2009; R. Fateman, professor de ciências da computação (aposentado), Universidade da Califórnia, Berkeley, comunicação pessoal, 13 jan. 2013.

49. N. Carlson, "Answers to 15 Google interview questions that will make you feel stupid". *Business Insider*, 5 nov. 2009; R. Fateman, professor de ciências da computação (aposentado), Universidade da Califórnia, Berkeley, comunicação pessoal, 13 jan. 2013.

50. Um metro cúbico de madeira de bordo pesa, na verdade, cerca de 700 quilos — bem dentro da razão de grandeza estimada; *Reade Advanced Materials*, 11 jan. 2006. "Weight per cubic foot and specific gravity". Disponível em: <www.reade.com/ParticleBriefings/spec_gra2.Html>.

51. Um metro cúbico de aço pesa cerca de 7.800 quilos. *Reade Advanced Materials*, 11 jan. 2006. "Weight per cubic foot and specific gravity". Disponível em: <www.reade.com/ParticleBriefings/spec_gra2.Html>.

52. Ver <esbnyc.com>, site oficial do Empire State Building.

53. Anônimo, comunicação pessoal, 6 abr. 2012.

54. D. Ackerman, *One hundred names for love*. Nova York: W. W. Norton & Company, 2012, pp. 82-83.

55. B. Zander, comunicação pessoal, 25 jul. 2013.

56. American Library Association, Association of College & Research Librarians. *Presidential committee on information literacy: Final report*, 1989. Disponível em: <www.ala.org/ala/mgrps/divs/acrl/publications/whitepapers/presidential.Cfm>; ver também T. P. Mackey & T. E. Jacobson, "Reframing information literacy as metaliteracy". *College & Research Libraries*, v. 72, n. 1, 2001, pp. 62-78.

**NOTAS** 541

57. D. Kahneman, comunicação pessoal, 10 de jul. 2013, Stanford, Califórnia.
58. E. Mazur, *Peer instruction: A user's manual*. Nova York: Pearson, 1996.
59. Citação direta de A. S. Lillard & J. Peterson, "The immediate impact of different types of television on young children's executive function". *Pediatrics*, v. 128, n. 4, 2011, pp. 644-649. Disponível em: <pediatrics.aappublications.org/content/early/2011/09/08/peds.2010-1919.full.pdf+html>.
60. L. Tanner, "SpongeBob SquarePants causes attention problems: Study". *Huffington Post*, 9 dez. 2011. Disponível em: <www.huffingtonpost.com>.
61. Citado pelo porta-voz da Nickelodeon, David Bittler, em L. Tanner, "SpongeBob SquarePants causes attention problems: Study". *Huffington Post*, 9 dez. 2011. Disponível em: <www.huffingtonpost.com>.

**CAPÍTULO 9 [pp. 437-452]**

1. D. C. Merrill & J. A. Martin, *Getting organized in the Google era: How to stay efficient, productive (and sane) in an information-saturated world*. Nova York: Random House, 2011.
2. Office of Highway Policy Information, *Table HM-20: Public Road Length — 2010 (Report)*, 2011. U. S. Department of Transportation, Federal Highway Administration.
3. Aqui temos o oposto da regra do antigo sistema rodoviário dos Estados Unidos, e por isso muitas pessoas ficam confusas. O princípio básico do planejamento da interação humana é que, caso exista algum padrão, ele deve ser utilizado. D. A. Norman, *The design of everyday things*. Nova York: Basic Books, 2013.
4. Esse mapa foi tirado da Wikipédia e é de domínio público: <en.wikipedia.org/wiki/Interstate_Highway_System#cite_note-hm20-2>. A permissão é explicitamente cedida pelo criador, Stratosphere, para reutilização. Ver <en.wikipedia.org/wiki/File:FHWA_Auxiliary_Route_Numbering_Diagram.svg>.
5. A imagem da tabela periódica está disponível em <0.tqn.com/d/chemistry/1/0/1/W/periodictable.jpg> e é rotulada como de uso livre pelo Bing.
6. Na sexta e sétima fileiras da tabela, logo à direita do bário e do rádio, a estrutura se desfaz. Em vez de haver ali um único elemento na coluna 3, temos 15 elementos espremidos antes do háfnio e do rutherfórdio (respectivamente) na coluna 4. Descendo pela tabela, os átomos vão se tornando maiores e mais pesados. Quando atingem um tamanho e um peso críticos, a forma como as órbitas dos elétrons estavam sendo preenchidas se torna menos estável em torno do bário (peso atômico = 56), e então um novo esquema de inclusão de elétrons, a órbita F, se torna necessária. Em outras palavras, as descontinuações aparentes na tabela ocorrem como uma função da forma como as órbitas dos elétrons são preenchidas nesse subgrupo de elementos. Classificá-los juntos, dessa forma, é justificado adiante pelo fato de esses elementos apresentarem um grande número de similaridades químicas. Os elementos acondicionados na sexta fileira são chamados lantanídeos (metais terrosos raros), e os na sétima fileira são os chamados actinídeos (metais radioativos). Agradeço à doutora Mary Ann White por esta explicação. M. A. White, comunicação pessoal, 16 nov. 2013.
7. Lembrar nomes é difícil porque, diferentemente de um número limitado de nomes, há um número quase infinito de rostos, e não temos formas muito boas de descrevê-

-los e lembrá-los; a memória para os rostos tende a ser mais holística do que baseada em traços. Se lhe pedirem que descreva um rosto, talvez você diga "Ela tem um nariz arrebitado, uma covinha na bochecha e sobrancelhas bem finas", sendo muito pouco provável que você simplesmente venha a arrancar essa descrição da memória; ao contrário, você certamente imaginará o rosto holisticamente e então tentará verbalizar os traços.

8. A técnica básica de se lembrar de nomes que você nunca ouviu antes remonta aos gregos, que escreveram extensivamente sobre a memória — eles precisavam dela, pois grande quantidade do conhecimento antigo era passado oralmente.

9. D. Sheff, *All we are saying: The last major interview with John Lennon and Yoko Ono*. Nova York: St. Martin's Press, 2000.

10. James Watson, "How we discovered DNA". Arquivo de vídeo, fev. 2005. Disponível em: <www.ted.com/talks/james_watson_on_how_he_discovered_dna>; W. Kaempffert, *A popular history of American invention*, v. 2. Nova York: Scribner's Sons, 1924.

11. E. M. Cybulska, "The madness of Nietzsche: A misdiagnosis of the millennium?". *The British Journal of Hospital Medicine*, v. 61, n. 8, 2000, pp. 571-575.

12. M. Robinson, "The believer. Review of 'A Prayer Journal' by F. O'Connor". *The New York Times Book Review*, 17 nov. 2013, p. 11.

13. J. Hospers, "Artistic creativity". *The Journal of Aesthetics and Art Criticism*, v. 43, n. 3, 1985, pp. 243-255.

14. G. Claxton, *Hare brain, tortoise mind: How intelligence increases when you think less*. Nova York: Harper Perennial, 1999; P. Gediman & J. Zaleski, "Review of the book Hare brain, tortoise mind: How intelligence increases when you think less by Guy Claxton". *Publisher's Weekly*, v. 246, n. 2, 11 jan. 1999, p. 63.

15. Depois de escrever isso, descobri a mesma frase, "todos os bits são criados iguais", em J. Gleick, *The information: A history, a theory, a flood*. Nova York: Vintage, 2011.

16. Gleick escreve: "A informação se divorciou do significado". Ele cita o filósofo da tecnologia Lewis Mumford (1970): "Infelizmente, 'a informação extraída da rede', embora imediata, não substitui o ato de descobrir via inspeção direta o conhecimento de cuja existência talvez o indivíduo jamais suspeitasse e segui-lo, no próprio ritmo, pelas suas ramificações existentes na literatura relevante". J. Gleick, *The information: A history, a theory, a flood*. Nova York: Vintage, 2011.

17. N. Carr, *The shallows: What the internet is doing to our brains*. Nova York: W. W. Norton & Company, 2010.

18. J. Gleick, *The information: A history, a theory, a flood*. Nova York: Vintage, 2011.

19. A. Calaprice, *The expanded quotable Einstein*. Princeton: Princeton University Press, 2000, p. 245; M. Root-Bernstein & R. Root-Bernstein, "Einstein on creative thinking: Music and the intuitive art of scientific imagination". *Psychology Today*, 31 mar. 2010.

20. P. Otellini, comunicação pessoal, jul. 2013.

21. J. Baez, "Levels of excellence". Weblog, 29 set. 2013. Disponível em: <johncarlosbaez.wordpress.com/2013/09/29/levels-of-excellence>.

# AGRADECIMENTOS

Sou grato a minha noiva, Heather Bortfeld, pelas inúmeras horas de discussões elucidadoras e companheirismo.

Agradeço a todos na Wylie Agency, principalmente Sarah Chalfant e Rebecca Nagel, por terem permitido que eu me expressasse despejando centenas de detalhes em cima delas. A Dawna Coleman e Karle-Philip Zamor, de meu laboratório na McGill, que, com muito empenho, tomaram conta de outras tantas centenas de detalhes, muitas vezes sem que eu mesmo tivesse conhecimento deles, e foram fundamentais para a conclusão deste livro. A Stephen Morrow, Stephanie Hitchcock, LeeAnn Pemberton, Daniel Lagin, Christine Ball, Amanda Walker, Diane Turbide e Erin Kelly, da Penguin, todos incrivelmente solícitos para dar vida ao meu original.

Por comentarem o original, oferecerem conselhos e responderem a perguntas, sinto-me em débito com Mark Baldwin, Perry Cook, Jim Ferguson, Michael Gazzaniga, Lee Gerstein, Dan Gilbert, Lew Goldberg, Scott Grafton, Diane Halpern, Martin Hilbert, Daniel Kahneman, Jeffrey Kimball, Stephen Kosslyn, Lloyd Levitin, Shari Levitin, Sonia Levitin, Linda, Ed Littlefield Sr., Ed Littlefield Jr., Vinod Menon, Jeffrey Mogil, Regina Nuzzo, Jim O'Donnell, Michael Posner, Jason Rentfrow, Paul Simon, Malcolm Slaney, Stephen Stills, Tom Tombrello e Steve Wynn. Outros comentários muito úteis vieram de David Agus (doutor em medicina), Gerry Altmann, Stephen Berens (doutor em medicina), Melanie Dirks, Baerbel Knaüper, David Lavin, Eve-Marie Quintin, Tom Reis, Bradley

Vines e Renee Yan. Por terem dividido generosamente suas ideias sobre a organização do livro, agradeço a José Cerda, Alexander Eberts, Stan Mc-Chrystal, Paul Otellini e Sting. Uma equipe de alunos do meu laboratório ajudou a verificar e dar forma às notas finais: Michael Chen, Caitlin Courchesne, Lian Francis, Yueyang Li e Tyler Raycraft. Len Blum colaborou com revisões brilhantes e detalhadas. Sou grato a todos eles.

Obrigado também a Joni Mitchell por ter me deixado escrever parte do livro no quintal de sua casa (e eu preciso voltar àquele jardim...), e também à Universidade McGill e a Minerva Schools, do Keck Graduate Institute of Claremont, pelo encorajamento e o apoio durante a escrita. Um agradecimento especial a Martin Grant, diretor de ciências na McGill, e a David Zuroff, diretor do departamento de psicologia da McGill, que ajudaram a criar um ambiente injevável de produtividade e estimulação intelectual.

# CRÉDITOS DAS ILUSTRAÇÕES

Página 14   © 2014 Daniel J. Levitin.

Página 15   © 2014 Daniel J. Levitin.

Página 48   © 1990 by Roger N. Shepard. Utilizada com permissão. Roger Shepard é o único detentor dos direitos autorais da imagem "Terror Subterra", que apareceu pela primeira vez em seu livro *Mind Sights*, publicado em 1990 pela W. H. Freeman and Company, Nova York.

Página 71   Ilustração de Dan Piraro © 2014. Utilizada com permissão.

Página 97   Essa imagem foi redesenhada com base na que aparece em W. Labov, "The boundaries of words and their meanings. New ways of analyzing variation in English", 1, 1973, p. 340-373.

Página 116  Quadro de chaves para ele e para ela, disponível para compra em: <www.keanmiles.com/key-holder.html e http://www.moderngent.com/j-me/his_hers_keyholders.php>.

Página 228  © 2014 Dan Piraro. Utilizada com permissão.

Página 254  © 2014 Daniel J. Levitin.

Página 319  © 2002. Imagem retirada de A. Edwards, G. Elwyn & A. Mulley, A. "Explaining risks: Turning numerical data into meaningful pictures", BMJ, 324(7341), 2002, p. 827-830. Utilizada com permissão.

Página 326  © 2014 Daniel J. Levitin.

Página 327  © 2014 Daniel J. Levitin.

Página 328 © 2014 Daniel J. Levitin.

Página 376 © 2014 Daniel J. Levitin.

Página 377 © 2014 Daniel J. Levitin.

Página 439 Ilustração do usuário Stratosphere, da Wikipédia. Utilizada com permissão.

Página 440 Ilustração do usuário DePiep, da Wikipédia. Utilizada com permissão.

Página 474 © 2014 Daniel J. Levitin.

# ÍNDICE REMISSIVO

*Números em itálico indicam figuras.*

abstração, 231-2
Ace Hardware, 110-2
Ackerman, Diane, 430-1
ações por erro médico, 175
Adams, James L., 148
administração do tempo, 203-68;
  calendários, 263; e multitarefa, 214-29; e
  procrastinação, 243-50; e sono, 229-42; e
  tempo biológico, 205-14; e tempo criativo,
  250-65; e tempo de vida, 265-8; e traumas
  cerebrais, 203-5; ferramentas para
  economia de tempo, 268; ordem de fuso
  horário, 357; sistemas de arquivo, 129-30
*affordance* gibsoniana, 63-4, 116
*affordances*, 63-4, 116-7
álcool, 211, 234
Alexa.com, 406, 538n
Allen, David, 99-100, 103, 121
altruísmo, 202
Alzheimer, doença de, 46, 144, 267, 366
Amber, alerta, 150-1, 202
American Library Association, 432
análises custo-benefício, 29, 261-2
angioplastia, 291, 313
antibióticos, 318, *319*
Apple, 341, 444

aprendizagem de imersão, 232
aprendizagem implícita, 433
aproximação, 418-30
Área 47 (córtex pré-frontal), 344
Argentina, 200
Ariely, Dan, 371
Aristóteles, 88, 404
armazenamento digital, 125-42
armazenamento na nuvem, 384-5
Armstrong, Louis, 340
arquivos de contatos, 161-2
arrependimento, 319-21
arrumação, 400; *ver também* categorização
*Arte de fazer acontecer, A* (Allen), 99-100
*Assim falou Zaratustra* (Nietzsche), 443
assimilação, 231, 233
assistentes executivos, 163, 243, 259, 262-3,
  357, 359-60
Associação Americana do Coração, 415, 417
atenção, 65-106; capacidade de, 120, 435;
  dispositivos para poupar atenção, 268; e
  "horas produtivas", 138; e dormir, 235; e
  emoção, 472n; e fisiologia do cérebro,
  65-74; e memória, 77-84; e o sistema de
  alerta, 473n; e recordar nomes, 441-2;
  filtros de atenção, 32-6, 41, 43-4, 67, 69,

74-6, 113, 150, 363; neuroquímica da, 74-7; rede de atenção, 72; transtorno do déficit de atenção, 212, 216, 243, 363; troca de atenção, 41, 70, 74, 133, 216, 219-20, 255, 338-9, 382, 472n

ativação difusa, 85

atos de fala, 176-8

atos de fala indireta, 176, 178, 180-2

autoapresentação, vantagem na, 189

autoconfiança, 248-9, 495n, 508n

autodisciplina, 257

avaliação de risco, 266, 271-2, 290-301, 318, 320-1

Avogadro, Amedeo, 306

babilônios, 206

Beall, Jeffrey, 405

Beatles, 345

beisebol, times da primeira divisão, 242

Bell Laboratories, 371, 374

Benchley, Robert, 258

Berlin, Brent, 58

Biblioteca do Congresso [EUA], 41, 445-6

bibliotecas, 14, 387, 436, 445, 447

binômio de Newton, 298-9

biópsias, 296-9, 301, 311, 313

Bloomberg, Michael, 336

Bob Esponja Calça Quadrada (desenho animado), 434

Booz Allen Hamilton, 329, 379

Boutin, Paul, 384

Bryson, Bill, 160

Buffett, Warren, 29, 350

Burd, Steven, 367

burocracia, 350-65

Bush, George W., 83

cadeia de comando, 330, 333-5

cafeína, 239

calendários, 263-4

Calímaco, 40

Camus, Albert, 345

câncer, 292, 293-4, 297-300, 304, 311-2, 414, 416-7

câncer de próstata, 292-5, 297-300, 304, 312, 416-7

câncer de pulmão, 292, 413-4

CAPTCHA (Teste de Turing Público Completamente Automatizado para Diferenciar Computadores de Humanos), 156

características típicas, 96, 98

Carlsen, Magnus, 117

Carr, Nicholas, 444

Carter, Jimmy, 34

Casa Branca, 361

casamento, arranjar, 169, 171

Castelo de vidro, O (Walls), 256

categorias funcionais, 56, 92-3, 95, 112

categorias situacionais, 93

categorização: baseada no aspecto geral, 92; e arquivos de contatos, 162; e extensões do cérebro, 98-106; e fisiologia do cérebro, 59-64; e gavetas da bagunça, 120-5; e memória, 39, 87-98, 437-8; e organização de lojas de varejo, 111-2; e organização do lar, 121; e redes neurais, 13, 15; e relações sociais, 161-3, 202; e resoluções temporais, 226-7; e sistemas de arquivos, 128; limites mais flexíveis e vagos, 95-6, 98, 437-8; organização de bebidas no bar, 122; perspectiva histórica, 49-60; planejando tipos de tarefas, 221; traços típicos e definidores, 96, 98; Wisconsin Card Sorting Test, 222-3

causalidade, 411-7

cegueira provocada pela desatenção, 37

Centros de Controle e Prevenção de Doenças (EUA), 238, 303, 415

Chabris, Christopher, 37

Challenger, ônibus espacial, acidente, 238

Chivers, C. J., 402

Church, Alexander Hamilton, 326

Cialdini, Robert, 495n

Cícero, 404

ciência cognitiva, 49-60, 279

Cinco Grandes dimensões da personalidade, 364

## ÍNDICE REMISSIVO 549

cinco minutos, regra dos, 261
cirurgia, 292-4, 317
cirurgias de ponte de safena, 291, 313
Citizendium (enciclopédia on-line), 534n
Claiborne, Liz, 330
classificação biológica, 51-2, 55, 59-60
classificação taxonômica, 93
cochilo, 240, 367-8, 506n; *ver também* sono
*Comando de missão* (manual do Exército
  americano), 342
complexidade, 159-75, 258, 271-82, 375
comportamento cooperativo, 176
compressão de dados, 372, 375
conceitos e hábitos fundamentais da mente,
  401
concentração, 69, 351; *ver também* atenção
condições-limite, 418-20, 426-8
confiança, 183, 334
conformidade, 200-2
Congresso (EUA), 207
consentimento esclarecido, 304-15
*Consumer Reports*, 46, 154
contingências, 282, *283*, 343, 381-8
controle dos impulsos, 210-1
Cook, Perry R., 385, 387
correlação, 90, 411-7, *413*
correlações espúrias, 412, *413*
córtex pré-frontal, *204*; Área 47, 344; e
  alternância de tarefas, 216; e atenção, 42,
  71, 74-5; e comportamentos de mudança,
  222; e distinção administrador/operário,
  221; e estado de fluxo, 252, 256; e ficção
  literária, 434; e multitarefa, 131, 133, 366;
  e organização do tempo, 204, 209-10,
  219, 226; e procrastinação, 244, 246, 249;
  e sobrecarga de informação, 33; e sono,
  234; e televisão para crianças, 435; e
  tomada de decisões, 333, 338; tempo
  criativo, 251, 260; *ver também* fisiologia
  do cérebro
Coulter, Ann, 404
cozinha, organização, 110, 114, 121-4
crença persistente, 193
criatividade: e atenção, 66; e

envelhecimento, 268; e estado de fluxo,
  252-8; e foco, 216; e função do executivo
  central, 250, 260, 442-3; e gerenciamento
  do tempo, 214-5, 250-65; e serendipidade,
  443, 446, 448-9; e sistemas
  organizacionais, 363
*crowdsourcing*, 151, 153-4, 174, 396
Csikszentmihalyi, Mihaly, 251, 255, 467n
Cuba, crise dos mísseis, 198, 432
Cuban, Mark, 350
cubo mágico, 232
cultura grega, 14, 78, 116, 345
cultura romana, 345
Curie, Marie, 340

Dalí, Salvador, 443
Darley, John, 200-2
Dawkins, Richard, 53
de Morgan, Augustus, 445
De Waal, Frans, 339
decisões, 105, 133, 136, 172, 269-82,
  332-9, 371, 489n
decisões de tratamento, 315-21
Deepwater Horizon, empresa de petróleo,
  desastre na, 175
Dennett, Daniel, 73
Departamento de Defesa (EUA), 152-3
Departamento de Justiça (EUA), 385
Departamento de Transportes (EUA), 320
Descartes, René, 40
desempenho ótimo, 211, 236, 238-9, 252,
  254
detector de mudança, 35-6, 117, 258
diagnóstico médico e tomada de decisões: de
  tratamento, 315-21; e perícia médica, 394;
  e raciocínio estatístico, 19, 271-304, 308,
  316-7, 322, 453-64, 518n; e tecnologia de
  imagem, 68, 94; e teoria da informação,
  377; prática do número de pessoas a tratar,
  288, 293, 300, 318, *319*; tempo de
  recuperação, 294, 297
diagramas de rede, 326, 328
*Dicionário Oxford de Inglês*, 151
difteria, 303

difusão e responsabilidade, 201-2

distração, 246, 258-9

distribuições prévias, 302

divisão de trabalho, 324

divórcio, taxas de, 173, 316

doença cardíaca, 238, 416, 506n

dois venenos, problema dos, 285-7, 302

Drew, Richard G., 348

Dupin, Amantine (George Sand), 340

duplo-cego, estudos randomizados, 308

Ebbinghaus, ilusão de, *48*

Eberts, Jake, 243, 400

echinacea, 307-8

economia comportamental, 169, 172, 316

Edison, Thomas, 249, 350

educação infantil, 18, 399, 431

efeito de pré-seleção, 394, 407

efeito de primazia, 85, 476n

efeito placebo, 306, 308

efeitos colaterais, 282, 285, 290-4, 297, 299, 319, 453, 459, 463

eficiência cognitiva, 87, 146

Einstein, Albert, 443, 448

Eisenhower, Dwight D., 438

*Em casa* (Bryson), 160

e-mail, 133-6, 138, 264, 362-3, 365-6

empatia, 157, 202, 434-5

Empire State Building, questão do peso do, 422, 426-30

envolvimento em tarefas, 254

Epley, Nicholas, 175, 193

era da burocracia, 324

Erasmo, 40

Eratóstenes, 206

Ernst, Edzard, 306

erro fundamental de atribuição, 188, 190, 193, 221, 248, 279, 493n

escrita, 9-1, 39-40

Escritório de Correspondência da Casa Branca, 362

especialização, 39, 87, 328

especialização funcional, 325

esquecimento, 17, 39, 78, 109

estacionamento, tíquetes, 288, 515n

estado de fluxo, 251-8

estatísticas, 19, 47, 271-82, 321-2, 513-4, 518; *ver também* pensamento bayesiano

estereótipos, 196

estilo de administração, 335-6, 347-9

estimativa, 417-30, 513n; *ver também* estatísticas

estojo de ferramentas, 148

estradas de ferro, 207, 324-6, 329, 523n

estrutura organizacional, 327-32, 376-9

estruturas corporativas, 327-32, 526n

estruturas de comando, 328-30, 332

estruturas organizacionais, 379-80

estudos epidemiológicos, 415

ética, 337-9

ética em pesquisa, 413-4

eventos raros, 310, 453-64

eventos traumáticos, 82-3; *ver também* lesão cerebral e trauma

evolução: e arquitetura do cérebro, 15; e atenção, 69; e aumento de bens, 110; e categorias de parentesco, 53; e categorização, 95; e preferência pela ordem, 59-60; e probabilidade, 272; e relações sociais, 159, 165; e sistema de atenção, 32, 41

exercício, 260, 295

exercícios para limpar a mente, 99, 259

Exército (EUA), 334-5, 338, 341-5

expectativa de vida, 207-8, 265-8, 291, 303

experimentação controlada, 410-1, 413

explicações situacionais, 186-7

explicações tendenciosas, 187

extensões do cérebro, 99-106

exteriorização da memória: e auxílio para memória, 146-7; e controles de aviões, 441; e categorias indefinidas, 437-8; e criatividade, 442-3; e eficiência organizacional, 325; e escrita, 9-11; e extensões do cérebro, 98-106; e fichas lembrete, 163-4; e fisiologia do cérebro, 78, 80; e grupos neurais, 15; e relações sociais, 163-4

ÍNDICE REMISSIVO 551

*Exxon Valdez*, vazamento de óleo, 238
Eysenck, Hans, 414

*Faça acontecer* (Sandberg), 99
Facebook, 136-7, 166, 402
falhas de disco, 383
falso positivo e negativo, 283, *284*, *454*, *456*
farmacêuticos, 310-1, 407, 410
Feinberg School of Medicine, 86
Ferguson, Jim, 224
Fermi, problemas de, 422, 424
ferramentas de sincronização, 384
fichários de três argolas, 354, 358
fichas, 99, 101, 103-6, 353-4, 364, 477n
fichas lembrete, 163-4, 263, 360
filtragem colaborativa, 155
Finkel, Eli, 172
fisiologia do cérebro: aglomerado de
neurônios, 13; e atenção, 42-4, 65, 67,
69-71, 74-7, 216-7, 472; e categorização,
93-4; e comunicação eletrônica, 137; e
criatividade, 250, 252, 255; e
envelhecimento, 267; e memória, 79; e
multitarefa, 134; e organização do lar, 115;
e organização do tempo, 204, 212, 218,
222; e procrastinação, 246; e relações
sociais, 165, 169, 184, 195; e sobrecarga
de informação, 32, 36; e sono, 234, 239,
241; e tomadas de decisões organizacionais,
332-3, 338; *ver também* função do
executivo central; hipocampo
Fleming, Sandford, 207
flexibilidade cognitiva, 366
fluxo de trabalho, 264, 380
foco, 34, 138, 215, 257; *ver também* atenção
foco seletivo, 45, 88, 223
força de vontade, 43, 65, 243
formação de casais, 168, 183
formatos de arquivo, 127, 383
fracasso, planejar para o, 381-8
Fremont, fábrica da General Motors em,
349
fumo, 132, 165, 413, 414, 473n
função do executivo central: e atenção, 67,

69, 70, 73-5; e categorização, 88, 93; e
criatividade, 250, 260, 443; estado de
fluxo, 256; e exteriorização da memória,
106; e leitura, 213; e memória, 77, 100; e
multitarefa, 133; e namoro pela internet,
172; e organização do lar, 120; e
organização do tempo, 210, 220; e
sistemas organizacionais, 363; e sobrecarga
de informação, 371
furacão Agnes, 346

Gall, Joseph, 252
Gallucci, Robert, 513n
Gardner, Howard, 340, 341
Gates, Bill, 341
gaveta da bagunça, 20-1, 49, 105, 120-5,
359, 449-50
Geertz, Clifford, 59
General Motors, 349
genética, 53, 75, 208, 249
Gilbert, Daniel, 185, 190
Gleick, James, 354, 445
Goetz, Thomas, 450
Gold, David, 161
Goldberg, Lew, 364
Goodman, Steven, 405
Google, 41, 118, 130, 155-7, 367, 399,
405, 421-9
Gopnik, Adam, 158
Grafton, Scott, 302
Graham, Bill, 397
Graham, Martha, 340
gratificação adiada, 210, 245
Groopman, Jerome, 315
guerra, 217-8, 338

Harbor Freight Tools, 148-9
Hartzband, Pamela, 315
Harvard, Universidade, 408, 412
Haydn, Joseph, 443
Hayflick, limite, 208
Heródoto, 404
Herrera, Christopher, 312
heurística, 48

heurística da representatividade, 280

Hiparco, 206

hipocampo: e categorização, 93; e decisões éticas, 338; e língua escrita, 11; e memória, 78, 115, 125-6, 142, 351; e ordem temporal, 217-8; e sistemas de atenção, 74

hipótese léxica, 50, 55

histórias e relatos, 10, 47, 223-4, 313, 396

Hitler, Adolf, 174

homeostase, 235, 255, 472n

homossexualidade, 54

Honda, Larry, 145

horários, 243, 261-3

*House* (série de TV), 250

*How to Solve It* (Pólya), 422

Howe, Elias, 443

*Huffington Post*, 367

Hussein, Saddam, 174

Hyman, Mark, 416


Iaconesi, Salvatore, 156

idade e envelhecimento, 207, 237, 242, 244, 260, 266-7

ideologia, 194, 402, 404

ilusões cognitivas: correlação ilusória, 307-8, 310; e ilusões visuais, 48; e jogo, 277; e multitarefa, 131, 366, 381; e percepção de tempo, 205; e procrastinação, 248; e relações sociais, 186-7, 189-91, 194

implicaturas, 176-83

imunização, 301, 303

industrialização, 41, 324, 412

inferência, 176, 182, 190-1, 196, 228, 231; *ver também* pensamento bayesiano

informação ótima, 369, 370

informação: alfabetização da, 401-21; aquisição de, 398-9; consolidação da, 230, 232; recolhimento de, 152; teoria da, 371-9, 532n

informação, sobrecarga de, 27-64; e atenção, 32-8; e categorização, 49-64; e complexidade ótima, 369-71, 373; e extensões do cérebro, 98-106; e multitarefa, 132, 134; e namoro pela

internet, 172; e *"satisficing"*, 29; e sobrecarga decisória, 30; e sono, 235; infomania, 132; visão histórica, 38-49

*Information, The* (Gleick), 445

iniciativa disciplinada, 343

insônia, 239, 242

inspecionar, 445-6

Instituto Nacional de Doenças Mentais (EUA), 236

Instituto Nacional de Saúde (EUA), 314

Instituto Nacional do Câncer (EUA), 448

internet, 170-1, 404-7, 432, 435

intimidade, 167-8, 170

intuição, 420, 514n

invisibilidade, problema da, 185

Iraque, guerra, 303, 335


Jackson, Michael, 120, 402

Jagust, William, 267

Janata, Petr, 212

Jane, Patrick, 78

Jefferson, Thomas, 106, 339

jet lag, 241

Jobs, Steve, 314, 341

Joel, Billy, 443

jogo, 277, 345, 463-4

Jonas, Frank D., 128, 355

Josefo, 404

Júlio César, 339

júri, 191, 400


Kafka, Franz, 345

Kahneman, Daniel, 105, 143, 302, 309, 317, 371, 432

Kallman, Craig, 161, 163, 358, 361

Kant, Immanuel, 38

Kay, Paul, 58

Keele, Steve, 364

Kelleher, Herb, 340, 362, 526n

Keller, Bill, 402, 432

Kenet, Barney, 294

Kennedy, John F., 198, 432

Khrushchev, Nikita, 198, 432

Kickstarter, 153, 174

## ÍNDICE REMISSIVO 553

Kimball, Jeffrey, 117
Kolmogorov, teoria da complexidade de, 375, 378
Kosslyn, Stephen, 264, 401

Labov, William, 97
laço de ensaio, 100
Latané, Bibb, 200-2
Lavin, David, 262
Leibniz, Gottfried Wilhelm, 40, 101
lembretes, 163-4, 262, 360
Lennon, John, 120, 443
Leonardo da Vinci, 350
Lepper, Mark, 403
lesão cerebral e trauma, 95, 203-5, 234
Lessig, Lawrence, 138, 362
Lévi-Strauss, Claude, 59
liderança, 339-50, 526n
*Lila: Uma investigação sobre a moral* (Pirsig), 101
Lillard, Angeline, 434
limitação de recursos, 36, 46
limitações sensoriais, 209
limites de capacidade, 36, 42, 111
"limpar a mente", 99
linguagem, 50, 52, 55, 68, 232; *ver também* escrita
listas, 98-9, 101, 105, 211
listas de coisas a fazer, 100-1, 105, 211, 261
Littlefield, Edmund W., 61-2, 102, 359, 362
livre associação, 430-1
locus de controle, 345-9, 371, 388
Loftus, Elizabeth, 85
Londres, motoristas de táxi, 115
LSD, 184
Lucas, George, 106
Lucky, Robert, 467n
lugar próprio, regra do, 116-9
lugares designados, 116-9, 122
Luria, A. R., 89
luz do sol, 235, 239

maconha, 132, 184
Maddow, Rachel, 404

magnetoencefalografia (MEG), 68
Mark, Gloria, 214
Maslow, Abraham, 251
matemática, 22, 321-2, 450; *ver também* pensamento bayesiano
máxima griceana, 176-83, 196, 227, 412
maximização de lucros, 324
Mazur, Eric, 433
McCallum, Daniel, 326
McCartney, Paul, 219, 443
McChrystal, Stanley, 335
McEnroe, John, 256
Mechanical Turk, 157
medicina alternativa, 304, 310, 314
medicina homeopática, 304-6
medo, 484n
MegaUpload, 385
meios de comunicação, 401-2
memória: codificação da, 17, 32, 78, 115, 225, 229, 435, 441-2; desconfiança em relação à, 10; distorção da, 80-6; e atenção, 77-84; e categorização, 39, 87-98, 437-8; e escrita, 9-11; e jogo da memória, 351; e primeiros humanos, 50; e sono, 229-30, 234, 237, 240; falibilidade, 80-5; métodos de aperfeiçoamento, 14, 116, 441-2, 542n; neurociência da, 77-86; recuperação da, 17-9, 80-2, 86, 133, 229, 241, 358; *ver também* exteriorização da memória
memória do local, 116, 351
memória espacial, 115, 142
memória transativa, 164, 329
Menon, Vinod, 67, 70, 77, 344
mensagens de texto, 136, 264
*Mentalist, The* (série de TV), 78
mentira, 173-5, 179, 411
Merrill, Douglas, 130, 381, 437
metafísica, 101, 104
método de loci, 14, 116
Microsoft, 341, 368, 383
mídia hostil, efeito, 402, 404
migração seletiva, 244
Miller, Earl, 131, 133, 214
Miller, George, 468n

Milner, Peter, 137

*Mindwise* (Epley), 175

Mitchell, Joni, 119, 219, 479n

modo devaneio, 66, 67, 69-70, 74-7, 100; e atenção, 67; e criatividade, 250, 268, 443, 448; e leitura de ficção, 434; e livre associação, 430-1; e namoro on-line, 172; e organização do tempo, 214; e relações sociais, 195; e sistemas organizacionais, 363

Mogil, Jeff, 134, 364

moldura, 317-8

Moore, lei de, 449

moralidade, 338

Moreno, Jacob, 326

Mozart, Wolfgang Amadeus, 345, 350, 443

multitarefa, 42, 131-3, 214, 219-20, 365-73, 381

mundo dos negócios, 323-88; e causas organizacionais de falhas, 323-5; e estruturas organizacionais, 326-32; e liderança, 339-50; e locus de controle, 345-50; e multitarefa, 365-6, 369; e organização de dados, 350-65; e planejar para o fracasso, 381-8; e teoria da informação, 368-81; e tomada de decisões, 332-8

música, 219, 373, 468n

MySpace, 165

namoro pela internet, 170-4, 488-9n

Nass, Clifford, 365

negligência com o denominador, 309

neuroimagem, 68, 94

neurônios e redes neurais *ver* fisiologia do cérebro

neuroquímica: e atenção, 42-3, 74-7; e categorização, 93; e comunicação eletrônica, 138; e criatividade, 255, 268; e memória, 82; e multitarefa, 131-2, 366; e organização do lar, 110; e organização do tempo, 211-2, 214-5; e procrastinação, 246; e relações sociais, 184, 202; e sono, 233-5, 239, 242; *ver também* fisiologia do cérebro

*New York Times*, 30, 401-2, 432

*New Yorker*, 158, 399

Newton, Isaac, 205

Nietzsche, Friedrich, 443

Nixon, Richard, 249

NMDA, receptor, 211

nomes, 59-60, 441-2, 541n

Norman, Don, 63

número de pessoas a tratar, prática do, 288, 293, 300, 318, *319*

O'Neal, Shaquille, 418

Obama, Barack, 269, 362

objeto exemplar, 91

Olds, James, 137, 398

óleo de peixe, suplementos, 415-6

*Onde está Wally?* (livros infantis), 43-4, 152

*One Hundred Names for Love* (Ackerman), 430

Onze de Setembro, ataques terroristas, 83, 520n

ordem de magnitude, 420, 423, 425, 427, 429, 467n

organização de documentos, 351-65, 480n; *ver também* sistemas de arquivos

organização de ferramentas, 146, 148-9

organização do lar, 109-49

organização e estrutura hierárquica, 112, 130, 226-7, 326, 328, 330-9

organizações militares, 328, 334-5, 369

Otellini, Paul, 449

Overbye, Dennis, 30, 45

Oxford Filing Supply Company, 128

padrões de sono bimodal, 236-7

padrões jornalísticos, 402

padrões, reconhecimento de, 55, 301

Page, Jimmy, 219

parentesco, modelos de, 52-3, *54*

Pareto, estado ótimo de, 324

Patel, Shreena, 312

paternalismo médico, 298, 311

Patton, George S., 106

Parkinson, doença de, 212, 306

## ÍNDICE REMISSIVO   555

*Peer Instruction* (Mazur), 433

pensamento bayesiano, 281-304, 308, 316, 322, 453-64

pensamento crítico, 399, 405, 407, 417, 539n

pensamento e percepção não lineares, 66, 265, 267-8, 317, 448

pensamento ilógico, 277-8, 346

pensamento metódico, 421-30

percepção de cor, 58, 205

percepção temporal, 212, 214-5, 217-8, 223, 225-7, 230, 234, 244

perda de dados, 383-8

perder coisas, 17-8, 109, 114, 142-9

perfeccionismo, 219, 247-8

perícia, 87, 179, 223, 254-6, 391-401

permanência do objeto, 51

Perry, Bruce, 86

pessoas altamente bem-sucedidas (PABS), 33, 61-2, 248, 268, 353, 356, 358, 360-3

Peterson, Jennifer, 434

Picasso, Pablo, 340

Pierce, John R., 106

Pirsig, Robert, 101, 103-5, 123, 354-5, 358

planejamento, 71, 204, 220, 381-8

Platão, 39, 88, 97

plausibilidade, 415, 417, 540n

Plimpton, George, 248

Plutarco, 404

poderes paranormais, 410-1

Poldrack, Russ, 133

política internacional, 174, 198

Pólya, George, 422

ponto cego cognitivo, 37, 78

Ponzo, ilusão de, *48*

preconceitos: cognitivos, 47-8, *48*; de status quo, 394; distorção latente, 408; engajados, 404; grupo comum/grupo de fora, 194-6, 198-9, 202; preferência pela positividade, 267; tendência à novidade, 131, 166, 215, 258, 265; tendenciosidade intrínseca, 394

*Presidential Committee on Information Literacy* (EUA), 432

previsão, 409

primatas, 43, 165, 175

Prince, 219

Princeton Theological Seminary, 186-7

priorização, 29-31, 61-2, 448

probabilidade *ver* estatísticas

processamento cognitivo, 229-42

processamento distribuído, 19, 362

procrastinação, 243-50, 258, 400, 508n

propaganda, 47, 433

proporcionalidade básica, ocorrências, 278-83, 285, 287, 302-3, 316

pseudológica e pseudociência, 276-7, 305

psicologia, 68, 316, 334

psicologia social, 186

qualidade de vida, 291-3

racismo, 196

Raichle, Marcus, 67

raiva, 82

Randall, David K., 238

Randi, James, 306, 410

*Rápido e devagar: Duas formas de pensar* (Kahneman), 317

reCAPTCHAS, 156-7

recência, efeito de, 85, 476n

reconhecimento ótico de caracteres (OCR), 127, *157*

redes associativas, 85, 358

registros médicos, 143, 481n

Reithofer, Norbert, 341

relações sociais, 52-5, 150, 159-75, 183-4, 194-5, 197, 202, 258, 267

remédios herbais, 311, 314

Rentfrow, Jason, 244, 365, 443

ressonância magnética (RMI), 301

ressonância magnética funcional (FMRI), 68

*Riqueza das nações, A* (Smith), 324

Ritalina, 212, 215

ritmos cicardianos, 241-2

Robinson, Marilynne, 443

Rosch, Eleanor, 59, 87

Ross, Lee, 19, 188-9, 403-4, 411

Rothbart, Mick, 196, 495n
Royal Bank of Canada, 330
RxList.com, 405

Sacks, Oliver, 126
Sand, George (Amantine Dupin), 340
Sandberg, Sheryl, 99
Sanger, Lawrence, 393, 395, 534n
sarampo, 303
"*satisficing*", 28-9, 332, 373
Schultz, George, 199
Searle, John, 177-8, 180, 182
Segunda Guerra Mundial, 198, 218, 303
seleção, 170, 400
seleção aleatória, 413
seleção ativa, 61-2
seleção natural, 16, 59, 208
seleção por janelas, 409
Sêneca, o Jovem, 40
senhas, 139-41
sequências aleatórias, 278
serendipidade, 446
Serviço Nacional de Meteorologia (EUA), 276
Shakespeare, William, 350
Shannon, Claude, 371, 374, 377-9
Shapiro, Robert, 161, 163, 358
Shepard, Roger, 48, 88, 90, 352, 364
Shinohara, Katsuto, 416
Simon, Herbert, 28
Simon, Paul, 106
Simons, Daniel, 37
Simons, Jonathan, 293
síndrome disexecutiva, 210-1
sistema de alerta, 65, 215, 473n
sistema decimal de Dewey, 354, 446
sistema executivo da atenção, 244, 435; *ver também* função do executivo central
sistema mnemônico, 116
sistema rodoviário interestadual (EUA), 438, 439
sistemas de arquivamento, 128, 352-65, 444
Skinner, B. F., 117, 146
Slaney, Malcolm, 127, 365, 443

Slovic, Paul, 309
smartphones, 117, 130, 132
Smith, Adam, 324
Smithsonian American Art Museum, 398
sobrecarga cognitiva *ver* sobrecarga de informação
sociedades caçadoras-coletoras, 32, 38, 50, 278
sociedades tribais, 57, 59; *ver também* sociedades caçadoras-coletoras
sonhos, 233
sono, 75, 229-42
Spector, Paul, 348
Standard Time Act, 207
*Star Princess*, encalhamento, 238
STARS (Science Talks About Research for Staff) [Palestras sobre Pesquisa Científica para os Funcionários], 342-3
status socioeconômico, 412, 415
Steel, Piers, 245-6, 248, 508
Steely Dan, 219
Stickgold, Robert, 230-1
Stills, Stephen, 120
Sting, 257-8
subjetividade, 265, 274
sumérios, 39, 206
suplementos dietéticos, 306, 308, 312, 314
suplementos vitamínicos, 306-8, 314

tabela periódica dos elementos, 439, *440*, 441, 541n
tabelas quádruplas, 282-8, 298, 307, 309, 315-6, 322, 416, 453-64
Tamuz, 39
taxas de mortalidade, 291, 303
telecomunicações, 372, 374
telefones celulares, 45, 130, 132, 372
televisão infantil, 434
tempo de lazer, 45, 126, 167, 243, 367-8
teoria da previsibilidade, 316
Teste de Turing Público Completamente Automatizado para Diferenciar Computadores de Humanos (CAPTCHA), 156

## ÍNDICE REMISSIVO 557

testemunha ocular, 85
testemunhos pessoais nos anúncios, 47
Tetris, 232
*The Economist*, 304
Toga, Arthur, 267
tomada de decisão do consumidor, 47, 370-1
Tombrello, Tom, 152
tomografia por emissão de pósitrons (PET), 68
Toyoda, Akio, 341
Toyota, 341, 349, 368
trabalho paralelo, 45, 139, 404
traços definidores, 96, 98
tratamentos com radiação, 311, 317
Trump, Donald, 249
Tversky, Amos: e tabelas quádruplas, 285; e tomada de decisões, 105, 317, 319-20, 371; história do Volvo, 46; influência acadêmica de, 19; o dilema da roleta-russa, 521n; sistemas organizacionais, 364
Twain, Mark, 106, 243
Twitter, 137, 367, 402

U.S. Food and Drug Administration (FDA), 311
ultrassonografia, 301
unificação, 230-1, 233
Universidade McGill, 342
*Urology* (revista), 297
Uruk, cidade suméria, 39
Utah Construction (Utah International), 61, 362

Valins, Stuart, 191, 193
Vallone, Robert, 403
valor esperado, 288, 296, 464
Vance, Walter, 200

Velho Testamento, 193
Venhuizen, John, 111-2
viagem, 142, 242, 257-8, 387-8
vício, 137-8, 215, 259
vigilância, 43, 76, 473n
visão, 43-4, 48

Wales, Jimmy, 393
Walker, Matthew, 230-1
Walls, Jeannette, 256
Watson, James, 443
*Wayback Machine*, 536n
Wegner, Dan, 78
Wehr, Thomas, 236-7
Weisbord, Marvin, 343
Welch, Jack, 339-40, 526n
Whole Foods, 401
Wikipédia, 153, 158, 174, 392-7, 399, 406, 446
Wilson, Glenn, 132
Wisconsin Card Sorting Test, 222
Wittgenstein, Ludwig, 96
Wonder, Stevie, 219, 257
Wooton Desk (escrivaninha patenteada), 352
Wordsworth, William, 38, 443
World Wide Web, 152, 405-7, 535n
Wynn, Steve, 143, 269, 270, 277, 335-6, 463

Yates, JoAnne, 353
Young, Neil, 256-7
*Your Medical Mind* (Groopman e Hartzband), 315

Zander, Benjamin, 431
*Zen e a arte da manutenção de motocicletas* (Pirsig), 101

1ª EDIÇÃO [2015] 8 reimpressões

ESTA OBRA FOI COMPOSTA PELA ABREU'S SYSTEM EM ADOBE GARAMOND
E IMPRESSA EM OFSETE PELA GRÁFICA BARTIRA SOBRE PAPEL PÓLEN
DA SUZANO S.A. PARA A EDITORA SCHWARCZ EM ABRIL DE 2024.

A marca FSC® é a garantia de que a madeira utilizada na fabricação do papel deste livro provém de florestas que foram gerenciadas de maneira ambientalmente correta, socialmente justa e economicamente viável, além de outras fontes de origem controlada.